ZHINENG WULIU ZHUANGBEI
YU
XITONG GUANJIAN JISHU

智能物流装备与系统关键技术

曹冲振　王凤芹　著

化学工业出版社
·北京·

内容简介

本书从智能制造工程的视角，结合作者团队在智能物流技术与装备领域的案例和经验编写而成。全书共分6章，首先介绍了离散型智能工厂中智能物流的环节、仓储物流技术的发展趋势；然后重点介绍了智能工厂中各种输送机的关键技术，输送环节中常用的分流与合流技术，堆垛机型料箱库与托盘库立体仓库的关键技术，穿梭车型立体仓库的关键技术，以及典型自动导引车的结构与导引技术；最后介绍了基于 MIOT. VC 的智能物流系统仿真技术。

本书作为系统性介绍智能工厂中智能物流技术与装备的专业书籍，可供制造业物流领域的从业人员、对智能物流技术感兴趣的人员使用，也可供高校规划和管理专业的相关师生参考。

图书在版编目（CIP）数据

智能物流装备与系统关键技术 / 曹冲振，王凤芹著. 北京：化学工业出版社，2025. 11. -- ISBN 978-7-122-49052-0

Ⅰ. F252. 9

中国国家版本馆 CIP 数据核字第 2025H91K22 号

责任编辑：金林茹　　文字编辑：徐　秀　师明远
责任校对：张茜越　　装帧设计：王晓宇

出版发行：化学工业出版社
（北京市东城区青年湖南街13号　邮政编码 100011）
印　　装：三河市航远印刷有限公司
787mm×1092mm　1/16　印张 17¼　字数 436 千字
2026年1月北京第1版第1次印刷

购书咨询：010-64518888　　售后服务：010-64518899
网　　址：http://www.cip.com.cn
凡购买本书，如有缺损质量问题，本社销售中心负责调换。

定　　价：99.00 元

前言

PREFACE

当前，我国以智能制造为主攻方向推动产业技术变革和优化升级，推动制造业产业模式和企业形态根本性转变，以“鼎新”带动“革故”,以增量带动存量，促进我国产业迈向全球价值链中高端。智能制造是一个复杂而庞大的系统，包括智能产品、智能生产和智能服务，也包括工业物联网和智能制造云等支撑系统。智能生产是智能制造系统的核心，而智能工厂是智能生产的主要载体，通过引入智能制造技术，智能工厂能够实现高度自动化、信息化和智能化的生产过程，提高生产效率、产品质量，是现代制造业提升竞争力的关键。

离散型智能制造系统中智能加工、智能检测、智能装配、智能物流与仓储均是主要功能单元，智能物流与仓储将其他功能单元连接起来，在智能制造系统中起着非常重要的作用。

目前系统地论述智能物流装备与系统的书籍较少。作者团队在智能物流装备与系统方面从事了多年的教学与科研工作，接到出版社的书稿邀约，很是高兴，也倍感压力，高兴的是能把作者团队多年来的工作总结出来供读者参考，共同促进这一领域的发展，同时又担心能力有限，不能把当今智能物流装备与系统的进展和发展趋势论述清楚。

本书在论述各种智能仓储物流装备时，不仅阐述其功能特点与应用场景，而且注重原理与结构的分析，大部分原理与结构是基于三维模型分析的，直观易懂；特别注重智能物流装备按照料箱库、托盘库两类典型存储单元分别论述，堆垛机型立体仓库与各类穿梭车型立体仓库也是把这两类存储单元分别论述，这样读者更容易理解和掌握。在论述四向穿梭车行走、换向与顶升三个独立运动的实现方式时，分别介绍了三个驱动、两个驱动两种方案的原理，非常详细，同时也是现有文献首次清晰论述为什么能用两个驱动实现三个独立运动，这是目前四向穿梭车的主流技术，也是读者经常困惑的内容。

本书第 6 章的案例是前 5 章内容的综合应用，也是基于数字化工业仿真平台——美擎仿真开发的，基于 3D 模型的物流系统仿真形象直观，有助于读者理解。

智能物流装备与系统中，分拣技术与装备是重要的一部分，在快递行业、电商分拣中心等应用较多，但本书以智能制造视角来编写，而智能制造系统中分拣技术与装备应用不多，所以本书没有把分拣技术与装备列入其中，只是对智能制造系统中应用较多的分流与合流技术做了介绍，分流与合流技术是分拣技术的一部分。

本书由曹冲振、王凤芹著。王凤芹负责 1、2 章，其余章节由曹冲振负责，全书由曹冲振统稿。

囿于著者自身水平，本书难免会有不足之处，诚盼读者批评指正。

著者

目录
CONTENTS

绪论

0.1　智能物流与智能制造

智能制造是新时代全球制造业竞争的战略制高点，也是中国制造强国战略的主攻方向。所谓智能制造，是基于新一代信息技术，贯穿设计、生产、管理、服务等制造活动各个环节，具有信息深度自感知、智能优化自决策、精准控制自执行等功能的先进制造过程，是系统与模式的总称，具有以智能工厂为核心、以端到端数据流为基础、以网络互联为支撑等特征。实现智能制造，可以缩短产品研制周期、降低资源能源消耗、降低运营成本、提高生产效率、提升产品质量。智能制造是一个不断演进发展的概念，可归纳为三个基本范式：数字化制造、数字化网络化制造、数字化网络化智能化制造，这也是智能制造发展的三个阶段。

智能制造体系结构如图 0-1 所示，工厂智能物流是智能工厂的重要组成部分，智能产

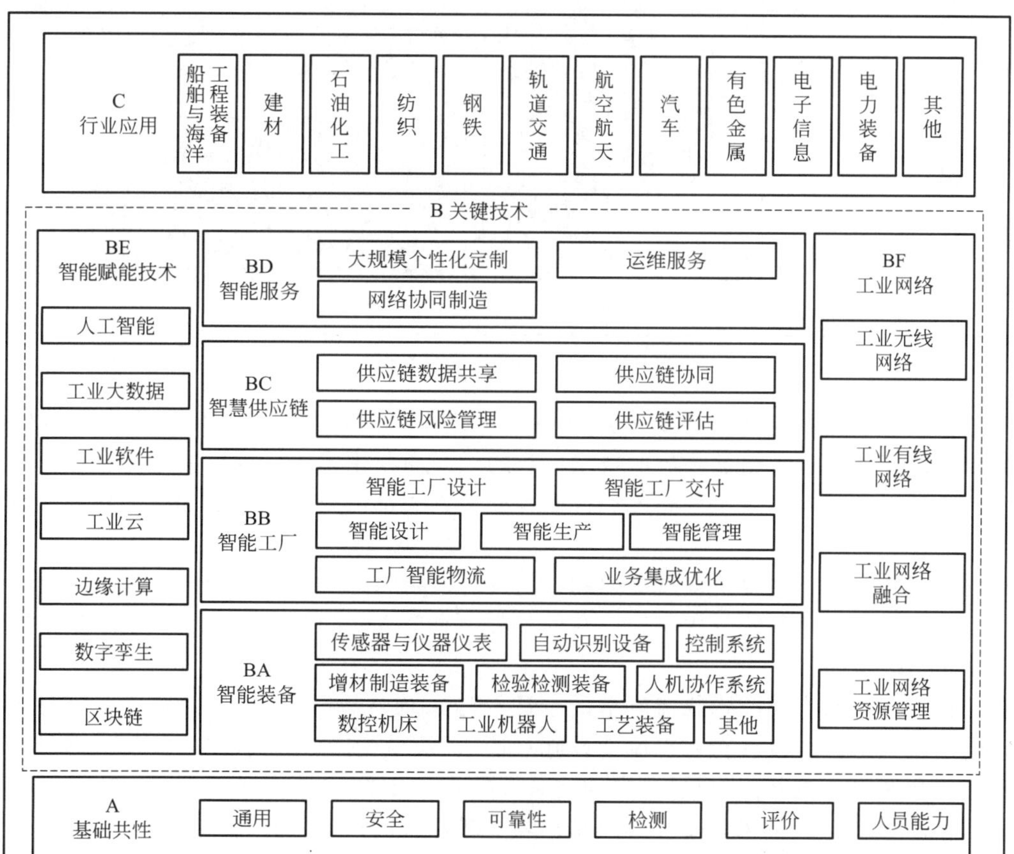

图 0-1　智能制造体系结构

线、智能车间和智能工厂难以离开智能物流。智能物流系统实现了物料在生产工序间流转，支持智能制造系统高效运行。智能物流是降低生产成本、提高生产效率和产品质量的重要手段，是实现智能制造的关键技术之一。本书基于智能制造的视角，介绍目前主流的物流装备关键技术。

0.2 智能物流在智能工厂中的环节

智能工厂包含但不限于智能生产和智能物流，智能工厂通过智能物流体系实现工厂内部的整合，智能生产作为交付过程中的一个环节，将智能生产设施融入智能物流系统中，从而实现“智能工厂物流中心化”。理念上更加强调生产是物流流通过程的构成部分，有效拉动物流管理，以此实现价值链的拉动。

智能工厂物流主要包括入厂物流环节、仓储配送物流环节、车间物流环节（涵盖生产物流环节、成品仓储与装卸发货环节），这是智能物流工厂的基本框架，如图 0-2 所示。

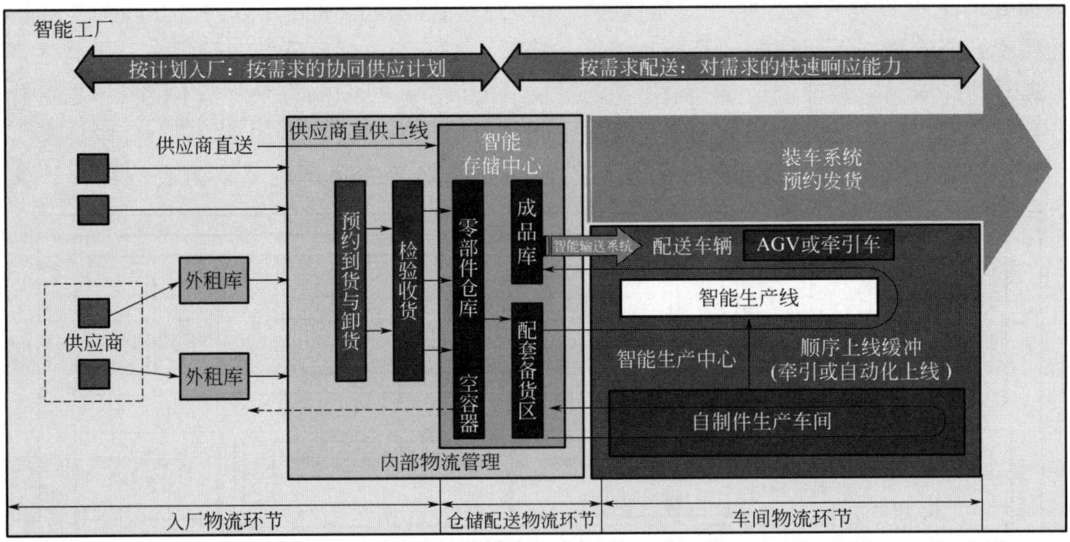

图 0-2　智能工厂物流基本框架

入厂物流环节由供应商送达所需原材料、配件等，有的供应商直接供应配件至生产车间，减少仓储环节，这是精益物流的要求；有的供应商租用本工厂附近的外部仓库，从附近仓库配送原材料或配件至本工厂仓库。这两种配送方式都需要经过货后卸货、检验、收货等环节。

仓储配送物流环节主要是实现有效的物料管理、物料科学上线以及物料与工位智能化匹配，主要通过仓库管理系统（WMS）、仓库控制系统（WCS）与入厂物流的智能收货与检验、生产物流环节对接。

生产物流环节与仓储配送物流环节的仓库管理系统（WMS）和智能输送系统对接，实现智能输送及与工位对接（与智能制造设施对接）、条码/射频识别技术（RFID）数据识别、智能单元化包装（与机器人对接）、自动化装配技术、工位物料管控与双箱制拉动、空容器回收、不良品处理、订单尾数处理、成品包装下线以及制造过程数据化、追溯智能化。所谓双箱制拉动是将同一物料储存在两个箱子（或容器）中进行库存管理与生产物料供应的方式。通常一个箱子的物料数量设定为最小值，两个箱子的物料数量总和为最大值，当其中一个箱子的物料被用完时，会触发补货订单，利用另一个箱子的物料维持生产，直到补货到达。

装卸发货环节主要是从成品下线到最终交付给客户或消费者的过程，可能涉及输送—码垛—入库、成品仓库及运作、出库拣选与备货管理、装车算法、智能化快速装车技术、成品运输、发货计划协同、物流网络布局与库存部署、全过程导航与追溯。

本书着眼于介绍仓储物流环节的关键技术，包括仓储配送物流环节与生产物流环节，对入厂物流和装卸发货环节不作重点介绍。

0.3 仓储物流技术

仓储物流的主要功能是完成货物（零部件）的存储、拣选与输送。为提高单位面积货物（零部件）的存储数量，同时也便于拣选，货物（零部件）在智能工厂仓库中一般存储在高层货架上，只有少数货物是存储在地面上的。

货架上的货物存储通常以托盘与料箱作为存储单元，托盘与料箱也是货物搬运和运输的主要单元。托盘通常用于支撑货物，使其便于机械化操作。根据GB/T 2934—2007标准，推荐的托盘平面尺寸主要有1200mm×1000mm和1100mm×1100mm，优先推荐1200mm×1000mm，插孔的高度标准值是95mm，最大值为100mm，最小值为89mm。料箱则用于装载和保护货物，确保其在运输过程中的安全性和完整性，其相关的国家标准为GB/T 15234—1994，长、宽、高为600mm×300mm×200mm的料箱是最常用的周转料箱。

相应地，各类仓储物流关键技术均分为托盘类型和料箱类型，因两类仓储单元的重量、体积差别较大，所以每种仓储物流关键技术均要考虑两类仓储单元的不同。

智能工厂的仓储物流是将原材料和生产出来的半成品、成品存放在仓库的立体货架上，通过合理布局和规范作业，提高仓储容量和出入库效率。仓储物流技术可分为输送技术、分流与合流技术、堆垛机型立体仓储技术、穿梭车型立体仓储技术和自动导引车技术，其中堆垛机型立体仓储技术、穿梭车型立体仓储技术是货物在立体货架上实现高密度存储、高效率存取的技术，是仓储物流的主体；输送技术、分流与合流技术、自动导引车技术，是货物进入立体仓库、按照要求分流离开立体仓库的技术。

0.3.1 堆垛机型立体仓储技术发展历程与趋势

(1) 发展历程

① 初期发展阶段（20世纪50年代末～60年代）。

20世纪50年代末60年代初，出现了司机操作的巷道式堆垛起重机立体仓库。巷道式堆垛起重机能够在货架之间的巷道内运行，实现货物的精确存取，大大提高了仓储空间的利用率和货物的存取效率。

1963年，美国率先在高架仓库中采用计算机控制技术，建立了第一座计算机控制的立体仓库。计算机控制技术的应用，使堆垛机立体仓库的自动化程度和管理水平得到了显著提高。此后，自动化立体仓库在美国和欧洲国家得到迅速发展，并形成了专门的体系。

我国对自动仓储系统的研制开始时间并不晚，1963年机械部北京起重运输机械研究所研制出第一台桥式堆垛起重机。

② 快速发展阶段（20世纪60～80年代）。

20世纪60年代中期，日本开始兴建立体仓库，并且发展速度越来越快，成为当今世界上拥有自动化立体仓库最多的国家之一。日本在引进美国技术的基础上，结合本国国情，对堆垛机立体仓库进行了大量的技术创新和改进，使其在性能和可靠性方面得到了进一步提升。

20 世纪 70 年代末，随着电子技术、自动化技术和计算机技术的不断发展，堆垛机立体仓库进入了自动化控制阶段。这一时期的堆垛机采用了更先进的控制系统和传感器，能够实现自动定位、自动识别货物等功能，进一步提高了仓库的自动化水平和运行效率。

20 世纪 80 年代末，堆垛机立体仓库进入集成化系统阶段。这一时期的立体仓库不仅实现了堆垛机、输送机、自动导引车等设备的集成化控制，还与企业的生产管理系统、物流配送系统等进行了有机结合，形成了一个完整的物流自动化系统。

我国机械部北京起重运输机械研究所 1973 年开始研制第一座由计算机控制的堆垛机自动化立体仓库（高 15m），该库于 1980 年投入运行。1974 年，我国引进堆垛机自动化立体仓库技术，首个试点项目是郑州纺织机械厂立体库。

③ 智能化发展阶段（20 世纪 90 年代至今）。

20 世纪 90 年代，堆垛机立体仓库进入智能型系统阶段。随着人工智能、神经网络、模糊控制等技术的不断发展，堆垛机立体仓库开始具备智能决策、智能调度、故障诊断等功能，能够根据货物的存储情况和出入库需求，自动优化存储策略和作业流程，提高仓库的运行效率和管理水平。

进入 21 世纪，堆垛机立体仓库向“3i”（智能、集成、信息）系统过渡。这一时期的堆垛机立体仓库不仅具备更高的智能化水平，还实现了与企业信息系统、供应链系统等的深度集成，能够实时共享和交换信息，实现物流、信息流和资金流的一体化管理。

我国堆垛机自动仓储技术已较成熟，公开信息显示，2023 年，我国自动化立体仓库保有量突破 10000 座。2019 年，我国自动化立体仓库保有量达到 6000 座左右，从 2019 年到 2023 年这五年间新增加超过 4000 座。我国部分企业逐步承接国外堆垛机立体仓库的建设项目，产能输出越来越多。

（2）发展趋势

堆垛机立体仓库的未来发展趋势主要体现在以下几个方面。

① 智能化与自动化程度更高。

a. 自主决策与优化：利用人工智能和机器学习技术，堆垛机能够自主学习和分析数据，自动优化货物存储策略和作业路径，如根据货物的出入库频率自动调整存储位置，以提高整体作业效率。

b. 智能识别与感知：通过先进的传感器和机器视觉系统，堆垛机可以更精准地识别货物的种类、形状、尺寸和位置，实现自动分拣和出入库操作，还能实时感知周围环境、自主避障、适应复杂多变的仓库环境。

c. 远程监控与管理：借助物联网和云计算技术，操作人员可以通过手机、电脑等终端远程监控堆垛机的运行状态、故障信息等，进行远程调度和控制，实现智能化的仓库管理。

② 节能和环保。

a. 高效节能驱动系统：采用更先进的电机、传动装置和节能控制系统，提高能源利用效率，降低能耗，如使用永磁同步电机、能量回馈装置等，可在运行过程中回收和再利用能量。

b. 优化仓库布局与运行策略：通过合理规划仓库布局，优化堆垛机的行走路径和作业流程，减少空驶里程和等待时间，降低整体能源消耗。

c. 应用环保材料与技术：在堆垛机的制造和仓库建设中，更多地使用环保材料，减少对环境的影响，提高仓库的绿色化水平。

③ 多功能化与柔性化。

a. 具备多种作业能力：除了传统的货物存储和搬运功能，未来的堆垛机将集成分拣、包装、盘点等多种功能，实现一站式的物流服务，以适应不同行业和企业的多样化需求。

b. 可快速重构与调整：采用模块化和可重构设计，堆垛机能够根据仓库的业务变化和需求，快速进行功能扩展、设备升级或布局调整，具有更强的柔性和适应性。

c. 与其他设备协同作业：与自动导引车（AGV）、机器人、输送机等其他物流设备实现无缝对接和协同作业，构建高效、灵活的智能物流系统，共同完成复杂的物流任务。

④ 数据化与集成化管理。

a. 深度数据分析：利用大数据技术对堆垛机和仓库的运行数据进行深度挖掘和分析，为企业提供库存管理、设备维护、物流规划等方面的决策支持，帮助企业优化资源配置，提高运营效率。

b. 系统集成融合：堆垛机型立体仓库将与企业的生产管理系统、供应链管理系统等进行深度集成，实现信息的共享和协同，使仓储环节更好地融入企业的整体运营流程，提高供应链的透明度和响应速度。

c. 智能预警与维护：通过对设备运行数据的实时监测和分析，建立故障预测模型，提前预警设备故障，实现预防性维护，减少设备停机时间，提高设备的可靠性和使用寿命。

0.3.2 穿梭车型立体仓储技术发展历程与趋势

(1) 发展历程

① 初期发展阶段（20 世纪 60～70 年代）。

20 世纪 60 年代，自动化立体仓库出现，最早被应用在军事领域搬运笨重物料。随后，堆垛机由专用电子控制器控制运行，库存也由计算机系统管理。到 20 世纪 70 年代末，自动化技术进一步应用于仓储系统，实现了自动化控制。此时的穿梭车开始出现雏形，主要用于导轨上的前后移动，功能相对简单，并且需要人工控制。

② 技术拓展阶段（20 世纪 80～90 年代）。

20 世纪 80 年代末，仓储系统进入集成化系统阶段，穿梭车技术也得到了进一步发展。增加了左右移动功能，形成了四向穿梭车，能够在平面内实现更灵活的移动。同时，引入了电脑控制系统，使穿梭车能够自动完成一些基本任务，开始与其他仓储设备如输送线、提升机等协同作业。20 世纪 90 年代，智能型系统兴起，穿梭车开始具备一定的智能感知和决策能力。例如能够通过传感器检测货物的位置和状态，根据预设的规则进行货物的存取操作。

③ 完善与成熟阶段（21 世纪初～2010 年）。

穿梭车功能不断完善，逐渐实现了全自动化运行，安全性和耐用性也得到了很大提升。这一时期，激光导航、RFID 等先进技术被广泛应用于穿梭车，使其能够更精准地完成货物的存取、盘点等任务，并且与上位机、WMS 的通信更加稳定和高效，实现了自动识别和自动存取功能。

2019 年，奥地利 TGW 公司为亚玛芬体育打造的库架一体穿梭车系统，属于国际企业在华项目，是国内较早的穿梭车型立体仓库。我国第一个穿梭车型立体仓库项目是昆明机务段临修库项目，由 GALAXIS 公司于 2021 年建设完成。

④ 智能化发展阶段（2020 年至今）。

随着物联网、大数据、人工智能等技术的不断融合应用，穿梭车进入了智能化时代。能够根据 AI 算法进行自我学习和决策，智能化调度系统使穿梭车能够在横向和纵向轨道上运行，实现多层多车协同并行作业。例如力生智能的四向穿梭车系统采用先进的动态 AI 寻路算法，能够实时计算最优路径，确保车辆快速响应搬运指令，避免交通拥堵。

（2）发展趋势

穿梭车型立体仓库的未来发展趋势如下。

① 技术创新层面。

a. 智能决策与自主学习：未来穿梭车型立体仓库将利用更先进的人工智能算法，根据实时的仓储数据和业务需求，自主学习并优化任务分配、路径规划等，如在电商大促等订单高峰时期，能自动调整策略，优先处理紧急订单。

b. 高精度感知与识别：借助更先进的传感器和机器视觉技术，穿梭车可以更精准地识别货物的种类、状态、摆放角度等细节，即使在复杂的光线条件和货物堆叠情况下，也能准确无误地进行存取操作。

c. 高速与高效运行：研发更先进的驱动系统和机械结构，进一步提高穿梭车的运行速度和加速度，减少货物的存取时间，同时提高系统的稳定性和可靠性，确保在高频率作业下的精准运行。

② 节能与环保层面。

a. 能源利用优化：一方面，采用更高效的电池技术和充电管理系统，提高电能的存储和利用效率，延长穿梭车的续航时间；另一方面，利用能量回馈技术，将穿梭车在制动、下坡等过程中产生的能量回收再利用。

b. 环保材料应用：在仓库建设和设备制造中，更多地使用可回收、可降解的环保材料，减少对环境的影响，同时降低设备运行过程中的噪声。

③ 系统功能层面。

a. 高度柔性化：可根据不同的货物类型、尺寸、质量和仓储需求，快速调整系统的布局和功能，如通过增加或减少穿梭车数量、更换不同类型的货叉或夹具等，实现对各种货物的高效存储和搬运。

b. 深度协同化：与自动导引车（AGV）、机器人、输送线、堆垛机等其他物流设备，以及生产系统、订单管理系统等进行深度融合和协同作业，实现从原材料采购、生产加工到产品销售的全流程自动化和智能化。

④ 数据应用层面。

a. 深度数据分析与预测：基于大数据分析技术，对仓储数据进行深度挖掘，不仅可以实现库存的精准管理和设备的预防性维护，还能对未来的业务需求、货物流动趋势等进行预测，为企业的战略决策提供支持。

b. 智能仓储生态构建：通过数据共享和交互，将穿梭车型立体仓库与上下游企业的仓储系统、物流网络等连接起来，构建一个更加广泛、高效的智能仓储生态系统，实现整个供应链的可视化和协同优化。

0.3.3 AGV 技术发展历程与趋势

（1）发展历程

① 起源与初期发展（20 世纪 50～70 年代）。

1953 年，美国 Barrett 电子公司制造出世界上第一台 AGV，由牵引式拖拉机改造，在杂货仓库沿空中导线运输货物。1954 年，英国研发出电磁导引的 AGV。20 世纪 60 年代后，AGV 开始采用晶体管技术，性能提升，20 世纪 70 年代，AGV 采用真空管电子技术，开始在工业生产中实际应用，如沃尔沃瑞典汽车厂。

② 技术突破与成长（20 世纪 70 年代末～90 年代）。

20 世纪 70 年代后期，中国开始研究 AGV 技术。20 世纪 80 年代，无线式导航技术被引入，如激光或惯性导航，提高了 AGV 的灵活性和准确性，还出现了麦克纳姆轮 AGV。20 世纪 90 年代，惯性导航、电子导航和无接触传感器在 AGV 中广泛应用，德国工程师协会等组织开始实施 AGV 标准，推动了技术的标准化。

③ 智能化发展（21 世纪初期至今）。

2000 年左右，简易型 AGV 兴起，视觉辅助、无线网络协作和可变导航等技术逐步发展。2013 年以后，人工智能在 AGV 导航、避障、引导和视觉系统等方面被广泛应用，开源软件被大量采用，5G 无线导航取得进展，AMR 与 AGV 技术开始融合，移动操作器的出现进一步推动了 AGV 的自动化和灵活性发展。

（2）发展趋势

① 智能化与自主性增强。运用深度学习和强化学习等人工智能技术，AGV 将具备更强的环境感知、数据分析和自主决策能力。例如通过高精度定位与导航技术，基于 UWB（超宽带技术）、激光雷达、视觉 SLAM（同步定位与地图构建）等的融合应用，实现厘米级精确定位与自主导航，能实时识别并动态调整路线避开障碍物。

② 跨行业应用扩展。从传统的工业制造、物流仓储，向医疗、农业、服务等更多行业拓展。如在医疗领域可用于药品和医疗器械配送，在农业中可进行农产品运输等。

③ 协作与协同发展。多台 AGV 通过先进的调度系统和通信技术，紧密配合共同完成复杂任务。如在大型电商仓库中，众多 AGV 分工协作，有的取货、有的运输、有的分拣。而且 AGV 还将与人类、其他机器人、生产设备等更好地协同工作，提高生产效率和工作环境安全性。

④ 人性化设计和交互。增加声音、灯光提示和触控屏幕等人机交互方式，使操作员与 AGV 沟通更便捷。未来可能还会应用人形机器人和情感识别技术，提供更好的用户体验。

⑤ 绿色能源与可持续发展。采用锂离子电池、燃料电池、固态电池等环保电池技术，降低能耗与排放，提高续航能力。同时，能量回收技术的应用也将进一步提升 AGV 的能源利用效率。

⑥ 智能预测与维护。借助 AI 算法分析运行数据，预测维护需求，减少非计划停机时间，降低维护成本。通过云端健康管理平台，集成数据分析、故障诊断、远程升级等功能，实现维护服务的智能化与高效化。

第 1 章

输送技术

输送系统是智能工厂物流系统中非常重要的部分，本书所介绍的输送与提升技术主要是针对单元货物的，如托盘单元货物和料箱单元货物，散料的输送可以参考相关书籍，这里不做介绍。

按照输送载体不同，输送机可以分为带式输送机、链式输送机和辊筒输送机。输送机不仅可以水平输送，还可以垂直输送，按照输送是否连续，垂直输送机有连续提升机和往复提升机两类，本章主要介绍连续提升机，往复垂直提升机在穿梭车型立体仓库中介绍。

1.1 带式输送机

带式输送机是以输送带作牵引和承载构件进行物料输送的连续输送设备。自 1868 年英国发明了带式输送机，它一直是一种常用的物流输送设备。

1.1.1 带式输送机的特点及分类

(1) 带式输送机特点

① 输送能力强，效率高；

② 结构比较简单紧凑，动作单一，自身重量较轻，造价较低，速度稳定，输送过程中消耗功率变化不大；

③ 输送距离可以较长，不仅单机长度较长，且可由多台单机组成更长距离的输送线路；

④ 便于实现自动控制。

(2) 带式输送机应用

带式输送机应用广泛，大量用于家电、电子、电气、机械、烟草、注塑、邮电、印刷、食品，以及物件的组装、检测、调试、包装及运输等各行各业。在物流输送设备中，带式输送机是较经济的输送设备。

(3) 带式输送机种类

按其输送能力可分为重型带式输送机（如矿用带式输送机）和轻型带式输送机（如用在电子、塑料、食品、轻工、电气等行业中的输送机）。

按输送带种类可分为橡胶带输送机、纺织带输送机、树脂带输送机、钢带输送机、金丝网带输送机。

按输送机线路布置可分为平带输送机和弧形带式输送机。

本章主要按输送机线路布置分类进行分析。

1.1.2 工作原理及输送能力

(1) 带式输送机工作原理

带式输送机工作原理：首尾相接的环形输送带紧套在输送机的主动辊筒和从动辊筒上，

主从动辊筒支撑在输送机的机架上，主动辊筒通过电机、减速传动系统驱动后，依靠其与输送带之间的摩擦力，驱动输送带做循环运动，输送带上的物料随着输送带的运动而被搬运。需注意的是，带式输送是把电机的机械能转化为输送带的动能，再转化为输送货物的动能，而常见的带传动是把主轴的动能传递给从动轴，二者之间结构相似，原理不同。

典型的带式输送机的结构组成如图 1-1 所示，主要由支腿 1、减速电机 2、传动系统 3、主动辊筒 4、输送带 5、从动辊筒 6、张紧装置 7 和框架 8 组成。输送带 5 上表面为输送货物的承载面，货物在输送过程中，货物质量与部分输送带 5 的质量压在框架 8 上表面，产生了滑动摩擦，所以应尽可能降低摩擦系数，同时，张紧装置 7 需要使输送带 5 与主动辊筒 4 之间的压力产生足够的静摩擦力，才能使主动辊筒 4 驱动输送带 5 循环运动，否则主动辊筒 4 与输送带 5 之间产生滑动而导致输送失效。

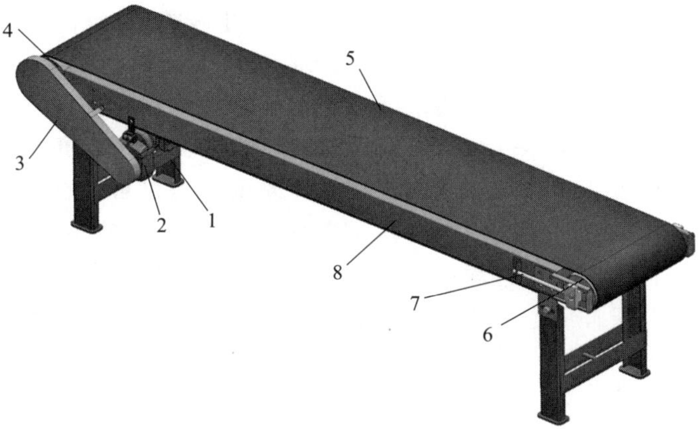

图 1-1　带式输送机的结构组成

1—支腿；2—减速电机；3—传动系统；4—主动辊筒；5—输送带；6—从动辊筒；7—张紧装置；8—框架

（2）带式输送机的输送能力计算

带式输送机可输送货物的种类较多，其输送能力 I_M 一般用每小时输送货物的质量表示，可计算如下：

$$I_M=\frac{m\times 3600v}{\lambda}\times\frac{1}{1000} \tag{1-1}$$

即

$$I_M=3.6\frac{mv}{\lambda} \tag{1-2}$$

式中　I_M——物流输送能力，t/h；

m——单件货物质量，kg；

λ——货物在输送机上的间距，m；

v——带速，m/s，对于成件货物，一般 $v\leqslant 1.25$m/s。

1.1.3　平带输送机

（1）平带水平输送机

平带水平输送机用于起始两端位置高度相同的货物运输，常用于搬运同层物料。货物依靠与输送带之间的摩擦力随平带一起运动，如图 1-1 所示。两台平带输送机采用图 1-2 的方

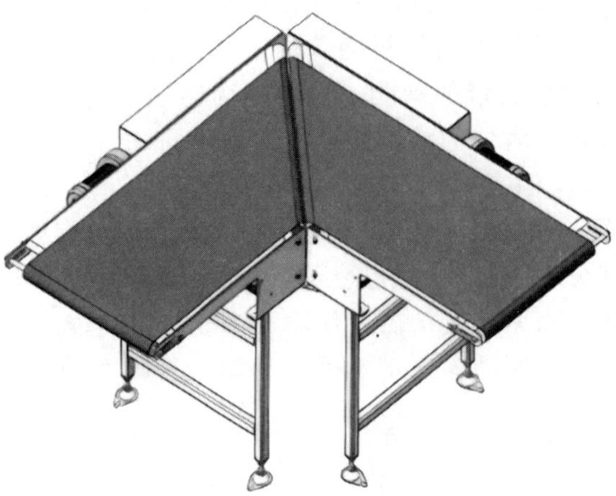

图 1-2 90°转弯对角输送机

式对接，称为90°转弯对角输送机，可以使货物实现90°转弯的输送，适合轻载货物，转弯半径很小，在一些转弯半径很小的场景下可以选用。

(2) 带式倾角输送机

带式倾角输送机用于起始两端位置高度不同的货物运输，如图 1-3(a) 所示，常用于搬运异层物料；图 1-3(b) 所示的波状挡边输送带为主要部件时，倾斜角度可接近 90°。

(3) 伸缩式输送机

伸缩式输送机，简称伸缩皮带机，是在传统带式输送机上加装了伸缩机构，使其能够在完成输送的同时进行伸缩运动，可双向运转输送物料；伸缩皮带机主要用于仓库、卸货月台等场景，缩短了人工往返搬运物料的距离，缩短装卸货时间，降低劳动强度，减少货品损伤，降低装卸成本，提高工作效率。平带伸缩式输送机可以在长度方向上自由伸缩，随时控制输送机的长度。可与其他输送设备和物料分拣系统配合使用，实现物料出入库或车辆装卸的自动化生产，在各行业中均得到广泛的应用。平带伸缩式输送机分为一级伸缩、二级伸缩和多级伸缩。三级伸缩的四节平带伸缩输送机如图 1-4 所示，顶升液压缸 2 是为调节输送机的倾斜角度设置的。

(a) (b)

图 1-3 带式倾角输送机

伸缩皮带机有两个关键技术：一是保证输送带长度始终处于张紧的状态，也就是在伸出或缩回时，实现输送带张紧且长度不变；二是用一个驱动实现多级伸缩。

① 输送带张紧且总长度不变原理。先以一级伸缩的两节皮带机为例，说明输送带张紧且总长度不变的原理。

如图 1-5 所示，两节伸缩平带输送机，利用皮带长度不变的原理工作，伸缩时整条输送带的总长度不变。

如图 1-6 所示，带式输送机有四个辊筒，辊筒 1 和辊筒 4 转动中心是固定的，辊筒 2 和辊筒 3 安装在第二节上，可以随着第二节水平移动，那么辊筒 2 和辊筒 3 之间的距离是确定的，设两辊筒水平方向的中心距离为 L。当辊筒 2 和辊筒 3 一起向左移动 ΔS 时，输送带的

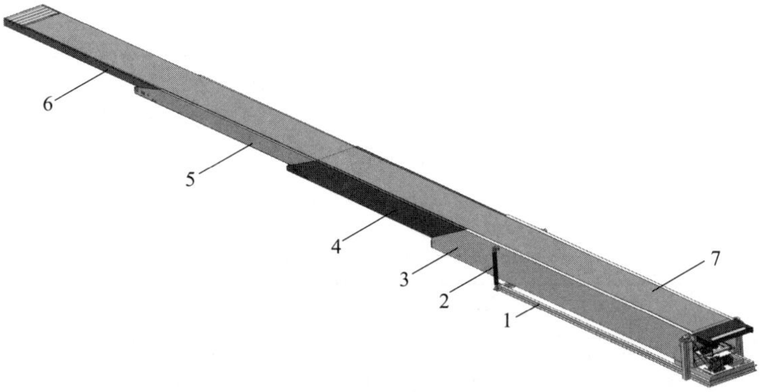

图 1-4　三级伸缩的四节平带伸缩输送机

1—底座；2—顶升液压缸；3—第一节；4—第二节；5—第三节；6—第四节；7—输送带

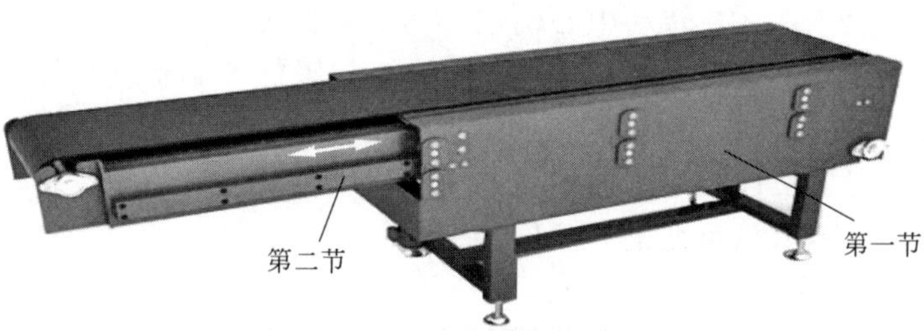

图 1-5　两节伸缩平带输送机

形状发生了变化，辊筒 1 和辊筒 2 之间的输送带长度增加了 ΔS，但辊筒 3 和辊筒 4 之间的输送带长度缩短了 ΔS，所以输送带总长度并没有改变。

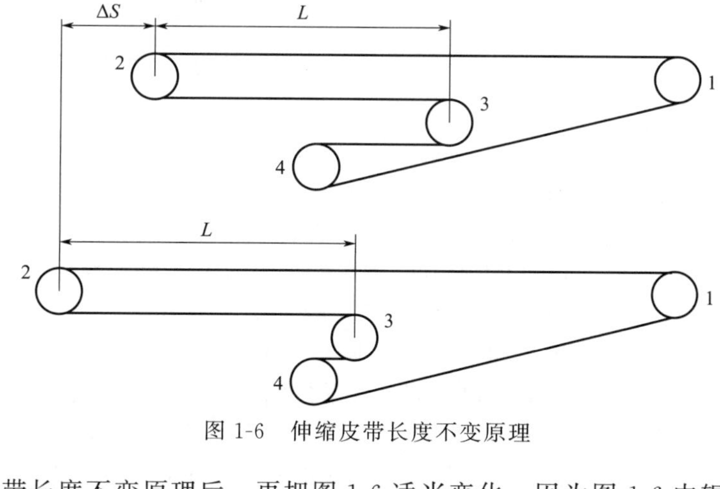

图 1-6　伸缩皮带长度不变原理

理解了输送带长度不变原理后，再把图 1-6 适当变化，因为图 1-6 中辊筒 4 到辊筒 1 和 2 连线的距离有些大，进一步减小后，如图 1-7 所示。这样修改后，辊筒 2 和辊筒 3 相连的输送带不再水平，由于辊筒 2 和辊筒 3 相对位置固定，所以即使这段输送带是倾斜的，在伸缩运动中长度并不发生变化，所以输送带总长度也没有改变，但可以明显地看出，由于辊筒 3 到辊筒 1 和辊筒 2 连线的距离变小了，在高度上辊筒布局更紧凑了。

根据图 1-7 改进的伸缩皮带长度不变原理，可以画出三级伸缩（四节）皮带的原理图，

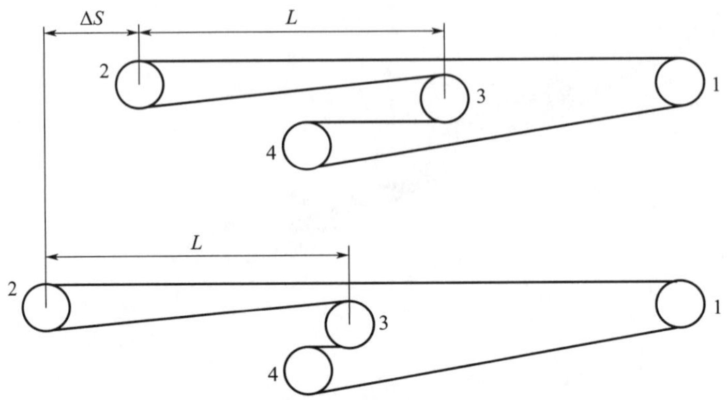

图 1-7　改进的伸缩皮带长度不变原理

图 1-8(a) 所示为伸出的输送带状态，图 1-8(b) 所示为缩回的输送带状态。下面对图 1-8(a) 作分析，辊筒 1、2、9、10 转动中心确定，均安装在第一节上，辊筒 1 为驱动辊筒，直径大一些，增大摩擦面积；辊筒 3 与辊筒 4、辊筒 5 与辊筒 6、辊筒 7 与辊筒 8 三组辊筒在水平方向与竖直方向上的距离分别相等，所以连接辊筒 3 与辊筒 4、辊筒 5 与辊筒 6、辊筒 7 与辊筒 8 的输送带平行且长度相等；辊筒 4 与辊筒 5、辊筒 6 与辊筒 7、辊筒 8 与辊筒 9 之间的输送带是水平的，距离是可变的，且同步变化。

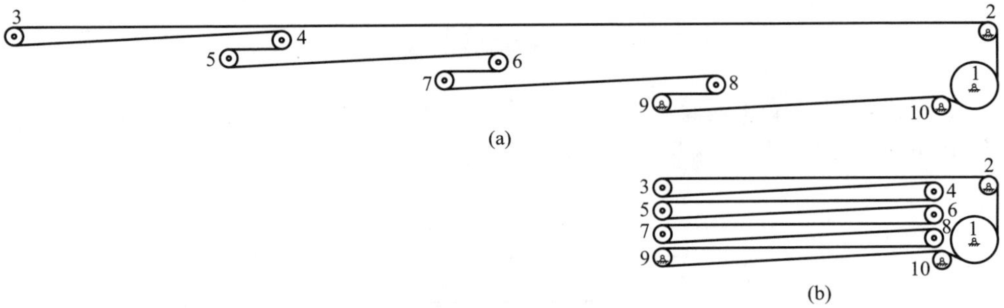

图 1-8　三级伸缩的四节输送机输送带驱动原理图

图 1-8(b) 中，辊筒 4 与辊筒 5、辊筒 6 与辊筒 7、辊筒 8 与辊筒 9 之间的距离增大到最大状态，此时，辊筒 3、5、7、9 在竖直方向上对齐；辊筒 4、6、8 在竖直方向上对齐，辊筒 10 可与这三个辊筒对齐，也可以不对齐，不影响伸缩时总长度的变化。

② 一个驱动实现多级伸缩的工作原理。多级伸缩皮带机实现多级伸缩时，每级伸出距离相同且同步，如果用多个电机驱动，不仅成本高，而且同步性也难以保证，所以用一个驱动实现多级伸缩的方案是最经济的，也是同步性最好的。图 1-9 是三级伸缩的四节皮带机伸缩原理图，其工作原理为：第一节与第二节、第三节、第四节逐级嵌套，第二节、第三节、第四节均可进行伸缩动作，并且三节的伸缩是同步的；第一节链条上部的一个链节与第二节固定连接，主动、从动链轮均安装在第一节上；类似的第二节链条上部的一个链节与第三节固定连接，下部的一个链节与第一节相对固定连接，主动、从动链轮均安装在第二节上，第三节链条上部的一个链节与第四节固定连接，下部的一个链节与第二节相对固定连接，主动、从动链轮均安装在第三节上。

当第一节链条上部以速度 v 向左运动时，驱动第二节以速度 v 向左伸出，带动第二节链条的两个链轮也以速度 v 向左运动，但由于第二节链条的下部的一个链节与第一节固定

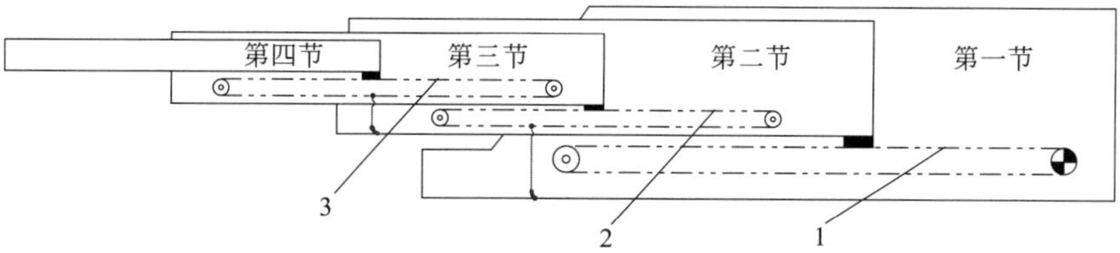

图 1-9　三级伸缩的四节皮带机伸缩原理图

1—第一节链条；2—第二节链条；3—第三节链条

连接，则第二节链条的上部将以速度 $2v$ 向左运动，从而带动第三节以速度 $2v$ 向左伸出；第三节链条的两个链轮随第三节以速度 $2v$ 向左运动时，由于第三节链条的下部的一个链节与第二节固定连接（向左运动速度为 v），则第三节链条的上部将以速度 $3v$ 向左运动，从而驱动第四节向左以速度 $3v$ 向左伸出，如图 1-10 所示。第二节、第三节、第四节向左运动的速度分别为 v、$2v$、$3v$，所以这三节都是相对前一节以 v 的速度伸缩，故三节同步伸缩，且只有一个驱动。

目前，三节、四节、五节的伸缩皮带机应用非常广泛，是车间与货车之间装卸货物的重要输送设备，有的伸缩皮带机伸出长度达到 16m，甚至更长，额定载荷达到 80kg/m，除了用液压缸调节输送机倾斜角度外，有的还能横向移动，这些技术大大提高了装卸车的效率，减轻了劳动强度。

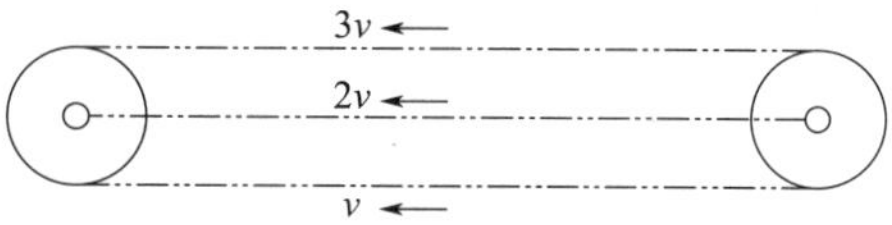

图 1-10　第三节链传动运动分析

③ 带式输送机的负载能力分析。带式输送机的负载能力大小与很多因素有关，比如输送带的摩擦力，辊筒的大小及表面粗糙度，电机功率的大小等。下面对带式输送机的负载影响因素作分析。

a. 在输送带宽度及输送带速度一定的前提下，带式输送机主动轮的负载能力主要影响因素如下：

- 主动轮输出侧输送带张紧力 T_0；
- 主动轮与输送带内侧面间的摩擦系数 μ_0；
- 输送带与主动轮之间的包角 α。

b. 提高带式输送机负载能力的有效途径如下：

- 增大带式输送机主动轮输出侧输送带张紧力 T_0。增大主动轮输出侧输送带张紧力可以提供带式输送机的功率传递能力，但增大输送带张力后输送带的工作应力相应增大，拉伸强度也必须相应提高，输送带制造成本必定增加，因此这并不是最好的方法，工程上一般不采用此方法。

- 增大带式输送机主动轮与输送带内侧面间的摩擦系数 μ_0。因为输送带在主动轮处产生的最大牵引力与上述摩擦系数 μ_0 之间为指数递增的关系，因此增大主动轮与输送带内侧面间的摩擦系数可以非常有效地提高带式输送机的负载能力，这是工程上优先选用的方法。

- 增大带式输送带与主动轮之间的包角 α。输送带在主动轮产生的最大牵引力与包角 α 之间也为指数递增的关系，因此增大输送带与主动轮之间的包角也就是增大输送带与主动轮之间的接触面积，可以非常有效地提高带式输送系统的负载能力，这也是工程上优先选用的方法。通过对张紧轮设计合适的张紧位置及调节方向，可以有效地增大输送带包角，从而有效地增加主动轮与输送带之间的驱动摩擦力。通常在设计时主动轮与输送带之间的包角应不低于 120°，进行张紧轮调节后可以增大到 210°以上。

• 增加带式输送机输送带宽度。增加输送带宽度实际上也是增大了输送带与主动轮之间的接触面积，因此可以增加主动轮与输送带间的驱动摩擦力。但增加输送带宽度既增加了成本，又占用了更多的空间，因此一般不采用此方法。

综上所述，提高带式输送机负载能力最有效的方法为：输送带与主动轮之间应设计足够大的包角；尽可能提高主动轮与输送带内侧表面之间的摩擦系数。

通常可以采取以下措施来提高主动轮与输送带表面间的摩擦系数：将主动轮的表面设计加工成网纹表面，同时进行加硬处理；改变输送机主动轮与输送带间的材料配对。例如将主动轮的外表面镶嵌一层橡胶也是很常用的处理措施。

1.1.4 弧形带式输送机

图 1-11 为弧形带式输送机，多与直线输送机组合应用，用于改变输送物料的输送方向，在输送系统中应用广泛，90°转向弧形带式输送机如图 1-11(a) 所示，180°转向弧形带式输送机如图 1-11(b) 所示。弧形带式输送机输送带的上表面是一个平面，主动、从动辊筒的轴线不在一个平面内。

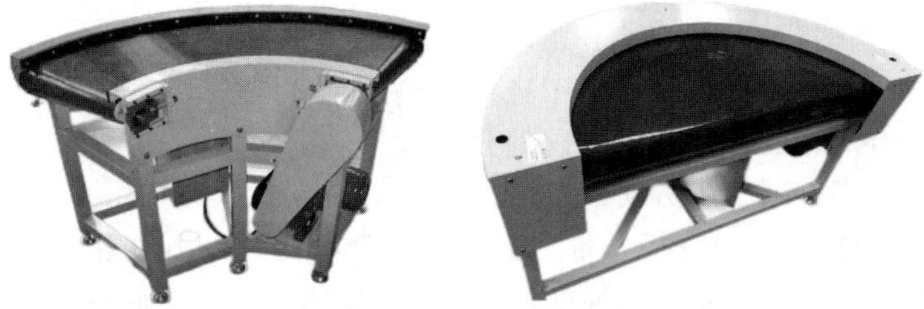

(a) (b)

图 1-11 弧形带式输送机

图 1-12(a) 是一个 180°转向弧形带式输送机与直线带式输送机连接的案例，图 1-12(b) 是将弧形输送带隐藏、半圆形支撑板透明处理后的结构，减速电机 1 与驱动轴 2 布置在弧顶及其半径上，主动锥齿轮两侧分别与两个从动锥齿轮 5 同时外啮合，两个从动锥齿轮 5 转向相反，分别带动从动轴 6 及输送带驱动辊 8 转动，两个输送带驱动辊 8 转向相反，同时驱动

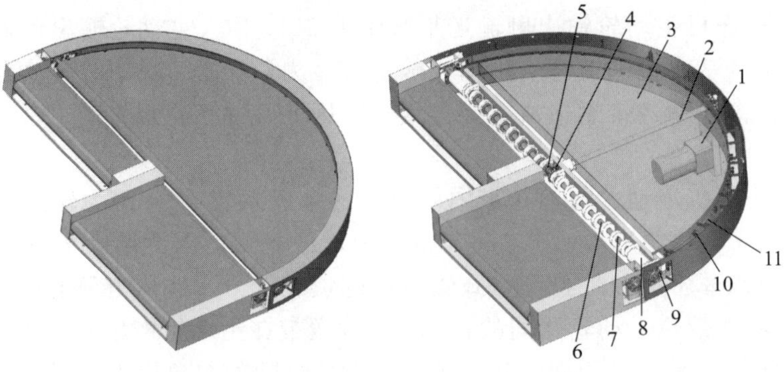

(a) (b)

图 1-12 180°转向弧形带式输送机

1—减速电机；2—驱动轴；3—弧形支撑板；4—主动锥齿轮；5—从动锥齿轮；6—从动轴；7—滚轮轴承；8—输送带驱动辊；9—链传动；10—皮带张紧装置；11—轨道板

弧形输送带转动，安装在从动轴 6 上的若干个滚轮轴承 7 转速不同，主要起支撑弧形输送带的作用；弧形支撑板 3 支撑着弧形输送带的上半圆形面，上、下半圆形输送带的边缘由张紧装置 10 拉紧在轨道板 11 的外圆柱面上，与 180°转向弧形带式输送机相连接的直线段输送机的动力是由链传动 9 传递的，这样节省驱动数量，且相邻两段输送速度更匹配。弧形输送带边缘拉紧装置如图 1-13 所示。

网状弧形带式输送机可分为树脂网状和金属网状弧形输送机（主要是不锈钢材质），多用于食品工业的输送作业。图 1-14 为树脂网状弧形带式输送机。

图 1-13　弧形输送带边缘拉紧装置

图 1-14　树脂网状弧形带式输送机

1.2　链式输送机

链式输送机是利用链条牵引、承载或由链条上安装的板条、金属网带和辊道等承载货物的输送机。链式输送机主要分为链条输送机和链板输送机。

1.2.1　链条输送机

（1）链条输送机主要构成

链条输送机利用链条、托盘输送货物，也可直接输送大小合适的箱品。链条输送机承载面上的链条在耐磨条的支撑下承载货物，牵引动力由下方的电机与减速器提供，链条由同一根转轴的两个或多个链轮驱动，确保所有链条速度一致，防止货物偏转。图 1-15 分别是三条链条和两条链条的输送机。

图 1-15 中链条输送机驱动部分设置在链条输送机的中间部分，这样布置更适合输送方向不确定的情形，两个方向输送紧边长度均接近总长度的四分之三，有利于链条防松装置的调整。图 1-16 中链条输送机驱动部分在链条输送机的一端，这样布置更适合输送方向确定的情形（向左输送），此时输送紧边长度均接近总长

图 1-15　链条输送机

度的二分之一，紧边长度较短；反过来，如果输送方向向右，则紧边长度接近总长度，松边最短，链条被拉长的长度大，不利于防松。图 1-16(b) 为图 1-16(a) 驱动部分与防松部分的放大。

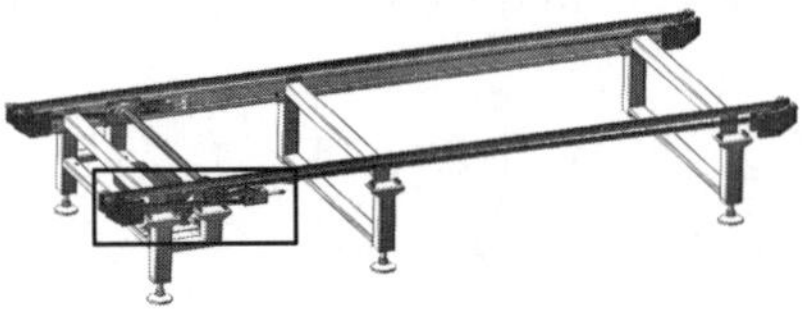

(a)

(b)

图 1-16　链条输送机驱动装置在一端

图 1-17 为链条输送机中的耐磨条，链条的滚子与耐磨条滚动摩擦，链条承载货物后将负载施加在耐磨条上，输送时滚动摩擦系数较小，大大减小了输送动力。耐磨条采用橡塑（改性 PVC）材料，具有耐刮擦、耐老化、耐高低温等特点。

(2) 网带式链条输送机

网带式链条输送机见图 1-18，即网带和链条固连一体，网带随链条一起运动，网带承载重量，在食品、果蔬生产领域中应用广泛，由于网带刚性不足，不适合重载货物的输送。

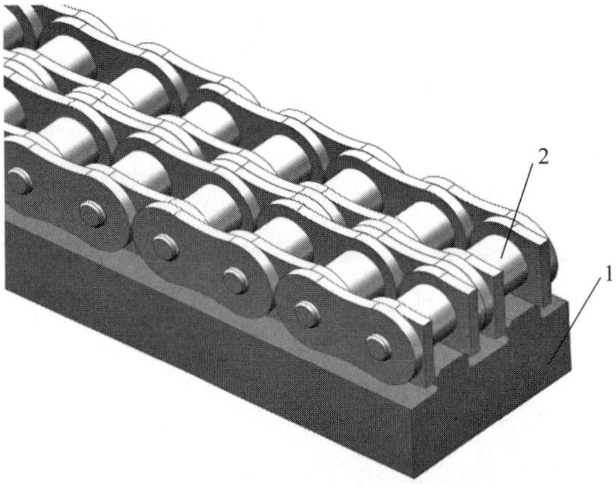

图 1-17　链条与耐磨条

1—耐磨条；2—链条滚子

图 1-18　网带式链条输送机

(3) 循环链条输送机

图 1-19 为循环搬运货物的链条托盘式输送机，导轨的滑块作为托盘的承载面，托盘固

(a)

(b)

图 1-19　链条驱动环形轨道输送机

连在循环链条上，链条循环面可以是水平面，也可以是竖直面，这种结构的输送机在制造业应用非常广泛，常作为流水作业的输送线，尤其是流水装配作业。

1.2.2　链板输送机

链板输送机是一种以标准链板为承载面，由电机提供动力带动链条、链板传动的传送装置，如图 1-20 所示，广泛用于食品、药品、饮料、化妆品和洗涤用品、纸制品、调味品、乳业及烟草等的自动输送、分配和后道包装的连线输送。它可沿水平或倾斜方向输送各种散状物料和成件货物。

图 1-20　链板输送机应用

(1) 链板输送机分类

根据布置形式，链板输送机可分为水平型链板输送机［图 1-21(a)］、水平-倾斜型板式输送机［图 1-21(b)］、弧形板式输送机［图 1-21(c)］。

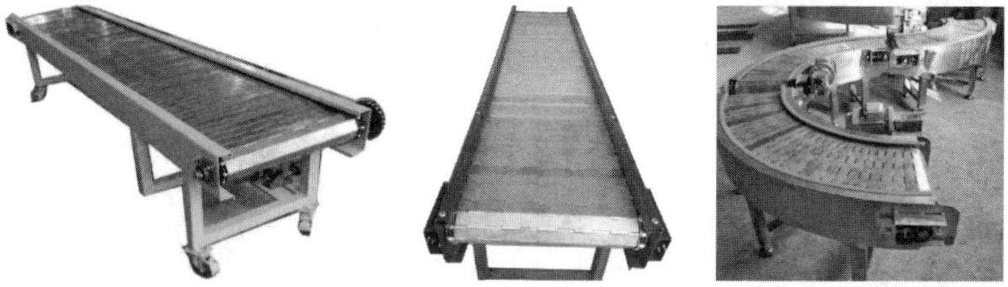

(a)　(b)　(c)

图 1-21　链板输送机类型

(2) 链板输送机优点

① 适用范围广。除黏度特别大的物料以外，一般固态成件货物均可输送，在输送过程中可进行干燥、冷却或装配等工艺。

② 可承载较大的载荷，如用于电动车、摩托车、发电机等的输送。

③ 牵引链的强度高，可用作长距离输送。目前国内链板输送机的使用长度已达 1000m。

④ 输送线路布置灵活。可以在一条输送线上完成水平、倾斜和转弯输送，链板输送机的倾角可达 30°～35°。

⑤ 清洁方便。一般都可以直接用水冲洗或直接浸泡在水中，能满足食品、饮料行业对卫生的要求。

1.3　辊筒输送机

辊筒输送机依靠转动着的辊筒和货物间的摩擦或货物重力使货物向前移动，并由货物下方的辊筒支撑货物重量。辊筒输送机可分为无动力辊筒输送和动力辊筒输送，二者布置相似，无动力辊筒输送只是没有驱动与传动系统，这里只分析动力辊筒输送。

1.3.1　辊筒输送机特点及参数

(1) 辊筒输送机特点

辊筒输送机具有输送量大、速度快、运转轻快、输送平稳、定位精度高、结构简单、运行可靠、维护方便，能够实现多品种共线分流输送的特点，辊筒输送机能够输送单件质量较大的货物，应用广泛。

辊筒输送机输送的货物接触底面应平整、硬质，如硬质纸箱、平底塑胶箱、各种托盘等。而当货物的底面为软质或不规则时，则需放在托盘上或周转箱内输送，或用其他类型输送机输送。面粉、化肥等袋装物用方形辊筒输送，主要用于颗粒以及粉末包装整形和排出袋内多余空气，本书主要讨论物流领域应用广泛的圆柱形辊筒。

辊筒输送线之间易于衔接，可用多条辊筒线及其他输送机或专机组成复杂的物流输送系统。

(2) 直辊筒输送机的基本几何参数计算

已知参数：直辊筒输送机的形式、长度以及布置方式；输送量（件/h）、输送速度、载荷在辊筒输送机上的分布情况；单个货物的质量、材质（外包装）、外形尺寸。

① 辊筒长度计算。辊筒输送机直线段计算（圆柱形辊筒输送机断面如图 1-22 所示）：

$$W=B+\Delta B \tag{1-3}$$

式中 W——辊筒长度，对输送机来说是宽度方向，mm；

B——货物宽度，mm；

ΔB——宽度裕度，mm，一般可取 $\Delta B=50\sim150$mm。

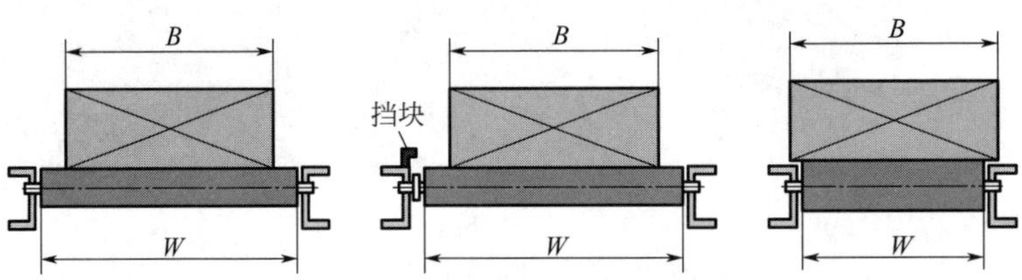

(a) $W>B$　(b) $W>B$，带挡块　(c) $W\geqslant0.8B$

图 1-22　圆柱形辊筒输送机宽度参数分析

如图 1-22(c) 所示，对于底部刚度很大的货物，在不影响正常输送和安全的情况下，货物宽度可大于辊筒长度，一般取 $W\geqslant0.8B$。

采用短辊筒的多辊输送机，如图 1-23(a) 所示，其输送机宽度一般可按下式计算：

$$W=B+\Delta B \tag{1-4}$$

式中 W——输送机宽度，mm；

B——货物宽度，mm；

ΔB——宽度裕度，mm，一般可取 $\Delta B=50$mm。

当多辊输送机的辊筒少于 4 列时，如图 1-23(b) 所示，只适合输送刚度大的平底货物，货物宽度应大于输送机宽度，可取 $W=(0.7\sim0.8)B$。

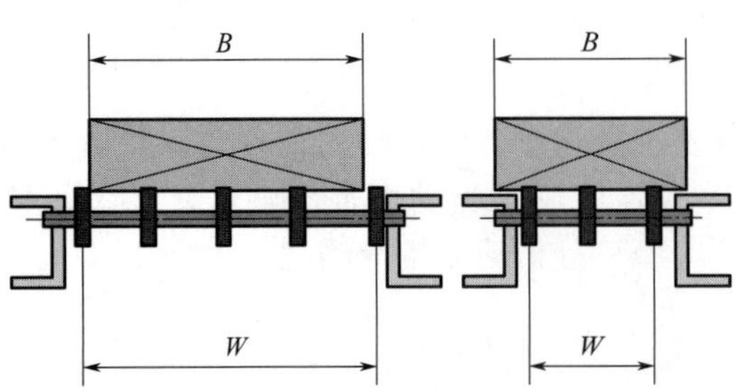

(a)　(b)

图 1-23　多辊输送机宽度分析

② 辊筒间距计算。辊筒间距 l 应保证一个货物始终支撑在 3 个以上的辊筒上，如图 1-24 所示，货物刚好支撑在 4 个辊筒上，货物向左或向右输送一点距离，就是支撑在 3 个辊筒上，所以要使辊筒在任意时刻都支撑在 3 个以上的辊筒上。图 1-24 所示状态就是临界状态，间距再大一些，

就不能保证辊筒在任意时刻都支撑在3个以上的辊筒上。因为通常辊筒间距都是相等的，所以此时辊筒间距为

$$l=L/3 \tag{1-5}$$

式中　l——辊筒间距，mm；

L——货物长度，mm。

对于辊筒间距，有以下几点说明：

a. 对于要求输送平稳的货物，可取 $l=(1/5\sim1/4)L$ 或者更小。

b. 对于柔性大的细长货物，还需考虑货物的挠度，货物在一个辊筒间距上的挠度应小于辊筒间距的1/500，否则会明显增加运行阻力。

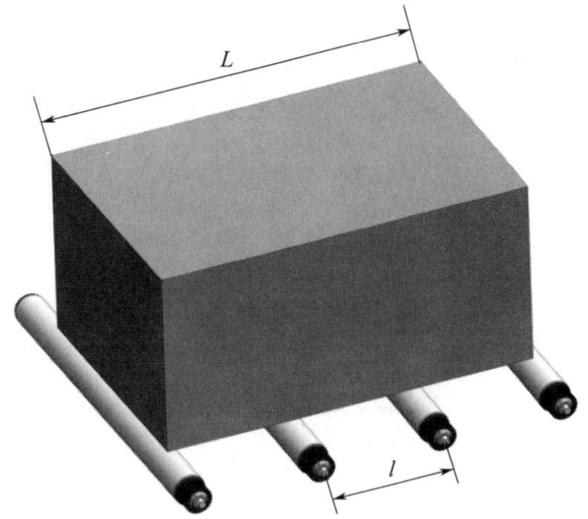

图1-24　辊筒间距分析

c. 多楔带轮辊筒的间距选择，会受到多楔带型号的约束。

d. 双链输送的间距设定。链轮齿数一般是奇数时（如表1-1中08B11T、10A13T、10B15T链轮齿数分别为11、13、15），辊筒间距 l 应该是节距的整数倍加半个节距，如图1-25所示，这是为了链传动紧边和松边长度正好都等于辊筒间距，双向传动时更稳定，也不须用防松装置（也不好加防松装置），如图1-25(a)所示；链轮齿数是偶数时（如表1-11中08B14T链轮齿数为14），辊筒间距 l 应该是节距的整数倍，如图1-25(b)所示。

表1-1　链轮型号与建议中心距　　mm

链轮型号	节距 p	建议中心距 l					公差
08B11T	12.7	69.8(5.5p)	82.5(6.5p)	95.2(7.5p)	107.9(8.5p)	120.6(9.5p)	0/−0.4
08B14T	12.7	88.9(7p)	101.6(8p)	114.3(9p)	127(10p)	139.7(11p)	0/−0.4
10A13T	15.875	119(7.5p)	134.9(8.5p)	150.8(9.5p)	166.6(10.5p)	182.5(11.5p)	0/−0.7
10B15T	15.875	134.9(8.5p)	150.8(9.5p)	166.6(10.5p)	182.5(11.5p)	198.4(12.5p)	0/−0.7

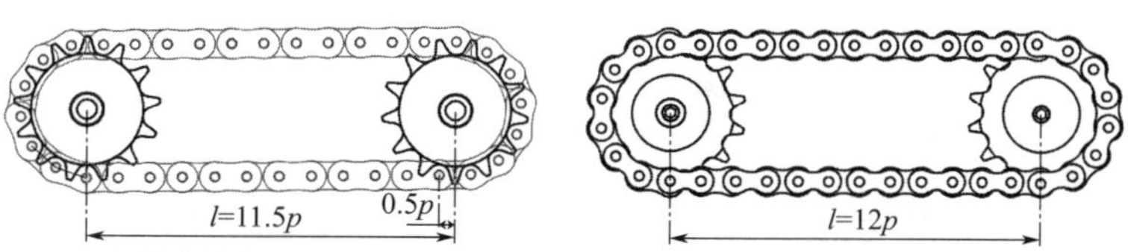

(a) 链轮齿数为13，间距l=11.5p　　(b) 链轮齿数为14，间距l=12p

图1-25　链轮齿数对应的辊筒的间距

e. 需要确认每支辊筒的承载不超过其最大静载荷，该载荷是指无冲击下的均布载荷，如存在集中载荷，还需要通过减小辊筒间距来增加承载辊筒数量，加大安全系数。

(3) 转弯辊筒输送机的基本几何参数计算

转弯辊筒输送机的辊筒是圆锥辊筒，转向角度常用的是30°、45°、60°和90°。理论上，链条传动输送机相邻两个辊筒之间的夹角不超过5°为宜，这样对链传动影响较小，对90°转弯输送机常采用21个辊筒。锥形辊筒筒体母线的延长线必须与圆弧机架的圆心汇交于同一点，如图1-26所示，这样才能实现理想的转弯输送。

① 圆弧段半径计算。圆锥辊筒小端直径近似地看作弧长，则根据辊筒锥度的定义，有

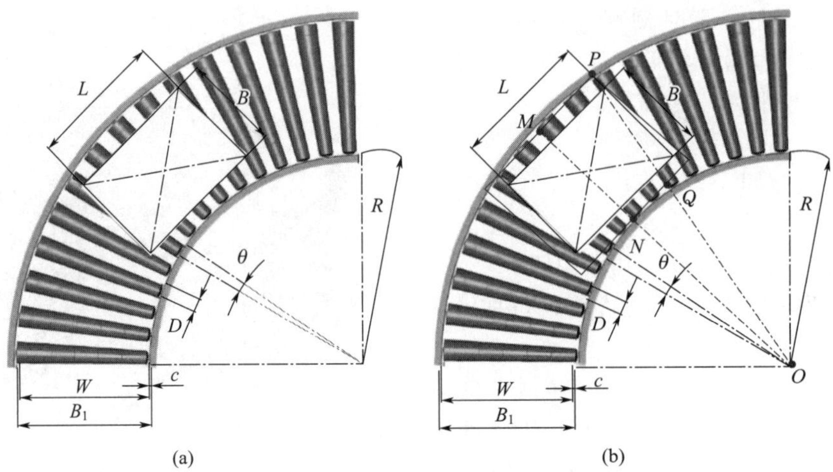

图 1-26　转弯辊筒输送机的几何参数

$$K=\frac{D}{R+c} \tag{1-6}$$

整理后，得

$$R=\frac{D}{K}-c \tag{1-7}$$

式中　R——圆弧段内侧半径，mm；

D——圆锥形辊筒小端直径，mm；

K——辊筒锥度，$K=2\tan(\theta/2)$，常用的辊筒锥度 K 值为 1/16、1/30、1/50，锥度越小，货物在圆弧段运行越平稳；

c——圆锥辊筒小端端面与机架内侧的间隙，mm。

② 圆弧段圆锥辊筒长度计算。图 1-26（b）中，含有 P 点的矩形表示货物的尺寸刚好是辊筒输送机能够输送的极限值，$MN=B/2$，$PM=L/2$，PQ 等于圆锥辊筒的长度 B_1，$PQ=B_1$，$OQ=R$，则 $OP=PQ+OQ=B_1+R$，在直角三角形 OPM 中，有 $OP^2=OM^2+PM^2$，即

$$(B_1+R)^2=(L/2)^2+(B/2)^2 \tag{1-8}$$

解得 $B_1=\sqrt{(R+B)^2+(L/2)^2}-R$。

因货物与圆弧段输送机的内外壁之间需留有余量，所以辊筒输送机圆弧段圆锥辊筒长度为：

$$B_1=\sqrt{(R+B)^2+(L/2)^2}-R+125 \tag{1-9}$$

式中　B_1——机架内宽，mm；

R——圆弧段内侧半径，mm；

L——货物的长度，mm；

B——货物的宽度，mm。

得到机架内宽 BF 后，就可以得到圆锥辊筒的长度

$$W=B_1-2c \tag{1-10}$$

锥套辊筒时，锥套是其工作面，且锥套长度 W 以 50mm 作为梯度，所以需要在公式计算值的基础上做一定调整。如计算值 $W=561$mm，可取 $W=550$mm；如计算值 $W=$

628mm，可取 $W=600\text{mm}$。之所以能够这样取值，是因为计算时增加的余量 125mm 已经考虑了。

注意：同一宽度的货物在既有直线段又有转弯段的线体中，转弯段要求的辊筒长度会大于直线段，一般以转弯段作为输送线统一的辊筒长度，如不便统一时，可设置过渡直线段。

（4）输送能力计算

辊筒输送机的输送速度 v 根据生产工艺要求和输送方式确定。一般情况下，无动力式辊筒输送机可取 $v=0.2\sim0.4\text{m/s}$；链传动辊筒输送机可取 $v=0.25\sim0.5\text{m/s}$，并尽可能取较大值，承载能力较大；带传动辊筒输送机速度可取高一些，可达 $v=1\text{m/s}$，承载能力可达 100kg/m。辊筒输送机的输送能力用两种方法计算。

① 货物间距 a 固定。货物间距 a 固定时，辊筒输送机的输送能力可以用每小时输送的件数表示，即

$$N=\frac{3600v}{a} \tag{1-11}$$

式中　N——连续输送机的计件输送量，件/h；

a——输送机上货物的间距，m（注意：以长方体货物为例，货物的间距不是前一件货物后侧面与后一件货物前侧面的距离，而是前一件货物前侧面与后一件货物前侧面的距离）；

v——输送机工作速度，m/s。

② 货物间距不固定。货物间距不固定时，辊筒输送机的输送能力可以用每小时输送的质量表示，即

$$I_m=3.6q_m v \tag{1-12}$$

式中　I_m——输送机输送量，t/h；

q_m——平均每米长度货物质量，kg/m，输送的是成件货物，$q_m=\sum m_i/\sum a_i$，其中，m_i 为输送机上第 i 件货物的质量，kg；a_i 为输送机上第 i 件货物的间距，m。

1.3.2　动力辊筒输送机动力传动方案

动力输送中货物可以按规定的速度精准、平稳、可靠地输送，根据传动方式的不同，分为带传动和链传动两大类。

带传动：运行平稳，噪声小，对环境污染少，允许高速运行，但其负载能力相对较弱，应避免在有油污的条件下工作。用于辊筒动力输送的带传动有多楔带、O 形带、平面摩擦传动带、同步带，后两种应用较少，这里不做介绍和分析。

链传动：负载能力大，对环境适应性强，可在经常接触油、水和温度较高的场合工作，但在多尘环境时链条易磨损。货物输送速度一般不超过 0.5m/s。

在动力辊筒输送机中，驱动辊子的方法一般不再采用单独驱动的方式，而是多采用成组驱动，常用电机与减速器组合，再通过链传动、带传动来驱动辊子旋转；按布局形式分为直线辊筒输送机和转弯辊筒输送机。

（1）链传动传递辊筒间动力

① 辊筒双链轮传动实现相邻两个辊筒之间用链条传动。辊筒双链轮传动实现相邻两个辊筒之间用链条传动，主动辊筒应设置在中间。如图 1-27 所示，电机驱动传动装置使辊筒转动，再将动力依次传递给其他辊筒，相当于串联传动，驱动部分设置在链条输送机的中间部分，两个主动辊筒分别向两端逐级传递时，单侧链传动的级数较少，有利于提高传动效

率，减少功率损失。设每级链传动的效率为 η，则主动辊筒 2 左侧的相邻两个辊筒之间的传动效率为 η，设每个辊筒所需的驱动功率为 p，则最左侧辊筒需要主动辊筒 2 提供的功率为 p/η^5，主动辊筒 2 需要提供的功率为 $\sum_{i=0}^{5} p/\eta^i$，同理主动辊筒 3 需要提供的功率为 $\sum_{i=0}^{6} p/\eta^i$，主动辊筒 2 和主动辊筒 3 所需要的功率之和为 $\sum_{i=0}^{5} p/\eta^i + \sum_{i=0}^{6} p/\eta^i$。但如果主动辊筒设置在最左侧，通过 12 级链传动将动力传递给最右侧辊筒，则主动辊筒需要的功率为 $\sum_{i=0}^{12} p/\eta^i$，功率明显增大了，说明这种布置方案传动效率降低得更厉害，所以驱动部分设置在链条输送机的中间部分是很有利的。对于转向的圆锥辊筒输送机，通常适宜输送的货物质量不超过 200kg，适用温度－10℃～80℃；塑钢双链锥套辊筒输送机，通常适宜输送的货物质量不超过 50kg，适用温度－5℃～40℃。

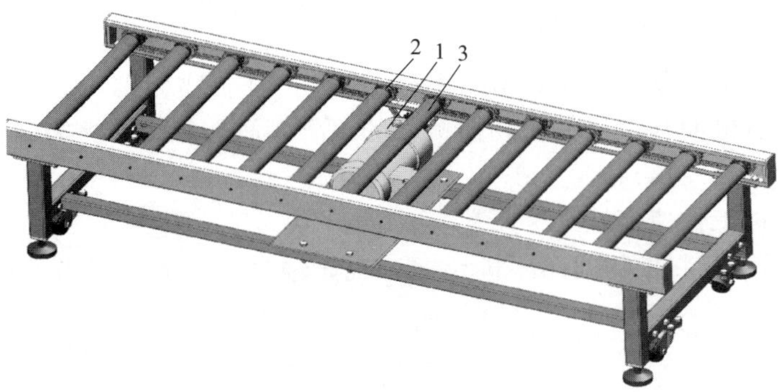

图 1-27　双链轮链条驱动直线辊筒输送机（一）

1—减速电机；2—左侧主动辊筒；3—右侧主动辊筒

如图 1-28 所示，使用电动辊筒通过链传动将动力传递给其他辊筒，一个电动辊筒一般驱动两侧各 4 个从动辊筒。

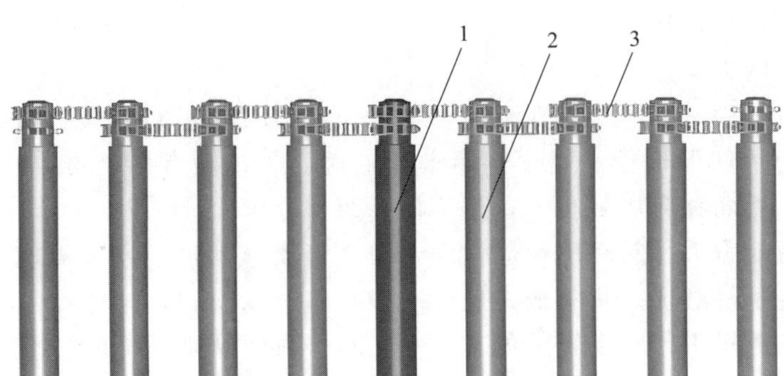

图 1-28　双链轮链条驱动直线辊筒输送机（二）

1—主动辊筒；2—从动辊筒；3—链条

② 单链条传动实现所有辊筒动力传动。如图 1-29 所示，用一根链条实现了所有的辊筒链轮的传动，这种传动方案有如下特点：

a. 链传动级数只有一级，传动效率降低较少，相当于并联传动；

b. 这种布置紧凑，适用于中载、低速、持续运行的场合；
c. 需配置链条张紧机构；
d. 除了考虑单支辊筒的最大承载外，还应特别注意满载时链条所能承受的极限拉力；
e. 相比于双链传动，辊筒中心距选择更灵活，不受链条节距的影响。

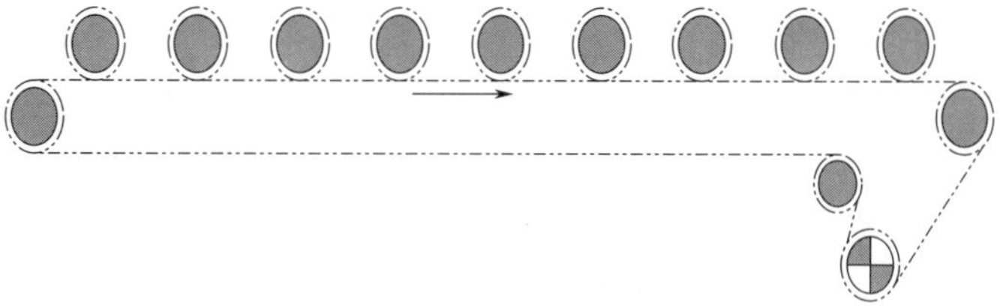

图 1-29 单链条传动实现所有辊筒动力传动

（2）多楔带传递辊筒间动力

在每两个辊筒之间安装一根或两根多楔带，如图 1-30 所示。多楔带轮安装在辊筒端部，使驱动和输送在区域上分开，输送更平稳，具有高速、静音的特点，多楔带传动适用温度 −5℃～40℃。根据辊筒直径和长短的不同，输送速度会有差异，最大可达 120m/min。辊筒的负载能力取决于传动布置和多楔带型号，通常适宜输送的货物不超过 30kg/m，当被动辊筒数量少，使用 3 沟甚至 4 沟多楔带时，输送负载能力高，反之亦然。当使用 3 沟多楔带传动时，输送负载能力可达 100kg/m。

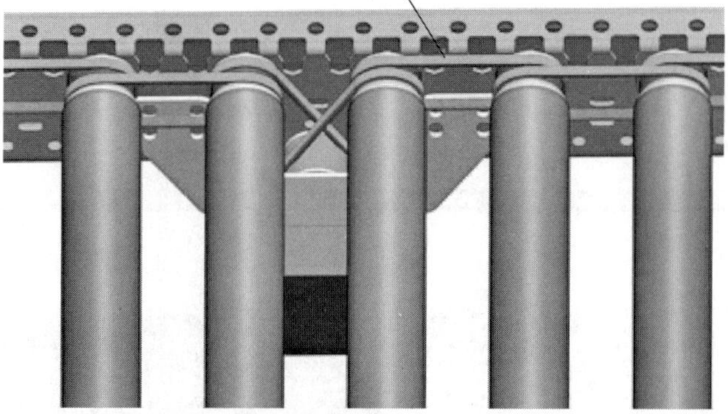

图 1-30 多楔带传递辊筒间动力

多楔带辊筒排布的中心距有比较严格的限制，建议变化范围 −1～3mm，常用间距和与之匹配的多楔带型号见表 1-2。根据 ISO9982，PJ 型多楔带，沟槽间距 2.34mm，共 9 个沟槽。

表 1-2 常用间距与多楔带型号

中心距/mm	2 沟	3 沟
60	2PJ256	3PJ256
75	2PJ286	3PJ286
80	2PJ290	3PJ290
90	2PJ314	3PJ314
100	2PJ336	3PJ336

续表

中心距/mm	2沟	3沟
105	2PJ346	3PJ346
120	2PJ376	3PJ376
133	2PJ416	3PJ416
150	2PJ435	3PJ435
160	2PJ456	3PJ456

(3) 圆带传动辊筒间动力

圆带传动，也称O形带传动，由圆带和带轮组成摩擦传动，辊筒通过压槽结构与圆带产生摩擦传动，常用于低速、低功率的传动，因圆带是弹性体，能缓和载荷冲击，运动平稳无噪声；过载时将引起带在带轮上打滑，因而可防止其他零件损坏；制造和安装精度不像啮合传动那样严格；可增加带长以适应中心距较大的工作条件。O形带传动与链传动相比具有运行噪声低、输送速度快等特点，广泛应用于轻、中载荷的箱式输送。

① 单槽传动。每支辊筒的压槽只有一个，通过总轴独立传递，和单链条传动类似，具有并联传动的特点，如图1-31所示。另外有以下特点：

a. 每支辊筒的驱动力均由总轴独立传递，相比于双槽传动，扭矩衰减小，多用于长距离输送，单个输送单元的长度可达10m以上；

b. 通过万向节联轴器把分段的总轴连接后，能够实现转弯输送；

c. O形带更换需拆卸整个传动轴单元，后期维护相对复杂。

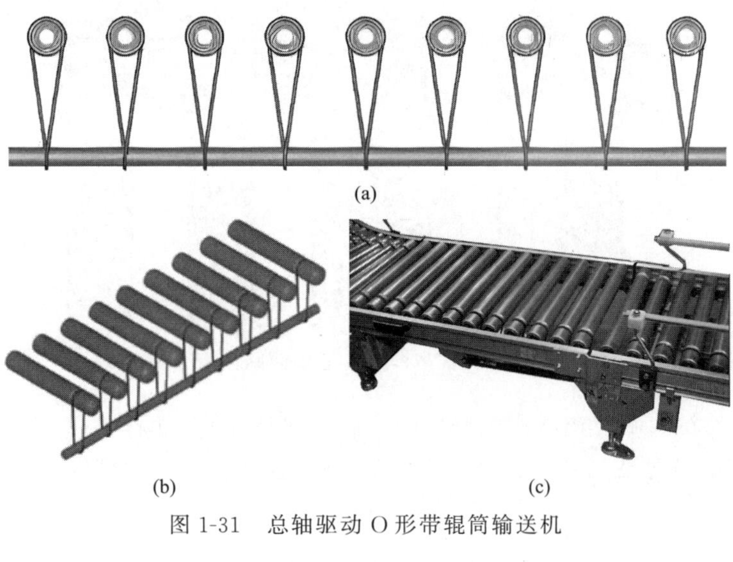

(a)

(b) (c)

图1-31 总轴驱动O形带辊筒输送机

② 双槽传动。双槽传动是在辊筒上的两个压槽均套上O形带，实现相邻辊筒两两传动，如图1-32所示，双槽O形带传动布置灵活，安装、维护方便，但扭矩衰减较快，单支电动辊筒通常只能有效带动7～8支被动辊筒（单侧一般最多4支），输送货物不宜超过30kg/m，通常适用温度−5℃～40℃；O形带安装需一定的预紧量，厂商不同，预紧量会有差异，一般取5%～8%，即从理论底径环长中减去5%～8%。

(4) 积放辊筒输送

积放辊筒输送又称堆积输送，除了能实现动力输送的功能之外，还允许在驱动装置工作的情况下，实现货物在输送线上的停止积存，且运行阻力无明显增加。正常输送时，积放机构起传递力矩的作用，而当货物受阻停止积存时，运行阻力矩超过限定的工作力矩，积放套或摩擦片打滑，辊筒和驱动装置间处于柔性连接状态，表现为货物下方的辊筒不转，只有驱动元件继续运转。

图 1-32　双槽 O 形带辊筒输送机

积放辊筒工作原理如图 1-33 所示，积放辊筒的中心轴 5 安装在左右两个边框 1 之间，两端通过内六角螺钉装在边框 1 上，双链轮 6 通过左右两个轴承 4 安装在中心轴 5 上，左侧轴承 4 的内圈通过套筒 2 相对于边框 1 定位，右侧轴承 4 的外圈通过孔用弹性挡圈 7 定位在双链轮 6 上，两个轴承 4 的另一个外圈侧面通过轴肩相对于双链轮 6 定位；摩擦片 8 成中空的圆柱结构，外圆柱面压紧在壳体 9 的左侧内圆柱面上，内圆柱面与中心轴 5 不接触，摩擦片 8 的左侧与双链轮 6 的右侧面挤压摩擦；壳体 9 的右端装有一个轴承，且大圆柱面与筒体 10 过盈配合在一起，摩擦片与壳体 9 内部的轴承 4 的外圈通过垫片隔开；右侧的壳体 9 大圆柱体的外侧面与筒体 10 过盈配合在一起，小圆柱体内侧面安装轴承 4，轴承 4 内圈套在中心轴 5 上，轴承 4 内圈右侧由压缩弹簧 11 压紧，压紧力来自压缩弹簧 11 右侧的六角螺母（相对于中心轴 5 螺纹）旋紧后对垫圈 12 的推力，压缩弹簧 11 的压紧力通过筒体 10 传递给左端的摩擦片 8 对双链轮 6 右端面的压力。

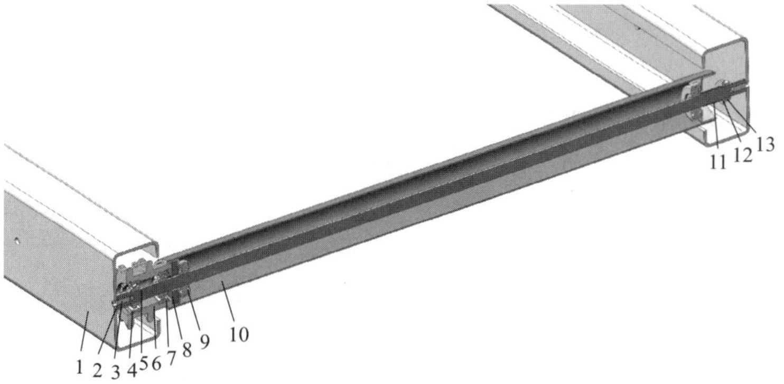

图 1-33　积放辊筒结构原理

1—边框；2—套筒；3—内六角螺钉；4—轴承；5—中心轴；6—双链轮；7—孔用弹性挡圈；8—摩擦片；9—壳体；10—筒体；11—压缩弹簧；12—垫圈；13—六角螺母

当筒体 10 驱动货物摩擦力小于摩擦片 8 对双链轮 6 右端面的最大静摩擦力时，摩擦片 8 对双链轮 6 右端面没有相对转动，筒体 10 和常规的辊筒功能是一样的；当货物因前面货物堆在输送线上而被阻挡时，使筒体 10 驱动货物摩擦力大于摩擦片 8 与双链轮 6 右端面的最大静摩擦力时，双链轮 6 右端面就会相对于摩擦片 8 转动，此时双链轮 6 正常转动，但筒体 10 是不转的，这就保护了筒体 10 与货物之间不会因摩擦而出现损坏。如图 1-34 所示。

积放辊筒输送通常适宜输送的货物质量为 10～30kg；特殊材料制造的摩擦片，大大提高了耐磨性，使用寿命显著提高，适宜输送的货物质量为 10～80kg。积放力的大小受很多因素制约，并且这些因素会对积放辊筒的正常运行和使用寿命产生很大影响：①货物的重量；②货物与辊筒表面的摩擦系数；③环境温度、湿度；④积放时间占比。

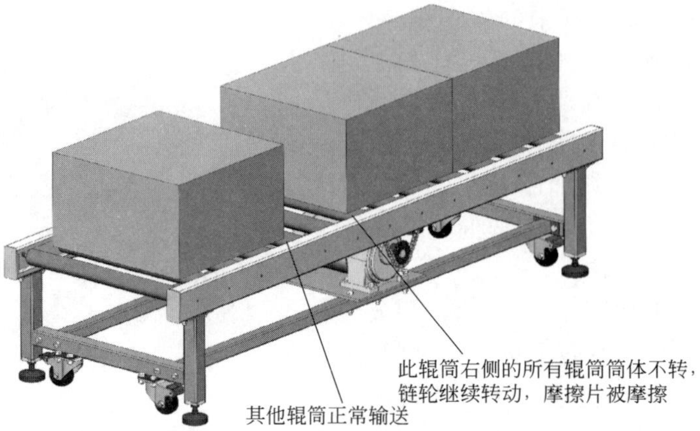

图 1-34　积放辊筒输送工作原理

(5) 辊筒输送选用

辊筒的类型较多，在选用时，着重考虑以下几点：

① 根据载重量选型。不同直径的辊筒承载能力不同，应首先根据载重量确定选用辊筒的型号。

② 根据行业需求确定辊筒材质。食品行业应优先选择全不锈钢机身和不锈钢辊筒。一般行业辊筒材质根据用户需要选用碳钢镀锌、镀铬、镀镍、铸胶（包胶）或不锈钢、钢制塑钢等。碳钢机身表面处理可根据用户要求选择喷涂、喷塑、烤漆等，不锈钢机身可选择镜面抛光、亚光、喷砂、拉丝等处理。

③ 有速度调节要求的场景，可选择用变频调速或采用无级变速的减速电机。

④ 根据载重量和输送速度确定动力传动方案。双链轮链条传动载荷最大，单链轮链条传动载荷小一些；多楔带传动载荷小一些，但输送速度快；O 形带传动载荷更小一些，传送速度快。多楔带和 O 形带传动选用时要考虑适用温度。

⑤ 有积放要求的选用积放辊筒输送。

另外，设计或选用辊筒输送机还应注意以下问题：

① 货物的长宽比越大，直线输送运行的稳定性就越好，如果货物的长宽比偏小，可以考虑增加辅助装置（如护栏），保证货物直线运行。

② 货物高度越高，输送过程中倾倒的风险就越大，可考虑以下措施：尽可能减小辊筒间距，使更多的辊筒支撑货物；避免突然的加速和制动；倾斜输送时（如下滑道），检查货物的重心位置，注意滑行到末端时有倾倒的风险。

③ 当有防静电要求时，会做防静电设计（转动时导通），把静电传递至轴芯上，通过金属机架的接地导走电荷。注意：不要让机架表面的涂装层阻断了接地功能。

④ 通常讨论的都是无冲击环境下的货物输送，而当使用条件存在冲击时，除了需要对机架、支腿等结构件进行加固之外，还应对辊筒采取以下措施：适当减小辊筒间距；增大辊筒直径或适当增加壁厚。

⑤ 辊筒需要长期在潮湿环境中使用，应选择不锈钢或其他防水耐蚀的材料。

1.4 地面穿梭车输送

穿梭车，即 RGV，是英文 rail guided vehicle 的缩写。按照作业场景，穿梭车可分为地面上行驶的穿梭车、悬挂行驶的穿梭车和货架上行驶的穿梭车。货架上行驶的穿梭车用于存取货架上的托盘或料箱货物，具体内容在第 4 章介绍，本节只分析地面上行驶的穿梭车。

地面上行驶的穿梭车根据行驶路线类型的不同，又分为往复式穿梭车、环形穿梭车。无论是往复式穿梭车，还是环形穿梭车，由于轨道是固定的，所以动力系统一般采用滑触线供电，而不使用移动电源。

1.4.1　往复式穿梭车

往复式 RGV 一般为双轨式，在一段直线轨道上进行往复运动，将货物从一个站点运送到另一个站点，一般只有一台 RGV 做直线往复运动，系统简单、设备少、占空间小、输送快速，但由于是往复输送，运输能力有限，效率相对环形 RGV 较低，单台往复穿梭车的可靠性很大程度上决定了系统的可靠性。

往复式 RGV 可用于搬运仓库中各种尺寸的物品、分拣作业、仓库外站点之间的搬运工作。往复式 RGV 移载装置一般是链式输送机与辊筒输送机。图 1-35 为一个大型的往复式 RGV，行驶在双直线导轨 4 上，通过滑触线 5 供电，将数量为 m 的出库输送线 2 与数量为 n 的入库输送线 3 连接起来，这样就能组成 $m \times n$ 的输送线连接关系。往复式 RGV 可设有多个移载输送线，一次就可以移载多个货物，能够提高效率。

图 1-35　往复式 RGV
1—往复式 RGV；2—出库输送线；
3—入库输送线；4—直线导轨；5—滑触线

1.4.2　环形穿梭车

环形 RGV 由往复式 RGV 发展而来，轨道在平面内呈闭环布置，穿梭车沿轨道单向运行，如图 1-36 所示，该环形轨道可以同时运行多台穿梭车，从而改善了往复式 RGV 输送能力有限的缺点，但过多的穿梭车在一条闭环轨道上作业也会导致拥堵，穿梭车使用率降低，造成穿梭车运力浪费。环形 RGV 已广泛应用于自动化立体仓库和医药、烟草以及瓶装盒装产品等多种行业的生产中，并以其快速、准确的特点而逐步推广应用。

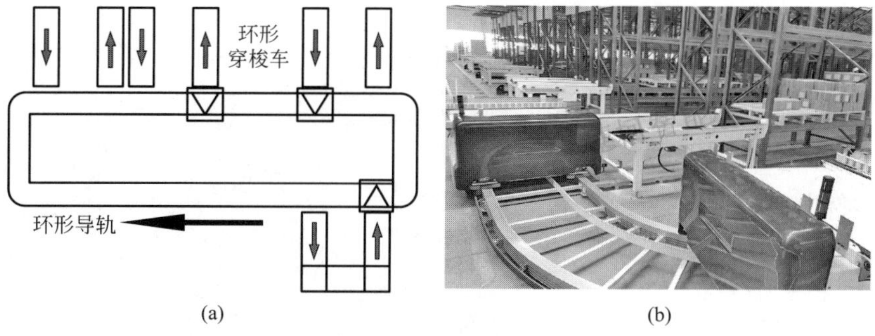

图 1-36　环形 RGV

环形穿梭车主要技术参数举例说明，如表 1-3 所示。

表 1-3 环形 RGV 案例主要技术参数

序号	项目	参数值	序号	项目	参数值
1	直线运动速度/(m/s)	2	6	通信方式	无线以太网
2	转弯运动速度/(m/s)	0.7	7	调速方式	变频无级调速
3	移载速度/(m/s)	0.2	8	供电方式	滑触线供电
4	定位精度/mm	±0.5	9	行走电机	1.5kW,两台
5	最大载重量/kg	1000	10	移载电机	0.55kW

环形 RGV 根据轨道特点可以分为单轨环形 RGV 和双轨环形 RGV。

(1) 单轨环形 RGV

图 1-37 单轨环形 RGV

1—RGV 的万向轮；2—轨道；3—滑触线；4—RGV 的导向轮；5—链式移载装置；6—输送线

单轨环形穿梭车（图 1-37）主要由机械和电气两大部分组成。机械部分由穿梭车、单轨轨道系统等组成。电气部分由单机控制系统、轨道电源供给系统和计算机调度管理系统组成。

单轨环形穿梭车主要由轨道、车体、行走轮、行走电机、行走轮导向机构、移载机、移载电机、万向轮、滑触供电系统、聚氨酯缓冲器及控制系统等组成。

两个行走轮安装在车体上，在导轨上表面行走，行走电机安装在行走轮一侧，直接驱动。两个行走轮带旋转机构并前后带导向机构，四个导向轮抱在轨道的两个侧面，确保行走轮按设计的轨道弯道行走自如，环形轨道有最小转弯半径（如 $R_{\min}=500\text{mm}$）。万向轮数量为一个或两个，在轨道内侧地面上行走。

移载机安装在车体上，与周边的输入、输出站台对接。控制系统采用滑触供电及条码定位方式，车体的两端安装了距离检测传感器和机械式聚氨酯缓冲器，保证环形穿梭车的安全性。

(2) 双轨环形 RGV

双轨环形穿梭车一般有三个行走轮，其中外轨道上安装两个行走轮和八个导向轮，外轨道转弯半径大，便于导向，也有利于减小内轨道转弯半径，其安装方式与单轨道的相同。内轨道上的行走轮一般只有一个，便于转弯，四个导向轮，内轨道弯道的最小转弯半径 $R_{\min}=500\text{mm}$，如图 1-38 所示。

图 1-38 双轨环形 RGV

双轨环形穿梭车滑触线安装在外轨道外侧，半径比内轨道大一些，集电器安装在行走轮安装座上，转向时随安装座摆动，确保与滑触线接触良好。行走轮安装座上安装条码阅读器，环形轨道安装条码带，穿梭车在弯轨处不会出现丢步，保证行走及调度安全可靠，条码的应用简化了位置及速度控制，系统的可维护性大为改善，如需增加车辆或站台也非常简单。基于无线以太网通信系统可实时显示穿梭车的运行状态（装货/卸货、穿梭车的行走位置等），调度所有穿梭车协调运行。距离检测传感器可检测前后穿梭车的位置，确保安全。

1.5　悬挂输送

悬挂输送轨道固定安装在空中，不用受地面上行人车辆等因素影响，更容易实现连续输送，也充分利用了高度空间。

1.5.1　空中悬挂穿梭车

（1）空中悬挂穿梭车概述

空中悬挂穿梭车，即 EMS，是 electrical monorail system 英文缩写，是空中轨道行驶的无人自动化设备，轨道固定安装在空中，使用空中轨道不受地面上行人车辆等因素的影响，便于连续输送，有利于工厂的高效运转，不用在地面上布置固定轨道，地面整洁，如图 1-39 所示。

(a) 直轨道状态　　(b) 弯道状态

图 1-39　空中悬挂穿梭车

单轨 EMS 一般有两个行走轮，各自有导向装置；双轨 EMS 一般有三个行走轮。EMS 架设轨道难度大，单轨 EMS 架设轨道难度小一些。在汽车行业，由于运输零部件质量大，双轨 EMS 应用较多。

空中悬挂穿梭车有以下优点：

① 可以更高效合理地利用高度空间，不占用地面空间，不受地面布局限制；

② 空中运行速度可达 4m/s，输送量大，输送效率高；

③ EMS 小车自带升降系统，可配合地面输送线体、上下料机器人等实现全自动流程；

④ 可以在一条输送系统轨道上布局多台输送小车，根据相关指令，小车可以实现任意位置上下料，EMS 小车自带避让系统，多辆小车共同工作时系统进行调度，实现输送效率最大化。

由于单轨 EMS 应用更多，这里以单轨 EMS 为例分析其工作原理与结构特点。

（2）单轨悬挂穿梭车结构原理

单轨悬挂穿梭车分为三个子系统，第一个子系统是驱动行走系统 1；第二个子系统是吊

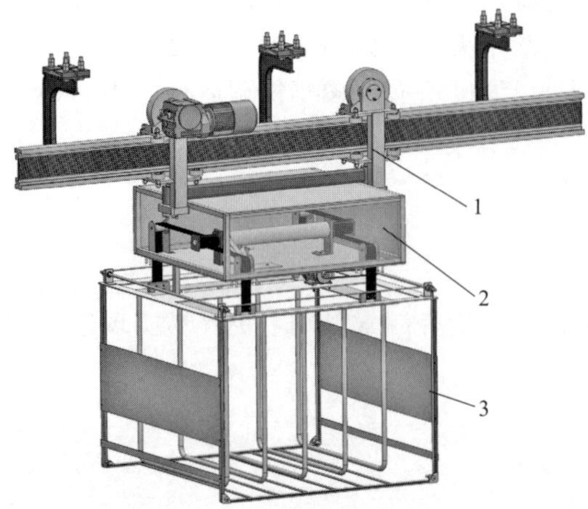

图 1-40 单轨悬挂穿梭车

1—驱动行走系统；2—吊具升降系统；3—吊具内货物保护系统

具升降系统 2，起到装卸货物的作用；第三个子系统是吊具内货物保护系统 3，要确保吊具内货物在穿梭车行驶过程中货物不会掉出，起安全防护作用。单轨悬挂穿梭车如图 1-40 所示。

① 驱动行走系统。驱动行走系统如图 1-41 所示，采用主动轮-从动轮方案，一个行走轮用一个电机驱动，为主动轮，另一个行走轮不用电机驱动，而是从动。铝合金轨道 1 采用侧方位的固定方式，轨道安装架呈“C”形，是悬臂结构。主动轮系统、从动轮系统采用“C”形骑式结构，主动轮 3、从动轮 9 压在铝合金轨道 1 的上表面，在铝合金轨道的上下翼板的左右两侧处均分别安装导向轮，上层安装 4 个导向轮，下层也安装 4 个导向轮，8 个导向轮在直轨段时紧紧地贴着轨道，但是在弯轨段时利用导向轮外圈聚氨酯的弹性变形使导向轮通过弯道，防止被卡死。为了完成转弯的功能，主动轮系统安装架 6、从动轮系统安装架 8 与横梁 7 连接时，分别设置一个转动副。

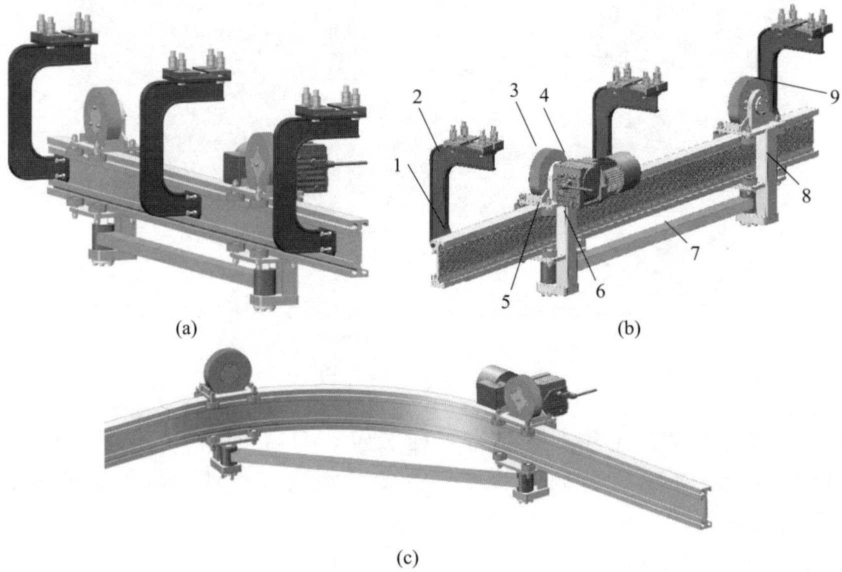

图 1-41 驱动行走系统

1—铝合金轨道；2—导轨安装架；3—主动轮；4—减速电机；5—导向轮；6—主动轮系统安装架；7—横梁；8—从动轮系统安装架；9—从动轮

“C”形骑式结构不仅可以使空中单轨道穿梭车在发生故障时，便于拆卸维修以及安装维护，并与轨道安装架的 C 形开口方向相反，上下错开，正好不干涉。整个空中单轨道穿梭车有两组这样的“C”形骑式结构，一组是由减速电机直接驱动的主动轮系统，另一组为从动轮系统，两个系统通过衡梁 7 相连接，将整个空中单轨道穿梭车悬挂在铝合金轨道上。而之所以设计两组这样的结构，是因为这样有利于运行时轨道的稳定性，避免整个系统发生扭曲偏移的现象。

② 吊具升降系统。如图 1-42 所示，吊具是用来装载货物的，吊具升降系统主要功能是与辊筒输送机配合完成取货或放货，并升降货物。单轨道悬挂穿梭车运行时需要把货物提升起来，一是防止车间其他设备影响货物的吊运，二是重心离轨道近一些，便于运动控制。

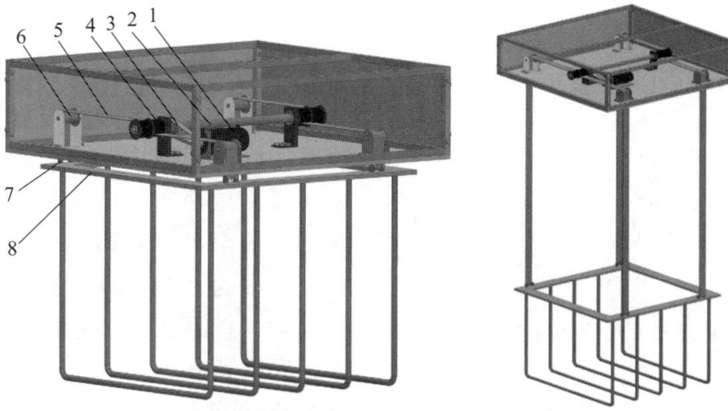

(a) 吊具收起状态　　(b) 吊具下放状态

图 1-42　吊具升降系统

1—电机；2—驱动轴；3—同步带传动；4—卷轮；5—吊带；6—改向轮；7—吊带夹；8—吊具

吊具 8 的升降是这样实现的：电机 1 通过同步带传动 3 将动力传递给驱动轴 2，驱动轴 2 上装有四个卷轮 4，分别卷收四条吊带 5，使四条吊带 5 同步升降，四条吊带 5 通过四个改向轮 6 改向后，由吊带夹 7 固定到吊具 8 的四个角上，这样电机 1 转动时，使吊具 8 平稳升降。吊具 8 由吊板与吊筐焊接而成，吊筐圆管的间距与辊筒输送机辊筒间距相同。

③ 吊具内货物保护系统。吊具内货物保护系统，要确保吊具内货物在穿梭车行驶过程中货物不会掉出，起安全防护作用。单轨悬挂穿梭车如图 1-43(a) 所示，电机 1 通过同步带传动 2 将动力传递给驱动轴 3，驱动轴 3 同步驱动两侧的同步带 4，随卷挡条 8 间隔固定在两侧的同步带 4 上，同步带 4 转动时随卷挡条 8 可全部被拉到最下面，保护吊具内货物，防止掉出，如图 1-43(b) 所示；随卷挡条 8 也可以全部被拉到侧面，下面无挡条，此状态时吊具可下放存取货物，如图 1-43(c) 所示。

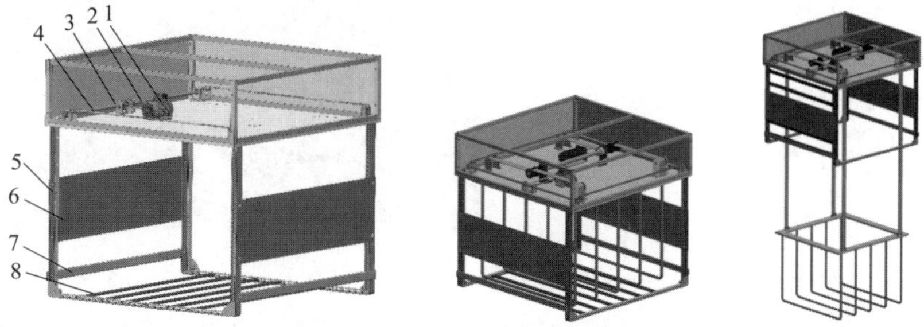

(a) 无吊具状态　　(b) 吊具收缩状态　　(c) 吊下放缩状态

图 1-43　吊具内货物保护系统

1—电机；2—同步带传动；3—驱动轴；4—同步带；5—固定框架；6—挡板；7—固定挡条；8—随卷挡条

(3) 单轨悬挂穿梭车作业流程

图 1-44 为单轨悬挂穿梭车取货的状态和载货转弯运行的状态，右侧的单轨悬挂穿梭车

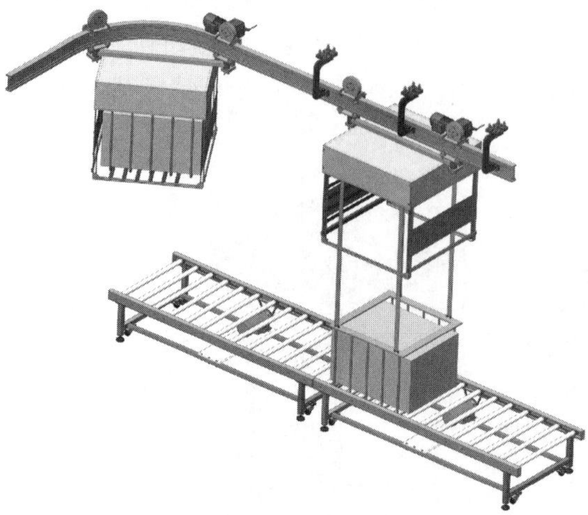

图 1-44 单轨悬挂穿梭车作业状态

与输送线取货配合完成取货作业。单轨悬挂穿梭车接收到取货指令后，加速至最高速度后匀速行驶，在即将到达指定位置时，减速慢行，实现精准定位。当检测到单轨悬挂穿梭车停稳后，吊具保护系统启动，将吊具内货物保护系统的随卷挡条从底部转动到侧面，为吊具下放让出出口。吊具下放系统的四个吊带在控制下缓缓下降，将吊具插入辊筒输送线的间隙中，此时，辊筒输送线将货物继续输送至吊具的位置后停止，吊具下放系统的四个吊带开始上升，将货物从辊筒输送线上吊起，当吊具升高到最高处后，吊具内货物保护系统的随卷挡条从侧面转动到底部，保护货物，防止掉出，取货作业结束。

取到货物后，单轨悬挂穿梭车会根据后台控制系统的指令，将货物运输到卸货点处，重复取货时相同的动作流程，将货物放到辊筒输送机上，完成卸货任务。

1.5.2 悬挂链式输送机

悬挂链式输送机是利用连接在牵引链上的滑架在架空轨道上运行，带动承载件输送成件物品的输送机。架空轨道可在车间内根据生产需要灵活布置，构成复杂的输送线路。输送的物品悬挂在空中，可在三维空间作任意布置，能起到在空中储存的作用，节省地面使用场地，在输送的同时还可进行多种工艺操作。由于连续运转，物件接踵送到，经必要的工艺后再相继离去，可实现有节奏的流水生产，单机输送能力大，可采用很长的线体实现跨厂房输送，结构简单，可靠性高，能在各种恶劣环境下使用，成本低，耗能少，维护费用低，可大大减少使用成本，因此悬挂输送机是实现企业物料搬运系统综合机械化和自动化的重要设备，广泛应用于机械、汽车、电子、家用电器、轻工、食品、化工等行业大批量流水生产作业中。图 1-45 为货架构件自动表面涂装生产线的悬挂链式输送机。

图 1-45 自动表面涂装生产线的悬挂链式输送机

悬挂链式输送机主要由牵引链条、滑架、架空轨道、张紧装置、驱动装置、安全装置等组成。

牵引链条，由于悬挂输送机的线路为空间线路，因此要求牵引链条在水平方向和垂直方向都具有较好的挠性。牵引链条种类较多，有 XT、XF、JXW、WJ、QXT 等系列，需要根据应用场景合理选用牵引链条类型。图 1-46 为 XF、QXT 系列的链条。

滑架，用来支撑货物的吊具，并使它沿着架空轨道运行，或者用来支撑链条质量，以免链条产生过大的挠度。

架空轨道，可以采用 10～16 工字钢，视载荷大小选用特种箱型断面型钢制成。

张紧装置，用来改变悬挂输送机由于链条的磨损、温度升高时热胀冷缩所引起的链条长

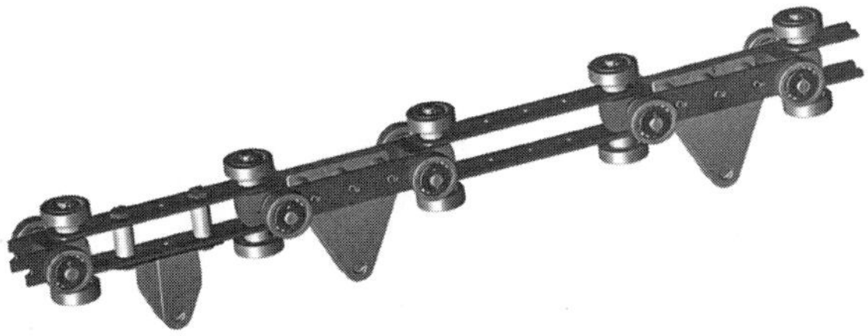

(a) XF系列链条

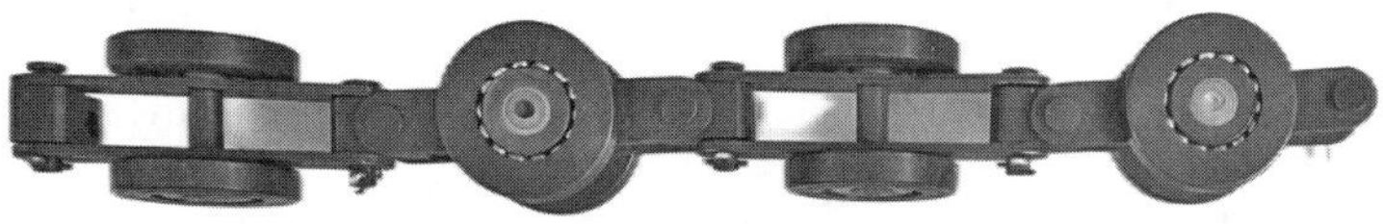

(b) QXT 系列链条

图 1-46　两种悬挂牵引链条

度的伸长而造成张紧的装置。常用的张紧装置有重锤式、弹簧式和气动液压式三种。

驱动装置，放置在线路张力的最大处。当线路长度不超过 500m 时，一般只放置一个驱动装置，当线路很长或比较复杂时，则需要放置多个驱动装置，驱动装置有角型驱动装置和履带驱动装置两种。

安全装置，旨在预防意外事故的发生，保护人员和设备的安全。当牵引链条断裂或偶然松脱时，位于上升区段或下降区段的牵引链条、滑架及吊具就会在自重作用下滚向下方而造成事故，为了防止这种情况发生，在上升区段和下降区段，均应装有特种安全装置——捕捉器，具体原理请查阅相关资料，这里不再详细阐述。为了防止输送机的驱动机构和行走部分偶然过载被破坏，应在驱动链轮上或传动装置中装设一个保险销，当牵引链条断裂或松脱时，保险销会在超过计算牵引力 20%～30%时切断。这种设计能够有效地避免因过载而导致的设备损坏，同时也能防止事故的发生。

1.6　连续垂直输送机

1.6.1　概述

垂直输送机又称提升机、垂直升降机等，主要用于楼层之间的物流搬运。根据是否连续分为连续垂直输送机、往复式垂直输送机。本节主要介绍连续垂直输送机，往复式垂直输送机在第 4 章结合穿梭车介绍。

连续垂直输送机连续不断地运转，空搁板回程不占用输送通道，相当于超市中的自动扶梯，连续载人升降，只不过连续垂直输送机不是沿着斜面升降，是垂直连续提升，能缩短工作时间，提高提升效率，如图 1-47 所示。根据货物的出入口方向分为 Z 型、C 型、E 型，分别如图 1-48(a)～(c) 所示，Z 型连续垂直输送机的输入输出位于提升机的两侧，而 C 型、E 型的输入输出位于提升机的同侧，E 型连续垂直输送机应用较少。输送机输送质量一般小于 100kg，提升高度可达 20m，提升速度可达 40m/min，最大输送效

图 1-47　连续垂直输送机

率可达到 3000 件/h。

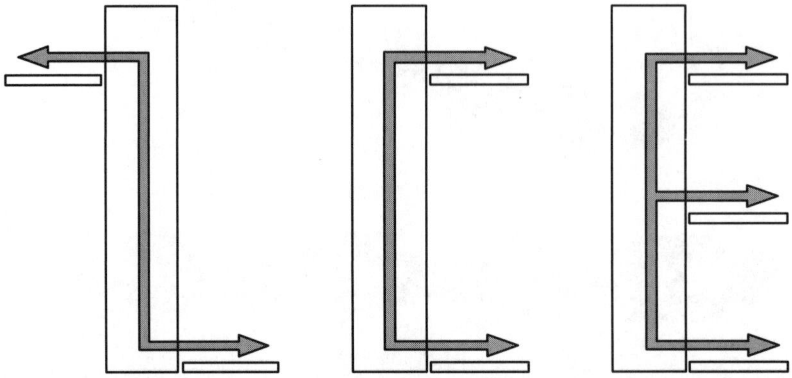

图 1-48　连续垂直输送机类型

1.6.2　Z 型连续垂直输送机

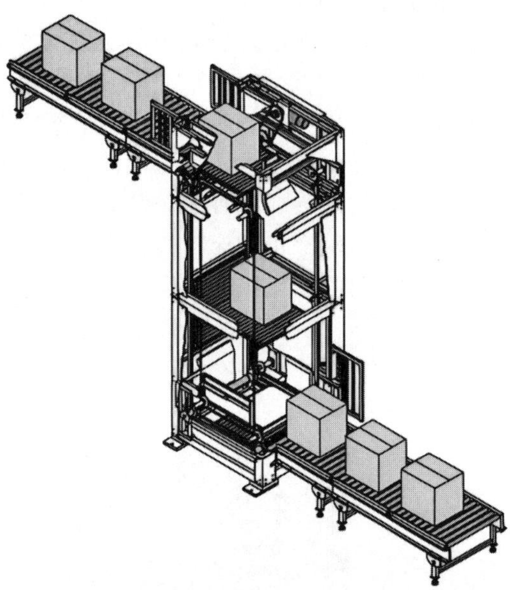
图 1-49　Z 型连续垂直输送机

Z 型连续垂直输送机有两个货物出入口，且两个出入口位于异侧，用于异层异侧货物的输送，如图 1-49 所示，托盘在链条牵引下提升货物并移载后，空托盘变为竖直状态从背面下降，循环运行到货物入口处继续移载货物。

(1) 单向刚性托盘

货物压在托盘上，托盘必须具有一定的刚性，由于托盘载着货物进出，提升机是水平方向运动，托盘在提升过程中是竖直上下运动的，托盘需要竖直面内 90°转弯，因此托盘必须是柔性结构，故托盘是单向刚性的，另一方向是柔性的。如图 1-50(b) 为图 1-50(a) 的下面视角结构，图 1-50(c) 为双侧弯板链条，单向刚性托盘主要由连接头 1、连接外侧链条横杆 2、横杆 3、塞块 4、连接内侧链条横杆 5 和双侧弯板链条 6 组成；连接外侧链条横杆 2 两端分别与连接头 1 通过螺纹固定连接，连接头 1 分别与外侧链条铰接；连接内侧链条横杆 5 两端分别与连接头 1 通过螺纹连接固定，连接头 1 分别与内侧链条铰接；连接外侧链条横杆 2、横杆 3、连接内侧链条横杆 5 分别通过螺纹连接固定在双侧弯板链条 6 的外链节弯板上，横杆之间用塞块 4 塞紧，由于双侧弯板链条 6 链节长度不变，所以图 1-50(a) 状态向下是刚性的，向上是柔性的，此时不影响链节之间的相对转动。

(2) 连续垂直输送机原理

提升机除驱动系统外，其他部分都是两侧对称的，如图 1-51 所示，两条外侧链条 7 和两条内侧链条 9 输送线路完全独立，但均由驱动轴 3 上的链轮驱动，并由上从动轴 10、下从动轴 11 上的链轮改向。

减速电机 1 通过减速器与驱动轴之间链传动 2 将动力传递给驱动轴 3，再通过驱动轴与

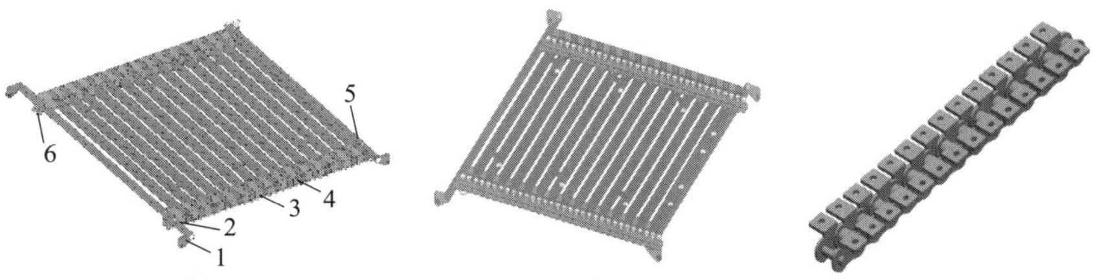

图 1-50 单向刚性托盘

1—连接头；2—连接外侧链条横杆；3—横杆；4—塞块；5—连接内侧链条横杆；6—双侧弯板链条

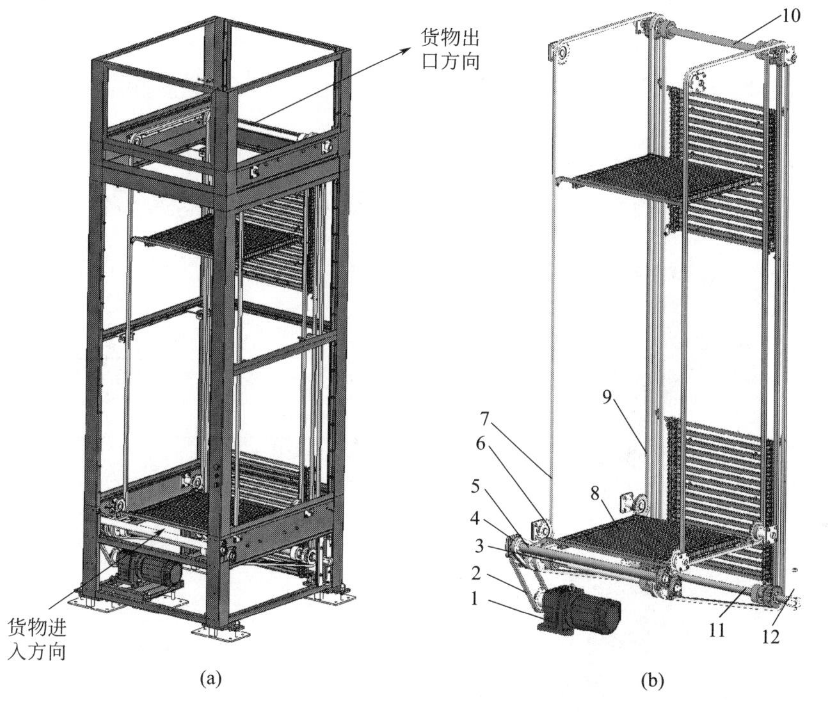

图 1-51 Z 型连续垂直输送机原理

1—减速电机；2—减速器与驱动轴之间链传动；3—驱动轴；4—驱动轴与传动轴之间链传动；5—传动轴；6—改向链轮；7—外侧链条；8—单向刚性托盘；9—内侧链条；10—上从动轴；11—下从动轴；12—张紧装置

传动轴之间链传动 4 将动力传递给传动轴 5，那为什么要设置传动轴 5 呢？这是因为货物进入提升机之前需要有支撑，且支撑最好有驱动力，传动轴 5 作为一个支撑轴，也有一定的输送动力，但要注意的是驱动轴与传动轴之间链传动 4 是增速运动，目的是使传动轴 5 圆柱表面线速度与外侧链条 7 的线速度相同，这样货物进入单向刚性托盘 8 时，单向刚性托盘 8 的速度与传动轴 5 提供的输送速度相同，同时也省去了传动轴 5 的独立驱动。

两根外侧链条 7 分别与单向刚性托盘 8 通过连接头铰接，两根内侧链条 9 也分别与单向刚性托盘 8 通过连接头铰接。在支撑货物状态，单向刚性托盘 8 是水平的，在向下的空行程中，单向刚性托盘 8 是竖直的，且连接内侧链条 9 的一端在下，连接外侧链条 7 的一端在上，两个连接头铰接位置之间的距离等于单向刚性托盘 8 的长度。

外侧链条 7 与内侧链条 9 长度相同，这一点用反证法说明。假设外侧链条 7 与内侧链条 9 长度不同，但二者使用同一驱动，链条速度不同，则会导致连接同一单向刚性托盘 8 的两个连接头的距离发生变化，导致单向刚性托盘8无法正常使用，所以外侧链条7与内侧链条9长度必须相同，且分别通过多处改向链轮6使链条提升段竖直、移载段水平，空行程段竖直，在驱动轴3、上从动轴10、下从动轴11处，单向刚性托盘8均通过双侧弯板链条完全实现转向。图1-51中Z型连续提升机的驱动系统设置在提升机的最底部，主要是为了传动轴5不用另外增加驱动，但这样布置也有紧边过长的问题，链条只有小部分长度是松边，紧边长度可能达到几十米，增大了链条防松的难度，也大大增大了上从动轴、下从动轴和驱动轴的弯矩。

为了解决上述问题，可将Z型连续提升机的驱动系统设置在提升机的最上部，如图1-52所示，这样多半链条是松边，紧边长度不到链条总长度的一半，大大改善了防松装置的难度，一是防松张紧距离减小，二是大大减小了防松所需的力。这样改进后有利于防止出现脱链现象，也有利于减小上从动轴、下从动轴和驱动轴的弯矩，特别是下从动轴所受弯矩很小，但这样布置提升机的驱动系统，安装与检修不如驱动装置在最底部时方便了，另外传动轴需要另外考虑驱动装置。

(3) Z型连续垂直输送机能力计算

了解了Z型连续垂直输送机的工作原理后，可将原理用图1-53表述。

图1-52　驱动系统设置在上部的Z型连续提升机

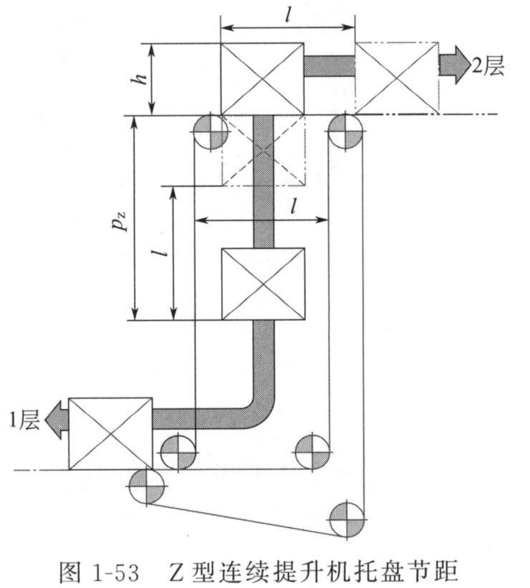

图1-53　Z型连续提升机托盘节距

要计算Z型连续垂直输送机能力，先要计算托盘的节距 p_z，即托盘水平状态时，相邻两个托盘的距离，也等于空回程阶段相邻两个托盘在外侧链条或内侧链条铰接的距离。一般地，托盘在链条上是均匀分布的，所以有

$$s = np_z \tag{1-13}$$

式中　s——提升链条总长度，mm；

n——托盘个数（整数），个；

p_z——托盘节距，mm。

托盘在链条上布置多一些，对提升输送能力有好处，但数量有没有限制呢？托盘水平状

态时，两个托盘之间的距离（即节距 p_z）要大于货物的高度 h，并留有余量；空回程阶段，相邻两个托盘均是竖直状态，两个托盘之间的距离（即节距 p_z）要大于托盘的长度 l，否则两个托盘就要重叠一部分；更关键的是，图 1-52 所示状态，前一个托盘正在提升货物，下一个托盘即将进入移载货物环节，为了避免正在提升的货物上顶面与即将进入移载的货物承载托盘发生碰撞，可取节距 $p_z=l+h$，为了使节数为整数，所以有

$$p_z=l+h+a \tag{1-14}$$

式中　p_z——Z 型提升机托盘节距，mm；

l——托盘长度，mm；

h——货物最大高度，mm；

a——余量，可调。

比较式(1-13) 与式(1-14)，托盘个数 n 是整数，链条总长度确定后，可以通过调整 a 的值，使 n 为整数。

Z 型连续垂直输送机能力 C_z 是指每小时输送货物的托数，可以这样来考虑，链条每小时输送的长度除以托盘的节距 p_z，就是输送的托盘数量，所以有

$$C_z=(v\times 60\times 1000)/p_z \tag{1-15}$$

式中　C_z——输送能力，个/h；

v——提升速度，m/min；

p_z——托盘节距，mm。

1.6.3　C 型连续垂直输送机

C 型连续垂直输送机有两个货物出入口，且两个出入口位于同侧，用于异层同侧的货物搬运，如图 1-54 所示。

(1) C 型连续提升机原理

C 型连续提升机所用单向刚性托盘和 Z 型连续提升机的相同，外侧链条和内侧链条的驱动方式与 Z 型连续提升机的也相同，这里就不再赘述，重点讨论二者不同之处。

分析 Z 型连续提升机单向刚性托盘的运动方向：入口处移载货物时，内侧链条连接端先移载货物，然后逐渐过渡到整个托盘都移载货物；提升到出口处移载货物时，内侧链条连接端先移载货物至出口输送线，然后逐渐过渡到整个托盘都变为空托盘。整个循环下来，都是内侧链条连接端在托盘运行线路的前方，外侧链条连接端在托盘运行线路的后方。

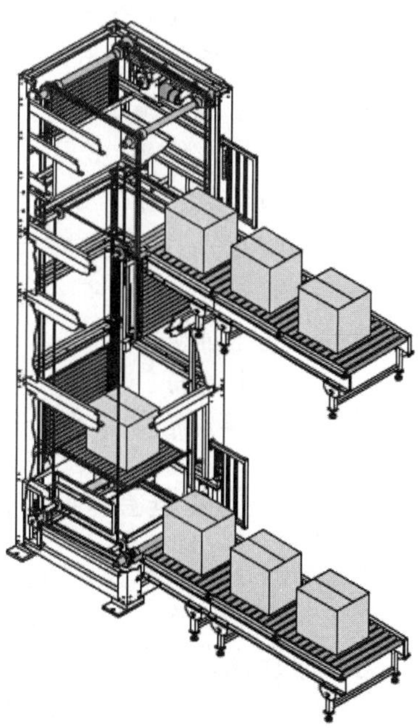
图 1-54　C 型连续垂直输送机运动状态

如图 1-55 所示，C 型连续提升机单向刚性托盘的运动方向：入口处移载货物时，内侧链条连接端先移载货物，然后逐渐过渡到整个托盘都移载货物，外侧链条连接端如图 1-55(b) 所示；提升到出口处，外侧链条连接端靠近出口，所以这一端先移载货物至出口输送线，然后逐渐过渡到整个托盘都变为空托盘，这样外侧链条连接端先完成移载，最后才是内侧链条连接端完成移载。但提升机入口处内侧链条连接端在

托盘运行线路的前方，导致入口处和出口处托盘的方向发生了倒转，出现这种情况的根本原因在于C型与Z型的连续提升机出口方向相反。所以必须增加托盘运行方向倒转方案，使内侧链条连接端在托盘运行线路的前方，外侧链条连接端在托盘运行线路的后方。

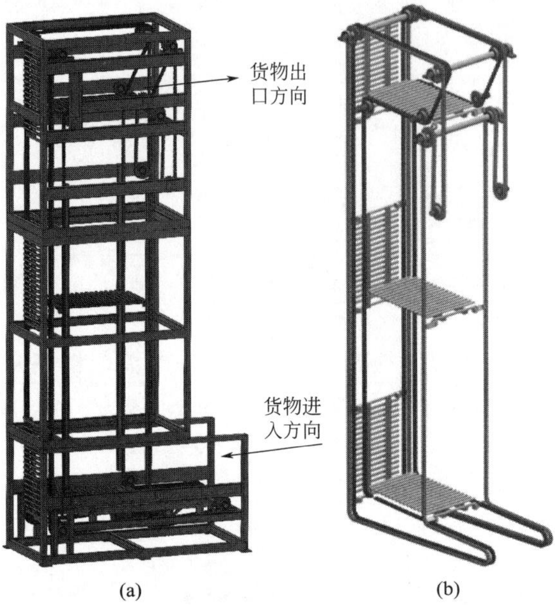

图1-55　C型连续垂直输送机原理

如图1-55(b)所示，托盘运行方向倒转方案是这样实现的：出口处托盘的外侧链条连接端完成移载后向下运行，待内侧链条连接端完成移载后向上运行时，外侧链条连接端再倒转方向为向上运行，这样就实现了托盘运行方向倒转，且不影响托盘转向时的柔性。需要注意：外侧链条与内侧链条的总长度相同，所以对外侧链条倒转链轮的安装位置有一定要求，不能出现内侧链条连接端向上运行时，外侧链条连接端仍向下运行将托盘卡住的情况。

(2) C型连续垂直输送机能力计算

C型比Z型连续垂直输送机的输送能力低25%左右，原因在于每个托盘都要倒转，增大了托盘的节距，是什么原因使节距增大的？图1-55(b)所示的出口处托盘在移载货物时，前一个托盘的外侧链条连接端不能挡住出口，所以为了不遮挡出口，必须增大托盘的节距，相比Z型连续垂直输送机的节距，增大的节距为l，而Z型连续垂直输送机的出口没有这一问题。图1-56为C型连续垂直输送机节距分析。

$$p_c = 2l + h + a \tag{1-16}$$

式中　p_c——C型提升机托盘节距，mm；

l——托盘长度，mm；

h——货物最大高度，mm；

a——余量，约100mm，可调，使C型垂直输送机托盘个数为整数。

那么C型连续垂直输送机输送能力

$$C_c = (v \times 60 \times 1000) / p_c \tag{1-17}$$

式中　C_c——输送能力，个/h；

v——提升速度，m/min；

p_c——托盘节距，mm。

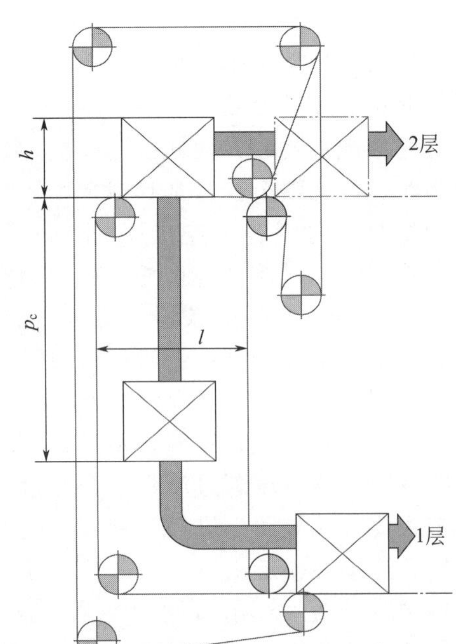

图1-56　C型连续垂直输送机节距分析

1.6.4　E型连续垂直输送机

E型连续垂直输送机有三个以上的货物出入口，且多个出入口位于同侧，主要用于多层同侧之间的货物搬运，原理同C型连续垂直输送机相似，如来自4层的货物可以分别运送到3层、2层、1层。C型连续垂直输送机结构已经比较复杂，要实现E型连续输送，可采用新的思路。

C 型连续垂直输送机上出入口是固定的，采用逆向思维，能否把这个出入口设计为可调整高度的？这样出入口高度不是固定的，就实现了 E 型连续输送的功能。图 1-57 为 E 型连续垂直输送机的结构原理，相比原来 C 型连续垂直输送机，只有一个驱动电机，用于升降上出入口的高度，这样上输入口就是可移动的，升降时需要加导向装置。

因为出口平台的升降运动对垂直输送能力没有影响，所以 E 型连续垂直输送机垂直输送能力与 C 型的相同，这里不再赘述。

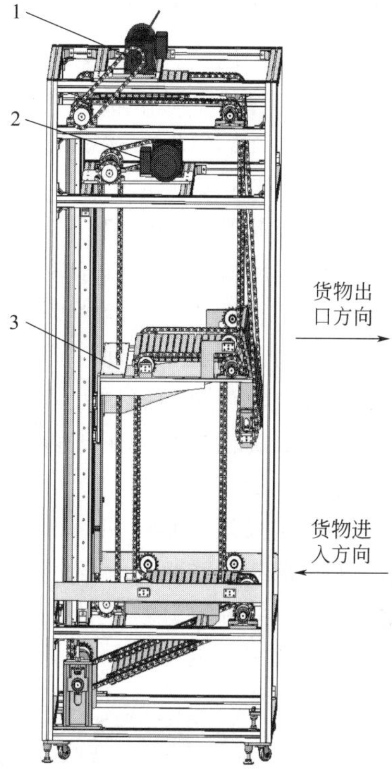

图 1-57　E 型连续提升机
1—货物提升驱动系统；2—可升降出入口平台驱动系统；3—可升降出入口平台

1.6.5　提升机橡胶链条

前面介绍的提升机均是基于金属链条的，近年来出现了在很多场景下能够替换金属链条的橡胶链条，如图 1-58 所示，橡胶链条与同步带结构有些类似，驱动链轮加工工艺简单了很多，改向轮不再是链轮结构，而是带挡边的圆柱轮。

提升机橡胶链条有以下优势：

① 耐磨性强。橡胶链条具有良好的耐磨性能，能够在长时间的使用中保持较好的性能，减少了更换链条的频率和成本。

② 静音性好。橡胶链条相比于金属链条，摩擦噪声较小，运行时产生的噪声较低，能够提供更加安静的工作环境。

③ 轻质化。橡胶链条相对于金属链条来说，质量较小，能够减轻设备的负荷，降低能耗，提高设备的运行效率。

④ 高弹性。橡胶链条具有较好的弹性，能够在运行过程中吸收冲击和振动，减少设备的损坏和故障，延长设备的使用寿命。

⑤ 维护成本低。橡胶链条相对于金属链条来说，维护成本较低，不需要润滑和保养，减少了维修和更换的费用。橡胶链条具有良好的弹性和柔韧性。

除了用作提升传动用链条外，橡胶链条也可用于制作单向刚性托盘，如图 1-59 所示。

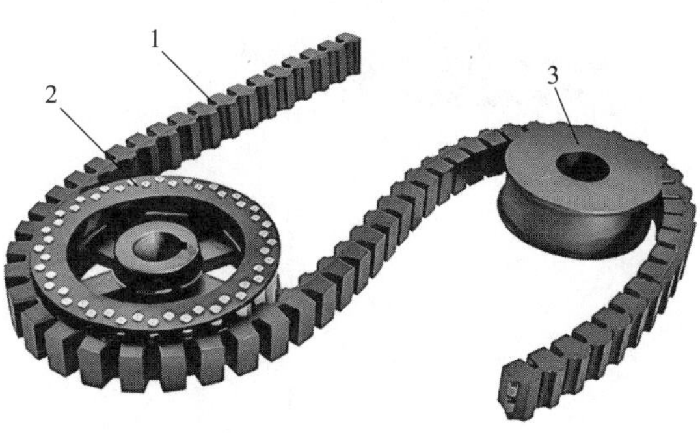

图 1-58　橡胶链条与链轮
1—橡胶链条；2—驱动链轮；3—改向轮

图 1-59　橡胶链条单向刚性托盘

1.6.6 螺旋输送机

螺旋输送机是一种常见的连续换层输送设备，其优点是连续输送物料的效率高，节省空间，适用于轻载不易滚动的货物。螺旋输送机的本质还是辊筒输送或链式输送，只不过做成螺旋状使爬升的斜度放缓，货物不易滚下来。螺旋输送机根据输送方式不同可以分为辊筒螺旋输送机和链式螺旋输送机。

(1) 辊筒螺旋输送机

辊筒螺旋输送机，基于辊筒输送方式，常用于自上而下地螺旋输送，因为这个方向输送不需要动力，靠货物的重力可使圆锥辊筒转动，而且由于螺旋倾角小，货物不会因加速而撞击损坏，如图 1-60 所示。在设计时，应根据货物与圆锥辊筒表面的摩擦系数设计螺旋倾角，必要时圆锥辊筒可包胶增大摩擦系数，也因其弹性增大，输送噪声小，平缓一些。

辊筒螺旋输送机如用于自下而上的螺旋输送，则常因为链传动级数多、效率低、成本高而不合算，所以用得少。

(2) 链式螺旋输送机

链式螺旋输送机，基于链式输送，如图 1-61 所示，弯链驱动系统 1 驱动整条弯链绕着螺旋线、直线和圆弧线组成的封闭曲线转动，弯链 2 上间隔着将扣板 3 安装在链节板上，像鱼骨一样有一定的柔性，扣板 3 上承载货物，上下均可输送，但不能同时上下。

图 1-60 辊筒螺旋输送机

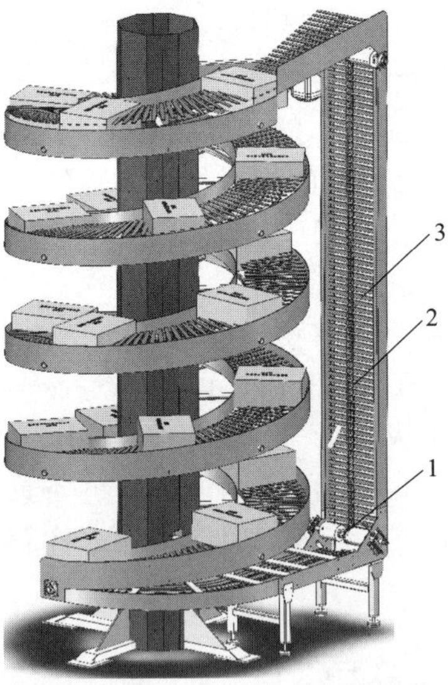

图 1-61 链式螺旋输送机

1—弯链驱动系统；2—弯链；3—扣板

第 2 章

输送分流与合流技术

输送分流技术是指在物流配送过程中，当一条主输送线路需要把部分货物分流到支路时，使用分流设备来改变货物的运行方向，使货物输送到支路，其他货物不需要分流到支路时，货物在主输送线上继续输送。输送分流与转向不同，前者是两条或者多条输送线路，而后者仍然是一条输送线路；输送合流技术则是在需要将一条或多条支路的货物合并成主输送线路，合流与分流是逆过程，所以可以只研究分流，在生产过程中分流技术比合流技术应用多。图 2-1 通过多种方式实现货物的分流和合流。

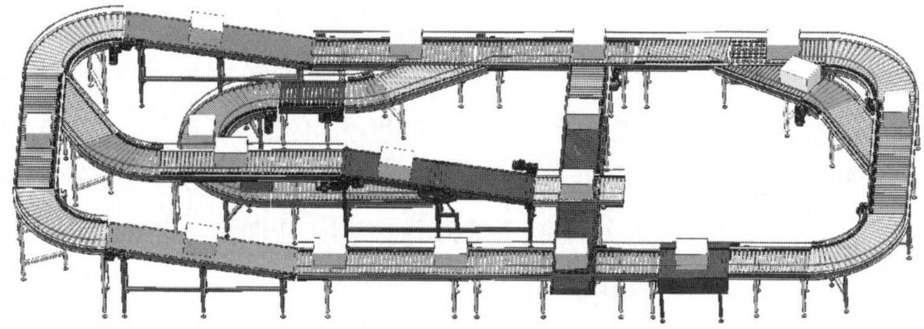

图 2-1　输送分流与合流

输送分流技术与分拣技术不同，分流只是把输送线路分成两个或多个，而分拣是把货物按照货物的特性（如收货地址、客户名称等）分开，分拣比分流更细分，分拣过程中用到分流技术，但分流不等同于分拣。由于在智能制造领域，用到输送分流技术较多，而分拣技术应用很少，后者主要在快递行业、电商行业、医药行业等应用广泛，这里主要针对智能制造领域，所以就不再讨论分拣技术。

常用的分流/合流技术与装备有斜导轮式分流装置、顶升移载装置、麦克纳姆轮式分流装置、全向轮式分流装置、转盘分流装置、摇臂式分流装置等。这些分流技术均适用于料箱，其中顶升移载装置、转盘分流装置可用于托盘货物的分流，托盘货物较重，分流技术少。

2.1 斜导轮式分流装置

2.1.1 斜导轮式分流装置应用场景

斜导轮式分流装置安装在两端主输送线的中间，与输送方向呈一定角度的支输送线安装在斜导轮式分流装置的一侧，如图 2-2 所示，在主输送机上的货物来到斜导轮式分流装置上面时，根据分流指令斜导轮式分流装置转动，使上面的货物流向指定的支输送线，实现分流目的；如无斜分流指令，导轮分流装置不转向，仍有输送功能，货物继续沿主输送线输送。

图 2-2　斜导轮式分流装置工作原理

斜导轮式分流装置适用于轻载的箱类或底面平整且刚性较好的货物，底面较软、不平或很重的货物不适合用斜导轮式分流装置分流。斜导轮式分流装置货物负载小、分流速度快、转向角度较小，常用的分流角度是 30°、45°，也有使用斜导轮式分流装置通过较复杂的运动控制实现 90°转向。

斜导轮式分流装置一般实现一分二或者一分三，若想实现多通道货物分拣，也可以用多个斜导轮分流装置的组合实现物品的更多分流，角度也不仅限于 30°、45°，可以达到 90°，如图 2-3 所示，不是所有的导轮转向角度都一致，而是由多个斜导轮式分流装置的组合控制呈现不同的转向角度。这种斜导轮式分流装置的组合应用也加宽了整个输送线的宽度，在分拣装置上有应用，输送线分流场景应用少。

图 2-3　多组斜导轮式分流装置组合应用

2.1.2　斜导轮式分流装置原理与结构

斜导轮式分流装置有两个运动：一个是导轮的自转，起输送作用；另一个是导轮组的同步转向，起转向作用。下面分析几种斜导轮式分流装置的结构方案。

(1) 导轮自转用 O 形带传动，转向用同步带传动

斜导轮式分流装置整体外观如图 2-4(a) 所示，图 2-4(b) 为图 2-4(a) 中隐藏了外壳和安装板的结构，图 2-4(c) 是图 2-4(b) 中隐藏了部分零部件简化后的结构，目的是更清晰地表达传动原理。

导轮自转用 O 形带传动：图 2-4(c) 中，自转减速电机 1 经多楔带传动 2 将动力传递给若干根横向六角轴 3；横向六角轴 3 上装有若干个 O 形带轮 5，轴向用六角轴用套筒 4 隔开并定位，O 形带传动 6 将 O 形带轮 5 的转动传递给导轮 7，从而实现了所有导轮 7 的自转。

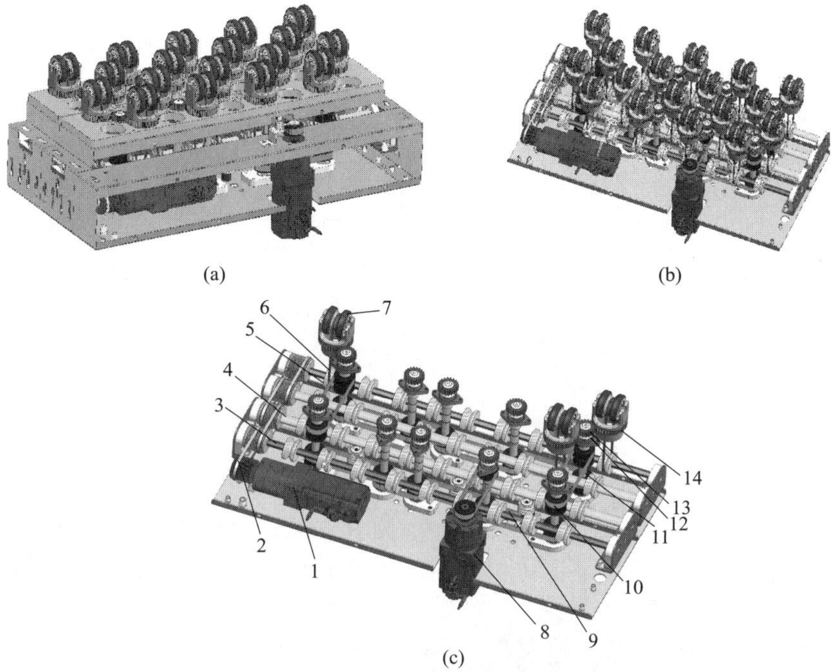

图 2-4　斜导轮式分流装置

1—自转减速电机；2—多楔带传动；3—横向六角轴；4—六角轴用套筒；5—O 形带轮；6—O 形带传动；7—导轮；8—转向减速电机；9—横向同步带传动；10—纵向同步带传动；11—立轴；12—主动齿轮；13—导轮安装座齿轮；14—导轮安装座

导轮转向用同步带传动：转向减速电机 8 通过多组横向同步带传动 9 与纵向同步带传动 10 将动力传递给所有的立轴 11，立轴 11 最上端固定安装主动齿轮 12，主动齿轮 12 与导轮安装座齿轮 13 啮合，导轮安装座齿轮 13 固定安装在导轮安装座 14，导轮 7 安装于导轮安装座 14 上，所以当转向减速电机 8 驱动时，导轮 7 会产生一定的偏转，实现所有导轮 7 的同步转向。由于 O 形带具有一定的弹性，所以当导轮旋转一定角度时，O 形带传动仍可实现正常的传动。

(2) 导轮自转用 O 形带传动，转向用平行四边形机构传动

图 2-4 中导轮的转向均是由同步带传动的，安装或更换同步带时受结构影响，有的导轮的转向用平行四边形机构驱动，原理如图 2-5 所示。由构件 1、2、3 及机架组成的机构为曲柄摇杆机构，1 为曲柄，2 为连杆，3 为摇杆，用来驱动导轮的转向；由构件 3、4 及机架组成的机构为平行四边形机构，构件 3 是由曲柄连杆机构输出确定的运动，所有的平行四边形连架杆均是确定的，均用来驱动导轮的转向，且同步。

图 2-5 所示的平行四边形机构驱动导轮转向的分流装置如图 2-6 所示。

(3) 导轮自转与转向均用同步带传动

导轮模块结构与原理：导轮自转与转向均用同步带传动，是基于一种设计巧妙的传动方案，下面先分析传动方案。如图 2-7 所示，导轮 12 的自转实现方案：同步带轮 8 内部装有两个转向轴轴承 4，并用轴承外圈压环 7 固定，同步带轮 8 能够相对于转向轴 1 转动，轴向用转向轴 1 的轴肩定位，并用锁紧挡圈 3 固定；主动锥齿轮 9 与同步带轮 8 通过过盈配合固

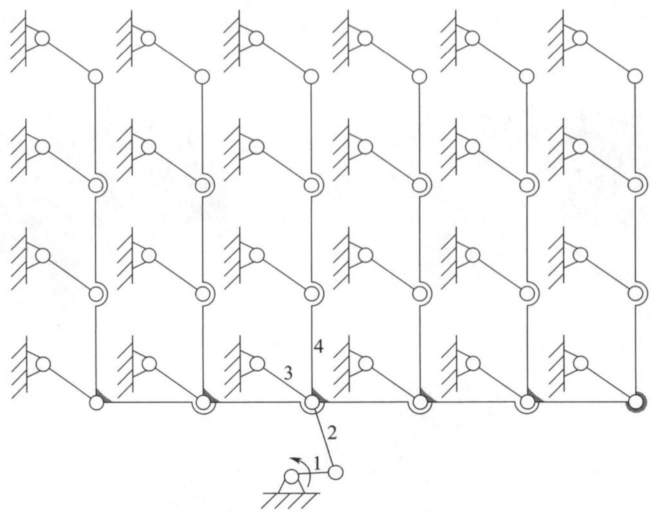

图 2-5 平行四边形机构驱动导轮转向机构原理

图 2-6 平行四边形机构驱动导轮转向的分流装置

定在一起；自转轴筒壳 10 与转向轴 1 焊接，两个自转轴轴承 11 的外圈与自转轴筒壳 10 过渡配合，轴向用轴肩定位，内圈与自转轴 13 过渡配合，外侧通过轴肩定位，并由导轮 12 的内侧压紧，两端的导轮 12 装在削边的自转轴 13 上，并用黏结剂固定，从动锥齿轮 14 压紧在一个导轮 12 上，并用黏结剂固定，从动锥齿轮 14 与主动锥齿轮 9 啮合，将同步带轮 8 的水平面转动转变为导轮 12 的竖直面转动，防滑胶套 16 套装在导轮 12 的环形槽内，与导轮 12 无相对滑动，对货物起增大摩擦系数的作用；导轮侧壳 15 与导轮筒壳 17 均起防尘、装饰性的作用。

导轮 12 的转向实现方案：两个转向轴轴承 4 分别装在轴承座 5 内，并通过螺钉固定在安装板 6 上，转向轴轴承 4 外圈不转，转向轴 1 穿过转向轴轴承 4 内圈，并用上下两个锁紧挡圈 3 轴向进行相对固定；转向同步带轮 2 轴向通过紧定螺钉固定于转向轴 1 的最下端，周向通过键连接，当转向同步带轮 2 转动时，驱动转向轴 1 旋转，从而带动自转轴筒壳 10 转动，进而使安装于自转轴筒壳 10 上的导轮组件一起转动，实现了导轮 12 的转向。

综上所述，传动方案通过分别驱动转向同步带轮 2 和自转同步带轮 8 就能实现导轮 12 的转向和自转，且同步带轮 2 和自转同步带轮 8 均是水平面转动的，这是传动方案的独特之处。

转向同步带轮和自转同步带轮的驱动方案：

只要能够分别同步驱动转向同步带轮和自转同步带轮，就能实现所有导轮模块的同步转向和自转，下面分析转向同步带轮和自转同步带轮的驱动方案。

图 2-8(a) 是导轮自转与转向均用同步带传动的斜导轮分流装置的整体方案，图 2-8(b) 是图 2-8(a) 隐藏了部分壳体和安装板的结构，图 2-8(c) 是图 2-8(b) 沿自转同步带轮 6 上

表面的剖视图；图 2-8(d) 是图 2-8(c) 沿轴承座 4 上表面的剖视图。

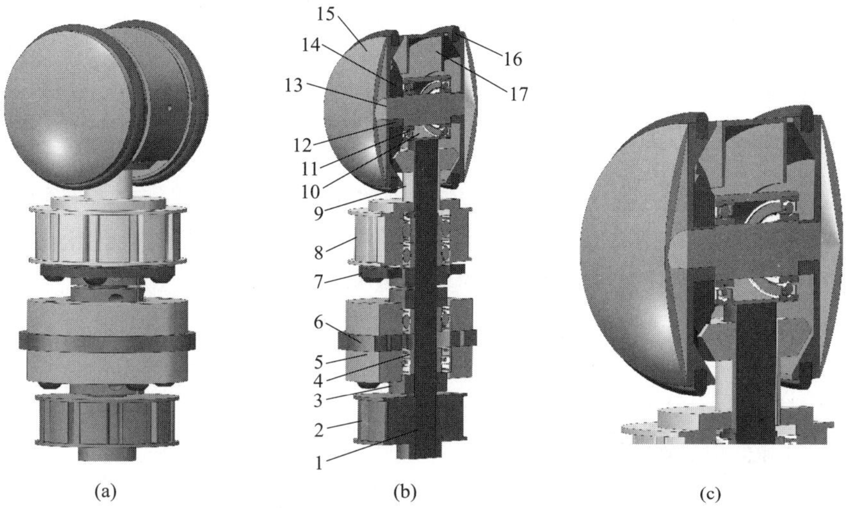

图 2-7　导轮模块

1—转向轴；2—转向同步带轮；3—锁紧挡圈；4—转向轴轴承；5—轴承座；6—安装板；7—轴承外圈压环；8—自转同步带轮；9—主动锥齿轮；10—自转轴筒壳；11—自转轴轴承；12—导轮；13—自转轴；14—从动锥齿轮；15—导轮侧壳；16—防滑胶套；17—导轮筒壳

在图 2-8(c) 中，自转减速电机 1 固定安装于底板 2 上，经联轴器 3 驱动自转主动同步带轮轴 6，轴承座 4 固定安装于安装板上（图中隐藏了），使自转主动同步带轮轴 6 轴向固

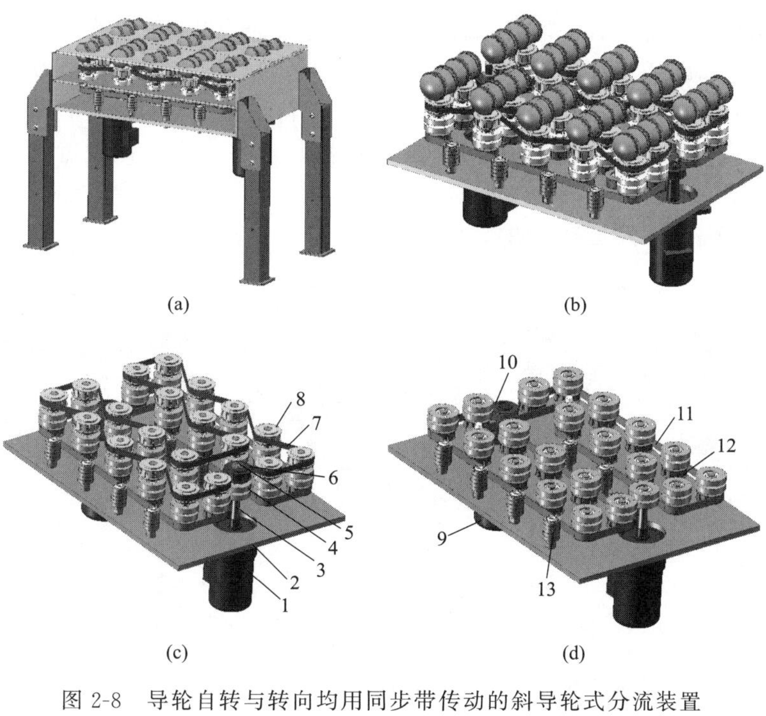

图 2-8　导轮自转与转向均用同步带传动的斜导轮式分流装置

1—自转减速电机；2—底板；3—联轴器；4—轴承座；5—自转主动同步带轮轴；6—自转主动同步带轮；7—自转同步带；8—导轮模块的自转同步带轮；9—转向减速电机；10—转向主动同步带轮；11—转向同步带；12—导轮模块中的转向同步带轮；13—增大包角轮

定，能承受一定的径向力，轴承同步带轮 6 通过键连接和紧定螺钉固定于自转主动同步带轮轴 5 上，自转同步带 7 是双面齿形的同步带，所有自转同步带轮均包络传动，当自转减速电机 1 转动时，驱动所有自转同步带轮转动。要注意的是，从动斜齿轮只安装在一侧，初始安装时要注意从动斜齿轮应该安装在左边还是安装在右侧，因为自转同步带轮 8 与自转同步带 7 的摩擦面有的在左侧，有的在右侧，务必使所有的导轮自转方向相同，否则起不到驱动货物转向的作用。

在图 2-8(d) 中，转向减速电机 9 固定安装于底板 2 上，驱动转向主动同步带 10，主动同步带 10 驱动转向同步带 11，进而驱动所有转向同步带轮 12，使所有导轮同步转向，增大包角轮 13 是为了使部分转向同步带轮 12 的驱动包角稍大一些。

上面分析了导轮转向与自转三种不同的方案，当然还有其他优秀的方案，这里不一一分析了。

2.2 顶升移载装置

2.2.1 顶升移载装置应用场景

顶升移载装置一般用于将货物的输送方向改变 90°，将货物送入或移出主输送线，在空间有限的条件下实现直角转弯，具有节省空间的优势。如图 2-9 所示，设顶升移载装置总的顶升行程为 Δh（如 $\Delta h=10\text{mm}$），则主输送线输送面比支输送线的低 $0.5\Delta h$，料箱沿主输送线输送，当需要移载至支输送线时，料箱（为看清移载部分，图中料箱半剖）在分流处停下，如图 2-9(a) 所示，此时顶升移载装置的移载滚轮最高点低于主输送线输送面 $0.5\Delta h$；顶升移载装置得到移载信号后，顶升系统将移载系统整体升高 Δh，移载装置的滚轮将料箱从主输送线上顶起 $0.5\Delta h$，如图 2-9(b) 所示，此时料箱底面与支输送线高度一致；顶升移载系统的移载滚轮转动使料箱平移到支输送线上，待料箱被完全移载后，如图 2-9(c) 所示，移载装置的顶升系统将移载系统下降 Δh，恢复到初始状态，顶升移载过程结束。顶升移载后，料箱主输送线上的前后面变为支输送线上的侧面。需要说明的是，顶升移载装置的移载系统在主输送线的辊筒之间运动，并留有间隙。

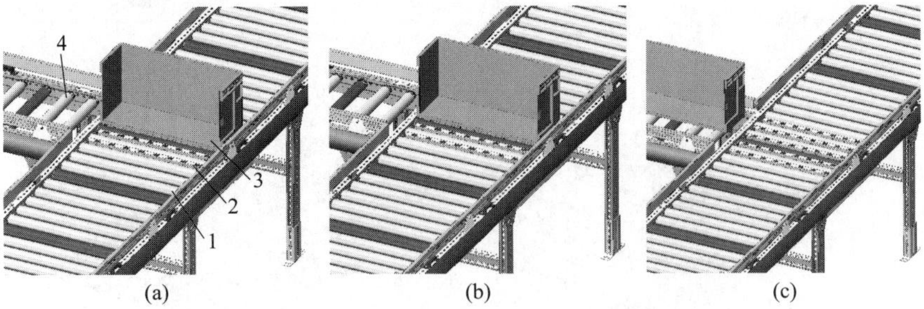

图 2-9 顶升移载装置应用场景

1—主输送线；2—顶升移载装置；3—料箱；4—支输送线

顶升移载装置将料箱从主输送线合流到支输送线上时，主输送线输送面比支输送线的低 Δh，顶升移载装置从主输送线上顶起料箱然后移载至支输送线，所以称为顶升移载，移载时从 0 开始加速，加速度较大，当料箱较重时，对移载的动力就有一定要求，尤其是用带作为移载元件，料箱的重力使带与承载板之间的摩擦力较大，用于移载的动力就减小了，不足以稳定地实现料箱移载，这一点设计时要注意，容易被忽略，可以考虑采取减小带与承载板之间滑动摩擦系数的措施。

顶升移载装置将料箱从支输送线合流到主输送线上时，顶升装置先将移载系统顶升到支输送线高度，将支输送线来的料箱接载过来，然后下降顶升系统至最低位，下降过程中将料箱放到主输送线上，然后由主输送线从 0 开始加速至料箱输送速度。这个过程虽然是用顶升移载装置实现的，但移载货物的过程是接载，即料箱的速度从支输送线的输送速度减为 0。移载系统起一定的减速作用，所以移载系统的动力要求不高，设计时可以降低对移载系统的动力要求。

综合以上两种场景，设计顶升移载装置要注意应用场景的不同，如果顶升移载装置同时有顶升移载和顶升接载两种状态，设计时以顶升移载为准设计顶升移载装置；如果只有顶升接载这种情形，移载系统设计要求就降低不少；如果只有单向顶升移载这种情形，即只有一条支输送线，设计移载系统时可以考虑沿着移载方向设置一个向下的倾角，以减小移载动力。

顶升移载装置的移载元件主要有滚轮、带、辊筒和链条。滚轮转动的动力也是由带的摩擦力提供的，也属于带式移载的范畴，所以将顶升移载装置分为带式顶升移载装置、辊筒式顶升移载装置、链条式顶升移载装置分别讨论。

2.2.2　带式顶升移载装置工作原理与结构

带式顶升移载装置以带为移载元件，特点是移载速度快、移载动力小，所以适用于箱类或底面平整货物的 90°分流。

(1) 移载系统原理与结构

如图 2-10 所示，电动辊筒 1 驱动靠摩擦驱动的平带 3，平带 3 驱动最上面的一排滚轮 2，滚轮 2 的转动可以移载料箱等货物。滚轮虽然作为移载元件，但本质上还是靠滚轮与带之间的摩擦力，那为什么还要用滚轮呢？这是因为最上面一排滚轮 2 的轴可以承载料箱的质量，而且滚轮内部轴承内外圈之间是滚动摩擦，阻力小，滚轮外圈是聚氨酯材料，耐磨寿命长。

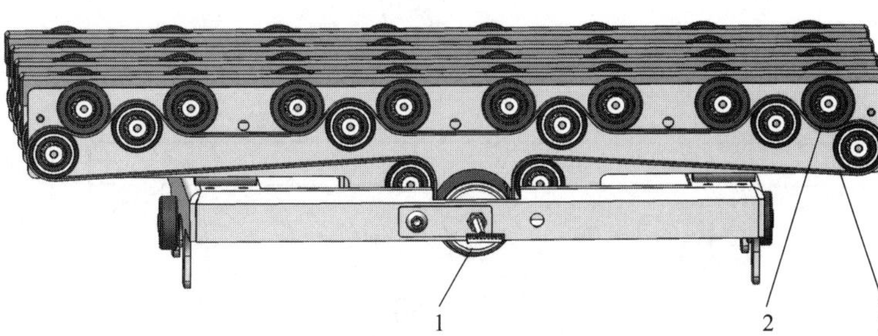

图 2-10　导滚轮为移载元件的移载系统

1—电动辊筒；2—滚轮；3—平带

图 2-10 中，移载系统如果直接用平带 3 移载货物，如图 2-11 所示，平带要承载料箱的质量，带与支撑板之间的摩擦为滑动摩擦，摩擦系数大，且平带 3 不耐磨，寿命短，更换成本高；如果货物较轻，用平带作为移载元件，成本低。

(2) 顶升系统原理与结构

由于移载系统移载对象一般是轻载货物，所以顶升系统的负载也是轻载，且移载的距离

图 2-11 用平带作为移载元件的移载系统

较小，一般在 10～20mm，顶升运动的实现方式主要有气缸、电动推杆、剪叉机构、凸轮机构等。这里以凸轮机构为例，分析顶升系统与移载系统的运动关系。

图 2-12 为凸轮机构式顶升系统原理图，图 2-12(a) 所示为凸轮顶升最高点状态后即将开始翻转，图 2-12(b) 为凸轮下降到最低状态，机架与构件 3、构件 4、构件 5 组成了双平行四边形机构，凸轮 1 顶升滚轮 2 使平行四边形机构运动，构件 3 平动，除上下运动外，水平方向也有一定的移动，这一点一定要注意。此凸轮机构与平行四边形机构的组合机构最大的优点是不用导向零部件，仍能保证构件 3 的平动。没有构件 5，图 2-12 所示的顶升机构能够正常运行，那为什么还要设置构件 5 呢？设置构件 5 有一个好处：在图 2-12(b) 所示的状态时，平行四边形机构的构件 5 压在机架上，限制构件 5 继续下降，此时滚轮 2 与凸轮 1 并不接触，构件 3 承受的质量不会通过滚轮 2 压到凸轮 1 上，滚轮 2 就不会一直处于受压状态，有利于保护滚轮 2 和凸轮 1 免受长时间线接触应力过大而变形。

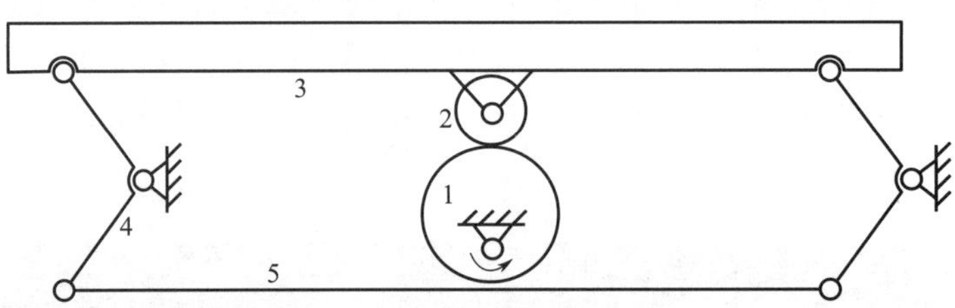

(a)

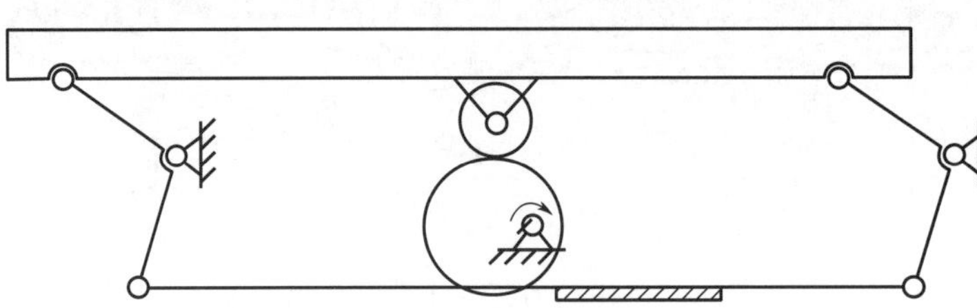

(b)

图 2-12 凸轮机构与平行四边形机构组合式顶升系统原理

1—凸轮；2—滚轮；3—移载系统简化后的构件；4—连架杆；5—连杆

根据图 2-12 所示顶升机构工作原理的顶升移载机构如图 2-13 所示，为了便于理解与图 2-12 中的对应关系，1～5 编号与之对应，凸轮 1 的驱动是由减速电机 8 经同步带轮 7 和同步带 6 组成的同步带传动实现，转轴 9 的中心就是平行四边机构连架杆 4 的转动中心。

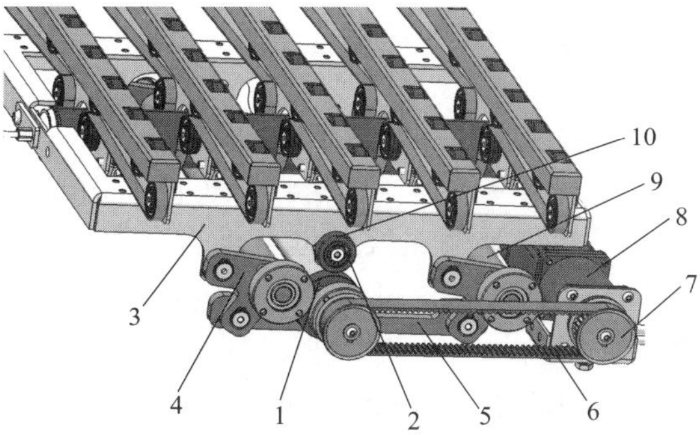

图 2-13　凸轮机构与平行四边形机构组合式顶升系统结构

1—凸轮；2—滚轮；3—移载系统安装架；4—连架杆；5—连杆；6—同步带；7—同步带轮；8—减速电机；9—转轴；10—凸轮轴

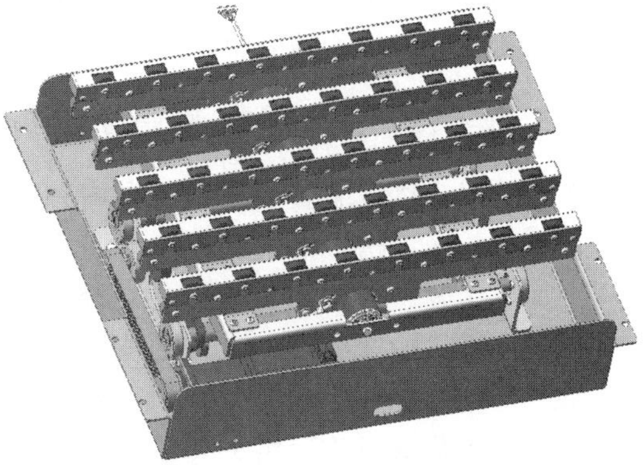

图 2-14　凸轮机构式顶升移载装置

完整的顶升移载装置如图 2-14 所示，沿主输送线宽度方向布置了左右对称的凸轮机构式顶升系统，由一个减速电机同步驱动两个凸轮实现移载系统的升降。凸轮机构在顶升过程中，移载系统左右会有偏移，所以顶升移载装置与输送线辊筒之间的间隙要留充足。

(3) 设置于条形带中的带式顶升移载装置

常见的带式顶升移载装置均设置在辊筒输送线中，图 2-15 所示的带式顶升移载装置均设置在条形带式输送线中，图 2-15(a) 为顶升前状态，图 2-15(b) 为货物被顶升。移载过

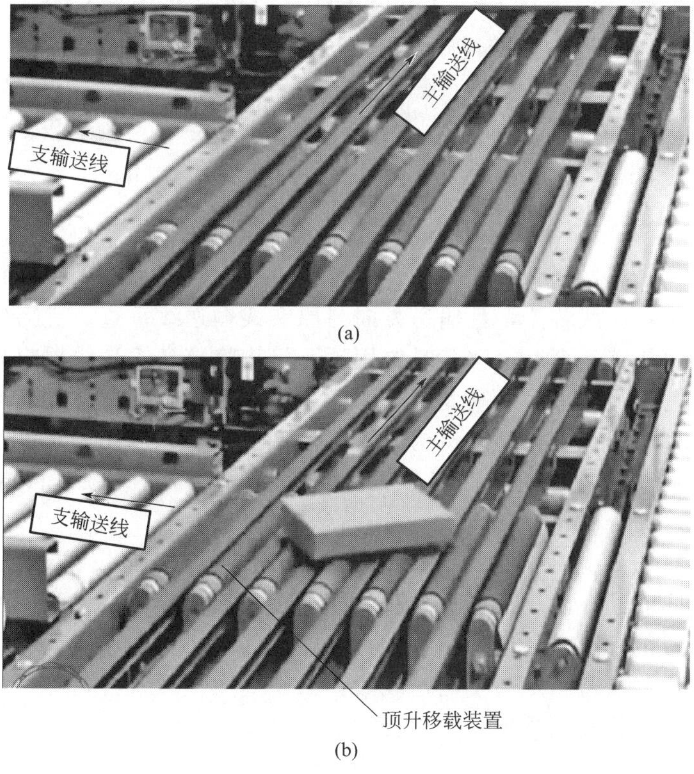

图 2-15　设置于条形带中的带式顶升移载装置

程中，移载方向也是垂直于主输送线，优点是对于底面平整的小件货物不用安装间距较小的辊筒输送线，可以显著地降低成本。

2.2.3 链条式顶升移载装置工作原理与结构

链条式顶升移载装置可以设置在两种类型的主输送线中，一种是辊筒输送线，另一种是链式输送线，支输送线的类型不需要与主输送线的类型对应，即主输送线为辊筒输送线，经链条式顶升移载装置移载货物后，支输送线类型可以为辊筒输送线，也可以为链式输送线；主输送线为链式输送线时，支输送线类型可以为辊筒输送线，也可以为链式输送线。

如图 2-16(a) 所示，链条式顶升移载装置设置在辊筒式主输送线中，两辊筒之间布置能够顶升的链条移载机构，链的传输方向与辊筒传输方向垂直，货物不需要移载时，链条的高度低于辊筒最高母线，移载时先用顶升机构将链条移载机构顶起高于辊筒最高母线高度，且与辊筒支输送线输送面等高度，待货物脱离辊筒后，由链条移载机构将货物移载至辊筒支输送线，完成移载后，链条移载机构回落至最低状态。此应用场景中，由于辊筒式主输送线上托盘下沉变形量较小，所以链条式顶升移载装置的顶升距离 Δh 要比链式主输送线的小一些，可取 $\Delta h=60\text{mm}$，也可以与链式主输送线的相同，$\Delta h=80\text{mm}$，多出来的距离不顶升托盘，相当于空行程，这样就不用区分主输送线类型了。

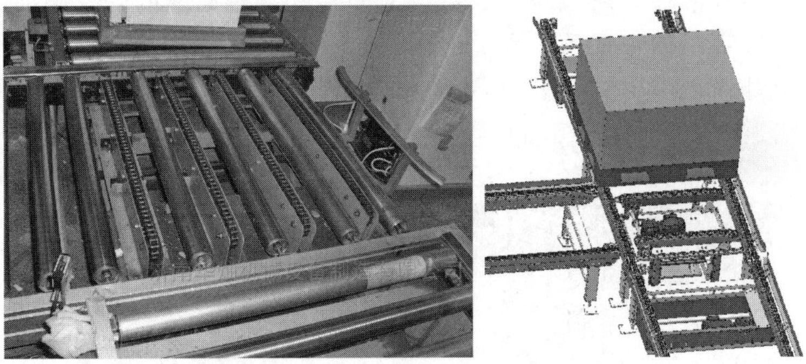

(a) (b)

图 2-16 链条式顶升移载装置

如图 2-16(b) 所示，链条式顶升移载装置设置在链式主输送线中，在链式输送线中间布置能够顶升的链条式移载装置，且输送方向与原链式输送线垂直，货物不需要移载时，链条的高度低于主输送线链条高度，移载时先用顶升机构将链条输送线顶起高于主输送线链条高度，且与支链式输送线输送面等高度，货物脱离辊筒后，由链条移载机构将货物移载至支链式输送线，完成移载后，链条移载机构回落至最低状态。此应用场景中，由于链式主输送线两条链条之间的距离较大，托盘下沉变形量较大，所以链条式顶升移载装置的顶升距离 Δh 要大一些，可取 $\Delta h=80\text{mm}$。

对比图 2-16(a) 与 (b) 两种类型的主输送线，链条式顶升移载装置是一样的，只是安装使用场景有所不同而已。由于托盘等重载货物在顶升后，速度从 0 开始加速到移载最大速度，链条式移载装置最好能在托盘等货物接触支输送线时，输送速度就已经达到支输送线的速度，这样托盘等货物横跨移载与支输送线时，二者速度一致，托盘等货物不会因二者速度不同而产生滑动摩擦导致底面受损。

链式移载装置结构与链式输送的相同，这里不再分析，重点分析顶升系统的原理与结构。由于托盘等货物是重载，移载系统移载速度慢，所以移载过程中顶升系统最好能够自锁，这样顶升系统的驱动部件不用一直处于最大负载状态。

(1) 正弦机构式顶升原理

由于顶升负载较大，顶升移载装置使用率较高时，顶升系统设计时更要注意传动效率，在常用的顶升机构中，正弦机构应用较广泛，如图 2-17 所示，原因有两点：①正弦机构传动角为 90°，在图 2-17 中导杆 3 运动方向为竖直向上，受力方向也是竖直向上的，所以传动角为 90°；②当 $\varphi=90°$时，曲柄与滑块 2 垂直，此时机构处于死点位置，即只要曲柄 1 不转，导杆 3 向下的力再大，曲柄 1 也不会转动，这样用导杆 3 竖直上升作为顶升运动时，可利用死点位置实现在移载时顶升机构无须提供动力来保持顶升状态，如图 2-17(b) 所示。

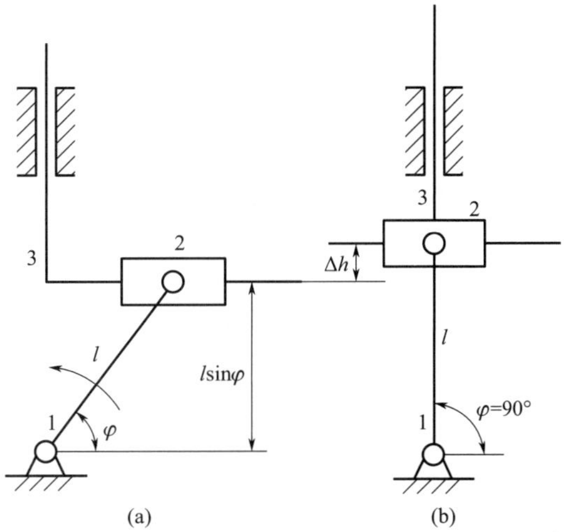

图 2-17 正弦机构用于顶升运动原理

由于顶升距离 Δh 较小，为 10～20mm，曲柄 1 的转动范围不大，所以实现其往复摆动的方式可以用减速电机的方式，也可以用电缸等驱动。这里介绍使用电缸作为驱动元件的方案，使用减速电机的方案在辊筒式顶升移载装置的顶升方案中介绍。

电缸作为驱动元件的链条式顶升移载装置，如图 2-18 所示，滑块用滚轮轴承 2 与平面的高副替代，当移载装置开始顶升托盘等货物时，不难理解此时电缸的推力最大，所以应尽可能地增大电缸推力的力臂。

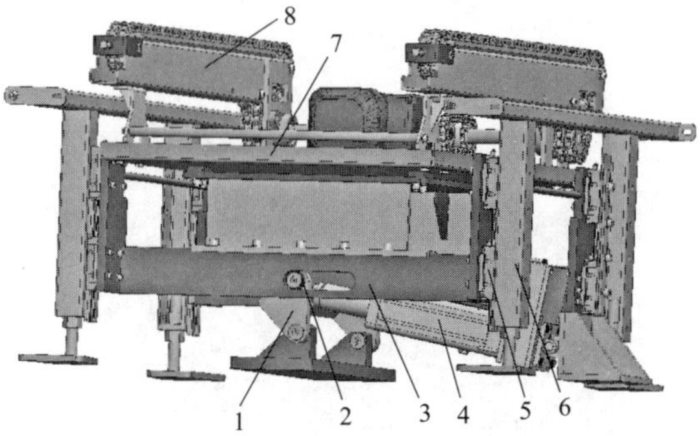

图 2-18 电缸作为驱动元件的链条式顶升移载装置

1—曲柄；2—滚轮轴承；3—导杆；4—电缸；5—滑块；6—安装架；7—移载系统安装板；8—移载系统

(2) 凸轮与平行四边形组合机构式顶升原理

应用凸轮机构与平行四边形机构的组合实现顶升的原理如图 2-19 所示，图 2-19(a) 为顶升最高时状态，图 2-19(b) 为中间状态，图 2-19(c) 为最低位状态，机构原理图与图 2-11 是一样的，不同的是应用平行四边形的状态不同。机架 AD 与 AB、BE、DE 组成平行四边形机构，机架 AD 与 AC、CF、DF 也组成平行四边形机构，AB 与 AC 是一个构件 4，滚轮 2 安装在构件 3 上，在凸轮旋转过程中，构件 3 被滚轮 2 顶起，驱动两侧的构件 4 转动，在两个平行四边形机构的作用下，构件 3 和构件 5 均做平动，注意均不是竖直上下运动，但构件 3 左右平移的距离较小（原因在于构件 3 中 AC 倾斜角度很小），所以在顶升过程中，移载系统横向偏移就很小。此组合机构最大的优点是不用导向零部件，且构件 3 尺寸大，用作顶升移载系统时使托盘货物重心稳定。

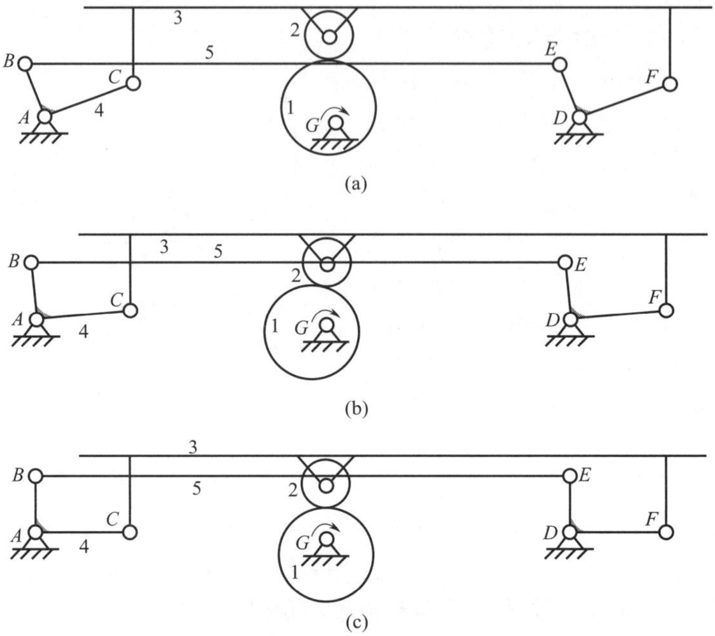

图 2-19　凸轮与平行四边形组合机构式顶升原理

应用凸轮与平行四边形组合机构式顶升原理的链式顶升移载装置如图 2-20 所示，1～5 编号与图 2-19 对应，凸轮机构由减速电机 7 通过链传动驱动，整个装置没有导轨滑块等导向部件。

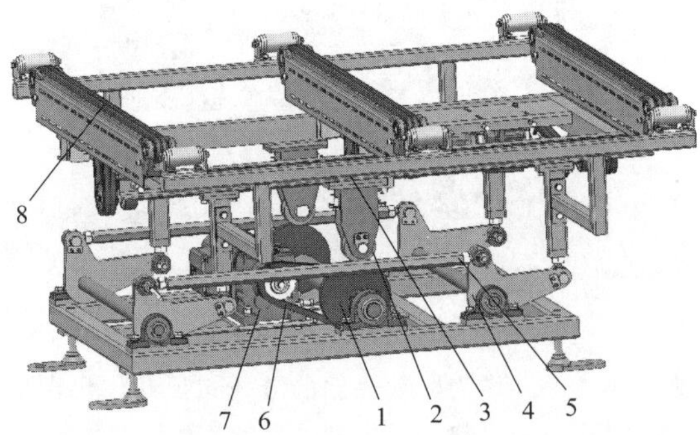

图 2-20　凸轮与平行四边形组合机构式顶升原理

1—凸轮；2—滚轮；3—构件 3（移载系统安装架）；4—构件 4；5—构件 5；6—链传动；7—减速电机；8—链式移载系统

2.2.4 辊筒式顶升移载装置工作原理与结构

（1）辊筒式顶升移载系统

辊筒式顶升移载装置一般只能设置在链式主输送线中，支输送线可以为辊筒式，也可以为链式。由于链式主输送线一般只输送托盘等重载货物，所以辊筒式顶升移载装置需顶升移载重载货物，如图 2-21 所示。

从图 2-21 中可以明显地看出，由于托盘在主输送线上输送，辊筒式支输送线需与主输送线之间有一定的距离，否则会影响托盘的输送，这样辊筒式顶升移载装置的辊筒与支输送线的辊筒的间距就较大，可能影响移载时托盘货物连续输送的稳定性，为此，辊筒式顶升移载装置一般设置成横跨链式主输送线的结构。

图 2-21　辊筒式顶升移载装置

1—链式主输送线；2—辊筒式顶升移载装置；3—辊筒式支输送线；4—托盘

可横跨链式主输送线辊筒式顶升移载装置如图 2-22 所示，图 2-22(a) 为可单侧横跨主输送线，适合主输送线单侧有支输送线的场景，豁口处是主输送线穿过的通道；图 2-22(b) 为双层侧横跨主输送线，适合主输送线两侧均有支输送线的场景。图 2-22 横跨链式主输送线外侧的辊筒均为 1 个，也可以根据链式输送机宽度与托盘尺寸的关系需要设置 2 个辊筒。

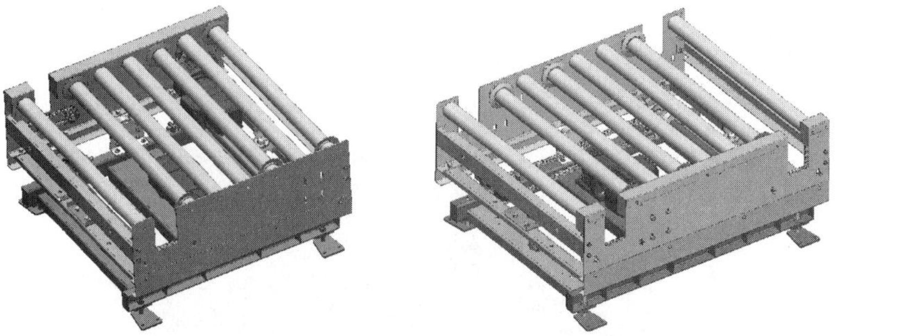

(a)　　(b)

图 2-22　可横跨链式主输送线辊筒式顶升移载装置

图 2-22 中辊筒式移载系统由于是横跨链式主输送线，部分辊筒的链传动受影响，可以通过增加两级竖直方向的链传动绕过一个豁口，如图 2-23 所示。

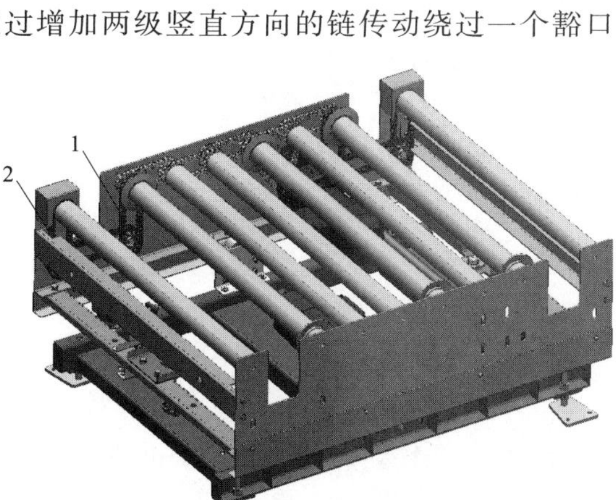

图 2-23　带豁口的辊筒式移载系统传动方案

1—单侧增加的第一根链条；2—单侧增加的第二根链条

(2) 顶升系统原理与结构

由于链式主输送线两个链条之间的距离较大，托盘下沉变形量较大，所以链条式顶升移载装置的顶升距离 Δh 要大一些，可取 $\Delta h=80\text{mm}$。如图 2-17 所示的正弦机构具有传动角为 90°、最高点可自锁的优点，图 2-18 中使用了一个正弦机构，图 2-24 中使用了双正弦机构，对安装移载系统的构件 3 左右两点起支撑作用，对重载的顶升系统来说更加平稳，构件 3 与机架是移动副。顶升距离一般取 $\Delta h=80\text{mm}$，当 $\varphi=90°$时，构件 3 处于最高位置，当 $\varphi=270°$时，构件

3 处于最低位置，所以有 $\Delta h=l\sin90°-l\sin270°=2l$，曲柄的长度 $l=0.5\Delta h=40\text{mm}$。

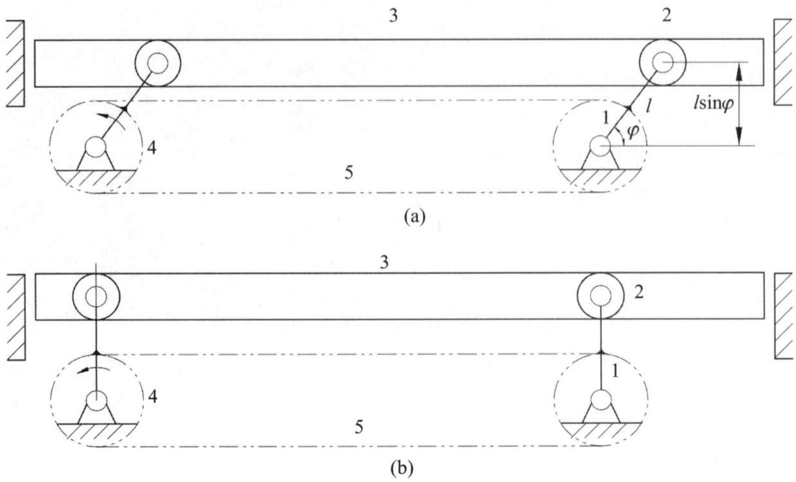

图 2-24 双正弦机构式顶升方案

应用双正弦机构式顶升方案的顶升系统结构如图 2-25 所示，1～5 编号与图 2-24 对应。安装移载装置的构件 3 是由多个零件组成的一个构件，导向滚轮 8 与导向槽 9 实现顶升时的移动副，左右两侧各有一个。

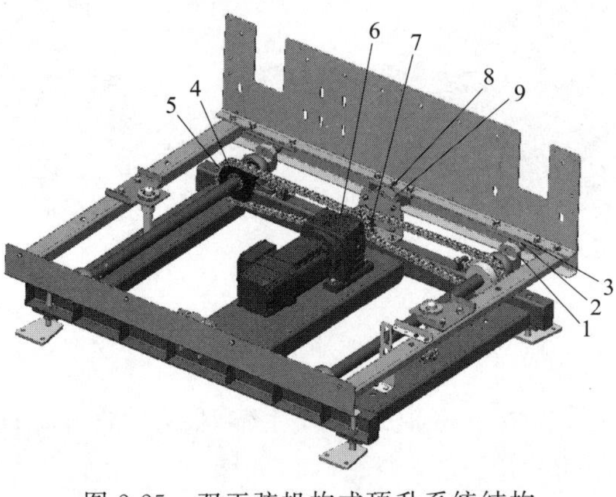

图 2-25 双正弦机构式顶升系统结构

1—曲柄；2—滚轮；3—安装移载装置的构件 3；4—链轮；5—链条；6—减速电机；7—主动链轮；8—导向滚轮；9—导向槽

2.3 麦克纳姆轮式分流装置

2.3.1 结构组成

麦克纳姆轮（Mecanum wheel），简称麦轮，是一种特殊的轮，如图 2-26(a) 所示，在中心轮圆周方向布置一圈独立的、倾斜角度 45°的辊子，每个麦克纳姆轮轮子可绕自身轴线转动，辊子也可绕自身轴线转动。

应用麦克纳姆轮的分流装置如图 2-26(b) 所示，多个麦克纳姆轮组合可以使货物向任意方向分流，也就是支输送线可以不垂直于输送线，所以麦克纳姆轮式分流结构紧凑、分流方向灵活可变，具有一定的柔性，但应用最多的是 90°分流。

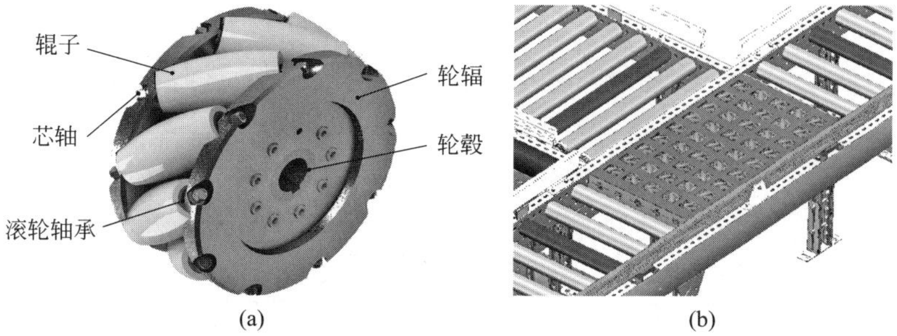

图 2-26　麦克纳姆轮式分流装置

麦克纳姆轮式分流装置结构（图 2-27）：多个相同的麦克纳姆轮 1 安装在同一根六角轴 2 上，使用六角轴 2 可以实现对麦克纳姆轮 1 圆周方向定位与传动，轴向通过套筒 3 实现定位；六根六角轴上的麦克纳姆轮分为两组，从左侧开始奇数的三根六角轴上的麦克纳姆轮是一组，由多楔带 A 传动传递运动，偶数的三根六角轴上的麦克纳姆轮是一组，由多楔带 B 传动传递运动，每组麦克纳姆轮轴系由一个电动滚筒驱动；两组六角轴上的麦克纳姆轮轮毂轴线与辊子转轴夹角方向不同，通过两组麦克纳姆轮的轴系组合实现货物的分流。

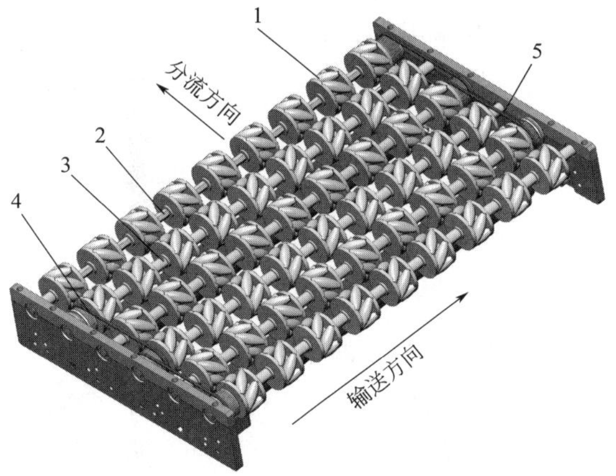

图 2-27　麦克纳姆轮式分流装置结构

1—麦克纳姆轮；2—六角轴；3—套筒；4—多楔带 A；5—多楔带 B

2.3.2　输送原理

麦克纳姆轮式分流装置从接收货物到开始分流需要对货物继续输送一段距离，略大于货物长度，这段距离如果没有动力施加给货物，只是依靠货物原有的惯性继续运动，则运动距离很短，几乎是在麦克纳姆轮上急刹车，所以需要麦克纳姆轮式分流装置继续输送至分流位置。

沿着输送方向，分析相邻两组麦克纳姆轮的运动情况，如图 2-28 所示，图中辊子是与货物底部接触的最上方辊子，左侧麦克纳姆轮 A 从下端面看顺时针旋转，最上面辊子相对货物接触点的速度方向向右上，所以摩擦力 f_1 向左下；右侧麦克纳姆轮 B 从下端面看逆时针旋转，最上面辊子与货物接触点的速度方向向左上，所以摩擦力 f_2 向右下。对于料箱货物来说，左侧辊子施加给料箱的力 f_1' 与右侧辊子施加给料箱的力 f_2' 大小相等，二者合力将料箱向前继续输送。

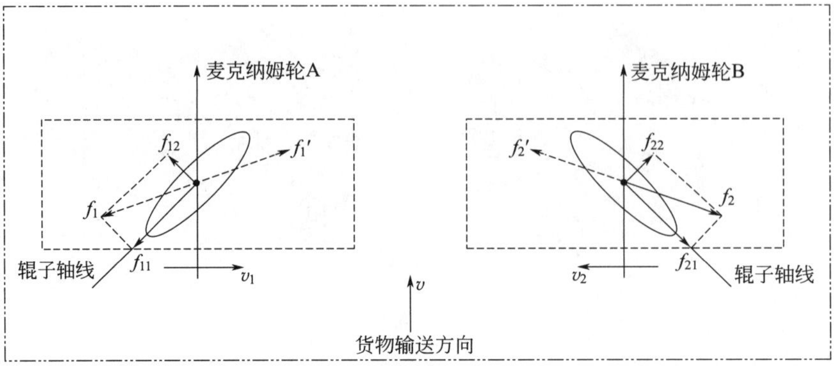

图 2-28　麦克纳姆轮输送原理

分别将摩擦力 f_1 与摩擦力 f_2 沿着辊子轴线和垂直于辊子轴线方向分解，则分力 f_{12} 与 f_{22} 均使辊子自转，而分力 f_{11} 与 f_{21} 大小相等。

左侧、右侧两个麦轮的辊子分别在 f_2 与 f_2'的作用下各自绕着其轴线自转，但与货物底面的接触点相对速度为 0，也就是货物与辊子接触点无相对滑动，两个辊子的自转横向对货物的影响抵消，纵向（输送方向）对货物输送有一定的副作用，但由于辊子与转轴的滚动摩擦力很小，在分力 f_1 与 f_1'的合力作用下，货物仍沿输送方向输送。在图 2-27 中，中间一组麦克纳姆轮中，左侧一组从左下方看顺时针、右侧一组从左下方看逆时针驱动时，货物会继续输送。

当货物输送到分流位置时，输送动力应及时停止，货物会在麦克纳姆轮的阻力下几乎立即停止输送。

2.3.3　分流原理

如图 2-29 所示，货物在分流处停下，两组麦克纳姆轮系从下端面看均顺时针转动，以图中两个麦克纳姆轮作为分析对象，此时两个麦克纳姆轮在接触点相对货物有向左的运动趋势，所以两个麦克纳姆轮所受的摩擦力均水平向右，那么货物受到辊子施加的摩擦力的方向均水平向左，所以货物运动方向向左，实现货物分流。

这里作进一步分析，将辊子所受摩擦力 f_1 与 f_2 分别沿着辊子轴线和垂直于辊子轴线方向分解，则垂直于辊子轴线方向的分力 f_{12} 与 f_{22} 分别使辊子绕其轴线自转。需要注意的

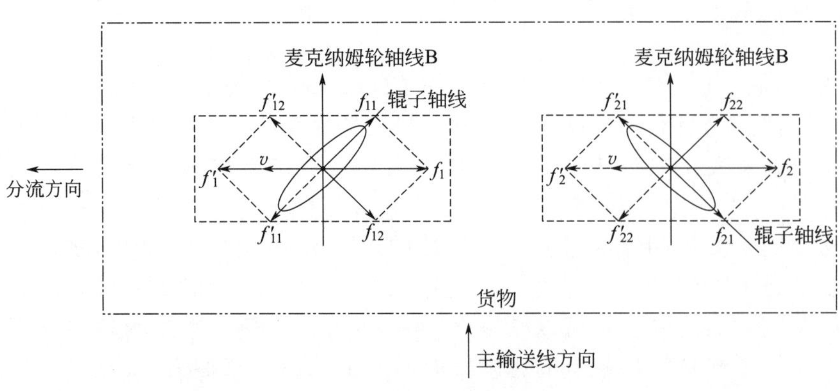

图 2-29　麦克纳姆轮分流原理

是辊子自转的轴是公转的，而辊子与货物接触点在垂直于辊子轴线方向并无相对运动。

对于图 2-27 中麦克纳姆轮式分流装置结构实现箭头所示的分流方向，麦克纳姆轮从左侧看均是逆时针方向旋转的。

2.3.4　麦克纳姆轮式分流装置特点

麦克纳姆轮式分流装置具有以下特点：

① 结构紧凑。麦克纳姆轮式分流装置的结构设计紧凑，能够有效地占用较少的空间。

② 分流角度灵活多变。由于麦克纳姆轮的独特设计，使装置通过改变驱动的方向和速度能够实现多角度的分流，柔性好。

2.4　全向轮式分流装置

全向轮，顾名思义，就是可以在任意方向、任意角度运动。全向轮的独特之处在于其特殊的轮胎，全向轮并不仅仅是一个轮毂，而是很多辊子的组合体，如图 2-30 所示，两列辊子交错排列，在圆周方向上相互补缺形成完整的圆弧轮廓。全向轮与麦克纳姆轮在结构和使用上有明显的区别。全向轮的辊子轴线与轮毂轴线呈 90°，且可以独立使用，既可以连接电机作为驱动轮使用，也可以作为随动轮使用，以替代万向轮，具有更好的方向与位置可控性。

全向轮式分流装置以多组全向轮系作为分流元件，全向轮系轴向与主输送线方向一致，支输送线方向垂直于主输送线方向，如图 2-31 所示；由于全向轮小辊子没有动力，货物进入分流区域是利用主输送线上货物的运动惯性，向左右两侧的支输送线分流时，以全向轮的旋转作为动力，且所有全向轮的旋转同步，均由一个电动辊筒驱动，故全向轮式分流装置结构较简单。

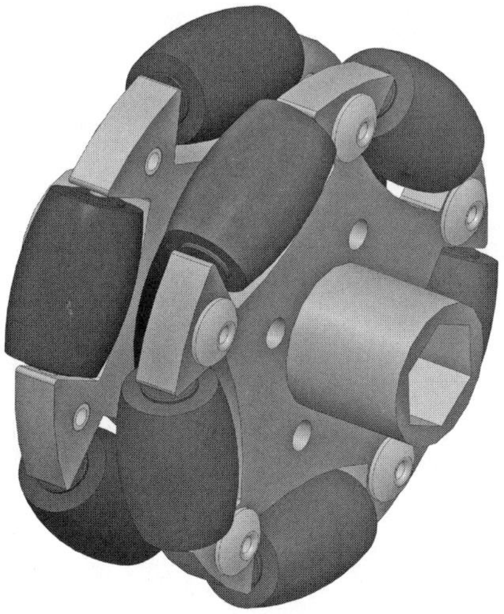

图 2-30　全向轮

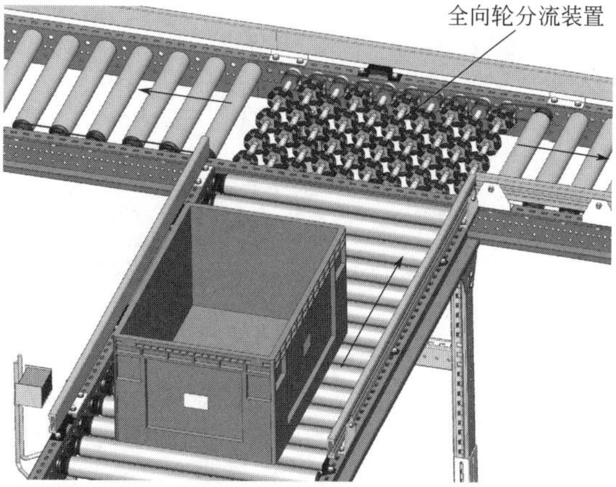

图 2-31　全向轮分流

全向轮式分流装置适合用于 90°转向或分流，也可以实现一定角度的分流，此时不用等货物停下就开始分流驱动，且根据输送速度与分流速度的大小关系，可实现角度的调节，具有一定的柔性。

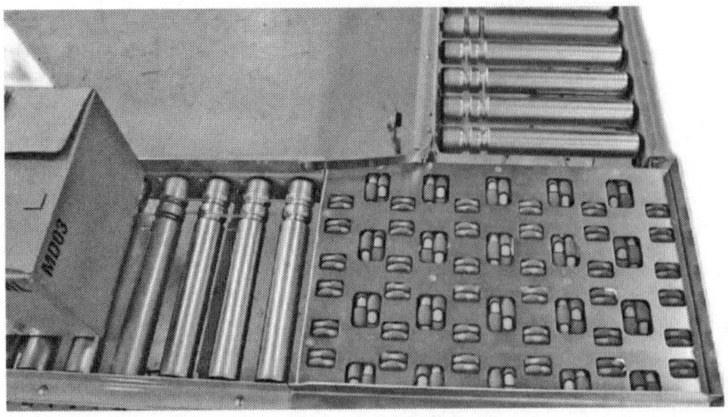

图 2-32　两组轴线交错垂直的全向轮分流

单驱动全向轮式分流装置一般用于主输送线的末端，不适合置于主输送线的中间；要想把全向轮式分流装置放在两段主输送线之间，可以采用图 2-32 所示的方案，两个方向分别驱动的全向轮轴线交错垂直、直径不同，但最高点高度相同，同时与货物底部接触，这样两个方向均有了驱动，可以柔性地控制货物在分流区域的运动轨迹，分流角度也就不仅仅是 90°了。

2.5 转盘分流装置

转盘分流装置通常包括一个转盘本体和转向移载装置，转盘本体使转向移载装置转动至分流方向并移载货物。根据转向移载的类型，转盘转向装置可分为带式转向移载装置、链式转向移载装置和辊筒式转向移载装置。本节以辊筒式转向移载装置为例分析其原理与特点。

如图 2-33(a) 所示，输送托盘的辊筒式转向移载装置设置在两段主输送线之间，两段主输送线可以是链式与辊筒式的任意组合，支输送线垂直于主输送线，可以是链式，也可以是辊筒式；转向输送相对于转盘本体可 360°旋转，当转向输送方向与主输送线方向一致时，托盘继续在主输送线上输送，如图 2-33(b) 所示；当需要分流时，转向移载装置接收到托盘后，相对于转盘本体旋转 90°，输送方向与支输送线方向一致时，托盘就可以移载到支输送线上，如图 2-33(c) 所示；支输送线可以为主输送线左右两个。需要说明的是，输送货物如果不是托盘类，主输送线与支输送线类型一般是一致的。

转向移载装置实现分流与顶升移载不同，不需要顶升货物，特别是分流重载货物时，能够节省动力和能量，缺点是主输送线需要断开设置转盘转向分流装置，且主输送线与支输送

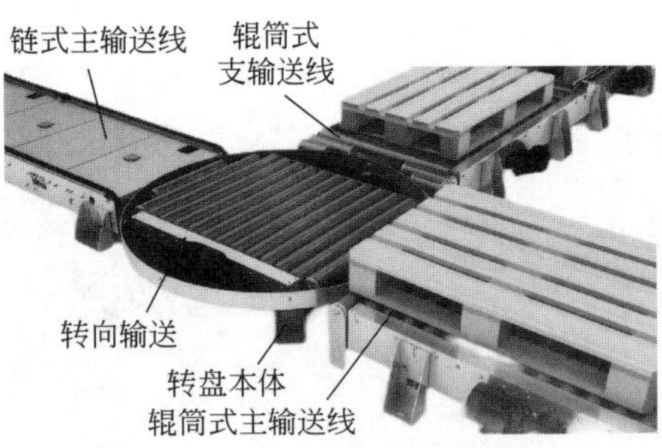

(a)

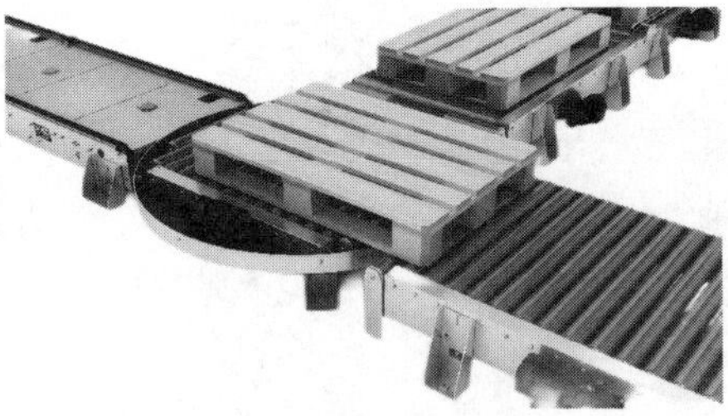

(b)

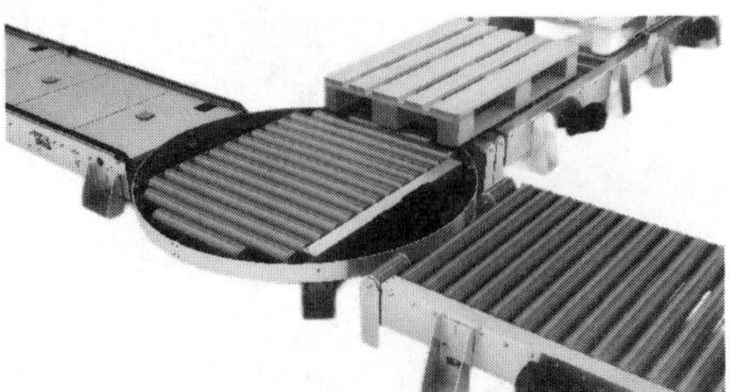

(c)

图 2-33　转盘转向分流装置

线是辊筒式或带式时，需要短辊筒填补较大的空隙，影响美观。

带式转向移载装置、链式转向移载装置的结构原理与辊筒式转向移载装置类似，这里不再赘述。带式转向移载装置以条带作为输送元件，适用于轻载货物，分流速度快，在快递分拣领域应用广泛；链式转向移载装置适用于托盘等重载货物，分流速度慢。

2.6　摇臂式分流装置

主输送线上货物需要分流时，摇臂摆动到支路对应角度，货物被输送到分流处时，货物沿摇臂斜面输送到支路，完成分流，如图 2-34(a) 是分流状态，图 2-34(b) 是主输送线输送状态。分流装置是一个摇臂，除了摆动运动外，有的摇臂上的皮带有电动辊筒或电机驱动，不但可以减少货物与皮带的滑动摩擦，而且有一定的导向输送作用。摆臂分流适用范围广，由于货物与摇臂之间有撞击，所以分流的货物以非易碎货品为主。

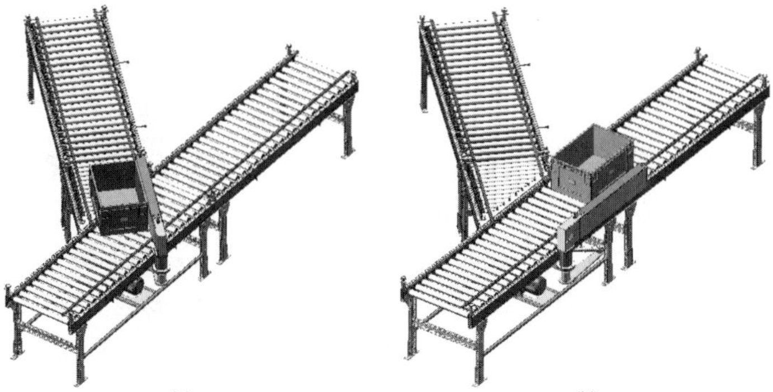

图 2-34　摇臂式分流装置

当货物较重时，摇臂受到的撞击力矩较大。为了减小撞击力矩的作用，一方面可以减小分流角度，从而减小有效撞击力臂，另一方面可使摇臂具有死点自锁的功能。图 2-35 是摇臂具有死点自锁功能的结构案例，图 2-35(a) 为分流状态时死点位置，图 2-35(b) 为输送状态时死点位置。

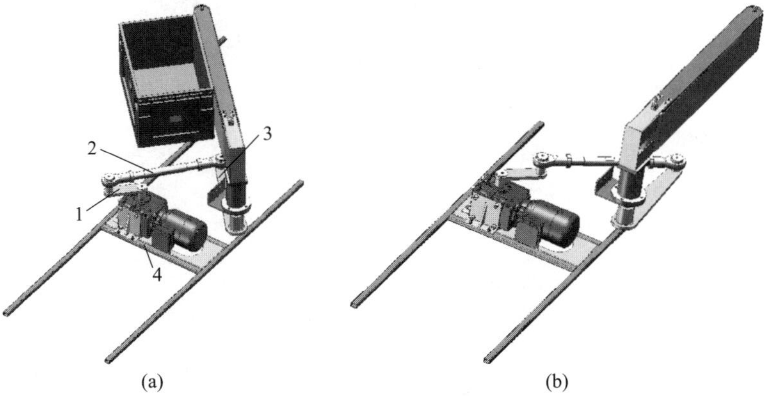

图 2-35　摇臂具有死点自锁功能的摇臂式分流装置

1—曲柄；2—连杆；3—摇杆；4—机架

第 3 章 堆垛机型立体仓库

自动化立体仓库又称高层货架仓库、自动存取系统（automatic storage/retrieval system，AS/RS），利用自动化存储设备和计算机管理系统，实现立体仓库的高度合理化、存取自动化以及操作简便化。

自动化立体仓库（常简称立体仓库或立体库）按作业设备可分为堆垛机型立体仓库、穿梭车型立体仓库等。本章主要分析堆垛机型立体仓库。

3.1 概述

立体仓库广泛用于医药、烟草、汽车、电子、机械、服装、机场货运等行业。立体仓库是物流配送中心的主要组成部分，也是智能工厂中重要的组成部分。

如图 3-1 所示，立体仓库与生产车间通过输送线 1 或穿梭车输送线 3 相连，三层是人工拆零拣选区域 2，货物可以整箱进入二楼的码垛区，也可以通过提升机直接输送到一层的出库区 6；二楼码垛的货物通过输送线进入堆垛机型立体仓库 5，实现货物存储入库；货物需要出库时，通过各巷道的堆垛机实现货物拣选，并从一层的出库区输送到装车区 8。

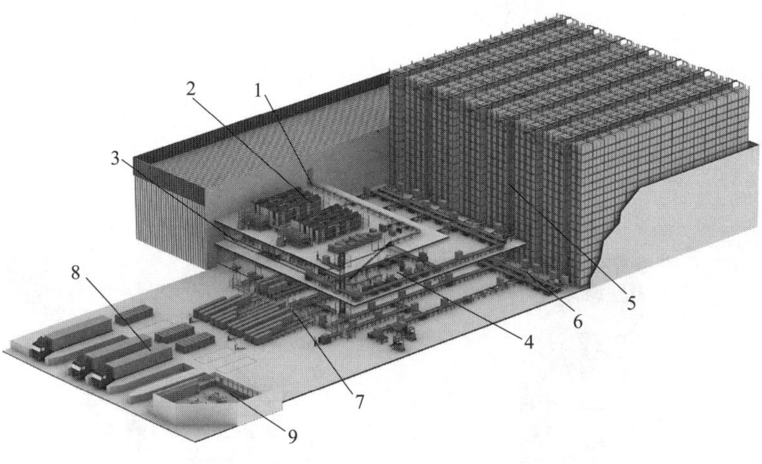

图 3-1 堆垛机型立体仓库系统

1—连接生产车间的入库输送线；2—人工拆零拣选区域；3—连接生产车间的穿梭车输送线；4—码垛、待入库区；5—堆垛机型立体仓库；6—出库区；7—货物待装区；8—装车区；9—立体仓库管理区域

3.1.1 堆垛机型立体仓库主要构成

堆垛机型立体仓库主要由货架（rack）、堆垛机（stacker）、控制系统（WCS）、出库工作台、入库工作台、仓库管理系统（WMS）以及土建公用设施等部分组成。通常把高层货

架、堆垛机和控制系统称为自动仓储系统的三大标志。

堆垛机型立体仓库机械系统如图 3-2 所示，托盘货物单元置于货架上，两排货架 1 中间有个巷道，巷道中布置 1 台堆垛机，堆垛机与这两排货架组成一个巷道单元；一个堆垛机型立体仓库可以有若干个巷道单元。入库工作台、出库工作台分别布置于货架左、右两端（也可以布置在同一端）。

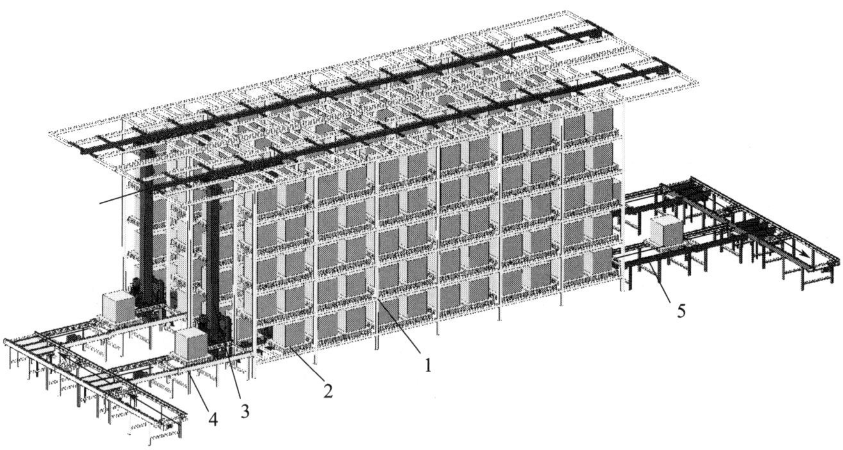

图 3-2　堆垛机型立体仓库机械系统基本组成

1—多层货架；2—托盘货物；3—堆垛机；4—入库工作台（输送线）；5—出库工作台（输送线）

3.1.2　堆垛机型立体仓库特点

堆垛机型立体仓库有如下特点：

① 节约仓库占地面积，提高空间利用率。通过高层货架和紧凑的布局，充分利用仓库的垂直空间，立体仓库可以减少库存占地面积，提高空间利用率。

② 堆垛机型立体仓库出入库作业具有拣选功能，作业快速且准确，缩短了作业时间。现代化的货物流通要求按种类或按日期快速、准确地拣选，完成出库与入库作业。立体仓库由于采用了先进的控制手段、作业设备和数据管理系统，拣选精准，作业快速，使货物完成出入库的时间大大地缩短。

③ 堆垛机型立体仓库可以通过计算机系统对库存信息进行实时更新和管理，确保库存数据的准确性，提高了仓库的管理水平。由于电子计算机控制的立体仓库结束了普通繁杂的台账手工管理办法，使仓库的账目管理以及大量资料数据通过计算机储存，随时需要，随时调出，既准确无误，又便于仓库盘点分析。从库存量上，立体仓库可以将库存量控制在最经济的水平上，在完成相同的货物周转量的情况下，立体仓库的库存量可以达到最小。

④ 堆垛机型立体仓库更适用于货架高、巷道少的场景。一个巷道只用一台堆垛机，巷道少，可减少堆垛机数量，减少设备投资；货架高，不仅可以提高仓库最大容量，也可以充分发挥堆垛机能够换层存取货物的优势。

⑤ 堆垛机型立体仓库可以节省劳动力，降低劳动强度。由于立体仓库采用了电子计算机等先进的控制手段，采用高效率的巷道堆垛机，使仓库的作业效率得到了较大的提高，往往一个很大的仓库只需要几个工作人员，节省大量劳动力。同时，仓库的劳动也大大地减轻，劳动条件得到改善。

尽管堆垛机型立体仓库有诸多优点，但建造一座堆垛机型立体仓库一次性投资大。因此，要建造堆垛机型立体仓库必须慎重考虑资金情况，以及仓库的利用率。

3.1.3 堆垛机型立体仓库分类

(1) 按货物单元分类

自动化立体仓库按货物单元可以分为托盘货物单元立体库、料箱货物单元立体库和其他货物单元立体库。

① 托盘货物单元立体库。托盘货物单元立体库如图 3-2 所示，入库、出库的基本货物单元是托盘单元，在货架上叉取托盘货物是通过堆垛机的伸缩货叉向上叉高一段距离，使托盘脱离货架后再取走，反之在货架上存托盘货物是通过伸缩货叉将托盘向前伸到货格底面上方，然后下降托盘使之搁在货架上。

② 料箱货物单元立体库。如图 3-3 所示，料箱货物单元立体库以料箱为存储单元，由于料箱货物单元质量一般较小（一般在 50kg 以下），一般采用夹抱式伸缩货叉存取货物，需要克服料箱与货格底面之间的摩擦力。堆垛机一般是轻型高速堆垛机，所以仓库常称为 miniload 立体库。

③ 其他货物单元立体库。其他货物单元类型包括线缆卷、轮胎等圆形货物，钢材等细长形货物。图 3-4 为线缆卷立体库。

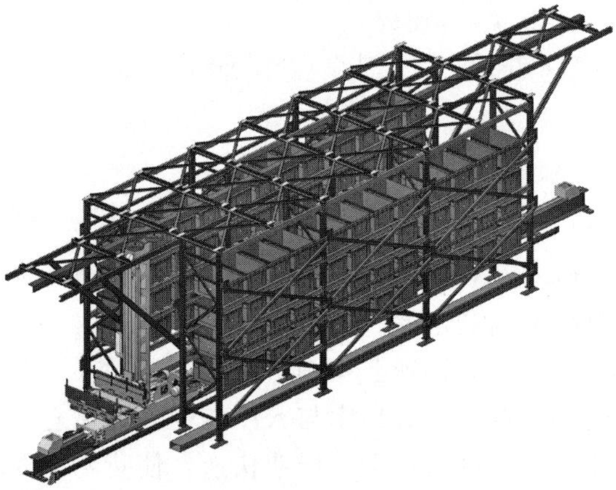

图 3-3 料箱货物单元立体库

图 3-4 线缆卷立体库

(2) 按出/入库工作台布置方式分类

① 单端出/入库方式。单端出/入库方式是指出库、入库工作台设在仓库长度方向的一端，通过分层或者共用输送线的方式进行出库和入库作业，这种方式适用于不同类型出入库频次不同货物，便于出入库频次高的货物类型就近入库和出库，有利于提高仓库作业效率。图 3-5 为单端出/入库的堆垛机型立体库，出/入库区域的输送线通过环形物流动线，满足入库和出库的功能需求。

② 两端出/入库方式。两端出/入库方式是单向进出库，即出库、入库工作台分别设在仓库长度方向的两端，出库与入库流程分开，不相互影响，这种方式适用于仓库两端场地比较充足的场景，对于每件货物单元，堆垛机需要穿过整个巷道，作业效率几乎均等，不需要区分出入库频次高低货物类型的分区布置，但整体作业效率相对较低。图 3-2 就是两端出/入库的立体仓库。

③ 中间出/入库方式。中间出/入库方式指出库、入库工作台分别设在堆垛机行走方向

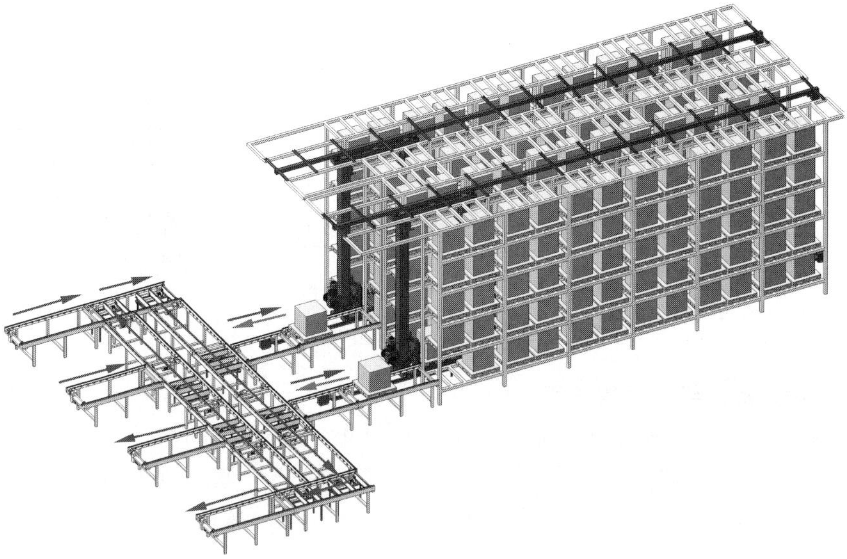

图 3-5　单端出/入库的堆垛机型立体库

的中间位置（不常见），在特殊情形下应用，如长度很大，为减小堆垛机行走距离，可以把出库、入库工作台放在中间。

3.1.4　堆垛机型立体仓库参数

堆垛机型立体仓库尺寸并不等于货架的尺寸，还包括货架两端的入库输送系统与出库输送系统，如图 3-2 所示，但主体是货架的尺寸。

(1) 货架系统尺寸与货格的关系

堆垛机型立体仓库货架系统如图 3-6 所示，货架系统沿巷道长度方向的尺寸称为货架的长度 L。

货架系统由若干个巷道单元组成，每个巷道单元均由一个巷道和其两侧的高层货架组成，货架系统沿巷道的宽度方向为货架系统的宽度 W，等于若干巷道单元宽度 w_y 之和（有些货架巷道单元之间有一定间隙，需计入），而每个巷道单元宽度 w_y 等于两排货架的宽度 w_p 与巷道宽度 w_h 之和，即

$$w_y = 2w_p + w_h \tag{3-1}$$

货架系统沿巷道的高度方向为货架的高度 H，与货架层数有关，货架系统的高度 H 等于底层高度 h_0 与各层的高度（即层高 h_g）之和。

单排货架的宽度 w_p 与货架系统的宽度 W 不同，而单排货架的长度和高度就是货架系统的长度和高度。

下面分析图 3-6 中单排货架与货格的关系。货架的长度 L 等于若干个货格的宽度 w_g 与单个立柱宽度之和，每个货格宽度方向可以放一件货物，也可以放几件货物；单排货架的宽度 w_p 与货格的深度 d_g 相同；货架的层高与货格高度相同，均用 h_g 表示。立体仓库总货格数

$$E = mnz \tag{3-2}$$

式中　E——立体仓库总货格数，个；

m——货架列数，列；

n——货架层数，层；

z——货架层数，排。

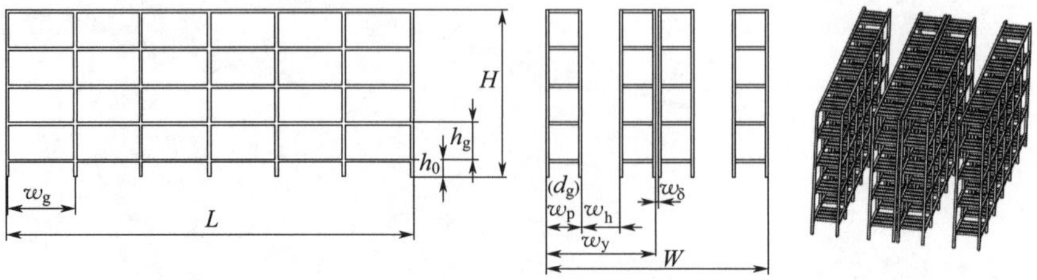

图 3-6 货架系统尺寸与排、列、层的关系

(2) 货架系统高度与长度的关系

① 货架系统高度。一般情况下货架系统最佳高度在 15～21m 为宜。高度太低，存储容量相对偏小；高度太高，堆垛机的稳定性不易保障。目前，最高货架可达到 40m。自动化仓库的最佳高度取决于容量：当容量为 1000～4000t 时，高度常设为 12.6m；当容量为 6000t 或以上时，高度常设为 16.2m。

② 货架系统长度。货架系统的最大长度 L 取决于一台堆垛机在一条通道中所服务的货位数，设堆垛机水平行走速度为 v_x，高度方向运行速度为 v_y，则有

$$\frac{H}{L}\approx\frac{v_y}{v_x}$$

式(3-2) 使堆垛机货叉能够在水平方向和竖直方向近似同步到达取货的货格。为使堆垛机的载货台竖直运动和水平运动平稳且近似同步到达目标货格，推荐采用货架高度 H 和长度 L 比值为

$$\frac{H}{L}\approx\frac{1}{6}\sim\frac{1}{4}$$

上述结论是德国的 I. Gudehus 1974 年发表论文中的结论，但近年来，堆垛机水平行走驱动轮由于采用双侧夹抱方案，其水平行走速度有了较大提高，H/L 的值可以进一步减小。

(3) 立体仓库尺寸计算

如图 3-7 所示，可利用如下简易方法来初步计算立体仓库的尺寸。

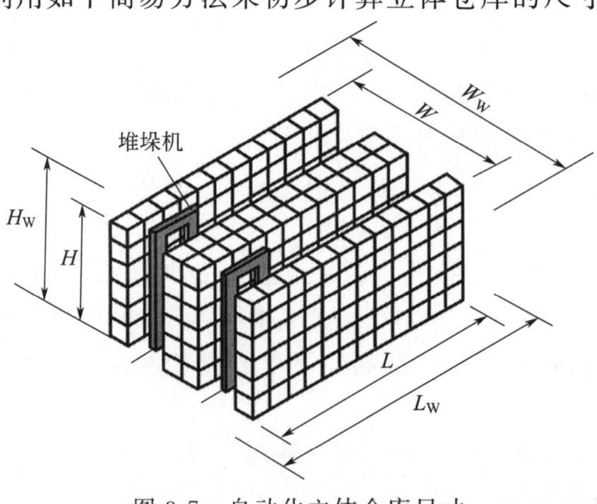

图 3-7 自动化立体仓库尺寸

L—货架长度；W—货架宽度；H—货架高度；L_W—仓库长度；W_W—仓库宽度；H_W—仓库高度

① 立体仓库全长 L_W＝货架系统长度 L＋余量＝货格宽度×列数＋余量。

② 立体仓库全宽 W_W＝货架系统宽度 W＋余量＝巷道单元宽度 w×巷道数＋余量。

③ 立体仓库全高 H_W＝货架系统高度 H＋余量。

(4) 立体仓库存储容量

立体仓库存储容量就是货架系统的存储容量，即货架系统中所有可存储货物单元的总量（即货位的总量），与仓库总货格数 E 有关，但二者不完全相同。

① 当每个货格中只放置一个货物单元，则

$$仓库总货位数\ Q=仓库总货格数\ E$$

② 当每个货格中放置 k 个货物单元，则

$$仓库总货位数\ Q=仓库总货格数\ E\times k$$

举例说明：某立体仓库长度方向货格数 $m=60$，仓库宽度方向有 5 个巷道单元，每个巷道单元有 2 排货架，仓库高度方向层数 $n=8$，且每个货格上放置 $k=2$ 个货物单元，则整个仓库存储容量为：

$$Q=E\times k=(m\times n\times z)\times k=60\times 8\times (5\times 2)\times 2=9600(个)$$

3.1.5　货格与货物单元的尺寸关系

货格是货架上存储货物的单位空间，货位是货格内存放货物单元的位置。每个货格内可有一个货位或多个货位。货物单元尺寸确定好以后，就可确定货格尺寸。

$$货格尺寸=货物单元尺寸+间隙尺寸$$

货物单元尺寸主要包括托盘货物单元尺寸和料箱货物单元尺寸。

托盘货物单元的外形，即货态，如图 3-8 所示，计算货态尺寸是通过包装箱和包装袋的标准尺寸计算出来的托盘单元货态尺寸。实际货态尺寸，即把物品堆放在托盘上的托盘单元外形尺寸。在实际生产中，在托盘上堆放物品时受到物品外形尺寸、码垛间隙等各种因素的影响，有一定误差。为保证实际货态尺寸在规定范围之内，必须进行货态尺寸检验。

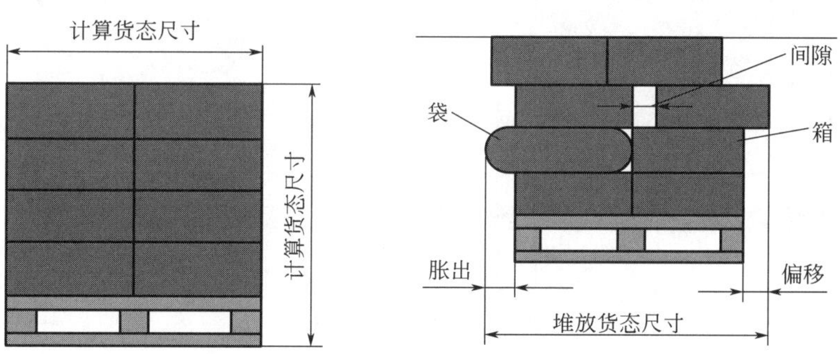

(a) 计算货态尺寸　　(b) 码垛货态尺寸

图 3-8　货态尺寸

在立体仓库设计中，货格尺寸是一项极其重要的内容，因为它直接关系到仓库面积和空间利用率，也关系到仓库能否顺利地存取货物。对于给定尺寸的货物单元，货格尺寸主要取决于货物单元尺寸、四周需留的间隙大小和货架构件的有关尺寸。若四周间隙太大，会造成空间浪费，使得空间利用率下降，进而影响仓库的库容量。若间隙太小，未留出足够的空隙容纳由于货架的制造安装误差、堆垛机运行轨道误差、堆垛机的制造误差及重复定位误差、货箱在巷道口的位置误差等所引起的尺寸偏移，而影响堆垛机的

存取作业的顺利完成。

在立体仓库设计中，恰当地确定货格尺寸是一项很重要的设计内容，它直接关系到仓库面积和空间的利用率，也关系到作业设备能否顺利完成存取作业。货架系统中横梁式货架与牛腿式货架应用最为常见，下面以一个货格存储一个货物单元这种最简单的情形，就横梁式货架与牛腿式货架为例分别介绍货格尺寸的确定，一个货格存储几个货物单元的情形以此类推。

(1) 横梁式单货位的货格尺寸

横梁式单货位的货格与货架之间的尺寸关系如图 3-9 所示，图中标注尺寸含义如表 3-1 所示。

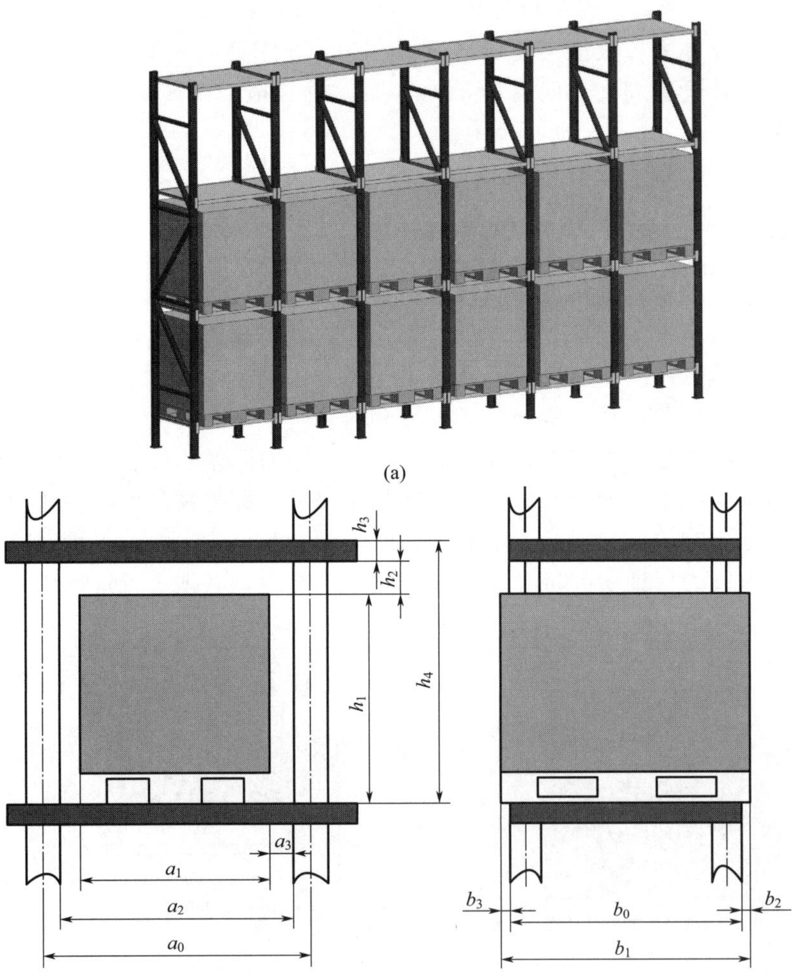

图 3-9　横梁式货架单货位的货格与货架之间的尺寸关系

表 3-1　货格与货位间的尺寸含义

项目	代号	项目	代号
列(巷道)方向货态尺寸	a_1	侧向间隙	a_3
货格有效宽度	a_2	货格深度	b_0
货格宽度	a_0	排方向货态尺寸	b_1

续表

项目	代号	项目	代号
前端探出距离	b_2	托盘货物上部垂直间隙	h_2
后面伸出距离	b_3	横梁高度	h_3
托盘货物高度	h_1	层高	h_4

对于侧向间隙 a_3 的取值，可以参考以下货架高度：

① 对于高度在5m以下的低层货架、低速堆垛机：由于设备运行精度相对容易控制，托盘两侧间隙通常不大于50mm；

② 对于高度在5～12m的中层货架、中高速堆垛机：考虑到堆垛机运行速度和定位精度等因素，托盘两侧间隙一般不大于75mm；

③ 对于高度在12m以上的高层货架、高速堆垛机：为了确保托盘在存取过程中不与货架发生碰撞，以及补偿各种可能的误差，托盘两侧间隙一般不大于100mm。需要说明的是，图3-9横梁式货架货格中如果是双货位，那么两个托盘单元之间的间隙也参考两侧的间隙取值。

对于托盘货物上部垂直间隙 h_2，要考虑堆垛机货叉的微升降行程，为了保证货叉叉取货物过程中微起升时不与上部构件发生干涉，上部间隙一般不小于100mm。对于低层货架，由于整体高度较低，设备操作相对简单，误差也相对较小，上部间隙可以取100～150mm；而对于高层货架，为了确保安全和设备的正常运行，上部间隙可能需要取200～300mm。

(2) 牛腿式单货位的货格尺寸

牛腿货架的货格与托盘货物单元的尺寸关系如图3-10所示，图3-10(a)为货格中没有水平梁（横梁）的情况，图3-10(b)为货格中有水平梁（横梁）的情况，二者只是层高 h_4 尺寸有所不同，图3-10(c)为货架排方向货格与托盘货物单元的尺寸关系。

图3-10中各尺寸的含义见表3-2。

表3-2 牛腿货架的货格与托盘货物单元的间隙尺寸含义

项目	符号	项目	符号
列(巷道)方向托盘尺寸	a_1	前面(巷道)间隙	b_3
有效列尺寸	a_2	后面间隙	b_4
货格宽度	a_3	排方向货态尺寸	b_5
侧面间隙	a_4	立柱间距	b_6
列方向货态尺寸	a_5	货态高度尺寸	h_1
支撑托盘的长度	a_6	上部间隙	h_2
排方向托盘的尺寸	b_1	有效层高	h_3
排宽	b_2	层高	h_4

表3-2中列（巷道）方向托盘尺寸 a_1 往往是托盘的宽度，排方向托盘的尺寸 b_1 往往是托盘的长度，这样立体货架可以增加列数。

在图3-10(a)、(b)中，立柱宽度可以用 a_3 与 a_2 表示，即

$$立柱宽度=2(a_3-a_2)$$

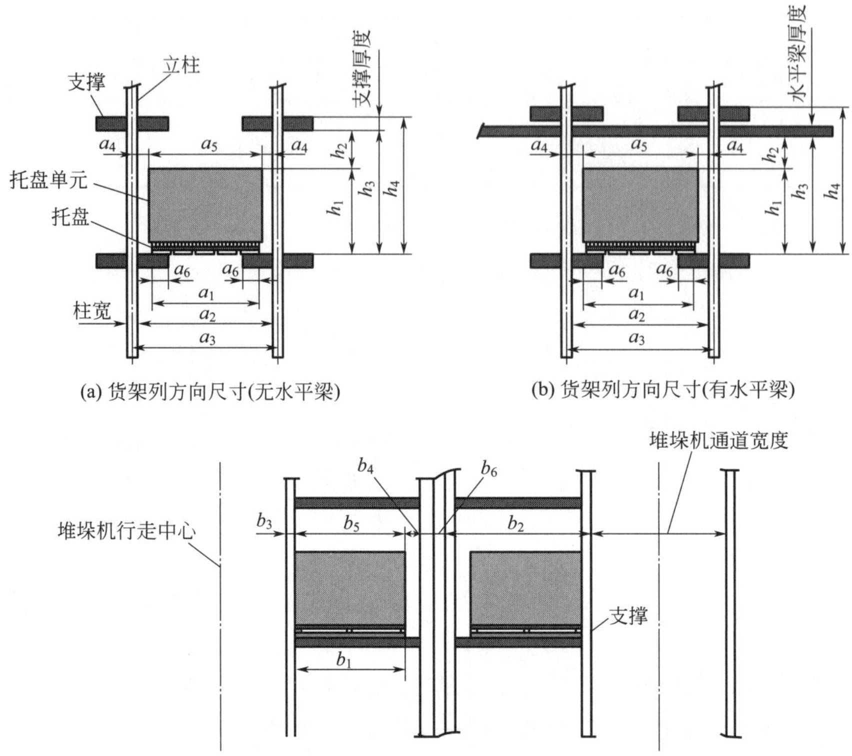

(a) 货架列方向尺寸(无水平梁)　(b) 货架列方向尺寸(有水平梁)

(c) 货架排方向尺寸

图 3-10　牛腿货架的货格与托盘货物单元的尺寸关系

托盘货物单元的货格宽度方向为列（巷道）方向，货格深度方向为排方向，因此货格的尺寸如下：

货格宽度 w_g＝列方向货态尺寸 a_5＋2×侧面间隙 a_4＋立柱宽度 $2(a_3-a_2)$

货格高度 h_g＝层高＝托盘货物单元高度 h_1＋上部间隙 h_2＋横梁高度

货格深度 d_g＝货架单排宽度＝排方向货态尺寸 b_5＋前面间隙 b_3＋后面间隙 b_4

各间隙尺寸的选取原则如下：

① 侧面间隙。侧面间隙 $a_4=(a_3-a_5)/2$，一般取 50～100mm。对牛腿式货架，要求 $a_6>a_4$。

② 上部间隙。上部间隙 h_2 应保证货叉叉取货物过程中微起升时不与上部构件发生干涉。一般 h_2≥货叉厚度＋货叉下浮动行程＋各种误差。

③ 深度方向间隙。货物单元前面间隙 b_3 的选择应根据实际情况确定，对牛腿式货架应使其尽量小，对横梁式货架则应使货物不致因各种误差而掉下横梁；后面间隙 b_4 的误差应以货叉作业时不与后面拉杆发生干涉为准。

通过托盘单元与货格之间的间隙尺寸，可计算出货格尺寸。如果已知货架的列数和层数，则可计算出货架长度 L 和高度 H。

(3) 料箱货物单元与货架的尺寸关系

如图 3-11 所示，货格与料箱货物单元在堆垛机行走方向（货架列方向）上单侧间隙 A 一般取 50～75mm，在货格深度方向上间隙 B 取 50mm 左右。

图 3-11 中各尺寸的取值如表 3-3。

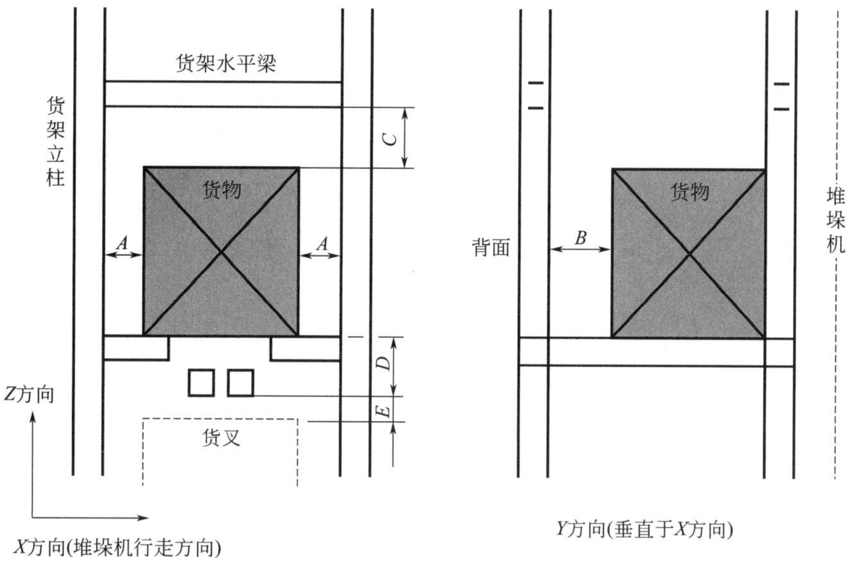

图 3-11　牛腿货架的货格与料箱货物单元的尺寸关系

表 3-3　牛腿货架的货格与料箱货物单元的尺寸取值

货架高度		10m 以下	15m 以下	30m 以下
X	*A*/mm	60	65	75
Y	*B*/mm	50		
Z	*C*/mm	100		
	D/mm	100(货重 1t、货物深度 1100mm)		
	E/mm	60		

货架高度方向尺寸必须根据货叉厚度、货叉变形量来确定，此外，还要考虑货架水平梁位置尺寸。

3.2　托盘库堆垛机

3.2.1　托盘库堆垛机概述

巷道式堆垛机是自动化立体仓库最核心的物料搬运设备，主要用途是在高层货架的巷道内往复穿梭运行，将位于巷道口的物料存入货格；反之，取出货格内的物料并搬运到巷道口，担负着全部出库、入库、盘库等物料的搬运任务。

一般地，堆垛机高度为 6～24m，特殊情况下，可达 50m。一般行走速度 80～120m/min，高速型堆垛机可达 240m/min。升降速度一般为 20m/min，高速型堆垛机可达 50m/min。货叉伸缩速度一般为 12m/min，高速型堆垛机可达 50m/min。

托盘库堆垛机的结构组成如图 3-12 所示，主要包括三个组成部分：一是地轨系统，二是堆垛机运动系统，三是天轨。

地轨系统包括：地轨 11、反光贴背板 1、地面限位 12、行走限位 13、滑触线 14。地轨 11 是承载堆垛机运动系统的载体，上表面是地轨 11 的主要工作面，是运动系统主动轮和从动轮滚动的平面，导轨两侧面是导向面，是地轨行走导向轮 2 滚动的面；地面限位 12 与行走限位 13 都是限制堆垛机两端的位置，前者通过接触开关实现软限位，后者通过带有缓冲的碰撞实现硬限位；滑触线 14 是为运动系统供电的部件，堆垛机一般是使用 380V 的动力电源。

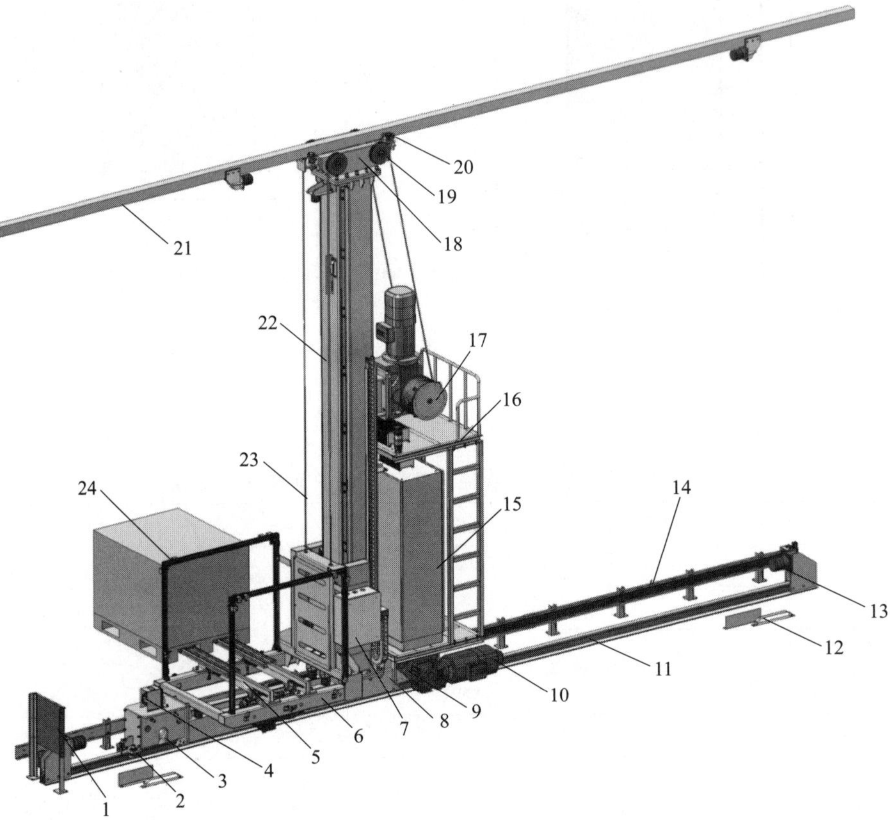

图 3-12 托盘库单立柱堆垛机结构组成

1—反光贴背板；2—地轨行走导向轮；3—从动行走轮；4—激光测距仪；5—伸缩货叉；6—载货台；7—载货台控制柜；8—下横梁；9—驱动轮总成；10—行走驱动电机；11—地轨；12—地面限位；13—行走限位；14—滑触线；15—电控柜；16—维修台；17—升降卷扬机；18—上横梁；19—转向绳轮；20—天轨行走导向轮；21—天轨；22—立柱；23—钢丝绳；24—限高限宽检测系统

堆垛机运动系统包括伸缩货叉系统、竖直升降系统、水平行走系统三个子系统。伸缩货叉 5 是通过伸缩、升降运动对货物单元存取的工具，安装在载货台 6 上。竖直升降系统主要包括载货台 6、载货台控制柜 7、钢丝绳 23、升降卷扬机 17、维修台 16，升降卷扬机 17 通过钢丝绳 23 使载货台 6 沿立柱 22 的导轨竖直升降，维修台 16 是维修升降卷扬机 17 的平台。水平行走系统主要包括地轨行走导向轮 2、从动行走轮 3、激光测距仪 4、下横梁 8、驱动轮总成 9、行走驱动电机 10、电控柜 15、上横梁 18、转向绳轮 19、天轨行走导向轮 20、立柱 22、限高限宽检测系统 24，其中，地轨行走导向轮 2、从动行走轮 3、激光测距仪 4、下横梁 8、驱动轮总成 9、行走驱动电机 10、立柱 22、限高限宽检测系统 24 均安装在下横梁 8 上，从动行走轮 3、驱动轮总成 9 在地轨 11 上表面上滚动，地轨行走导向轮 2 对水平运动进行导向，激光测距仪 4 通过反光贴背板 1 上的反光板反射回来的激光信号确定水平运动的位置，立柱 22 下端与下横梁 8 固定连接，上端与上横梁 18 固定连接，转向绳轮 19、天轨行走导向轮 20 均安装在上横梁 18 上。

天轨安装在巷道两侧货架的连接部分上，天轨行走导向轮 20 沿天轨滚动，实现对堆垛机运动系统水平运动的导向，是整个堆垛机系统稳定运动的重要因素。

图 3-12 托盘库堆垛机是单立柱堆垛机，有的采用双立柱堆垛机，图 3-13 是双立柱单地轨托盘库堆垛机，由于采用双立柱结构，相对于载货台是对称结构，立柱所受弯矩减小，框架结构受力更均衡，更适用于货架高度高的立体仓库。

为实现双深位取货时更好地承载货物，有的双立柱堆垛机采用双地轨，图 3-14 是双地轨的双立柱堆垛机，双立柱结构使立柱所受弯矩更小，双地轨结构增大了承载面积，使堆垛机运行更加平稳；双深位伸缩货叉伸缩距离大，能够叉取双深的货位。

图 3-13　双立柱单地轨托盘库堆垛机

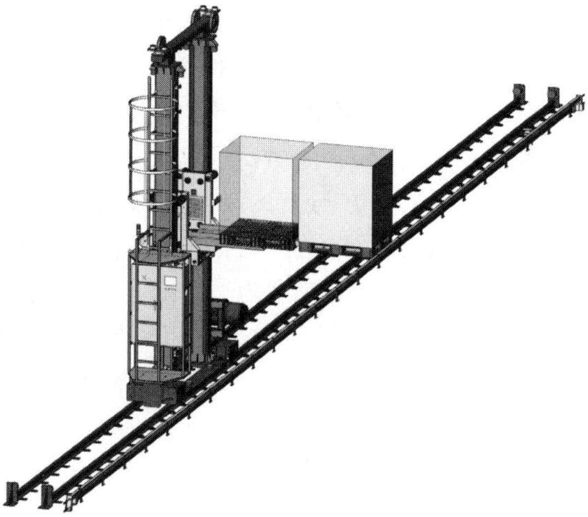

图 3-14　双立柱双地轨堆垛机

3.2.2　托盘库堆垛机货叉系统

伸缩货叉根据作用方式可分为叉取式伸缩货叉和夹抱式伸缩货叉，前者用于托盘库系统，后者用于料箱库系统。

叉取式伸缩货叉主要靠叉取动作存取货物，结构又分为单板式和双板式。单板式货叉属于轻型类货叉，用于体积比较小的或质量比较小的物品存取、移载，如五金产品、轻工产品等，如图 3-15 所示；而双板式货叉属于重型类货叉，它适用于存取或移载体积比较大的、质量比较大的物品，如金属材料、机械设备、模具配件等，如图 3-16 所示。需要说明的是，双板叉取式伸缩货叉的两个板叉间距一般是固定的，但也有少量的伸缩货叉的两个板叉间距是可调的。

伸缩货叉形式上又可分三节式或四节式两种，对单深位货架常用的伸缩货叉是三节式，即下叉、中叉、上叉，双深货位的货架常用四节式。供应商已把伸缩货叉形成系列化产品，可根据需求选用即可。

下面分析几种常用的伸缩货叉工作原理。

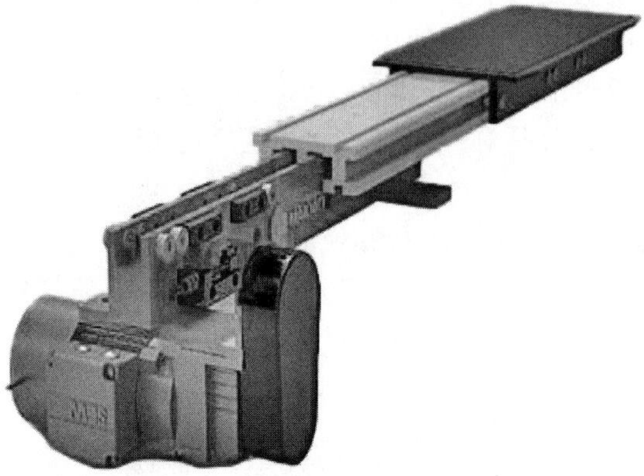

图 3-15　单板式伸缩货叉

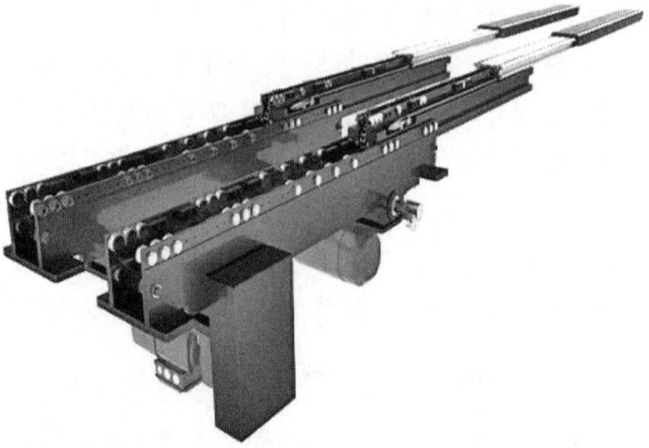

图 3-16　双板式伸缩货叉

(1) 基于齿轮齿条传动的伸缩货叉

齿轮齿条传动具有结构简单、体积小、刚性大、承载能力大等优点，如图 3-17 所示，伸缩货叉基于齿轮齿条传动实现，下叉 1 固定安装在载货台上，安装有齿条，中叉 2 在直线导轨的约束下水平移动，且其上安装有一齿轮，该齿轮下方与下叉 1 上的齿条啮合传动（啮合点为 A），上方与上叉 3 上的齿条啮合传动（啮合点为 C），上叉 3 在直线导轨的约束下相对于中叉 2 水平移动。当齿轮以 ω 顺时针旋转时，中叉的移动速度 $v=\omega r$。由于 A 点速度为 0，齿轮中心 B 速度为 v，则容易得到啮合点 C 速度为 $2v$，即上叉的速度为 $2v$，所以当中叉移动距离为 ΔL 时，上叉移动距离为 $2\Delta L$。上叉相对于中叉伸出的距离为伸出行程的 1/2，而上叉相对于下叉伸出的距离则为伸出行程。

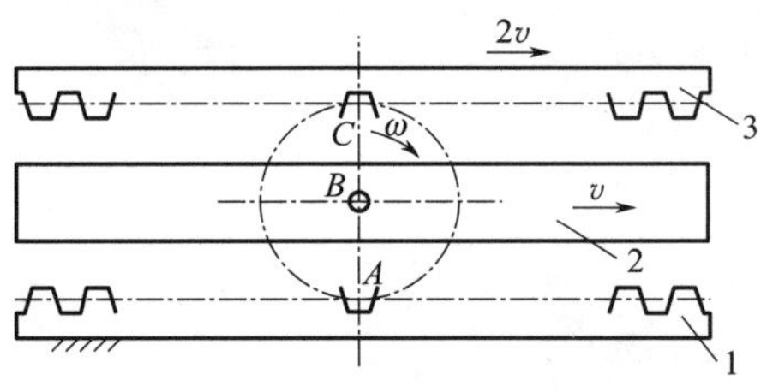

(a) 货叉缩回状态

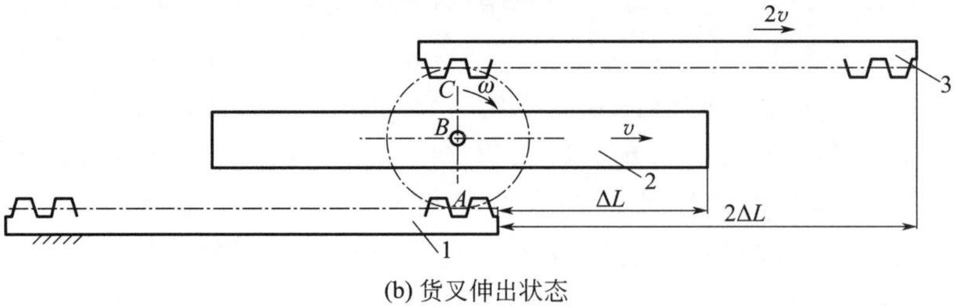

(b) 货叉伸出状态

图 3-17　基于齿轮齿条传动的伸缩货叉工作原理

1—下叉；2—中叉；3—上叉

从图 3-17(b) 可以明显地看出，中叉 2 相对于下叉 1 的伸出距离小于下叉 1 长度的一半，那么上叉 3 相对于下叉 1 的伸出行程小于中叉 2 的长度，一般说来，下叉 1、中叉 2、上叉 3 长度都是一样的。

叉取式伸缩货叉可以分为单板叉取式和双板叉取式两类，单板叉取式伸缩货叉用于叉取宽度较窄的货物单元，而双板叉取式伸缩货叉用于叉取宽度较宽或者两个插孔的托盘。

① 单板叉取式伸缩货叉。图3-18是单板叉取式伸缩货叉，驱动电机1经减速器2驱动主动同步带轮3，通过同步带4将运动传递给从动同步带轮5，下叉齿轮6与从动同步带轮5同轴转动，这些部件与下叉齿条9、下叉/中叉导向轴承10均安装在下叉7上；下叉齿轮6驱动中叉齿条8，使中叉15在中叉导轨11的外导轨与下叉/中叉导向轴承10的导向下伸出ΔL，中叉齿轮16随中叉15一起伸出，而中叉齿轮16底部与固定的下叉齿条9啮合，顶部又与上叉齿条14啮合，那么上叉13相对于中叉15又伸出ΔL，即上叉13相对于下叉7伸出$2\Delta L$；上叉13相对于中叉15的移动，是由中叉导轨11的内导轨与上叉/中叉导向轴承10实现导向的。

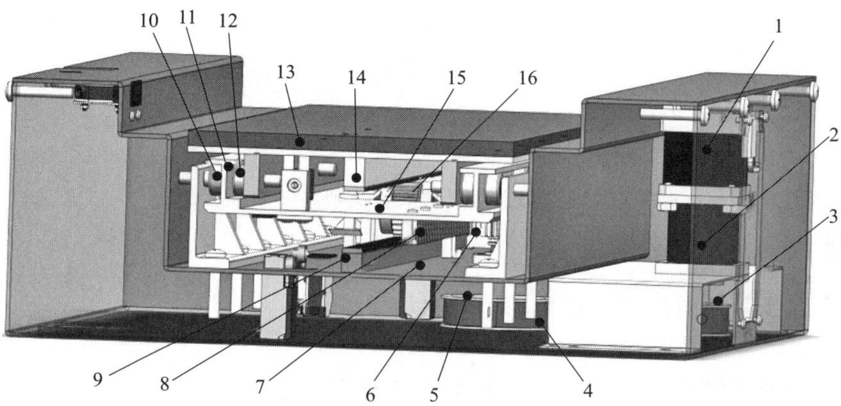

图3-18 单板叉取式伸缩货叉结构

1—驱动电机；2—减速器；3—主动同步带轮；4—同步带；5—从动同步带轮；6—下叉齿轮；7—下叉；8—中叉齿条；9—下叉齿条；10—下叉/中叉导向轴承；11—中叉导轨；12—上叉/中叉导向轴承；13—上叉；14—上叉齿条；15—中叉；16—中叉齿轮

② 双板叉取式伸缩货叉。如图3-19所示，双板叉取式伸缩货叉分为两个板叉，每个板叉采用3级直线差动机构，两个板叉均由同一个驱动系统驱动，如图3-20所示。两个板叉结构原理完全相同，下叉4固定在载货台上。当下叉齿轮6转动时，驱动中叉齿条7在下叉/中叉导向轴承5的作用下相对下叉4做直线运动，中叉8的直线运动带动中叉齿轮9移

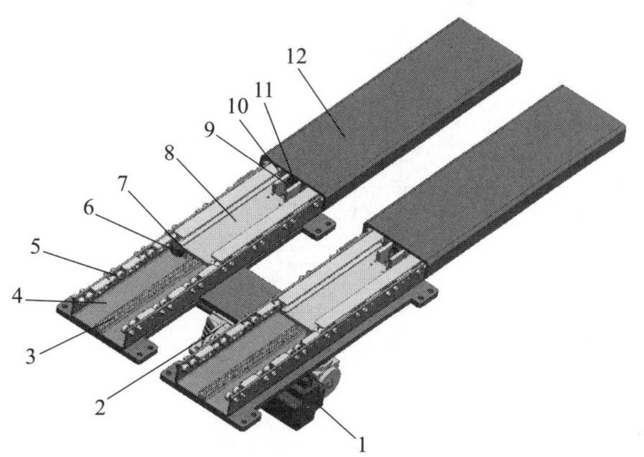

图3-19 双板叉取式伸缩货叉结构

1—驱动电机；2—减速器；3—下叉齿条；4—下叉；5—下叉/中叉导向轴承；6—下叉齿轮；7—中叉齿条；8—中叉；9—中叉齿轮；10—上叉/中叉导向轴承；11—上叉齿条；12—上叉

动距离 ΔL，中叉齿轮 9 的下方与下叉齿条 3（静止）啮合，上方与上叉齿条 11 啮合，使上叉 12 移动距离 $2\Delta L$。

双板叉取式伸缩货叉的下叉驱动系统如图 3-20 所示，驱动电机 1 与减速器 2 直接连接，减速器 2 为双输出轴，分别经联轴器 5 与驱动轴 4 连接，驱动轴 4 插入直角减速器 3 的输入孔，直角减速器 3 的输出轴垂直于下叉，并穿过下叉，与下叉齿轮连接。

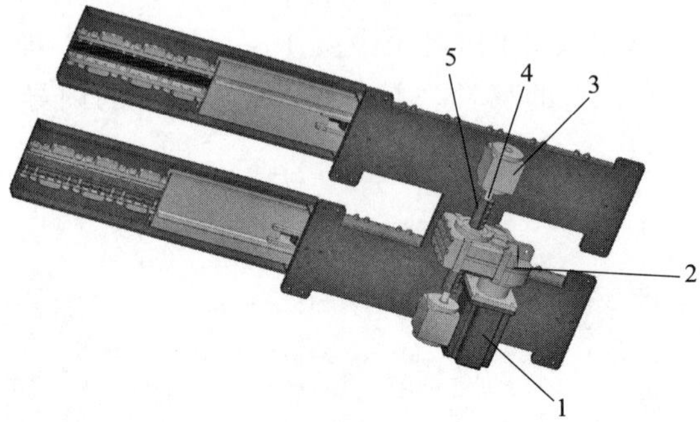

图 3-20　双板叉取式伸缩货叉的下叉驱动系统

1—驱动电机；2—减速器；3—直角减速器；4—驱动轴；5—联轴器

(2) 基于同步带与同步带条传动的中叉驱动原理

图 3-17 中基于齿轮齿条传动的伸缩货叉工作原理，上叉的伸出长度小于中叉的长度，伸出长度有限，那有没有其他方案增大上叉的伸出行程呢?

图 3-21 是把齿轮传动改为同步带与同步带条的传动方案，在中叉长度相同的条件下，带有同步带条的中叉伸出长度 ΔL_2 明显大于带有齿条中叉伸出的长度 ΔL_1，这是因为同步带 4 与带有同步带条的中叉 3 啮合长度更大。

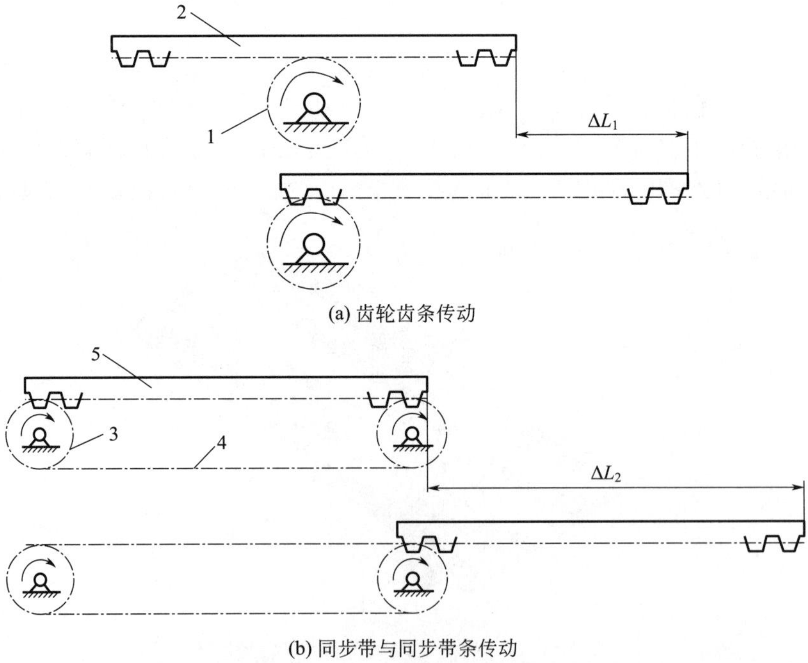

(a) 齿轮齿条传动

(b) 同步带与同步带条传动

图 3-21　中叉伸出方案比较

1—下叉齿轮；2—带有齿条的中叉；3—下叉同步带轮；4—同步带；5—带有同步带条的中叉

基于同步带与同步带条传动的中叉驱动方式，如果把同步带与同步带条分别对应换为链条与链齿条，同样也可以实现中叉伸出距离较大，所以这种方式应用也较广，因为链条传动强度大，成本也不高，更适合用于托盘货物存取的伸缩货叉。

(3) 基于链传动的伸缩货叉

基于链传动的伸缩货叉由链传动实现，如图 3-22 所示。其工作原理：驱动电机 1 驱动下叉主动链轮 2 逆时针旋转，驱动下叉链条 8 逆时针传动，连接块 13 与下叉链条 8 的链节转轴连接，同时又固定到中叉 9 上，中叉 9 向左伸出；中叉 A 链轮 14 与中叉 B 链轮 17 分别安装在中叉 9 的两端，A 链条 10 与中叉 A 链轮 14 啮合，且下端经 A 链条下叉固定块 15 固定到下叉 7 上，上端经 A 链条上叉固定块 16 固定到上叉 12 上；B 链条 11 与中叉 B 链轮 17 啮合，且下端经 B 链条下叉固定块 3 固定到下叉 7 上，上端经 B 链条上叉固定块 18 固定到上叉 12 上；中叉 9 向左伸出时，中叉 B 链轮 17 起动滑轮作用，上叉 12 在 B 链条 11 上端的拉动下相对于中叉向左移动，实现上叉 12 相对于下叉 7 移动距离倍增；上叉 12 伸出时带动 A 链条上叉固定块 16 同步移动，从而牵引 A 链条 10 处于张紧状态，不会松弛影响传动。货叉向另一方向伸出，驱动电机 1 驱动下叉主动链轮 2 顺时针旋转即可，这里不再赘述。

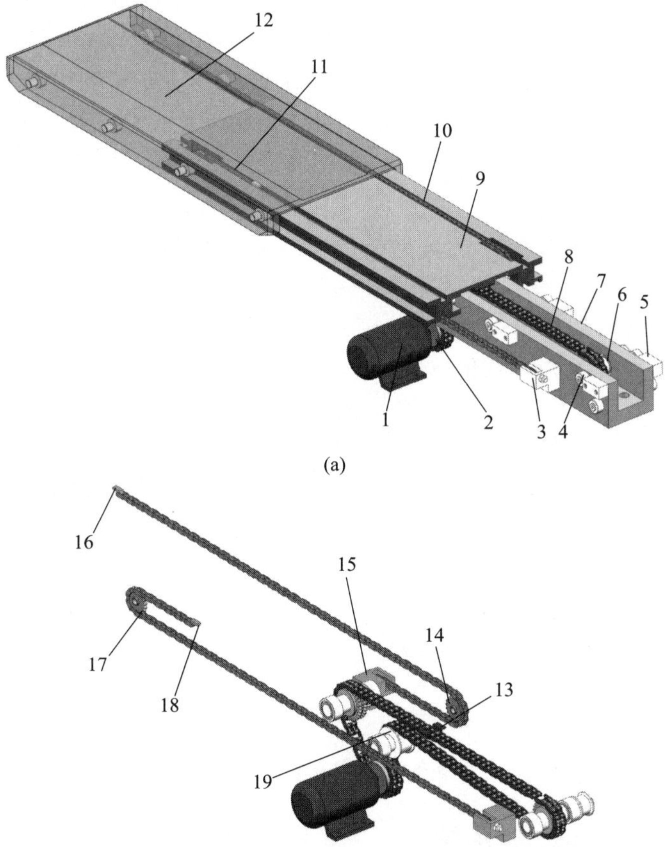

(a)

(b)

图 3-22　链传动伸缩货叉原理图

1—驱动电机；2—下叉主动链轮；3—B 链条下叉固定块；4—螺栓轴承；5—宽度方向导向块；6—下叉从动链轮；7—下叉；8—下叉链条；9—中叉；10—A 链条；11—B 链条；12—上叉；13—连接块；14—中叉 A 链轮；15—A 链条下叉固定块；16—A 链条上叉固定块；17—中叉 B 链轮；18—B 链条上叉固定块；19—下叉链条改向轮

需要说明的是，下叉链条 8 经连接块 13 驱动中叉 9 的方式，与图 3.14 中链条与链齿条啮合的方案原理一样，都能够实现中叉较大的伸出行程，究其原因是驱动部件不是作用在一个点上，而是能够运动一段距离。

(4) 货叉伸缩速度

为使堆垛机运动平稳，需要合理设计堆垛机货叉伸缩速度、升降速度、水平行走速度。1974 年，I. Gudehus 在德国期刊《Fordern Und Beben》24 期刊载的论文中，阐述了堆垛机三个运动可以用计算式近似计算，注意公式不是推导出来的，后面不再赘述。

堆垛机货叉伸缩运动一般采用匀加速—匀速—匀减速的速度曲线，伸缩匀速阶段货叉伸缩速度可取

$$v_z \approx \frac{1}{2}\sqrt{L_z a_z} \tag{3-3}$$

式中 v_z——货叉速度，m/s；

L_z——货叉行程，m；

a_z——货叉加速度，m/s^2。

(5) 板式伸缩货叉的动力计算

伸缩货叉总质量为 m_1，固定部分为下叉与驱动部件，运动部分包括中叉、上叉，设伸缩货叉运动部分质量为 m_{1a}，叉取货物的质量为 m_0，伸缩速度为 v_z，加速度为 a_z，货叉的中叉与下叉、上叉与中叉的滚动摩擦系数为 μ_1，求伸缩货叉所需动力。

设伸缩驱动力为 F_z，摩擦力 $F_{fz}=\mu_1(m_{1a}+m_2)g$，因 $F_{az}=F_z-F_{fz}=\sum ma_z$，则伸缩所取驱动力

$$F_z=F_{fz}+F_{az}=(m_{1a}+m_0)(\mu_1 g+a_z) \tag{3-4}$$

设齿轮减速器传动效率为 η_1，链传动的效率为 η_2，则传动总效率

$$\eta_z=\eta_1\eta_2 \tag{3-5}$$

伸缩货叉伸出或缩回运动都是匀加速—匀速—匀减速，所以伸缩货叉即将加速到最高速度时，伸缩货叉所需动力最大，其值为

$$P=F_z v_z/\eta_2 \tag{3-6}$$

电机功率确定后，可根据货叉伸缩速度确定减速器型号。

举例说明。设伸缩货叉运动部分质量为 $m_{1a}=230\text{kg}$，叉取货物的质量为 $m_0=1000\text{kg}$，伸缩速度为 $v_z=21\text{m/min}=0.35\text{m/s}$，加速度为 $a_z=0.2\text{m/s}^2$，滚动摩擦系数为 $\mu_1=0.03$，则伸缩所取驱动力

$$F_z=(m_{1a}+m_2)(\mu_{1g}+a_z)=(230+1000)\times(0.03\times10+0.2)=615(\text{N})$$

伸缩货叉传动总效率 $\eta_z=\eta_1\eta_2=0.9\times0.9=0.81$。

伸缩货叉所需动力

$$P=F_z v_z/\eta_2=615\times0.35/0.81=0.27(\text{kW})$$

选择功率大于 0.27kW 的电机能够满足动力要求。

3.2.3 托盘库堆垛机升降系统

如图 3-12 所示，托盘库堆垛机升降系统，主要包括载货台 6、载货台控制柜 7、钢丝绳 23、升降卷扬机 17、维修台 16，升降卷扬机 17 通过钢丝绳 23 使载货台 6 沿立柱 22 的导轨竖直升降，维修台 16 是维修升降卷扬机 17 的平台。托盘库堆垛机升降系统除了用钢丝绳外，还常用链条作为承载部件，钢丝绳与链条承载能力都比较强，钢丝绳更多用于高度较高

的托盘立体库，链条则更多用于高度较低的托盘立体库。

(1) 升降速度

堆垛机升降运动一般采用匀加速—匀速—匀减速的速度曲线，升降运动匀速阶段载货台升降速度可取

$$v_y \approx \frac{H}{L} v_x \tag{3-7}$$

式中　v_y——升降速度，m/s；

L——货架的长度，m

H——货架的高度，m；

v_x——水平行走速度，m/s。

即使超过这个速度 v_y，作业周期缩短，一般也远远小于 10%。

(2) 升降电机的功率计算

设升降系统总质量为 m_2，其中升降运动部分质量 m_{2a}，提升货物质量为 m_0，升降速度为 v_y，升降加速度为 a_y，求升降电机的功率。

设升降拉力为 F_y，因 $F_{ay}=F_y-(m_{2a}+m_0)g=\sum ma_y$，则伸缩所取驱动力

$$F_y=(m_{2a}+m_0)(g+a_z) \tag{3-8}$$

设升降系统蜗杆传动效率为 η_3，钢丝绳（带或链）传动效率为 η_4，导轨滑动传动效率为 η_5，则设升降系统总传动效率为

$$\eta_y=\eta_3\eta_4\eta_5 \tag{3-9}$$

升降运动都是匀加速—匀速—匀减速，所以升降系统即将加速到最高速度时，所需动力最大，其值为

$$P=F_y v_y/\eta_y=(m_{2a}+m_0)(g+a_y)v_y/\eta_y \tag{3-10}$$

为安全起见，选择电机功率大于计算值。再根据升降速度，确定减速器型号。

举例说明。设升降系统总质量 $m_2=530\text{kg}$，其中升降运动部分质量 $m_{2a}=230\text{kg}$，提升货物质量为 $m_0=1000\text{kg}$，升降速度为 $v_y=12\text{m/min}=0.2\text{m/s}$，升降加速度为 $a_y=0.2\text{m/s}^2$，求升降电机的功率。

设升降系统蜗杆传动效率为 $\eta_3=0.7$，钢丝绳（带或链）传动效率为 $\eta_4=0.9$，导轨滑动传动效率为 $\eta_5=0.9$，则设升降系统总传动效率为

$$\eta_y=\eta_3\eta_4\eta_5=0.7\times0.9\times0.9=0.567$$

升降系统即将加速到最高速度时所需动力

$$\begin{aligned}P&=(m_{2a}+m_0)(g+a_y)v_y/\eta_y\\&=(230+1000)\times(9.8+0.2)\times0.2/0.567=4.34(\text{kW})\end{aligned}$$

为安全起见，可选择电机功率为 5.5kW。

3.2.4　托盘库堆垛机水平行走系统

(1) 水平行走速度

堆垛机水平行走一般采用匀加速—匀速—匀减速的速度曲线，堆垛机水平行走匀速阶段速度可取

$$v_x \approx \frac{1}{2}\sqrt{L_x a_x} \tag{3-11}$$

式中　v_x——堆垛机的行走速度，m/s；

a_x——堆垛机的行走加速度，m/s^2；

L_x——堆垛机最大行走距离，m。

(2) 行走电机的功率计算

首先计算驱动轮与地轨摩擦驱动的驱动功率。为了计算功率大小，必须计算行走动力。如图 3-23 所示，左侧轮 1 为堆垛机从动轮，右侧轮 2 为堆垛机驱动轮，两轮中心距为 l，设堆垛机运动系统质量为 m_{3a}，叉取货物质量为 m_0，两部分质量相对于从动轮和驱动轮的位置关系如图 3-23 所示；设堆垛机行走加速度为 a_x，匀速行走时行走速度为 v_x，行走轮（一般驱动轮直径与从动轮一致）半径为 r，驱动轮转动惯量为 J，滚动摩擦系数 $\mu_1=0.02$。根据这些主要参数可以计算行走电机功率大小。

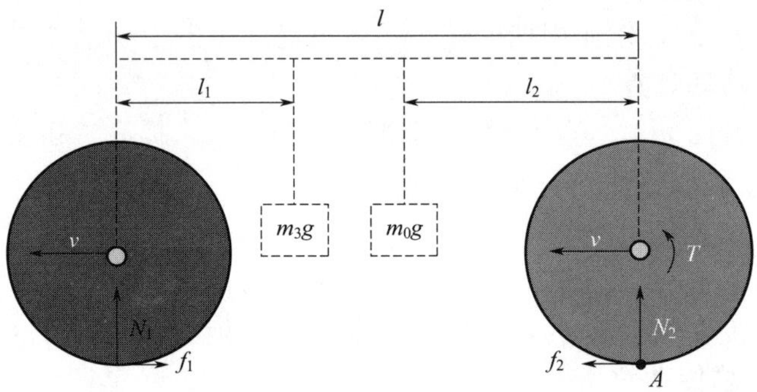

图 3-23　堆垛机水平行走分析图

图 3-23 中两轮均为滚动摩擦，属于静摩擦，从动轮 1 的摩擦力是阻力，其方向很容易判断为水平向右；驱动轮 2 的摩擦力 f_2 是驱动力，方向也不难判断为水平向左，在驱动轮不发生打滑的情形下，其大小 f_2 与正压力 N_2 无关，而与驱动扭矩 T 有关，也就是说驱动扭矩 T 越大，f_2 越大，反之，驱动扭矩 T 越小，f_2 越小。这点和后轮驱动的汽车直线行驶状态一致，在后轮不打滑的情况下，油门越大，后轮与地面的摩擦力越大，前进的加速动力就越足。

下面求解从动轮 1 与地轨的正压力 N_1。以驱动轮与地轨接触点 A 为转动中心，由于 A 点没有加速度，这是一个惯性系，对堆垛机运动系统整体列力矩平衡方程

$$N_1 l = m_3 g(l-l_1)+m_0 g l_2 \tag{3-12}$$

可以求得

$$N_1=[m_3 g(l-l_1)+m_0 g l_2]/l \tag{3-13}$$

对堆垛机运动系统，根据牛顿第二定律，有

$$f_2-f_1=(m_3+m_0)a_x \tag{3-14}$$

由于从动轮与地轨之间是纯滚动，属于静摩擦力，其摩擦力大小不能直接用 $f_1=\mu_1 N_1$ 求解，那应该如何求解 f_1 呢？

可以参考如下方法计算 f_1。从动轮受力分析如图 3-24 所示，外圆表示从动轮，内圆表示轴承外圈，下横梁对从动轮水平方向的推力 F，使从动轮产生逆时针方向的滚动，负载 Q 产生的支反力 N，由于车轮、轨道的微量变形，支反力 N 将偏离作用线一个距离 λ，也称为滚动摩擦杠杆臂；由于从动轮逆时针旋转，轴承内圈通过滚动体对轴承外圈（与从动轮基体相对固定）产生顺时针方向的摩擦力矩 M，其滚动摩擦力为 μQ，在这些力的作用下，产生地面对从动轮的滚动摩擦力 f，参考 SEW 实用传动工程手册，滚动阻力可由下式计算：

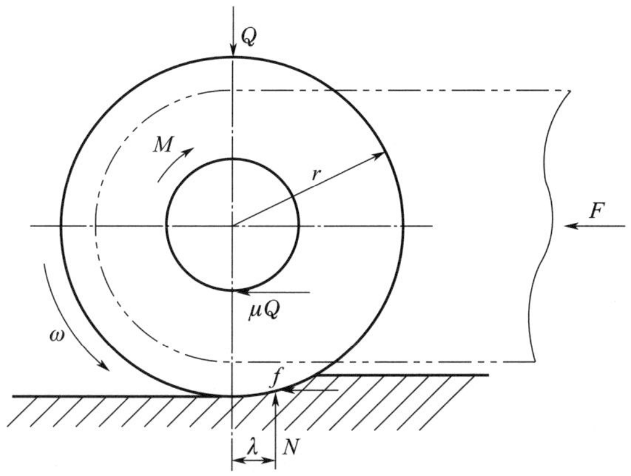

图 3-24　从动轮受力分析

$$f=Q(\mu+\lambda/r+c) \tag{3-15}$$

式中　f——滚轮滚动阻力，N；

Q——滚轮所受载荷，N；

μ——滚动轴承摩擦系数，可取 0.005；

c——轮缘摩擦附加系数 0.003；

λ——滚动摩擦杠杆臂，钢对钢，$\lambda=0.5$mm。

对于从动轮 1 来说，$Q=N_1$，所受摩擦力

$$f_1=N_1(\mu+\lambda/r+c) \tag{3-16}$$

联立式(3-13)、式(3-14) 与式(3-16)，可得

$$f_2=(\mu+\lambda/r+c)[m_3g(l-l_1)+m_0gl_2]/l+(m_3+m_0)a_x \tag{3-17}$$

对驱动轮，有

$$T-f_2r=J\alpha=Ja_x/r \tag{3-18}$$

式中　J——驱动轮转动惯量，kg·m^2；

α——驱动轮角加速度，rad/s^2。

将式(3-17) 与式(3-18) 合并后，得

$$T=(\mu+\lambda/r+c)[m_3g(l-l_1)+m_0gl_2]r/l+(m_3+m_0)ra_x+Ja_x/r \tag{3-19}$$

设电机与驱动轮之间的减速器效率为 η_6，则驱动轮将加速到最大速度时，所需驱动功率

$$P=T\omega/\eta_6=Tv_x/(r\eta_6) \tag{3-20}$$

联立式(3-19) 与式(3-20)，可得驱动功率

$$P=(\mu+\lambda/r+c)[m_3g(l-l_1)+m_0gl_2]v_x/(l\eta_6)+(m_3+m_0)v_xa_x/\eta_6+Ja_xv_x/(r^2\eta_6) \tag{3-21}$$

从式(3-21) 可以明显地看出，驱动功率分为三部分，第一部分是克服从动轮摩擦阻力而加速到所需速度 v 的功率，第二部分是把堆垛机水平运动系统和货物的速度由 0 加速到所需速度 v 的功率，第三部分是驱动轮转速由 0 到 v/r 所需要的功率，从三部分驱动功率大小来看，第二部分最大，第三部分最小。下面举例说明上述结论。

如图 3-23 所示，堆垛机两轮中心距为 $l=2460$mm，堆垛机运动系统质量为 $m_3=1295.1$kg，$l_1=1226.74$mm，叉取货物质量为 $m_0=1000$kg，$l_2=1230$mm，行走速度 $v_x=$

2m/s，行走加速度 $a_x=0.2\mathrm{m/s^2}$，行走轮半径 $r=0.145\mathrm{m}$，转动惯量 $J=0.1436\mathrm{kg\cdot m^2}$，电机与驱动轮之间的减速器效率为 $\eta_6=0.8$。根据以上参数计算行走电机功率大小。

从动轮所受正压力：

$$N_1=[m_3g(l-l_1)+m_0gl_2]/l$$
$$=[1295.1\times9.8\times(2460-1226.74)+1000\times9.8\times1230]/2460=11262.8(\mathrm{N})$$

地轨对从动轮施加的摩擦力：

$$f_1=N_1\left[\frac{1}{r}(\mu r+\lambda)+c\right]$$
$$=11262.8[1/0.145\times(0.005\times0.145+0.003)+0.5/1000]=294.97(\mathrm{N})$$

驱动轮将加速到最大速度时，所需驱动功率：

$$P=(\mu+\lambda/r+c)[m_3g(l-l_1)+m_0gl_2]v_x/(l\eta_6)+(m_3+m_0)v_xa_x/\eta_6+Ja_xv_x/(r^2\eta_6)$$
$$=(0.005+0.5/145+0.003)\times[1295.1\times9.8\times(2460-1226.74)+1000\times9.8\times1230]$$
$$\times2/(2460\times0.8)+(1295.1+1000)\times2\times0.2+0.1436\times0.2\times2/(0.145^2\times0.8)$$
$$=322.35+918.04+3.414=1243.8(\mathrm{W})$$

从上式计算结果来看，第一部分功率为 322.35W，第二部分功率为 918.04W，第三部分功率为 3.414W，占比很小，也就是说因驱动轮转动惯量，转速由 0 到最大转速（v_x/r）所需要的功率可以忽略。

图 3-23 的驱动力分析是基于驱动轮与地轨上表面没有发生滑动摩擦的情形，驱动力矩越大，堆垛机水平行走的加速度越大，但驱动力矩大到一定程度后，驱动轮与地轨上表面就可能出现滑动，为此需要增大滚动摩擦系数 μ_2 和正压力 N_2。

① 通过改变主动轮的结构与材料，增大滚动摩擦系数 μ_2，也会增大从动轮的摩擦阻力 f_1，虽然有一定效果，但增大不了很多。

② 增大正压力 N_2 是提高最大驱动力的较好措施。把图 3-23 中的 N_2 求出

$$N_2=m_3g+m_0g-N_1$$
$$=m_3g+m_0g-[m_3g(l-l_1)+m_0gl_2]/l$$
$$=[m_3gl_1+m_0g(l-l_2)]/l$$

从上述公式中可以看出，在两轮中心距 l 不变的条件下，增大 l_1 与减小 l_2，可以增加正压力 N_2，即将堆垛机运动系统自身质量 m_3 与叉取货物 m_0 的质量偏向于驱动轮一侧。

正压力 N_2 是由堆垛机运动系统自身质量 m_3 与叉取货物 m_0 的质量产生的，增大 m_3 与 m_0，也会增加加速运动时的总质量，提高加速度效果不明显，也会增加设备的成本。

目前，经过优化的托盘库堆垛机水平行走速度可达 240m/s，水平行走速度提高了，竖直升降速度也就可以相应提高了，堆垛机的出入库能力就得到了提高。

3.2.5 托盘库堆垛机作业流程

(1) 入库作业流程

托盘入库流程如图 3-25 所示。

(2) 出库作业流程

托盘出库流程如图 3-26 所示。

- 堆垛机行走到入库台
- 升降机构运行使货叉到入库台托盘的叉入高度
- 货叉机构运行使货叉伸到托盘叉取位置
- 升降机构运行使托盘抬离入库台
- 货叉机构运行使托盘收回到堆垛机载货台上
- 行走机构与升降机构各自运行使堆垛机到达指定的货位
- 升降机构运行使托盘底面微高于货格底面
- 货叉机构运行使托盘伸到货格中
- 升降机构运行使托盘搁在货格上
- 货叉机构运行使货叉缩回
- 完成一个入库作业流程

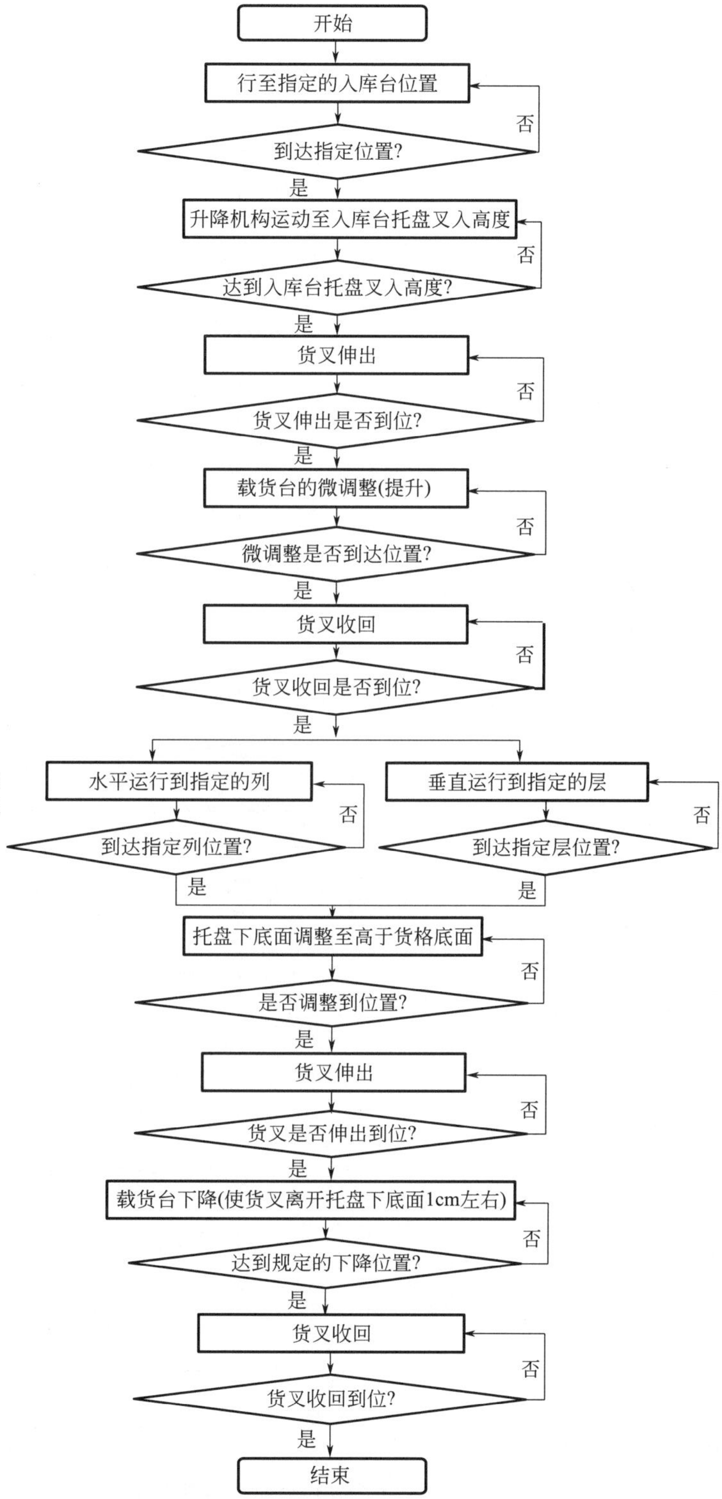

图 3-25　托盘库堆垛机入库作业流程

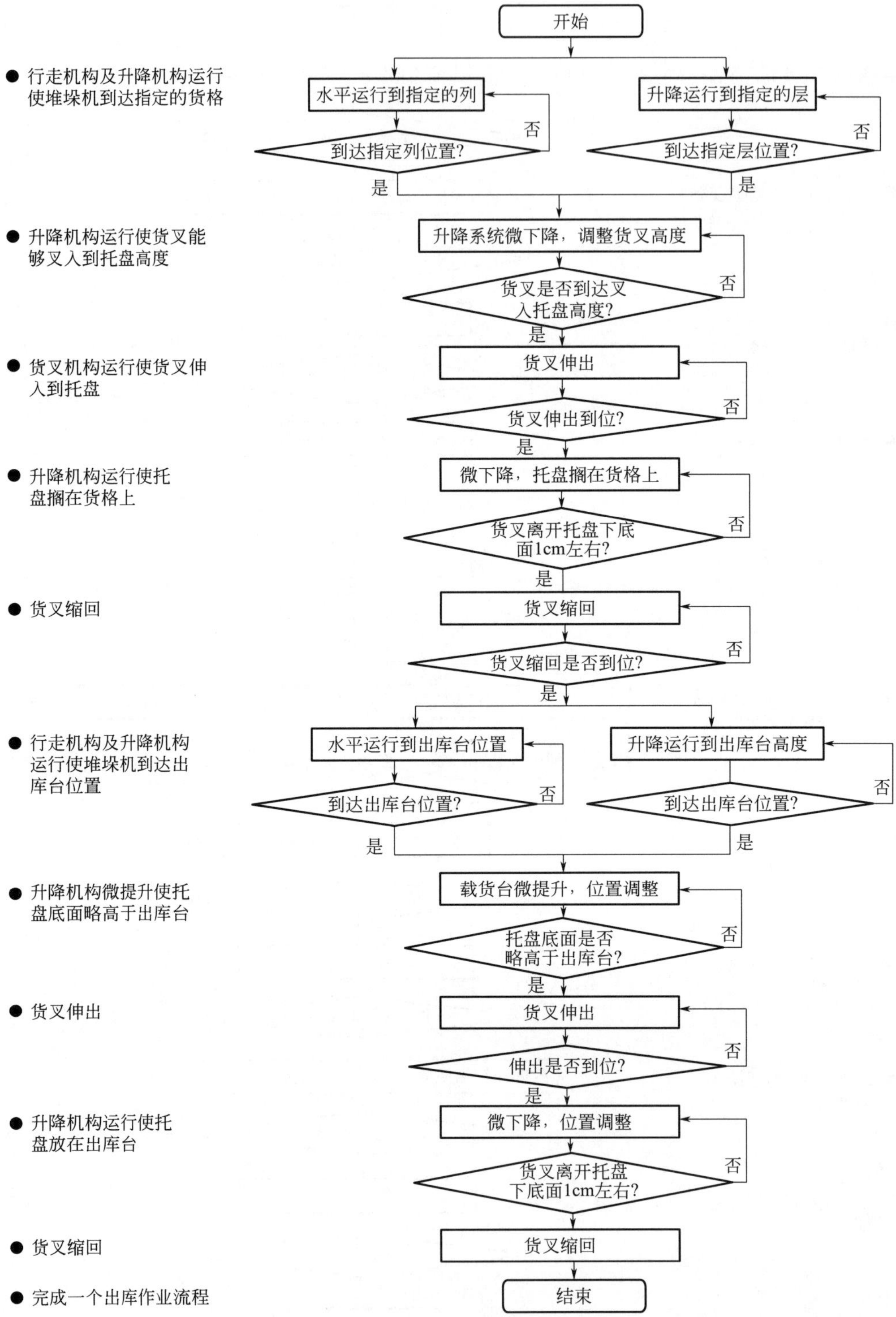

图 3-26　托盘库堆垛机出库作业流程

3.3　料箱库堆垛机

3.3.1　料箱库堆垛机概述

料箱库堆垛机相比托盘库堆垛机的负载轻，常称为 miniload 堆垛机，堆垛机料箱库如图 3-27 所示，货架采用的是牛腿货架，一个货格一个货位，堆垛机所取料箱为单深位。料箱库最常用的料箱长宽高尺寸为 600mm×400mm×300mm，也是国家推荐使用的标准尺寸之一。有的料箱库采用横梁式货架，一个货格可能有若干个货位。

料箱库与托盘库的堆垛机工作原理基本一致，但在以下几个方面有所区别：

① 当料箱质量小于 50kg 时，堆垛机伸缩货叉采用夹抱式伸缩货叉，当料箱重量大于 50kg 时，堆垛机伸缩货叉需采用板叉式伸缩货叉；托盘库堆垛机由于叉取货物的质量较大，一般采用板叉式伸缩货叉。

② 料箱库堆垛机所存取的料箱比较轻，均采用单立柱结构；托盘库堆垛机更多地采用双立柱结构，单立柱少一些。

③ 料箱库堆垛机由于负载小，行走速度更快，托盘库堆垛机由于负载大一些，行走速度更慢一些。

④ 质料箱库的货架一般采用横梁结构，当料箱质量大于 50kg 时，需采用板叉式伸缩货叉，可以在料箱与货格底面之间增加垫梁，方便板叉式伸缩货叉能够叉入料箱底部，也可以采用牛腿式结构；托盘库的货架可采用牛腿式结构，也可采用横梁结构。

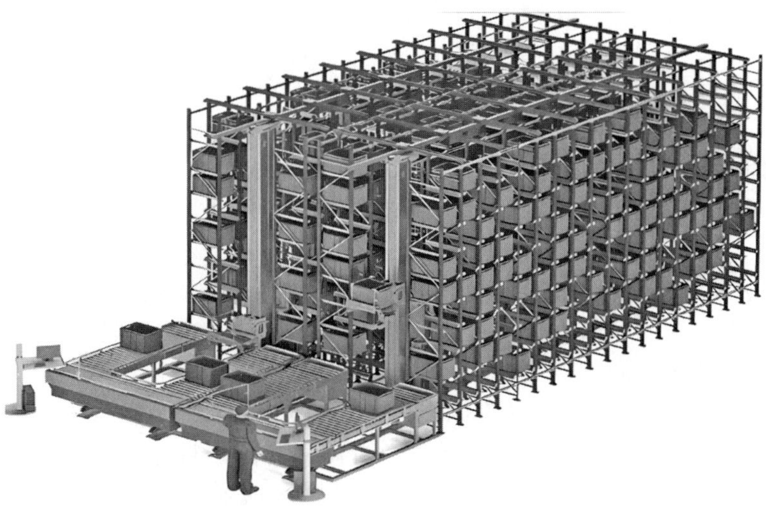

图 3-27　牛腿货架的堆垛机料箱库

3.3.2　料箱库堆垛机结构

料箱库常规堆垛机的结构与托盘库的结构很相似，这里介绍料箱库高速堆垛机的结构组成，如图 3-28 所示，主要包括三个组成部分：一是地轨系统，二是堆垛机运动系统，三是天轨。

地轨系统包括：地轨 1、滑触线 2、水平行走同步带 9、行走限位 26。地轨 1 两个侧上

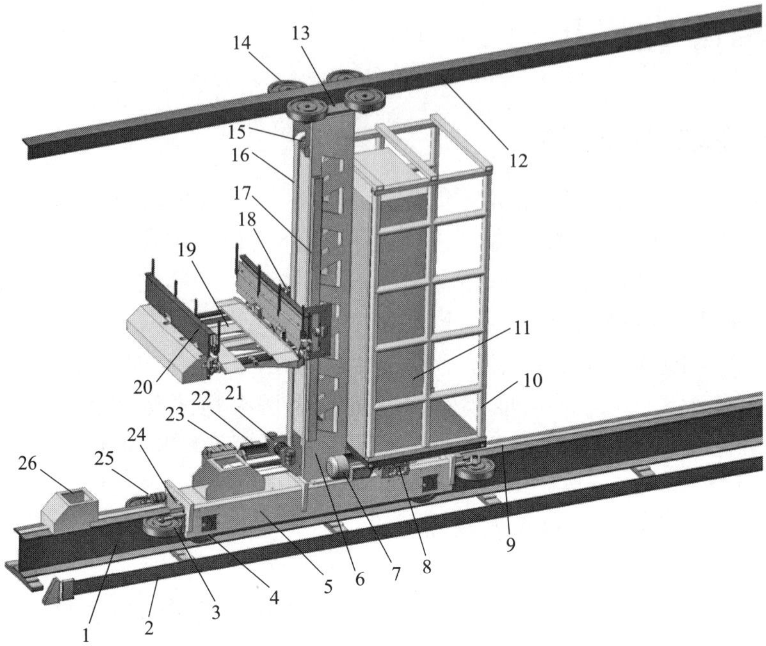

图 3-28　料箱库堆垛机结构

1—地轨；2—滑触线；3—地轨行走导向轮；4—从动行走轮；5—下横梁；6—立柱；7—水平行走电机；8—水平行走减速器；9—水平行走同步带；10—电控柜维修台；11—电控柜；12—天轨；13—上横梁；14—天轨行走导向轮；15—升降从动同步带轮；16—升降同步带；17—升降导轨；18—升降导向轮；19—载货台；20—伸缩货叉；21—升降驱动同步带轮；22—升降减速器；23—升降电机；24—集电器；25—缓冲器；26—行走限位

表面是地轨 1 的主要工作面，是运动系统从动轮滚动的平面，承载堆垛机运动系统的质量，导轨 1 两侧面是导向面，是地轨行走导向轮 3 滚动的面；地面限位（图中没标出）与行走限位 26 都是限制堆垛机两端的位置，前者是通过接触开关实现软限位，后者是通过带有缓冲的碰撞实现硬限位；滑触线 2 是为运动系统供电的部件，堆垛机一般使用 380V 的动力电源。

天轨 12 安装在巷道两侧货架的连接部分上，天轨行走导向轮 14 沿天轨滚动，实现对堆垛机运动系统水平运动的导向，是整个堆垛机系统稳定运动的重要因素。

堆垛机运动系统包括伸缩货叉系统、竖直升降系统、水平行走系统三个子系统。

堆垛机伸缩货叉 20 是通过伸缩运动对货物单元存取的工具，安装在载货台 19 上。

堆垛机竖直升降系统主要包括载货台 19、升降从动同步带轮 15、升降同步带 16、升降导轨 17、升降导向轮 18、升降驱动同步带轮 21、升降减速器 22、升降电机 23，升降电机 23 经升降减速器 22 驱动升降驱动同步带轮 21 转动，驱动升降同步带 16 上下运动，升降同步带 16 与载货台 19 固定连接，载货台 19 安装有伸缩货叉 20、升降导向轮 18，两个方向设置的升降导向轮 18 与升降导轨 17 构成移动副，使载货台 19 在升降同步带 16 的驱动下做升降。

堆垛机水平行走系统主要包括地轨行走导向轮 3、从动行走轮 4、下横梁 5、立柱 6、水平行走电机 7、水平行走减速器 8、水平行走同步带 9、电控柜维修台 10、电控柜 11、上横梁 13、天轨行走导向轮 14、集电器 24、缓冲器 25。立柱 6 下端与下横梁 5 固定连接，上端与上横梁 13 固定连接，天轨行走导向轮 14 安装在上横梁 13 上；下横梁 5 固定安装有地轨行走导向轮 3、从动行走轮 4、水平行走电机 7、水平行走减速器 8、电控柜维修台 10、电控柜 11、集电器 24、缓冲器 25；从动行走轮 4 在地轨 1 的两侧上表面滚动，承载着堆垛机运动系统的质量，地轨行走导向轮 3 对水平运动进行导向；水平行走电机 7 经水平行走减速器 8 将动力传递给水平行走驱动同步带（图中被遮挡，后续分析）轮上，由于水平行走同步带 9 两端固定在地轨 1 上，所以下横梁 5 等运动系统部件被水平驱动；集电器 24 与滑触线 2 的导轨接触并从中获取电能。

3.3.3　料箱库堆垛机货叉系统

料箱库堆垛机伸缩货叉有两种：夹抱式伸缩货叉、板叉式伸缩货叉。当料箱质量小于 50kg 时，堆垛机伸缩货叉采用夹抱式伸缩货叉，当料箱质量大于 50kg 时，堆垛机伸缩货叉需采用板叉式伸缩货叉，其结构和托盘库的板叉式伸缩货叉相同，这里不再赘述，只分析夹抱式伸缩货叉。

如图 3-29 所示，夹抱式伸缩货叉的外叉 1 是固定安装在载货台上的，伸缩货叉的驱动也安装在外叉 1 上，中叉 2 相对于外叉 1 伸出或缩回，内叉 3 叉相对于中叉 2 伸出或缩回，且伸出或缩回的距离与中叉相对于外叉的一致。下面分析夹抱式伸缩货叉取货的过程：左右两侧的内叉 3 被伸出到所取货位上料箱的两侧，内叉前端的取货拨杆 4 在其驱动电机作用下由原来的竖直状态，分别向内侧旋转 90°至水平状态（取货过程中放货拨杆 5 一直处于竖直状态），此时左右两侧取货拨杆 4 的最小间距小于料箱货物的宽度，内叉 3 缩回时，料箱货物就会在取货拨杆 4 的作用下往回拨动，先是克服料箱与货架的摩擦力，后是克服料箱与外叉 1 平台的摩擦力，直至把货物取回到外叉 1 平台上。需要说明的是，伸缩货叉向另一个方向伸出取货时，取货拨杆和放货拨杆正好反过来。

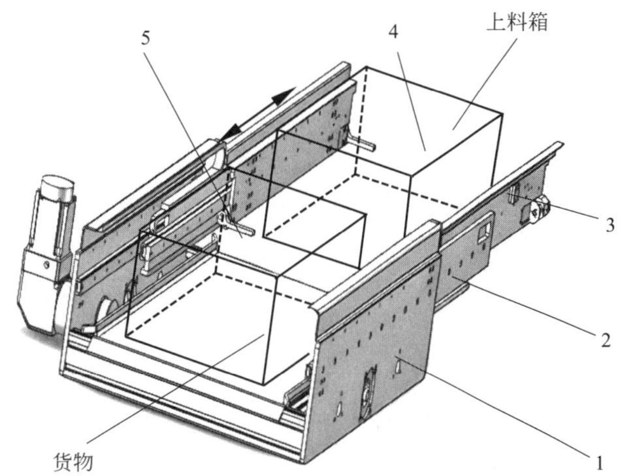

图 3-29　夹抱式伸缩货叉工作状态

1—外叉；2—中叉；3—内叉；4—取货拨杆；5—放货拨杆

夹抱式伸缩货叉放货的工作过程：货物处于外叉 1 平台上，放货拨杆 5 在其驱动电机作用下由原来的竖直状态，分别向内侧旋转 90°至水平状态（放货过程中放货拨杆 5 一直处于竖直状态），此时左右两侧放货拨杆 5 的最小间距小于料箱货物的宽度，内叉 3 伸出时，料箱货物就会在放货拨杆 5 的作用下往外拨动，先是克服料箱与外叉 1 平台的摩擦力，后是克服料箱与货架的摩擦力，直至把货物推到货位上。

常见的夹抱式伸缩货叉一般采用同步带传动，根据单侧伸缩货叉同步带的数量，可分为单同步带传动夹抱式伸缩货叉和双同步带传动夹抱式伸缩货叉。

(1) 单同步带传动夹抱式伸缩货叉

如图 3-30 所示，单同步带传动夹抱式伸缩货叉右侧部分（左右两部分对称）工作原理：外叉 1 固定在载货台上，中叉 3 两端安装有两个同步带轮 2，与其啮合的同步带 5 一侧在中间位置与外叉 1 固定连接，另一侧在中间位置与内叉 4 固定连接，另外通过直线导轨实现中叉 3 相对于外叉 1 做直线运动，内叉 4 相对于中叉 3 做直线运动；当中叉 3 在另外驱动作用下相对于外叉 1 伸出 ΔL 时，由于外叉 1 固定在载货台上不动，与同步带 5 固定连接点也是固定不动的，同步带轮 2 在同步带（不转，只是形状发生变化）的作用下顺时针转动，同时，内叉 4 在其与同步带 5 连接点的牵引下伸出，由于中叉 3 上的同步带轮 2 此时为动滑轮，根据动滑轮的原理，可得知内叉 4 伸出距离为 $2\Delta L$，实现了内叉 4 相对于中叉 3 伸出行程的倍增，通过伸出过程的分析可知，内叉 4 相对于外叉 1 的伸出距离 $2\Delta L$ 小于中叉的长度（外叉、中叉与内叉长度一致）。伸缩货叉缩回时，过程相反。

（2）双同步带传动夹抱式伸缩货叉

和单同步带传动夹抱式伸缩货叉不同，双同步带传动夹抱式伸缩货叉使用两根不闭环的同步带驱动。如图 3-31 所示，双同步带传动夹抱式伸缩货叉右侧部分（左右两部分对称）的工作原理：外叉 1 固定在载货台上，中叉 4 安装有 A 同步带动滑轮 2 和 B 同步带动滑轮 6；外叉 1 上端固定连接 B 同步带 3 的一端，B 同步带 3 绕过 B 同步带动滑轮 6，另一端固定连接在内叉 5 的上端，外叉 1 下端固定连接 A 同步带 7 的一端，A 同步带 7 绕过 A 同步带动滑轮 2，另一端固定连接在内叉 5 的下端；另外通过直线导轨实现中叉 4 相对于外叉 1 做直线运动，内叉 5 相对于中叉 4 做直线运动；当中叉 4 在另外驱动作用相对于外叉 1 伸出 ΔL 时，A 同步带动滑轮 2 和 B 同步带动滑轮 6 同步移动，A 同步带动滑轮 2 使 A 同步带 7（一端与外叉 1 下端固定连接）牵引内叉 5 相对于中叉 4 也伸出 ΔL，内叉 5 同时也牵引着 B 同步带 3 同步移动，使 B 同步带 3 始终与 B 同步带动滑轮 6 处于啮合状。需要说明的是，图 3-31 中 A 同步带 7 和 B 同步带 3 有重合的部分，可以通过设置同步带轮轴线方向的距离而错开，不会相互影响。

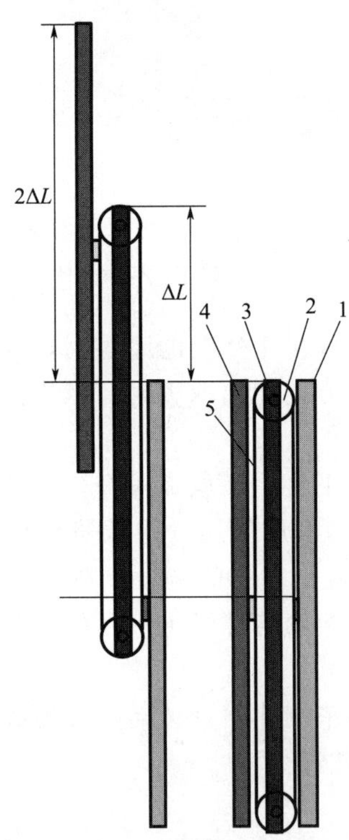

图 3-30　单同步带传动夹抱式伸缩货叉工作原理

1—外叉；2—同步带动滑轮；3—中叉；4—内叉；5—同步带

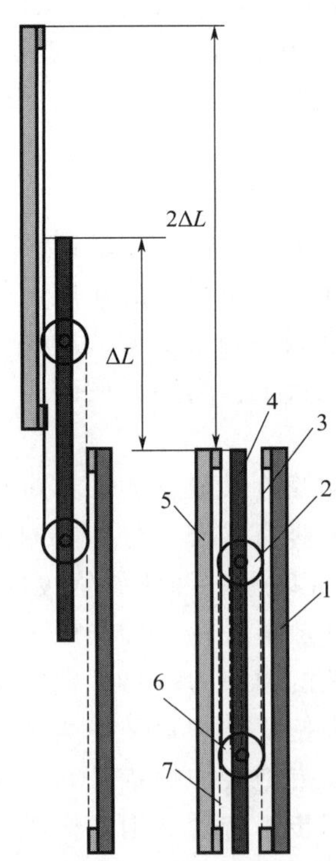

图 3-31　双同步带传动夹抱式伸缩货叉工作原理

1—外叉；2—A 同步带动滑轮；3—B 同步带；4—中叉；5—内叉；6—B 同步带动滑轮；7—A 同步带

由于中叉 4 上的两个同步带轮此时为动滑轮，根据动滑轮的原理，可得知内叉 5 伸出距离为 $2\Delta L$，实现了内叉 5 相对于中叉 4 伸出行程的倍增。通过伸出过程的分析可知，内叉 5 相对于外叉 1 的伸出距离 $2\Delta L$ 可大于中叉的长度。伸缩货叉缩回时，过程相反。

图 3-32 是双同步带传动夹抱式伸缩货叉缩回与伸出的状态图，从图 3-32(a)、(b) 两个状态的对比，可以明显看出，双同步带传动夹抱式伸缩货叉伸出的长度大于中叉与外叉，所以能够叉取的距离更大。

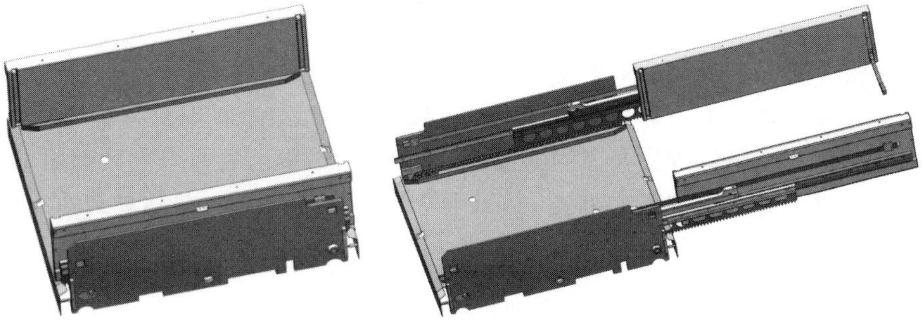

(a)缩回状态　　(b)伸出状态

图 3-32　双同步带传动夹抱式伸缩货叉工作状态

双同步带传动夹抱式伸缩货叉伸出运动是如何驱动的、如何导向的呢？双同步带传动夹抱式伸缩货叉结构如图 3-33 所示，货叉左右两侧结构对称，电机 2 通过链传动把动力传递给传动轴 1，再传递给货叉左右两部分的链条 3，链条 3 通过与中叉 5 的链式输送将动力传递给中叉 5，使中叉 5 伸出，同时带动安装于中叉 5 上的 A 同步带轮 16 和 B 同步带轮 8 伸出 ΔL，A 同步带轮 16 驱动 A 同步带使内叉 12 相对于中叉伸出 ΔL；外叉与中叉的导轨 4 使中叉 5 相对于外叉 7 做直线运动，内叉与中叉的导轨 15 使内叉 12 相对于中叉做 5 直线运动；A 同步带轮 16 和 B 同步带轮 8 上下有个高度差值，运动时不相互干涉；A 拨杆 14 由 A

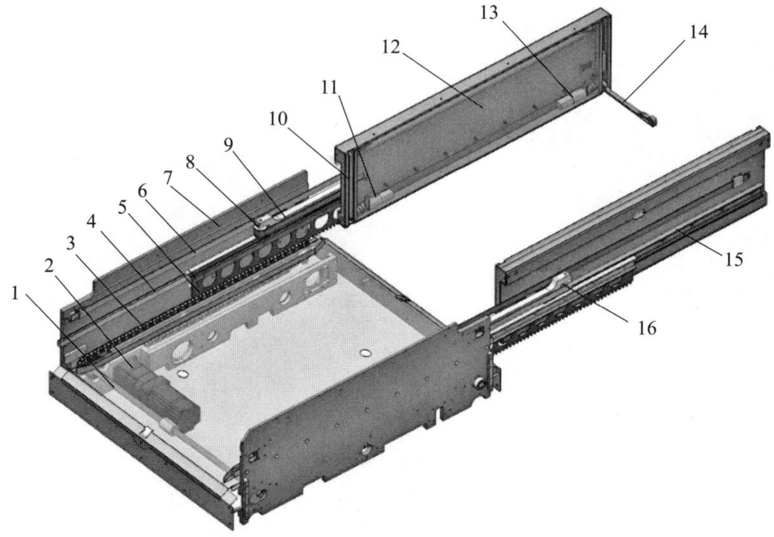

图 3-33　双同步带传动夹抱式伸缩货叉结构

1—传动轴；2—电机；3—链条；4—外叉与中叉的导轨；5—中叉；6—A 同步带；7—外叉；8—B 同步带轮；9—B 同步带；10—B 拨杆；11—B 拨杆驱动电机；12—内叉；13—A 拨杆驱动电机；14—A 拨杆；15—内叉与中叉的导轨；16—A 同步带轮

拨杆驱动电机 13 独立驱动，B 拨杆 10 由 B 拨杆驱动电机 11 独立驱动。

图 3-31 中的中叉带有链齿条结构，如图 3-34 所示，链齿条结构与链条形成传动，比起链轮与链条传动更有利于增大伸出行程。

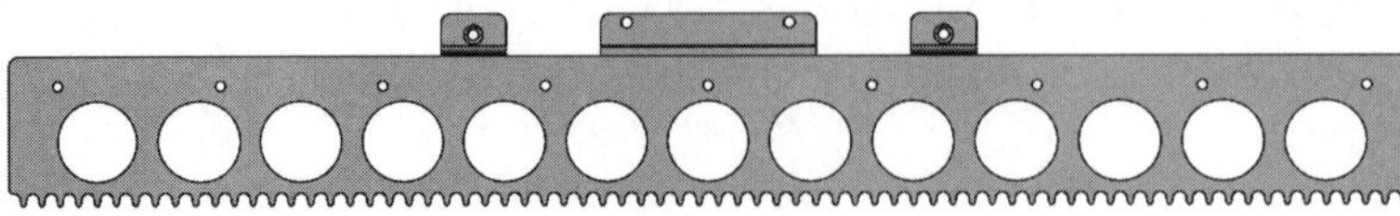

图 3-34　带有链齿条结构的中叉

(3) 输送带式台面结构的伸缩货叉

为了实现双深位货架上料箱或箱类货物的存取，夹抱式伸缩货叉一方面要增大伸出行程，另一方面要减小料箱与货叉台面的摩擦力，如图 3-35 所示的伸缩货叉台面不是固定的，而是由两个分别驱动的同步带系统组成，每个同步带系统有两根同步运动且左右两侧布置的同步带，这样两个料箱在取货或放货时摩擦力大大减小，而且可以实现料箱一个一个地取或放。

(4) 宽度可调的夹抱式伸缩货叉

为了使夹抱式伸缩货叉能够对不同宽度的料箱作业，可考虑夹抱式伸缩货叉左侧、右侧两部分的距离变为可调的。

宽度可调的夹抱式伸缩货叉如图 3-36 所示，伸缩货叉右侧部分固定，伸缩货叉左侧部分与同步带上部分固定连接，且与两根导向轴实现滑动连接。当同步带逆时针旋转时，伸缩货叉左侧部分向左移动，伸缩货叉两部分距离增大，实现宽度增大；反之，宽度缩小。有的宽度可调的夹抱式伸缩货叉左右两部分均可同步移动。

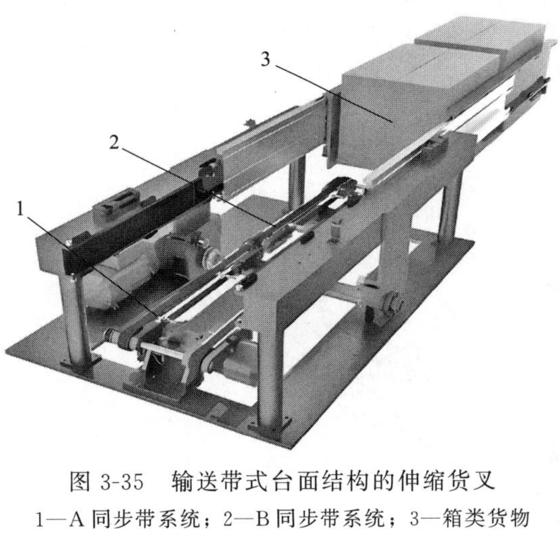

图 3-35　输送带式台面结构的伸缩货叉

1—A 同步带系统；2—B 同步带系统；3—箱类货物

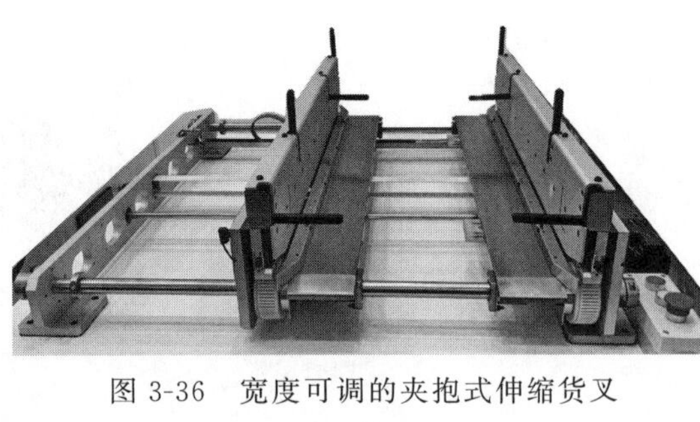

图 3-36　宽度可调的夹抱式伸缩货叉

(5) 货叉伸缩速度

堆垛机夹抱式货叉伸缩运动分为空载和负载两个行程，主要考虑负载行程，一般采用匀加速—匀速—匀减速的速度曲线，伸缩匀速阶段货叉伸缩速度可取

$$v_z \approx \frac{1}{2}\sqrt{L_z a_z} \tag{3-22}$$

式中　v_z——货叉速度，m/s；

L_z——货叉行程，m；

a_z——货叉加速度，m/s^2。

(6) 夹抱式伸缩货叉的动力计算

伸缩货叉总质量为 m_1，固定部分为外叉与驱动部件，运动部分包括中叉、内叉，设伸缩货叉运动部分质量为 m_{1a}，叉取货物的质量为 m_0、伸缩速度为 v_z、加速度为 a_z，料箱与货架或料箱与伸缩货叉台面的滑动摩擦系数为 μ_1，求伸缩货叉所需动力。

设伸缩驱动力为 F_z，摩擦力 $F_{fz}=\mu_1(m_{1a}+m_2)g$，因 $F_{az}=F_z-F_{fz}=\sum ma_z$，则伸缩所取驱动力

$$F_z=F_{fz}+F_{az}=(m_{1a}+m_0)(\mu_1 g+a_z) \tag{3-23}$$

设齿轮减速器传动效率为 η_1，同步带传动的效率为 η_2，则传动总效率

$$\eta_z=\eta_1\eta_2 \tag{3-24}$$

伸缩货叉伸出或缩回运动都是匀加速—匀速—匀减速，所以伸缩货叉即将加速到最高速度时，伸缩货叉所需动力最大，其值为

$$P=F_z v_z/\eta_z \tag{3-25}$$

电机功率确定后，可根据货叉伸缩速度确定减速器型号。

举例说明：设伸缩货叉运动部分质量为 $m_{1a}=70$kg，叉取货物的质量为 $m_0=50$kg，伸缩速度为 $v_z=0.5$m/s、加速度为 $a_z=0.5m/s^2$，滚动摩擦系数为 $\mu_1=0.2$，则伸缩所取驱动力

$$F_z=(m_{1a}+m_2)(\mu_{1g}+a_z)=(70+50)\times(0.2\times10+0.5)=300(\text{N})$$

设齿轮减速器传动效率 $\eta_1=0.8$，同步带传动的效率 $\eta_2=0.9$，伸缩货叉传动总效率 $\eta_z=\eta_1\eta_2=0.8\times0.9=0.72$。

伸缩货叉所需动力

$$P=F_z v_z/\eta_2=300\times0.5/0.72=208.3(\text{W})$$

伸缩货叉驱动电机选型时，功率要大一些，留有余量。

3.3.4　料箱库堆垛机升降系统

料箱库堆垛机升降系统，由于提升货物质量较小，所以提升部件常用同步带。

(1) 升降速度

料箱库堆垛机升降运动一般采用匀加速—匀速—匀减速的速度曲线，升降运动匀速阶段载货台升降速度可取

$$v_y\approx\frac{H}{L}v_x \tag{3-26}$$

式中　v_y——升降速度，m/s；

L——货架的长度，m；

H——货架的高度，m；

v_x——水平行走速度，m/s。

从计算公式来看，料箱库堆垛机升降速度与托盘的一样，但由于前者水平行走速度要高于后者，所以升降速度也会比后者大一些。

(2) 升降电机功率

设升降系统总质量为 m_2，其中升降运动部分质量为 m_{2a}，提升货物质量为 m_0，升降速

度为 v_y，升降加速度为 a_y，求升降电机的功率。

设升降拉力为 F_y，因 $F_{ay}=F_y-(m_{2a}+m_0)g=\sum ma_y$，则伸缩所取驱动力

$$F_y=(m_{2a}+m_0)(g+a_z) \tag{3-27}$$

设升降系统蜗杆传动效率为 η_3，钢丝绳（带或链）传动效率为 η_4，导轨滑动传动效率为 η_5，则设升降系统总传动效率为

$$\eta_y=\eta_3\eta_4\eta_5 \tag{3-28}$$

升降运动都是匀加速—匀速—匀减速，所以升降系统即将加速到最高速度时，所需动力最大，其值为

$$P=F_y v_y/\eta_y=(m_{2a}+m_0)(g+a_y)v_y/\eta_y \tag{3-29}$$

为安全起见，选择电机功率大于计算值。再根据升降速度，确定减速器型号。

举例说明：设升降系统总质量 $m_2=210\text{kg}$，其中升降运动部分质量 $m_{2a}=120\text{kg}$，提升货物质量为 $m_0=50\text{kg}$，升降速度为 $v_y=1\text{m/s}$，升降加速度为 $a_y=0.5\text{m/s}^2$，求升降电机的功率。

设升降系统蜗杆减速器效率为 $\eta_3=0.7$，钢丝绳（带或链）传动效率为 $\eta_4=0.9$，导轨滑动传动效率为 $\eta_5=0.9$，则设升降系统总传动效率为

$$\eta_y=\eta_3\eta_4\eta_5=0.7\times0.9\times0.9=0.567$$

升降系统即将加速到最高速度时需要动力

$$\begin{aligned}P&=(m_{2a}+m_0)(g+a_y)v_y/\eta_y\\&=(120+50)\times(9.8+0.5)\times1/0.567=3088(\text{W})\end{aligned}$$

为安全起见，可选择电机功率比计算值略大一些。

3.3.5 料箱库堆垛机水平行走系统

料箱库常规堆垛机水平行走速度、功率计算与托盘库的方法一致，这里不再赘述。这里要分析的是如何提高堆垛机水平行走速度。

料箱库堆垛机水平行走相比托盘库的运动系统的自重与负载都小得多，所以为了提高出入库能力，可以提高水平行走的速度与加速度，按照水平行走速度与竖直方向速度的比例关系，竖直方向的速度也可以相应增加。

根据 3.2.4 节中关于水平行走系统的分析结果，增大正压力 N_2 而又不增加运动系统的质量 m_{3a} 是增大加速度的方法，那还有没有其他思路呢？这就是高速堆垛机水平行走驱动原理的创新原点，这里分析两种方法。

(1) 增大驱动轮与地轨两侧面正压力

高速堆垛机水平行走驱动系统，如图 3-37 所示，两个驱动轮 2 分别由两个减速电机 1 驱动，分别与地轨的两侧面相切，两个驱动轮 2 的中心距通过预紧螺栓 3 调整，使驱动轮 2 紧紧地压在地轨 4 的两侧面，产生预紧力，这个预紧力就是想要的正压力 N_2，只要正压力 N_2 足够大，即使驱动轮 2 的驱动力矩 T 比较大，也不会出现驱动轮 2 与地轨 4 出现滑动的情形，这样就可以得到产生高速运动所需要的较大加速度了，而不用通过增加堆垛机运动系统自身质量。这种原理的料箱库高速堆垛机水平行走速度可达到 360m/min。

需要说明的是，地轨上表面仍是工作表面之一，因为有行走轮在上表面上随动行走，属于从动轮，图 3-37 中没有显示出驱动轮 2 附近承重的行走轮，此行走轮支撑堆垛机运动系统自身质量和货物质量在驱动轮端的载荷，只不过这个行走轮与地轨上表面的摩擦力不是驱动力了，而是摩擦阻力，应该和另一端的从动轮一样作为阻力来处理。

所以深刻理解堆垛机水平行走摩擦驱动的工作原理，才能实现对高速堆垛机水平行走驱动系统的创新设计。

图 3-37　高速堆垛机侧面摩擦驱动水平行走原理

1—减速电机；2—驱动轮；3—预紧螺栓；4—地轨；5—从动轮压痕

为了计算功率大小，必须计算行走动力。如图 3-38 所示，左侧轮 1 为堆垛机从动轮，右侧轮 2 为堆垛机驱动轮，两轮中心距为 l，设堆垛机运动系统质量为 m_{3a}，叉取货物质量为 m_0，两部分质量相对于从动轮和驱动轮的位置关系如图 3-39 所示；设堆垛机行走加速度为 a_x，匀速行走时行走速度为 v_x，从动轮（包括从动轮 1 和从动轮 2）半径为 r，驱动轮半径为 r_0，转动惯量为 J_0。根据这些主要参数可以计算行走电机功率大小。

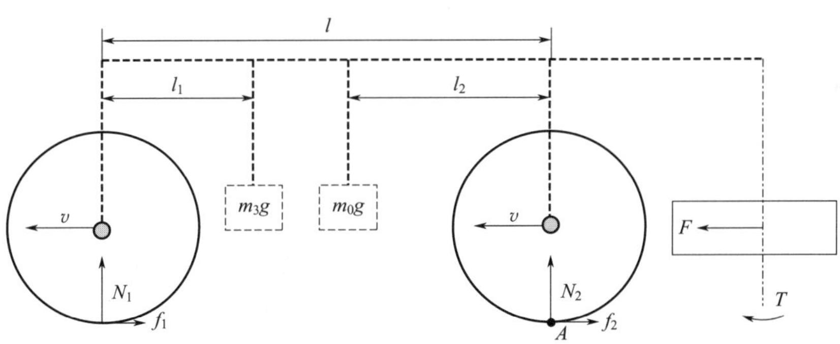

图 3-38　堆垛机侧面摩擦驱动水平行走分析图

图 3-38 中轮 1 和轮 2 均为滚动摩擦阻力，属于静摩擦，从动轮 1 的摩擦力是阻力，其方向很容易判断为水平向右。在驱动轮不发生打滑的情形下，其大小 f 与正压力 N 无关，而与驱动扭矩 T 有关，也就是说驱动扭矩 T 越大，驱动力 F 越大；反之，驱动扭矩 T 越小，驱动力 F 越小。这点和后轮驱动的汽车直线行驶状态一致，在后轮不打滑的情况下，油门越大，后轮与地面的摩擦力越大，前进的加速动力就越足。

下面求解从动轮 1 与地轨的正压力 N_1。以驱动轮与地轨接触点 A 为转动中心，由于 A 点没有加速度，这是一个惯性系，对堆垛机运动系统整体列力矩平衡方程

$$N_1 l = m_3 g(l - l_1) + m_0 g l_2 \tag{3-30}$$

可以求得

$$N_1 = [m_3 g(l - l_1) + m_0 g l_2]/l \tag{3-31}$$

由于 $N_2=m_3g+m_0g-N_1$，将 N_1 代入，得

$$N_2=[m_0g(l-l_2)+m_3gl_1]/l \tag{3-32}$$

对堆垛机运动系统，根据牛顿第二定律，有

$$F-f_2-f_1=(m_3+m_0)a_x \tag{3-33}$$

由于从动轮与地轨之间是纯滚动，属于静摩擦力，其摩擦力大小不能直接用 $f_1=\mu_1N_1$，$f_2=\mu_1N_2$ 求解，根据 3.2.4 节中关于图 3-24 摩擦力的分析，可得

$$f_1=N_1(\mu+\lambda/r+c) \tag{3-34}$$

$$f_2=N_2(\mu+\lambda/r+c) \tag{3-35}$$

联立式(3-31) ～式(3-35)，可得驱动力

$$F=(m_3+m_0)[(\mu+\lambda/r+c)g+a_x] \tag{3-36}$$

对水平面转动的驱动轮，有

$$T-Fr_0=J\alpha_0=J_0a_x/r_0 \tag{3-37}$$

式中　J_0——驱动轮转动惯量，kg·m^2；

　α_0——驱动轮角加速度，rad/s^2。

将式(3-36) 与式(3-37) 合并后，得

$$T=(m_3+m_0)[(\mu+\lambda/r+c)g+a_x]r_0+J_0a_x/r_0 \tag{3-38}$$

设电机与驱动轮之间的传动效率为 η_6，则驱动轮将加速到最大速度时，所需驱动功率

$$P=T\omega/\eta_6=Tv_x/(r_0\eta_6) \tag{3-39}$$

联立式(3-38) 与式(3-39)，可得动功率

$$P=(m_3+m_0)(\mu+\lambda/r+c)gv_x/\eta_6+(m_3+m_0)a_xv_x/\eta_6+J_0a_xv_x/(r_0^2\eta_6) \tag{3-40}$$

从式(3-40) 可以明显地看出，驱动功率分为三部分，第一部分是克服左右两组从动轮摩擦阻力而加速到所需速度 v 的功率，第二部分是把堆垛机水平运动系统和货物的速度由 0 加速到所需速度 v 的功率，第三部分是驱动轮转速由 0 到 v_x/r_0 所需要的功率，从三部分大小来看，第二部分最大，第三部分最小。下面举例说明上述结论。

如图 3-38 所示，堆垛机两轮中心距为 $l=2160$mm，堆垛机运动系统质量为 $m_3=560$kg，$l_1=1320$mm，叉取货物质量为 $m_0=50$kg，$l_2=800$mm，行走速度 $v_x=4$m/s，行走加速度 $a_x=2$m/s^2，从动轮半径 $r=0.145$m，转动惯量 $J=0.1436$kg·m^2，驱动轮半径为 $r_0=0.145$m，转动惯量为 $J_0=J=0.1436$kg·m^2，电机与驱动轮之间的传动效率为 $\eta_6=0.8$。根据这些主要参数计算行走电机功率大小。

驱动轮将加速到最大速度时，所需驱动功率

$$\begin{aligned}P&=(m_3+m_0)(\mu+\lambda/r+c)gv_x/\eta_6+(m_3+m_0)a_xv_x/\eta_6+J_0a_xv_x/(r_0^2\eta_6)\\&=(560+50)\times(0.005+0.5/145+0.003)\times9.8\times4/0.8+\\&\quad(560+50)\times2\times4/0.8+0.1436\times2\times4/(0.145^2\times0.8)\\&=348.84+6100+68.3=6510.4(\text{W})\end{aligned}$$

从上式计算结果来看，第一部分功率为 348.84W，第二部分功率为 6100W，占比最大，第三部分功率为 68.3W；由于行走速度 v_x、行走加速度 a_x 较大，所需电机功率也大，甚至有可能超过托盘库堆垛机水平行走驱动功率。

(2) 同步带传动提供驱动力

高速堆垛机同步带驱动水平行走原理如图 3-39 所示，电机 1 经减速器 2 将动力传递给主动同步带轮 3，同步带轮 4 为双面齿，内齿与主动同步带轮 3 啮合，外齿与两个从动同步

带轮 5 啮合，由于同步带相对于地轨两端固定，所以驱动主动同步带轮 3 水平移动，带动水平行走系统整体平移，实现行走；地轨 8 两侧的两个承重轮 6 承载堆垛机这一侧的质量，地轨 8 两侧的两个导向轮 7 对水平行走起导向作用。这样堆垛机水平行走的动力来自电机 1 传递给主动同步带轮 3 的扭矩，而与承重轮 6 与地轨 8 的摩擦力无关（此时这个摩擦力成为阻力），只要主动同步带轮 3 的驱动扭矩足够大，则堆垛机水平行走的加速度就大大增加。

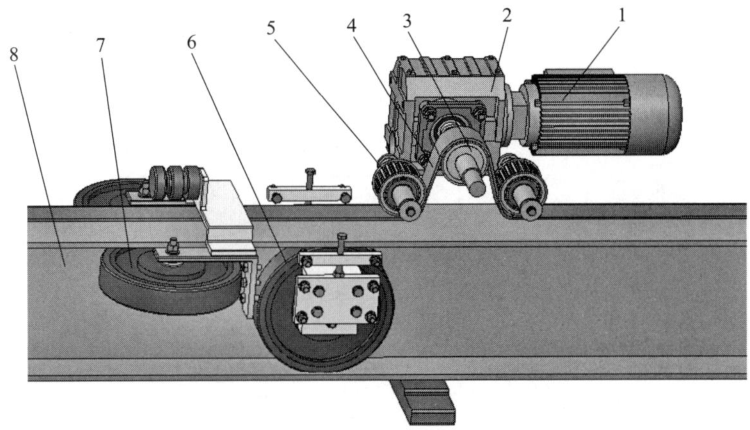

图 3-39　高速堆垛机同步带驱动水平行走原理

1—电机；2—减速器；3—主动同步带轮；4—同步带轮；5—从动同步带轮；6—承重轮；7—导向轮；8—地轨

如图 3-40 所示，堆垛机两轮中心距为 $l=2160$mm，堆垛机运动系统质量为 $m_3=560$kg，$l_1=1320$mm，叉取货物质量为 $m_0=50$kg，$l_2=800$mm，行走速度 $v_x=4$m/s，行走加速度 $a_x=2\text{m/s}^2$，从动轮半径 $r=0.145$m，转动惯量 $J=0.1436\text{kg}\cdot\text{m}^2$，驱动轮为主动同步带轮，半径为 $r_0=0.045$m，转动惯量为 $J_0=0.0035\text{kg}\cdot\text{m}^2$，电机与驱动轮之间的传动效率为 $\eta_6=0.8$。根据这些主要参数计算行走电机功率大小。

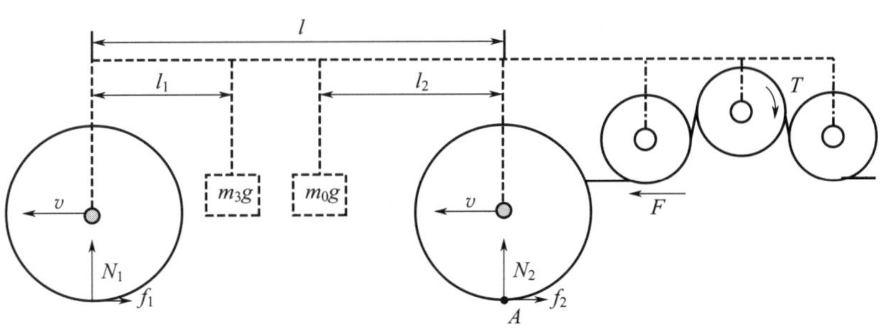

图 3-40　堆垛机同步带驱动水平行走分析图

由于图 3-40 中从动轮的摩擦力等计算方法与图 3-38 中的一样，这里不再重复推导，直接使用前面的结论，所以驱动轮将加速到最大速度时，所需驱动功率

$$
\begin{aligned}
P &=(m_3+m_0)(\mu+\lambda/r+c)gv/\eta_6+(m_3+m_0)a_xv/\eta_6+Ja_xv/(r_0^2\eta_6)\\
&=(560+50)\times(0.005+0.5/145+0.003)\times 9.8\times 4/0.8+\\
&\quad (560+50)\times 2\times 4/0.8+0.0035\times 2\times 4/(0.045^2\times 0.8)\\
&=348.84+6100+17.3=6466.14(\text{W})
\end{aligned}
$$

从计算结果来看，前两部分和侧面摩擦驱动水平行走方案一致，只是第三部分驱动功率

由于同步带轮直径小、质量轻而小一些。

3.3.6 料箱库堆垛机作业流程

(1) 料箱入库流程

料箱入库流程如图 3-41 所示。

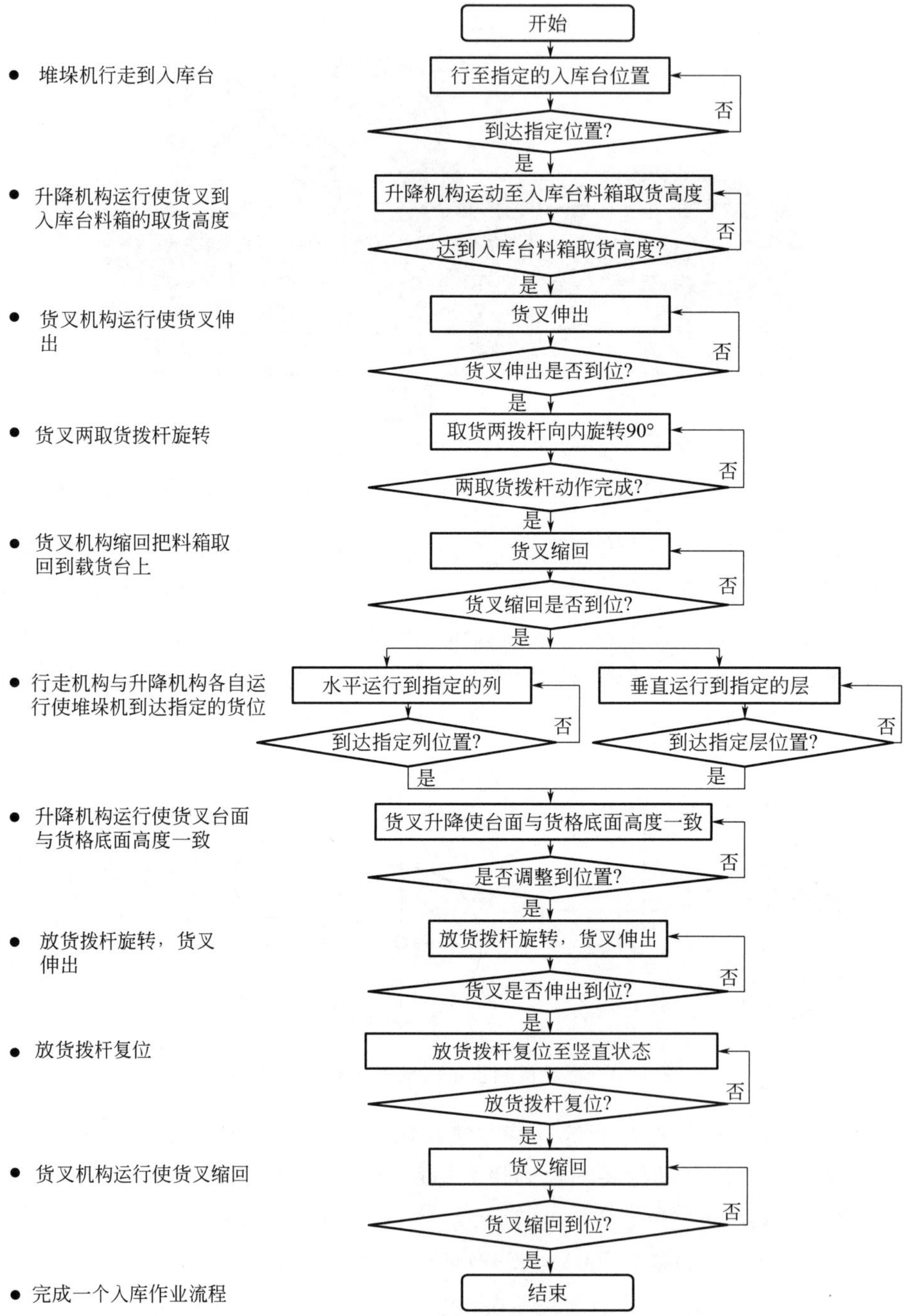

图 3-41 料箱入库流程

(2) 料箱出库流程

料箱出库流程如图 3-42 所示。

- 行走机构及升降机构运行使堆垛机到达指定的货位
- 升降机构运行使货叉平台与货格底面高度一致
- 货叉伸出
- 拨杆旋转
- 货叉缩回
- 行走机构及升降机构运行使堆垛机到达出库台位置
- 升降系统微调整货叉台面高度
- 放货拨杆向内旋转，货叉伸出
- 放货拨杆复位
- 货叉缩回
- 完成一个出库作业流程

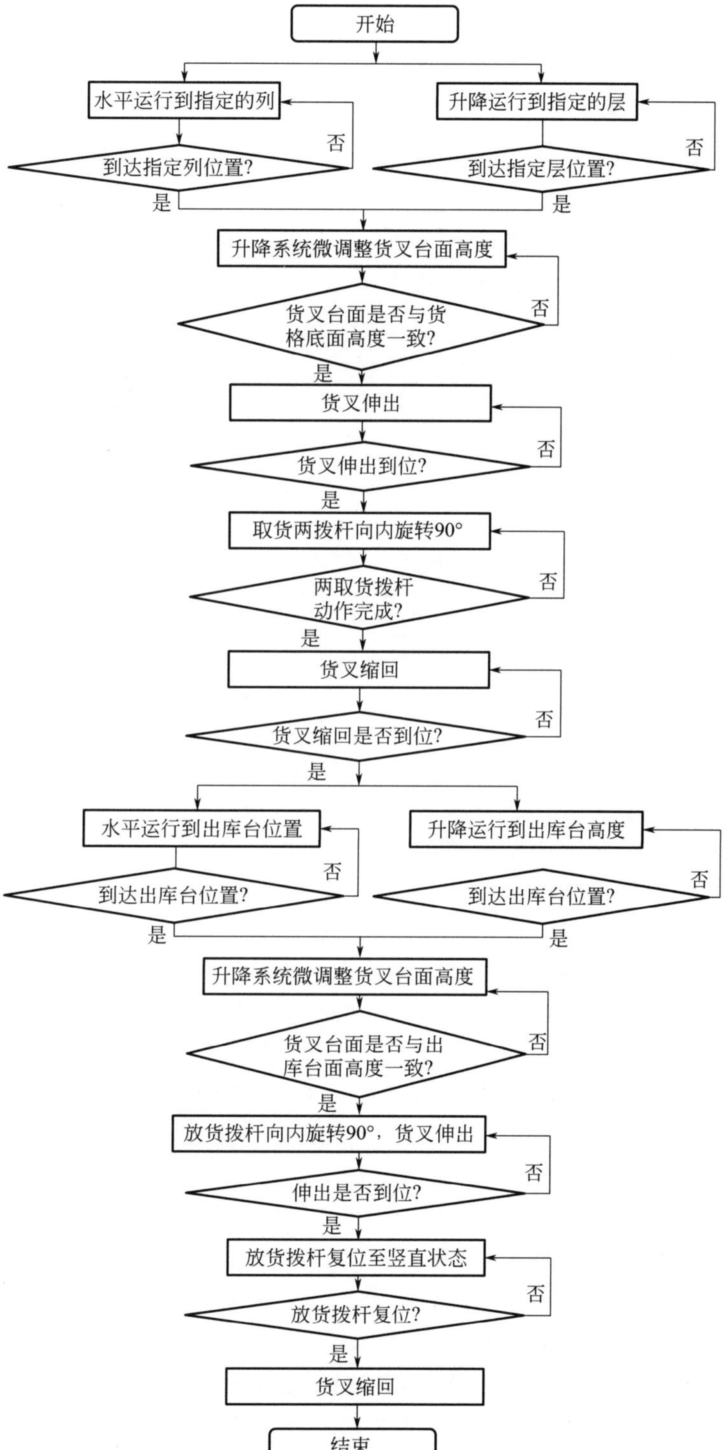

图 3-42　料箱出库流程

3.4 堆垛机型立体仓库出/入库能力分析

立体仓库的出/入库能力主要取决于堆垛机存取货物的速度以及堆垛机的数量。

3.4.1 堆垛机工作循环时间

堆垛机工作循环时间包括平均单循环时间和平均复合循环时间。

(1) 平均单循环时间

堆垛机从出/入库工作台到达所有货位的出/入库时间的总和除以总货位得到的值称作平均单循环时间（图 3-43）。计算公式：

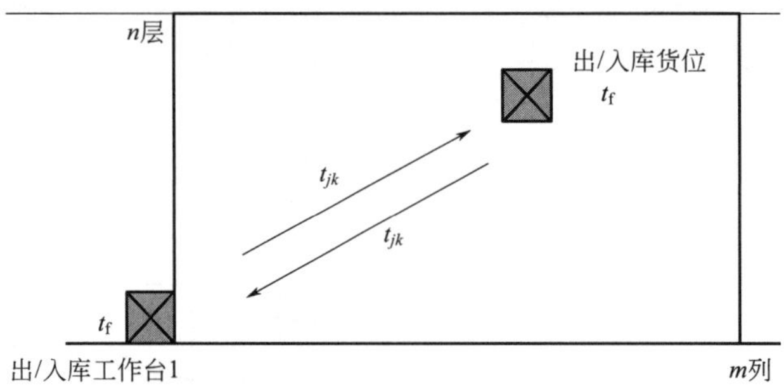

图 3-43　平均单循环时间

$$T_S = \frac{\sum_{j=1}^{m}\sum_{k=1}^{n} t_{jk} \times 2}{mn} + 2t_f + t_i \tag{3-41}$$

式中　T_S——平均单循环时间，s；

j——货架列数，1～m；

k——货架层数，1～n；

t_{jk}——堆垛机单边运动到某货位的时间，s；

t_f——货叉取货时间，即在出/入库工作台或在货位处物品移动的时间，s；

t_i——停机时间，s。

当货格数较多时，按照式(3-41) 计算平均单循环时间较烦琐，常用堆垛机单循环时间概算法近似求解：计算位于立体仓库的 1/2 高度和 1/2 长度位置货物单元的单循环时间。

计算堆垛机单循环时间没有考虑入库作业与出库作业的区别，因为两种作业的时间是一样的。

入库存货动作时间：工作台→取货→中心货位→存货→返回工作台过程所需时间（s）。

取货出库动作时间：工作台→中心货位→取货→工作台→卸货过程所需时间（s）。

(2) 平均复合循环时间

堆垛机从出/入库工作台完成入库、出库作业，再回到出/入库工作台，这个作业的平均时间称为平均复合循环时间（图 3-44）。

$$T_D = \frac{\sum_{j=1}^{m}\sum_{k=1}^{n} t_{jk} \times 2}{mn} + t_t + t_s + 4t_f + t_i \tag{3-42}$$

式中　T_D——平均复合循环时间，s；

t_t——货位之间平均移动时间，出/入库的货位是随机决定的，即一定次数的货位间移动的平均时间，s；

t_s——出/入库工作台之间的移动时间，即入库工作台和出库工作台在不同位置时的移动时间，s；

t_f——货叉取货或放货时间，s；

t_i——停机时间，s。

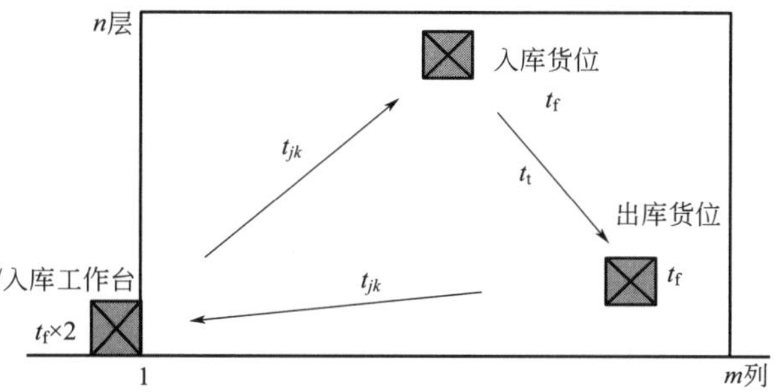

(a) 出/入库在一端的平均复合循环时间

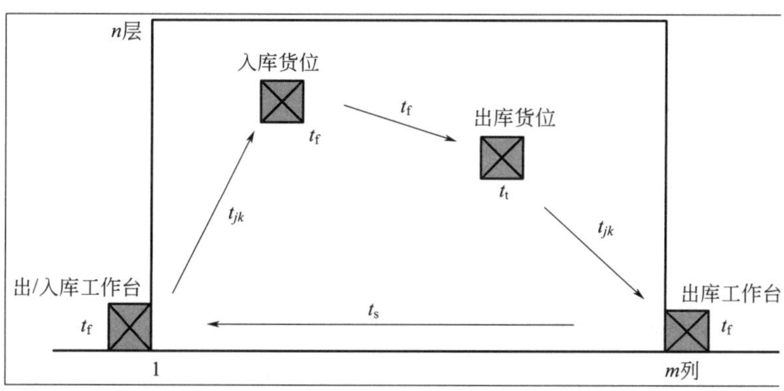

(b) 出/入库工作台在两端的平均复合循环时间

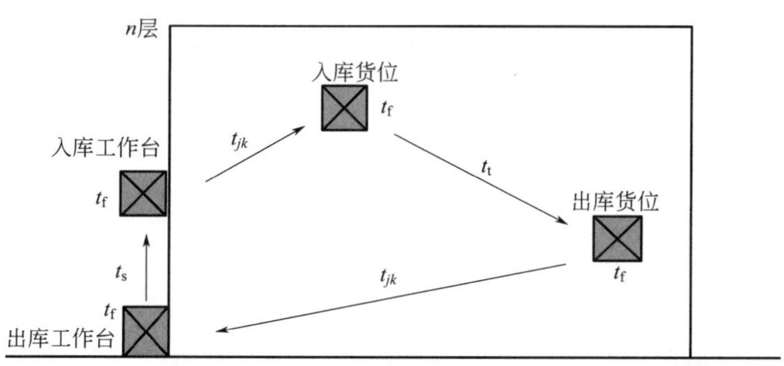

(c) 出/入库工作台在同端不同楼层上的平均复合循环时间

图 3-44　平均复合循环时间

堆垛机复合循环时间概算法，以先入库存货再取货过程为例分析，如图 3-45 所示。

入库存货及取货出库标准动作时间：工作台→收货→货架中心（$L/2, H/2$）处→存货→（3L/4,3H/4）处→取货→工作台→卸货过程所需时间（s）。

堆垛机复合循环作业相比两次单循环作业，货叉的伸缩运动是相同的，但少了一次启停运动，运动路线要少一些，所以复合循环时间少于2倍的单循环时间，但由于复合循环作业出入库次数是2，所以对单件货物来说复合循环作业比单循环作业的少。

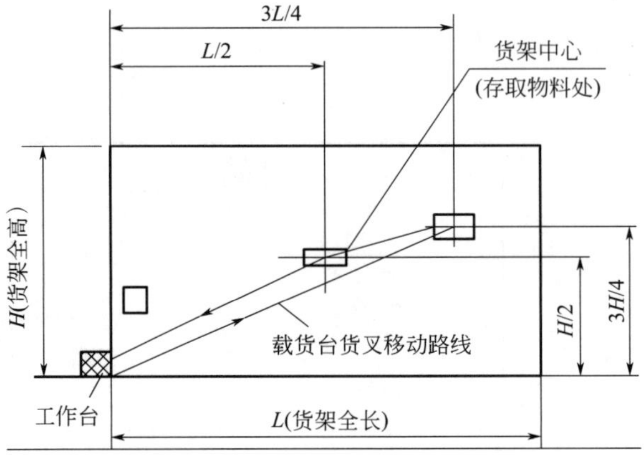

图3-45 堆垛机复合循环运动时间

堆垛机单循环运动时间与复合循环运动时间的概算法中均需用到货架中心，当货架的货格数为奇数时，货架中心为

$$((m+1)/2,(n+1)/2)$$

式中 m——货架列数；

n——货架层数。

当货架的货格数为偶数格时，货架中心为（$m/2+1$，$n/2+1$）。

这样计算出来的循环时间比严格意义上的货架中心的循环时间略长，选用堆垛机时性能参数有一定的余量。

堆垛机循环时间和堆垛机的行走、升降、叉取三种运动的速度及距离有直接关系。

① 收货存货时间＝叉取距离/叉取速度×2＋[（高位－低位）/升降速度]（注：货叉有伸、缩及抬升3个动作）。

② 运行到货架中心的时间：堆垛机货台同时有行走和升降两种运动，最后到达的时间即是所求时间。由于长度方向行走距离与高度方向升降高度不同、速度不同，所以时间不同。

3.4.2 立体仓库出/入库能力

单个巷道单元的出/入库能力即为每小时堆垛机入库或出库的货物单元数量；自动化立体仓库的出/入库能力也是单个巷道单元的标准入库或出库能力与巷道单元数的乘积。

(1) 单个巷道单元的出/入库能力

① 巷道单元平均单循环时间的基本出/入库能力。一般地，一个巷道一台堆垛机单循环作业，所以巷道单元平均单循环作业的出/入库能力就是单台堆垛机的标准出/入库能力，即

$$C_S=3600/T_S \tag{3-43}$$

式中 C_S——巷道单元单循环作业的平均出/入库能力，个；

T_S——平均单循环时间，s。

例如堆垛机单循环时间 $T_S=180$s，则 $C_S=3600/180=20$ 个，就是说堆垛机每小时的

出/入库能力为 20 个货物单元。

② 巷道单元复合循环作业的平均出/入库能力

$$C_D=3600/T_D\times 2 \tag{3-44}$$

式中　C_D——每小时入库或者出库的货物单元数量，个；

T_D——平均复合循环时间，s。

例如堆垛机单循环时间 $T_D=300s$，则 $C_D=3600/300\times 2=24$ 个，就是说堆垛机每小时的出/入库能力为 24 个货物单元。

③ 单个巷道单元的出/入库能力。单个堆垛机两类循环混合作业的出/入库能力统一用 C_o 表示，则有

$$C_o=C_S\xi_S+C_D\xi_D \tag{3-45}$$

式中　C_o——单个堆垛机出/入库能力，个；

C_S——堆垛机单循环作业的平均出/入库能力，个；

ξ_S——单循环作业的占比；

C_D——堆垛机复合循环作业的平均出/入库能力，个；

ξ_D——复合环作业的占比。

根据式(3-45) 可知，单个堆垛机两类循环混合作业的出/入库能力介于单循环和复合循环作业能力之间，用单循环作业能力作为堆垛机作业能力会偏小，用复合循环作业能力作为堆垛机作业能力会偏大。

例如堆垛机单循环作业 $C_S=20$ 个，单循环作业的占比 $\xi_S=40\%$，堆垛机复合循环作业 $C_D=24$ 个，复合循环作业的占比 $\xi_S=60\%$，则堆垛机出/入库能力 $C_o=20\times 40\%+24\times 60\%=22.4$(个)。

(2) 立体仓库出/入库能力

自动化立体仓库的标准出/入库能力也是单个巷道单元的入库或出库能力与巷道单元数的乘积

$$C=C_oz \tag{3-46}$$

式中　C——立体仓库的标准出/入库能力，个；

C_o——堆垛机每小时出入库货物单元的数量，个；

z——巷道单元数，即堆垛机数，个。

3.4.3　立体仓库堆垛机利用率

堆垛机的利用率计算主要衡量其在特定工作时间段内的设备利用率，利用率太低说明设备闲置时间较多，利用率太高说明设备过于繁忙。堆垛机利用率计算公式

$$\eta=T_{work}/T_{total}\times 100\% \tag{3-47}$$

式中　η——堆垛机利用率；

T_{work}——堆垛机工作时间，s；

T_{total}——特定工作时间段总时间，s；

例如，堆垛机在 8 小时班次中，完成 90 次作业，其中，单循环作业 36 次，单循环平均时间 $T_s=180s$，复合循环 54 次，复合循环平均时间 $T_D=300s$，则 $T_{work}=180\times 36+300\times 54=6480+16200=22680(s)$，$T_{total}=3600\times 8=28800(s)$，则堆垛机利用率 $\eta=T_{work}/T_{total}\times$

100%＝22680/28800×100%＝78.75%。

工业工程中经典的“15%冗余原则”，即在设备满负荷（100%）基础上预留15%的弹性空间，一般来说，不能简单地认定堆垛机利用率85%就是最佳，以下从不同方面进行分析。

① 从设备性能角度。堆垛机利用率达到85%，表明设备得到了较为充分的运用，能发挥设备的大部分产能。但若长期处于接近满负荷运转状态，可能会导致设备磨损加剧，故障概率增加，维护成本上升，还可能影响设备使用寿命。

② 从业务需求角度。如果仓库业务量稳定，且在设计规划时以85%利用率为目标进行了系统配置，那么在该利用率下可实现较好的效益。但如果业务量存在较大波动，如旺季时业务量大幅增长，仅85%的利用率可能无法满足需求，会出现货物积压等情况；而在淡季业务量少的时候，85%的利用率又可能过高，造成资源浪费。

③ 从整体系统效率角度。堆垛机是仓储系统的一部分，其利用率需与其他设备和环节相匹配。若周边的输送线、分拣设备等能力有限，即使堆垛机利用率达到85%，也可能因其他环节瓶颈而无法使整体系统效率最优。

④ 从成本效益角度。利用率过高可能意味着需要增加人力、物力来维持设备运行，增加运营成本。若能在较低利用率下，如70%～80%，通过合理调度和优化流程，实现与85%利用率相近的产出，可能成本更低，效益更好。

以上分析了堆垛机利用率85%不一定就是最佳值，那么堆垛机利用率的影响因素有哪些？

① 行业特性。对于制造业：生产节拍稳定时，利用率可接近90%，但需预留应急调整空间；对于电商物流：订单波动大时，85%的利用率可缓冲高峰期的突发需求（如“双11”期间可能临时调用备用设备）。某汽车零部件仓库通过仿真发现，利用率超过88%时，订单延迟率从3%陡增至12%；亚马逊部分仓库采用动态调整策略，平时保持80%利用率，促销期间通过临时租赁AGV将利用率提升至90%。

② 设备类型。对于单深位堆垛机：因操作路径简单，利用率可更高（如88%）；对于双深位堆垛机/穿梭车：因需协调货位和穿梭设备，利用率可能需控制在80%以下以减少等待冲突。

③ 仓库布局。对于密集型仓库（如窄巷道、高货架）：设备移动时间占比高，利用率过高易导致任务积压。对于分散式仓库：任务响应时间要求低，可适当提高利用率至85%以上。

堆垛机85%利用率的合理性体现在哪里？

① 故障停机。假设MTBF（平均故障间隔时间）为500h，维修时间需占用约5%的运行周期。

② 任务排队优化。通过排队论模拟，85%利用率可使任务平均等待时间控制在系统可接受范围内（如不超过10min）。

堆垛机利用率超过85%的风险与成本：

① 边际效益递减。当利用率从85%提升至90%时，理论吞吐量仅增加5.8%，但设备故障导致的停机损失可能增加20%（根据威布尔分布模型）。

② 隐性成本。维护成本：利用率90%的设备年均维护费用比85%时高12%～15%；能源损耗：电机持续高负荷运行可能导致能耗增加8%～10%。

3.5 堆垛机型立体仓库规划设计

货物单元常用托盘单元和料箱两种形式，本节举例时均以托盘单元进行分析，料箱库的设计案例在 3.6 节中介绍。

3.5.1 立体仓库的规划步骤

自动化立体仓库的规划遵循的原则：

① 满足库存容量的需求，并适当留有余量。立体仓库的主要功能是存储和拣选货物出库，库存容量是非常重要的性能指标，需要根据立体仓库设计目标确定库存容量，适当考虑发展预留一些余量。

② 满足入库、出库能力要求。立体仓库入库、出库能力是其基本性能指标，入库、出库能力越大，则需要堆垛机数量更多或要求堆垛机速度更快，成本也就越高，所以在满足入库、出库要求的前提下，尽可能降低入库、出库能力，力求经济性。

③ 充分利用高度空间，减少仓库占地面积。堆垛机最大的优势是能够用一台设备存取一个巷道的货物，所以尽可能充分利用高度空间，减少仓库占地面积。当然，仓库高度越高，建设成本也就越高，运行成本也就越高，所以也需要根据实际情况衡量增加高度和增加占地面积的经济性。立体仓库的最佳高度取决于仓库容量：当容量为 1000～4000t 时，高度为 12.6m；当容量为 6000t 或以上时，高度为 16.2m。

④ 少移动距离原则。出入库频次高的货物靠近出入库口，这样总的移动距离会小一些。

⑤ 存取能力和输送能力匹配原则。立体仓库的存取能力和输送能力要与系统的需求及频率相协调，从而避免设备能力的浪费。

⑥ 输送系统直线移动原则。输送系统流程应能使物料搬运和存储按自然顺序逐步进行，尽量避免返回、侧绕和转向，减少冗余移动，保证最少的消耗能源，提高作业效率

自动化立体仓库的规划分为两类：第一类是新建仓库；第二类是已有建筑内建立仓库。两类仓库规划方法会有所不同，第二类仓库需要根据现有建筑参数规划，情况复杂一些。这里主要介绍第一类仓库的规划方法。

自动化立体仓库的规划步骤，如图 3-46 所示，下面分别详细分析。

(1) 初步确定货态

货态，即货物单元的形态，包括货态尺寸和重量。货态尺寸是指货物在输送过程中的实际外部尺寸，包括长度、宽度和高度。这些尺寸是确定货物能否正常装载到输送工具中，以及是否符合特定运输规定的标准。货物单元的重量对搬运输送设备影响非常大，对立体仓库的结构产生重要影响。

(2) 确定最大库存量

确定自动化立体仓库货物单元的最大库存量 Q，即货位数。建设立体仓库，要考虑货位年增长率，适当留有余量。如果每个货格存放一个货物单元，则最大库存量 Q 也就是货格的数量 E。如果每个货格存放 k 个货物单元，则货位数

$$Q=Ek \tag{3-48}$$

(3) 计算自动化立体仓库出/入库能力 C

自动化立体仓库出/入库能力 C，即每小时最大进/出库货物单元数，是建设自动化立体仓库的目标和已知条件，与堆垛机出/入库能力和台数有直接关系，影响自动化仓库的投资

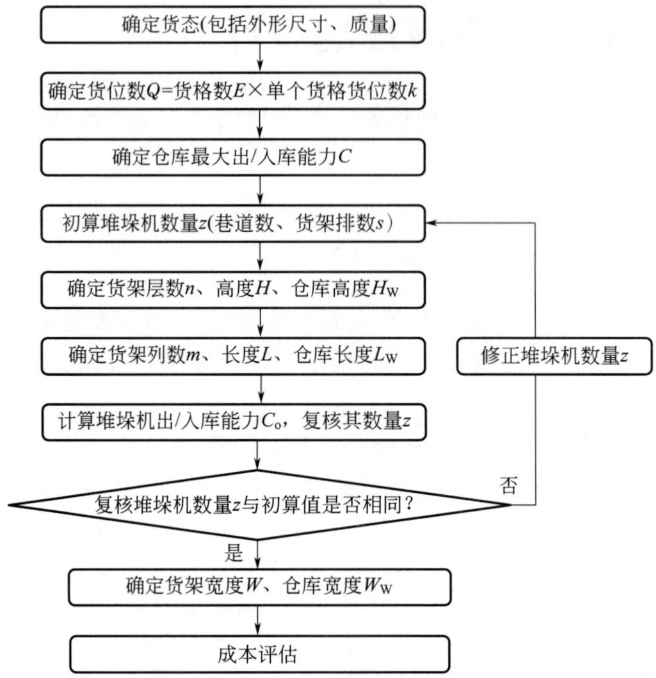

图 3-46　自动化立体仓库规划步骤

大小。

(4) 确定堆垛机台数 z 和货架排数 s

首先必须知道堆垛机的标准出/入库能力 C_o，即堆垛机每小时入库或出库的次数。

则堆垛机台数

$$z=C/C_o \tag{3-49}$$

式中　C——仓库每小时需要最大进出库托盘单元数；

z——堆垛机台数，即巷道数；

C_o——单台堆垛机标准出/入库能力。

对于单深位立体仓库，货架排数 $s=2z$；对于双深位立体仓库，货架排数 $s=4z$。

(5) 确定货架高度 H 和仓库系统高度 H_W

货架总高度 H 计算公式如下：

$$H=(h_G+h_S)n+h_F \tag{3-50}$$

式中　h_G——货物单元高度，mm；

h_S——相邻两层货物之间的高度间距，$h_S=150\sim230$mm，包括堆垛机货叉升高货物时所需预留的高度与货架横梁的厚度；

n——层数，即在垂直方向的货格数；

h_F——第一层底面高度，只要堆垛机能够正常存取，则 h_F 要尽可能小，如 $h_F=750$mm。

注意：当每层的货格高度不同时，货架总高度不能这样计算，需要一层一层地推算。

如图 3-47 所示，自动化立体仓库系统高度为

$$H_W=H+H_u \tag{3-51}$$

式中　H——货架高度，mm；

H_u——货架顶面到屋顶下面的距离，$H_u = 600\text{mm}$。

(6) 确定一排货架长度 L 和仓库系统总长度 L_W

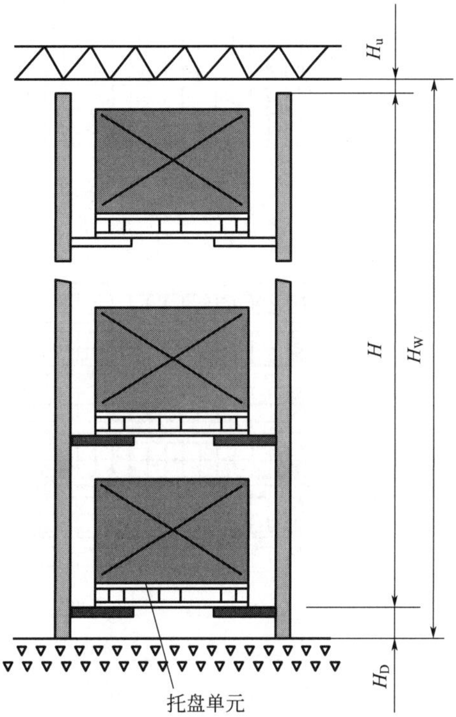

图 3-47　自动化立体仓库高度

仓库总货格数 E = 层数 $n' \times$ 列数 $m \times$ 排数 s，则列数

$$m = E/(ns) \tag{3-52}$$

那么，货架的长度

$$L = w_g m \tag{3-53}$$

式中　L——货架长度，m；

w_g——货格宽度，m。

自动化仓库系统总长度

$$L_W = L + T + U \tag{3-54}$$

式中　L——货架长度，m；

T——堆垛机走出货架两端的必要距离（含出入库台架部分），m；

U——特殊设备所占长度，m，如堆垛机活动空间、周边设备所占空间等。

(7) 确定自动化立体仓库宽度

巷道单元宽度为

$$w_y = 2w_j + w_h \tag{3-55}$$

式中　w_j——货架宽度（货格厚度），m；

w_h——巷道宽度，m。

货架系统的宽度为

$$W = w_y z \tag{3-56}$$

式中　w_y——巷道单元宽度，m，托盘库常取 3.74m；

z——巷道数，即堆垛机数，个。

自动化立体仓库宽度

$$W_W = W + \text{余量}$$

式中　W_W——仓库宽度，m；

W——货架宽度，m。

如前所述，一般情况下自动化仓库的最佳经济高度约为 16.2m，货架高度与长度之比 $H/L = 1/6 \sim 1/4$。利用此关系检查所设计的自动化仓库尺寸是否符合上述基本原则。

3.5.2　立体仓库的规划设计实例

(1) 已知条件

① 货位数 $E = 2000$ 个。

② 每天全库最大出/入库能力 $C = 100$ 次/h。(不是全天平均)。

③ 可用建筑物空间：建筑物尺寸长 $L_L \times$ 宽 $W_L \times$ 高 $H_L = 70\text{m} \times 20\text{m} \times 15\text{m}$，所以建筑物梁下高度 $H_L = 15\text{m}$，如图 3-48 所示。

④ 托盘单元长×宽×高为 1100mm×1100mm×1500mm。

⑤ 货架采用部分加横梁的牛腿结构，如图 3-49 所示，第 1 层、第 3 层、第 5 层等奇数层托盘货物上方设有横梁。

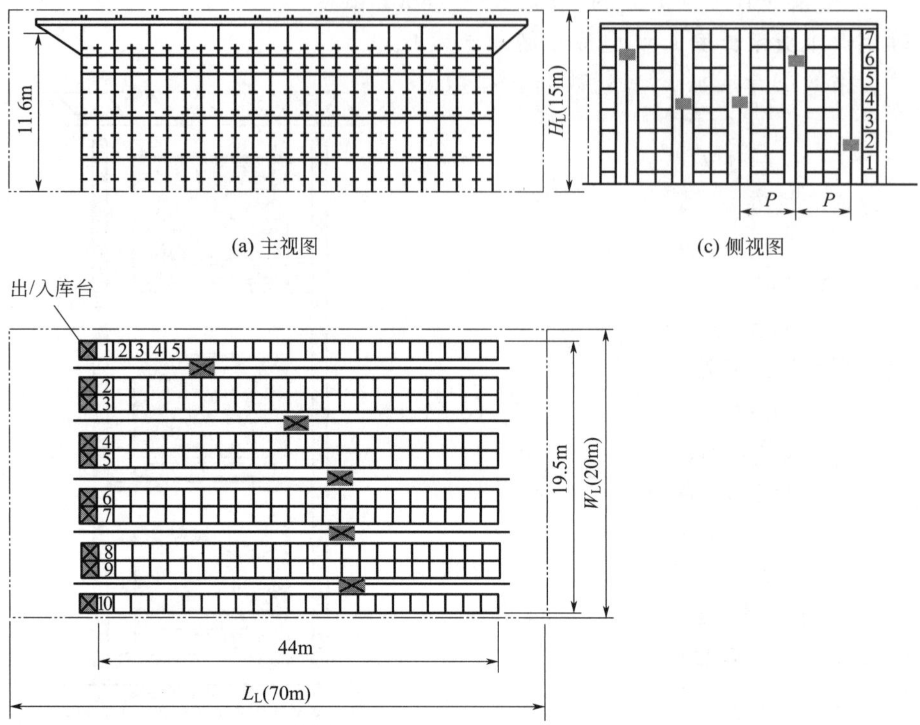

(a) 主视图　(c) 侧视图　(b) 俯视图

图 3-48　立体仓库尺寸

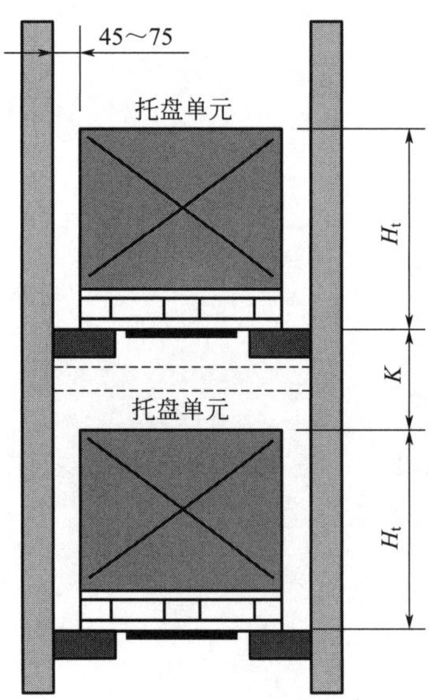

图 3-49　货格高度尺寸

(2) 立体仓库规划设计

① 计算堆垛机台数 z。已知一般堆垛机出/入库能力 C_o＝25～30 次/(小时・台)。则堆垛机数量 $z=C/C_o=3.3\sim4$，取整后堆垛机为 4 台，8 排货架（单深货架）。但考虑到自动化仓库两端堆垛机需要必要的移动余量空间，所以堆垛机数量改为 5 台，货架 10 排。

② 货架计算。建筑梁下高度 $H_L=15$m；货架可设置的高度为 $H_L-300=15000-300=14700$(mm)；第一层底面高度 $H_D=800$mm；$K_1=400$mm，$K_2=200$mm，K_1、K_2 为货叉两种操作高度，400/200 差值是增加横梁导致的，如图 3-49 所示，虚线表示的横梁在奇数层设置，在偶数层托盘货物上方没有横梁，则计算各层的层高如表 3-4。

a. 各层货架底面高度计算：

第 1 层底面高度＝800mm；

第 2 层底面高度＝$800+h_1$＝800mm＋1900mm＝2700mm；

第 3 层底面高度＝$2700+h_2$＝2700mm＋1700mm＝4400mm；

第 4 层底面高度＝$4400+h_3$＝4400mm＋1900mm＝6300mm；

第 5 层底面高度＝$6300+h_4$＝6300mm＋1700mm＝8000mm；

第 6 层底面高度＝$8000+h_5$＝8000mm＋1900mm＝9900mm；

第 7 层底面高度＝$9900+h_6$＝9900mm＋1700mm＝11600mm；

表 3-4　各层层高

层号	操作高度 K/mm	各层层高/mm
1	$K_2=400$	$h_1=1500+400=1900$
2	$K_1=200$	$h_2=1500+200=1700$
3	$K_2=400$	$h_3=1500+400=1900$
4	$K_1=200$	$h_4=1500+200=1700$
5	$K_2=400$	$h_5=1500+400=1900$
6	$K_1=200$	$h_6=1500+200=1700$
7	$K_2=400$	$h_7=1500+400=1900$
8	$K_1=200$	$h_8=1500+200=1700$

第 8 层底面高度 $=11600+h_7=11800\text{mm}+1900\text{mm}=13700\text{mm}$；

第 8 层顶面高度 $=13700+h_8=13700\text{mm}+1700\text{mm}=15400\text{mm}>14.7\text{m}$。

第 8 层底面不能再装载托盘单元。所以托盘货架设计为 $M=7$ 层。第 8 层底面的高度就是货架的高度，即货架的高度 $H=13700\text{mm}$。

b. 货架列数 N 计算：

$$N=\frac{E}{MS}=\frac{2000}{7\times10}=28.6$$

取整数，$N=29$ 列。

规划单个货格存放一个货位，则自动仓库容量（货位数）$E=MNS=7\times29\times10=2030$(个)。

c. 货架长度等于货格宽度×列数+立柱宽度：

$$L=(1100+2\times100+100)\times29+100=40700(\text{mm})$$

d. 堆垛机行走有效长度：

$$L_1=L+3300=40700\text{mm}+3300\text{mm}=44000\text{mm}$$

e. 货格深度（货架宽度）：$w_j=1100+75=1175(\text{mm})$。

f. 巷道宽度：$w_h=1390\text{mm}$。

g. 巷道单元宽度：$w_y=2w_j+w_h=2\times1175+1390=3740(\text{mm})$。

h. 货架总宽度：$W=w_y z=3740\text{mm}\times5=18700\text{mm}<20\text{m}$（$z$ 为巷道单元数）。

结论：建筑物尺寸（长×宽×高）为 70m×20m×15m。货架尺寸（长×宽×高）为 40.6m×18.7m×13.7m（高度浪费了一部分）。货架高长比=13.7/40.6=33.7%（不是新建立库，可不用验证高长比）。

3.6　堆垛机型料箱立体仓库案例

3.6.1　料箱库设计要求与目标

要设计的料箱库所在建筑已确定，内尺寸长 13.8m，宽 7.8m，高度 3.5m，要求设置一个如图 3-50 所示的实验用堆垛机型料箱立体库。横梁式货架两排，中间为堆垛机巷道，料箱为标准料箱，尺寸为 600mm(L)×400mm(W)×300mm(H)；输入与输出布置在同一端，入库口一个，由AGV对接或人工放置，出库口有三个，出库口1和出库口2由AGV对接，出库口2由人工作业。这是一个真实案例，选择这个案例，主要是因为立体库尺寸小，表达起来清晰方便。

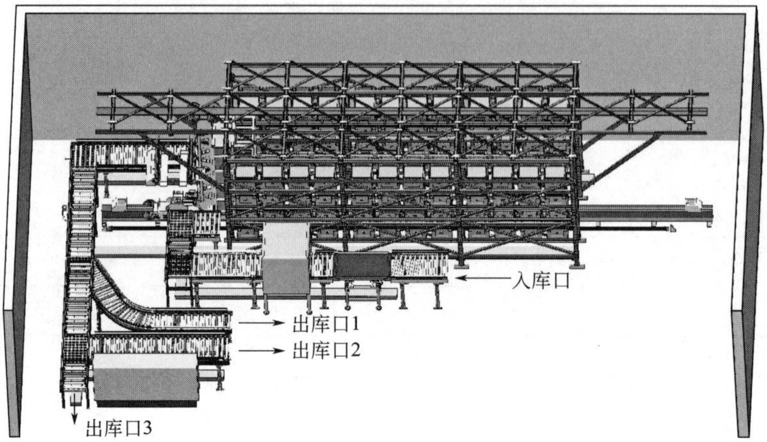

图3-50　实验用堆垛机型料箱立体库

堆垛机主要技术参数如表3-5所示。

表3-5　料箱库设计要求与目标

项目	主要参数
堆垛机形式	单立柱轻型高速堆垛机
取货形式	轻型高速货叉
出库对象	料箱
入库对象	料箱
基准尺寸	600mm(L)×400mm(W)×300mm(H)
料箱基准质量	50kg
供电方式	AC380V三相五线制滑触线
通信方式	工业以太网
运行噪声	＜75dB

根据立体仓库规划方法，一般先根据堆垛机的大致性能参数确定堆垛机的数量，然后设计货架的参数，再复核堆垛机的出/入库能力。本案例堆垛机数量为1，但由于房间的长度较小，需要留出出库输送线的尺寸以及堆垛机两端的运行尺寸，所以货架的长度需先留出两端的尺寸。

3.6.2　堆垛机设计

(1) 堆垛机货叉的计算

伸缩货叉的原理与结构形式分别如图3-31、图3-33所示。

设货叉伸缩的加速度$a_z=1\text{m/s}^2$，货叉伸缩行程$L_z=0.8\text{m}$，则货叉伸缩最大速度

$$v_z \approx 0.5\sqrt{L_z a_z}=0.45\text{m/s}$$

设料箱与货架或料箱与货叉台面的滑动摩擦系数为0.2，则伸缩摩擦力

$$f_z=\mu(m_{1a}+m_0)g=0.2\times(30+50)\times9.8=156.8(\text{N})$$

驱动力

$$F_z=f_z+(m_{1a}+m_0)a_z=156.8+(30+50)\times1=236.8(\text{N})$$

设减速器效率 $\eta_1=0.8$，同步带传动效率 $\eta_1=0.9$，则总传动效率

$$\eta_z=0.8\times0.9=0.72$$

即将加速到最高速度时，需要的电机功率

$$P=F_z v_z/\eta=236.8\times0.45/0.72=148.0(\text{W})$$

所以伸缩运动驱动电机选型时功率要大于 148W，确定型号后根据传动关系确定减速器型号。驱动同步带轮半径为 $r_1=0.025\text{m}$，则减速电机输出后扭矩为

$$T_z=\frac{F_z r_1}{\eta_2}=\frac{236.8\times0.025}{0.9}=6.58(\text{N}\cdot\text{m})$$

驱动同步带轮的转速：

$$n=\frac{60v_z}{2\pi r}=\frac{60\times0.45}{2\pi\times0.025}=171.9(\text{r/min})$$

(2) 堆垛机水平运动的计算

堆垛机水平运动的原理与结构形式分别如 3.3.5 节中同步带驱动方案图 3-39、图 3-40 所示。由于货架长度偏小，所以设置速度、加速度太高不合适。堆垛机两轮中心距为 $l=2100\text{mm}$，堆垛机运动系统质量为 $m_3=530\text{kg}$，$l_1=1260\text{mm}$，又取货物质量为 $m_0=50\text{kg}$，$l_2=345\text{mm}$，行走速度 $v_x=2\text{m/s}$，行走加速度 $a_x=1.5\text{m/s}^2$，从动轮半径 $r=0.125\text{m}$，转动惯量 $J=0.126\text{kg}\cdot\text{m}^2$，驱动轮为主动同步带轮，半径为 $r_0=0.045\text{m}$，转动惯量为 $J_0=0.0035\text{kg}\cdot\text{m}^2$，电机与驱动轮之间的传动效率为 $\eta_6=0.8$。根据这些主要参数计算行走电机功率大小。

驱动轮将加速到最大速度时，所需驱动功率

$$\begin{aligned}P&=(m_3+m_0)(\mu+\lambda/r+c)gv/\eta_6+(m_3+m_0)a_x v/\eta_6+Ja_x v/(r_0^2\eta_6)\\&=(530+50)\times(0.005+0.5/145+0.003)\times9.8\times2/0.8+(530+50)\times\\&\quad 1.5\times2/0.8+0.0035\times1.5\times2/(0.045^2\times0.8)\\&=156.31+2175+6.5=2337.8(\text{W})\end{aligned}$$

(3) 堆垛机升降运动的计算

堆垛机升降运动速度按照前面计算公式为

$$v_y\approx\frac{H}{L}v_x=\frac{2297}{6620}\times2=0.897(\text{m/s})$$

取提升速度 $v_y=0.9\text{m/s}$，提升加速度 $a_y=1\text{m/s}^2$。

升降系统总质量 $m_2=130\text{kg}$，其中升降运动部分质量 $m_{2a}=45\text{kg}$，提升货物质量为 $m_0=50\text{kg}$，设升降系统蜗杆减速器效率为 $\eta_3=0.7$，同步带传动效率为 $\eta_4=0.9$，导轨滑动传动效率为 $\eta_5=0.9$，则设升降系统总传动效率为

$$\eta_y=\eta_3\eta_4\eta_5=0.7\times0.9\times0.9=0.567$$

升降系统即将加速到最高速度时，需要的动力

$$\begin{aligned}P&=(m_{2a}+m_0)(g+a_y)v_y/\eta_y\\&=(45+50)\times(9.8+1)\times0.9/0.567=1628.6(\text{W})\end{aligned}$$

为安全起见，电机功率可选择更大一些。

3.6.3 料箱库货架参数

料箱库货架采用横梁式结构，如图 3-51 所示，共四层，横梁高度为 80mm，第一层底面高度为 767mm，第一、二、三层层高为 450mm，第四层层高为 853mm，第四层层高较高因为是最后一层。受货叉厚度、天轨导向轮等结构的影响，货架的总高度

$$H=767+450\times3+853=2970(\mathrm{mm})$$

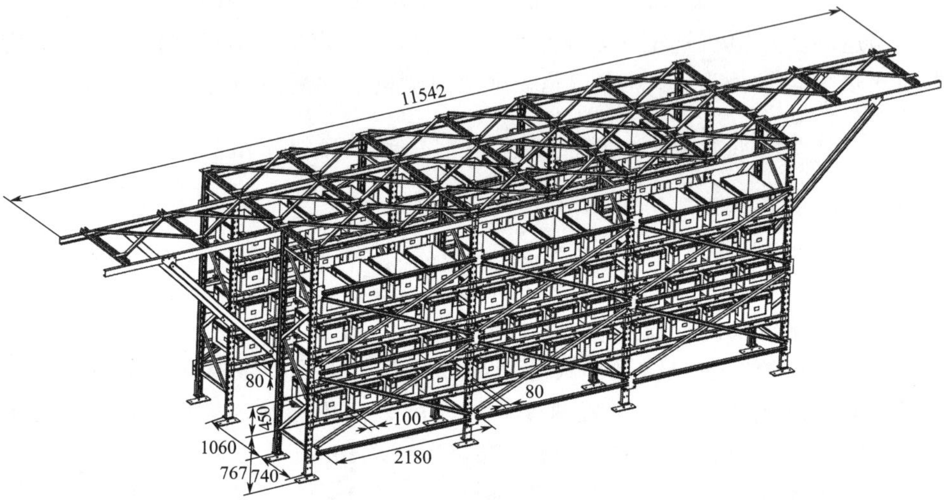

图 3-51　料箱库货架尺寸

单排货架宽度 740mm，巷道宽 1060mm，那么货架系统的宽度

$$W=2w_{\mathrm{j}}+w_{\mathrm{h}}=2\times740+1060=2540(\mathrm{mm})$$

货架长度方向共有三个货格，每个货格有 4 个货位，货位之间的间距为 100mm，两侧货位与立柱之间距离为 100mm，即 $w_{\mathrm{g}}=4\times400+5\times100+80=2180$ (mm)，那么货架长度

$$L=Mw_{\mathrm{g}}+\text{立柱宽度}=3\times2180+80=6620(\mathrm{mm})$$

由于房间尺寸的影响，货架高度/长度$=H/L=2970/6620=0.45$，不在 1/6 到 1/4 之间，这主要是受场地的影响，不是新建仓库。

仓库总货格数

$$E=\text{列数}\,M\times\text{层数}\,N\times\text{排数}\,S=3\times4\times2=24(\text{个})$$

仓库货位数

$$Q=En=24\times4=96(\text{个})$$

3.6.4 堆垛机出/入库能力计算

如图 3-52 所示，堆垛机两从动轮中心距 $L_{\mathrm{AB}}=1500$mm，伸缩货叉中心线与 A 端从动轮中心的距离 $L_{\mathrm{A}}=190$mm，伸缩货叉中心线与立柱面的距离 $L_{\mathrm{C}}=465$m。堆垛机有效行走距离

$$L_1=L+L_{\mathrm{AB}}=6620+1500=8120(\mathrm{mm})$$

为计算平均循环作业时间，需要先计算出中央位置的料箱存取时需要移动的位移，由于单排货架上的料箱是 12 列×4 层，由于列数与层数均为偶数，所以取第 7 列、第 3 层的料

箱作为目标料箱分析，如图 3-53 所示，$L_7=4322\text{mm}$，$H_3=843\text{mm}$，第一层料箱距离地面高度 $H_1=767\text{mm}$，出库工作台处高度 $H_0=824\text{mm}$。

堆垛机循环工作时间包括单循环时间和复合循环时间，这里因货位数较少，选用单循环时间的概算法计算。

计算堆垛机单循环的入库作业与出库作业时间是一样的。入库存货作业时间包括工作台→取货→中心货位→存货→返回工作台过程所需时间（s）。

计算这个时间需要考虑两个方向运动时间的不同，取其时间较长者为堆垛机单循环时间。

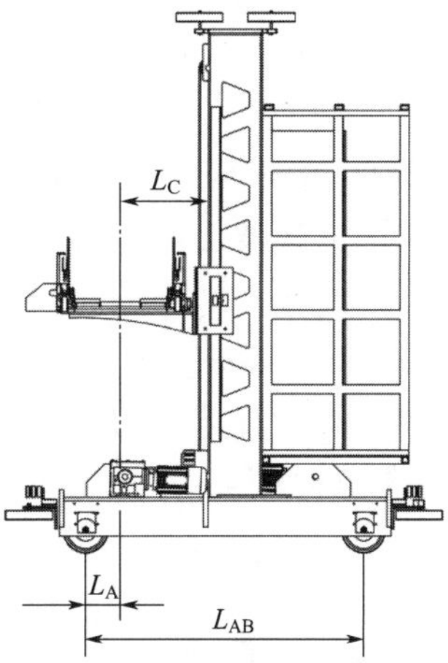

图 3-52　料箱库货架尺寸

(1) 按升降时间计算堆垛机单循环时间

① 货叉伸出取货时间：

加速时间：$t_{y1}=v_y/a_y=0.45/1=0.45(\text{s})$。

加速行程：$L_{z1}=a_z t^2/2=1\times 0.45^2/2=0.1025(\text{m})$。

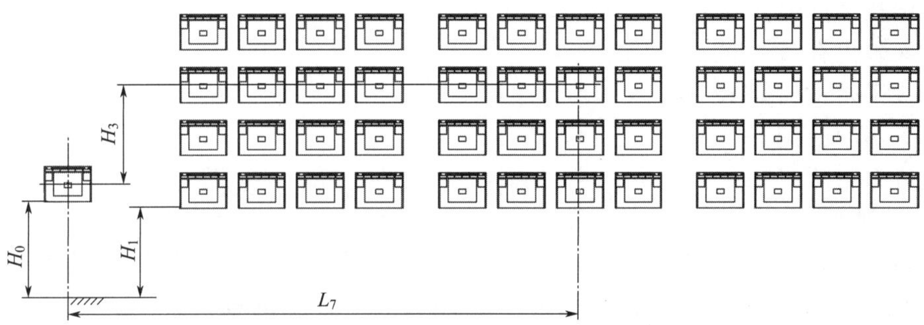

图 3-53　料箱库循环作业尺寸分析

减速行程：$L_{z3}=L_{z1}=0.1025\text{m}$。

匀速行程：$L_{z3}=L_z-L_{z1}-L_{z2}=0.8-0.1025-0.1025=0.5975(\text{m})$。

匀速时间：$t_{z2}=L_{z3}/v_z=0.5975/0.45=1.33(\text{s})$。

货叉伸出总时间：$t_z=t_{z1}+t_{z2}+t_{z3}=0.45+1.33+0.45=2.23(\text{s})$。

入库时，货叉取货伸出货叉不带负载，取 $t_z=2.5\text{s}$。

② 取拨叉转动时间 $t_b=0.5\text{s}$。

③ 货叉缩回时间 $t_z=2.5\text{s}$。

④ 货叉提升时间 t_y 计算：

加速时间：$t_{y1}=v_y/a_y=0.9/1=0.9(\text{s})$。

加速行程：$L_{y1}=a_y t^2/2=1\times 0.9^2/2=0.405(\text{m})$。

减速行程：$L_{y3}=L_{y1}=0.405(\text{m})$。

匀速行程：$L_{y2}=L_y-L_{y1}-L_{y3}=0.843-0.405-0.405=0.033(\text{m})$。

匀速时间：$t_{y2}=L_{y3}/v_y=0.033/0.9=0.037(\text{s})$。

载货台提升总时间：$t_y=t_{y1}+t_{y2}+t_{y3}=0.9+0.037+0.9=1.837(\text{s})$，取 $t_y=2.0\text{s}$。

⑤ 取两拨叉同时转动时间 $t_b=0.5\text{s}$。

⑥ 货叉伸出存货时间 $t_z=2.5\text{s}$。

⑦ 取拨叉转动时间 $t_b=0.5\text{s}$。

⑧ 货叉缩回时间 $t_z=2.5\mathrm{s}$。

⑨ 载货台下降时间 $t_y=2.0\mathrm{s}$。

$T_{s1}=4t_z+3t_b+2t_y+$动作间隔时间$=4\times2.5+3\times0.5+2\times2.0+8\times0.5=19.5(\mathrm{s})$。

(2) 按水平行走时间计算堆垛机单循环时间

① 货叉伸出取货时间 $t_z=2.5\mathrm{s}$。

② 取拨叉转动时间 $t_b=0.5\mathrm{s}$。

③ 货叉缩回时间 $t_z=2.5\mathrm{s}$。

④ 水平行走时间 t_y 计算：

加速时间：$t_{x1}=v_x/a_y=2/1.5=1.333(\mathrm{s})$。

加速行程：$L_{x1}=a_x t^2/2=1.5\times1.333^2/2=1.333(\mathrm{m})$。

减速行程：$L_{x3}=L_{x1}=1.333\mathrm{m}$。

匀速行程：$L_{x2}=L_x-L_{x1}-L_{x3}=4.322-1.333-1.333=1.656(\mathrm{m})$。

匀速时间：$t_{x2}=L_{x3}/v_y=1.656/2=0.828(\mathrm{s})$。

载货台提升总时间：$t_x=t_{x1}+t_{x2}+t_{x3}=1.333+0.828+1.333=3.494(\mathrm{s})$，取 $t_x=4.0\mathrm{s}$。

⑤ 取两拨叉同时转动时间 $t_b=0.5\mathrm{s}$。

⑥ 货叉伸出存货时间 $t_z=2.5\mathrm{s}$。

⑦ 取拨叉转动时间 $t_b=0.5\mathrm{s}$。

⑧ 货叉缩回时间 $t_z=2.5\mathrm{s}$。

⑨ 载货台下降时间 $t_x=2.0\mathrm{s}$。

$T_{s2}=4t_z+3t_b+2t_x+$动作间隔时间$=4\times2.5+3\times0.5+2\times4.0+8\times0.5=23.5(\mathrm{s})$。

按升降时间计算的堆垛机单循环时间 T_{s1}，按水平行走时间计算的堆垛机单循环时间 T_{s2}，综合两种情况，堆垛机单循环时间 T_s 应取 T_{s1} 与 T_{s2} 的较大值，故 $T_s=23.5\mathrm{s}$。

(3) 堆垛机单循环出/入库能力

堆垛机单循环出/入库能力，即每小时出库或入库次数为

$$C_o=3600/T_s=\frac{3600}{23.5}=153.2(\text{次})$$

取 $C_o=153$ 次。这个数值比较大，是因为货架尺寸较小，水平行走和提升距离都比较小。

第 4 章

穿梭车型立体仓库

堆垛机型立体仓库由于堆垛机能够实现高层货架货物的存取，不需要提升机，但堆垛机运行需要仓库的高度，且巷道布置容易受到仓库中承重立柱等因素的影响而浪费空间。有时在规划仓库方案时，使用堆垛机作为存取货物的主要设备，会受到场地和单巷道出/入库能力的限制，需要探索其他方案替代堆垛机型立体仓库。

另外，堆垛机型立体仓库的单个巷道，每次作业循环都只有一台堆垛机在运作，取放的频率受限，无法大幅度提高。市场上急剧增加的小订单需求，促使人们改变传统的思维方式：分解堆垛机的取货动作，让立体仓库中每一层都能出入。近年来，一种新的模式——穿梭车系统逐步走入人们的视野，高度能够满足当前的需求。系统中的一个核心组成设备为穿梭车，用于存取货物的小型快速车辆。穿梭车的作用代替了堆垛机的载货台，而且每次都可以独立运行，解决了同层平面上的货物存取。通常在货架系统的端部配备提升机，解决垂直方向上的动作，这样总体分解了原有堆垛机的动作，巷道口的工作改成了更为连续的工作制，大大提高了系统的出入能力。

因此，穿梭车型立体仓库是满足仓库场地要求、缩短出入库时间和更快交货等要求的新兴解决方案，近些年发展越来越快，应用越来越广泛。

4.1 穿梭车型立体仓库概述

4.1.1 穿梭车型立体仓库组成

穿梭车型立体仓库应用穿梭车作为存取设备实现高密度存储系统货物单元的存取。如图 4-1 所示，穿梭车型立体仓库由穿梭车 1、立体货架 2、升降设备 3 组成，是一种高密度的存储方式。穿梭车在立体货架上分层运行，货架兼具货物存储和导轨功能，将货物运送到指定地点或接驳设备，实现向货架的货位存取货物，升降设备实现货物单元的升降或穿梭车的换层作业。

4.1.2 穿梭车类型

按照作业货物单元不同及行走方向不同，穿梭车可分为托盘库两向穿梭车、料箱库两向穿梭车（俗称多层穿梭车）、托盘库子母穿梭车、托盘库四向穿梭车、料箱库四向穿梭车，如表 4-1 所示，每种类型的穿梭车在货架上的轨道位置不同，托盘库用的穿梭车取货方式都是顶升托盘货物，料箱库用的穿梭车取货方式都是用夹抱式伸缩货叉存取料箱货物。

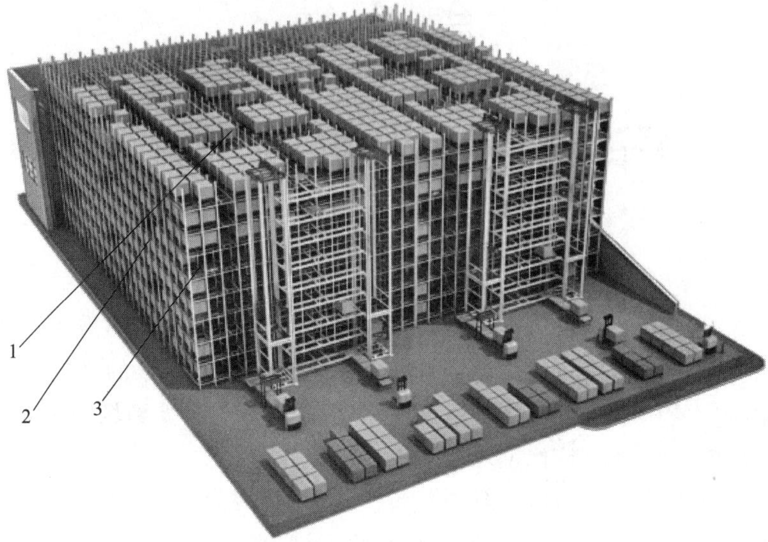

图 4-1　穿梭车型立体仓库
1—穿梭车；2—立体货架；3—升降设备

表 4-1　穿梭车类型及特点

类型	行走位置	取货方式	备注
托盘库两向穿梭车	走每层托盘下面轨道	顶升式	无巷道,存取货轨道增加了层高
料箱库两向穿梭车（多层穿梭车）	走每层巷道轨道	夹抱式	巷道轨道不增加层高
托盘库子母穿梭车	子穿梭车走每层托盘下面的横向轨道,母穿梭车走每层纵向巷道轨道	顶升式	应用越来越少； 横向无巷道,但横向轨道增加了层高； 纵向走巷道轨道,不增加层高
托盘库四向穿梭车	横向走每层托盘下面轨道或横向巷道轨道； 纵向走纵向巷道轨道	顶升式	存货区轨道不占用巷道,但轨道增加了层高;横向轨道不载货行走不占用巷道,但载货行走占用巷道;纵向巷道轨道不增加层高
料箱库四向穿梭车	横向走每层横向巷道轨道； 纵向走每层纵向巷道轨道	夹抱式	巷道轨道不增加层高

4.2　托盘库两向穿梭车

4.2.1　托盘库两向穿梭车应用场景与特点

(1) 组成

如图 4-2 所示，穿梭车型立体仓库系统由两向穿梭车 1、立体货架 2、叉车 3 组成，两向穿梭车 1 存取托盘货物的方式为顶升式，顶升托盘货物后，两向穿梭车 1 将托盘货物顶起，使托盘离开其支撑面，这样两向穿梭车 1 就可以载着托盘货物行走，实现搬运（图 4-3）；不顶升托盘货物时，两向穿梭车 1 在托盘下面的轨道上行走，上方与托盘有一定间隙。

图 4-2 中的立体货架 2 一般采用牛腿结构，并在牛腿下方安装部分横梁，使货架 2 更结

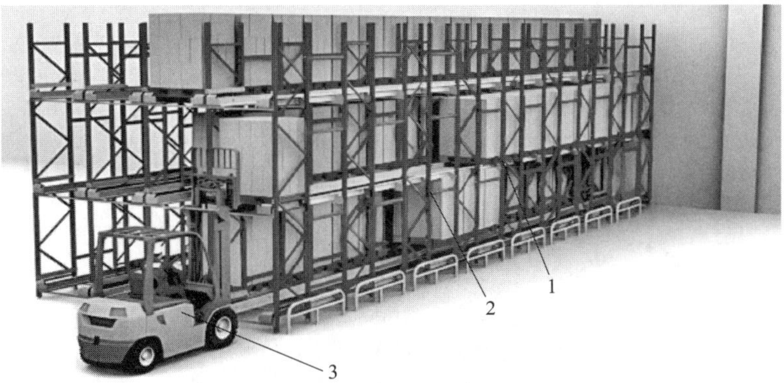

图 4-2　两向穿梭车托盘库（LIFO）
1—穿梭车；2—立体货架；3—叉车

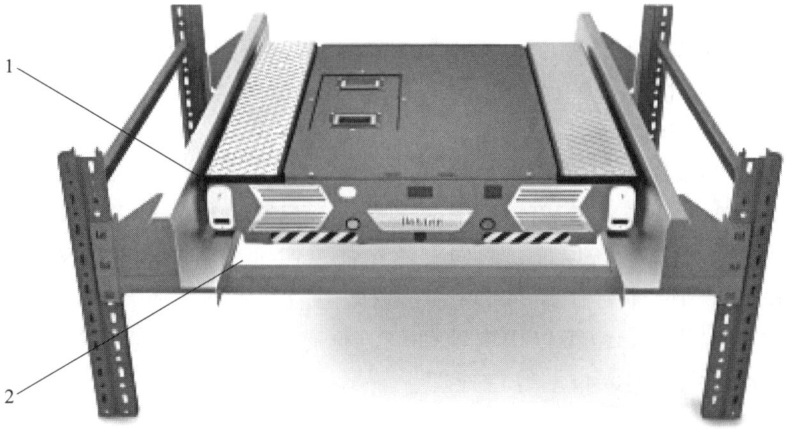

图 4-3　两向穿梭车货架轨道
1—两向穿梭车轨道面；2—托盘货物支撑面

实；叉车 3 在仓库端部对托盘叉取入库或出库，也可以实现对两向穿梭车 1 的换层或换货架作业。图 4-2 穿梭车型立体仓库系统只有一端是入库口/出库口，另一端是封闭的，所以货物只能先进后出（last in，first out，LIFO），优点是占用场地面积小。图 4-2 中叉车 3 是人工堆高叉车，也可以是 AGV 堆高叉车。

图 4-4 是另一种模式，可以先进先出（first in，first out，FIFO），也可以先进后出，缺点是占用场地面积大。

（2）特点

两向穿梭车托盘库高密度存储特点：

① 托盘立体仓库的核心是穿梭车。托盘库两向穿梭车是一种在货架轨道上执行搬运任务的智能搬运机器人，通过手持终端控制或与上位机、WMS 系统通信，结合电子标签、条码等技术实现自动识别和自动存取的功能，完成货物的出入库、盘点、放置等任务。

② 货物单元高密度储存，节约库房投资。穿梭车型立体仓库能够实现高密度存储，相较于普通平库，其存储能力可以提高 20%～30%。这对于单品种数量较大的商品尤为适用。

③ 仓库有货物先进先出或先进后出两种工作模式可选择。规划两向穿梭车托盘库，可根据场地和出库要求，选择适合的工作模式。

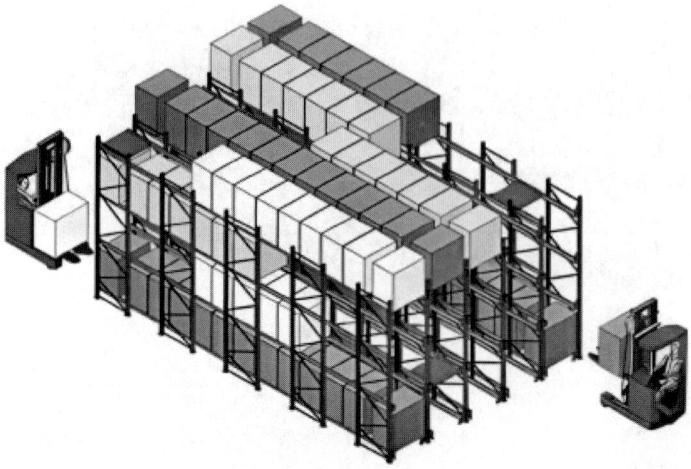

图 4-4　两向穿梭车托盘库（FIFO）

④ 料箱库两向穿梭车运行快速，进出物品效率高。托盘库两向穿梭车直线运行，不用换向，穿梭车运行速度快，空载行走速度可达 180m/min，且作业空闲时可把货物往出库口挪移，方便节省忙时搬运时间。

⑤ 货架抗震性强。货架虽然使用牛腿贯通式结构，但横梁使货架成为一个整体，刚性好，不像堆垛机货架因被巷道隔开而刚性差一些。

⑥ 自动化与半自动化运行均可。两向穿梭车托盘库可选用人工堆高叉车或 AGV 堆高叉车实现全自动和半自动两种工作模式，可以根据实际需求进行切换。

⑦ 可以用滑触线供电，也可以用电池供电，具有电池电量不足报警功能。当电量不够运行一次时，自动停在货架入口端等待处理。

(3) 参数

托盘库两向穿梭车常用的性能参数如表 4-2 所示，空载行走速度比负载时大得多，可以减少空载运行时间。

表 4-2　托盘库常用的两向穿梭车性能参数

性能	空载行走速度/(m/min)	加速度/(m/s^2)	负载行走速度/(m/min)	行走定位精度/mm	常用额定载重/kg	顶升高度/mm
参数	60～120	0.3～0.5	30～60	±5	500～1500	40

某托盘库两向穿梭车常用的性能参数见表 4-3，在设计或者选型时可参考。

表 4-3　某托盘库两向穿梭车性能参数

项目		设备型号		
		RGV-500	RGV-1000	RGV-1500
适用托盘	适用标准托盘($L\times W$)/mm	1200×1000		
	可用托盘规格($L\times W$)/mm	(1100～1250)×(800～1100)		
	托盘类型(底部形式)	川字形、田字形		
	托盘材质	木制、塑料、钢制		
	托盘挠度/mm	最大 20		

续表

项目		设备型号		
		RGV-500	RGV-1000	RGV-1500
负载最大总质量/kg		500	1000	1500
行走方式		直轨内行走		
行走速度/(m/s)		0.8～1.5		
顶升	顶升时间/s	1～3		
	顶升行程/mm	22～35		
	顶升后托盘与轨道间隙/mm	约 13		
设备尺寸及自重	设备尺寸($L\times W\times H$)/mm	1100×977×198		
	设备自重/kg	约 250		
行走驱动电动机		直流电动机 24V、48V		
行走轮		ϕ120mm,高性能聚氨酯轮		
顶升电动机		直流电动机 24V、48V		
电池容量/A·h		30～40(48V)		
电池质量/kg		约 13.3		
充放电次数		1500 次		
充电时间/h		1～2		
遥控方式		手持遥控器控制		
运转噪声/dB		<70		

4.2.2 托盘库两向穿梭车系统结构

托盘库两向穿梭车适用于运输托盘单元，采用贯穿式货架，可充分利用仓库宽度空间，不留巷道。托盘库两向穿梭车因其形状扁平，又称穿梭板，厚度是其很重要的参数。托盘单元货物较重，不宜用夹抱式货叉，适合顶升取货。

(1) 结构

顶升式两向穿梭车外围结构如图 4-5 所示，四个轨道刮板 1 安装在四个行走轮 2 的外

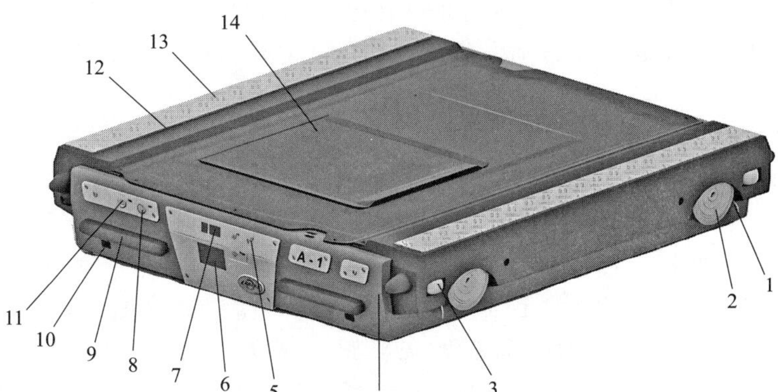

图 4-5 顶升式两向穿梭车外围结构

1—轨道刮板；2—行走轮；3—导向轮；4—壳体；5—电量指示灯；6—显示屏；7—激光测距传感器；8—电源开关；9—缓冲装置；10—红外测距传感器；11—运行开关按钮；12—顶板；13—防滑条；14—盖板

侧，用于清除轨道上的灰尘等杂物，四个行走轮 2 均为驱动轮，聚氨酯材料，四个导向轮 3 与轨道的侧壁作用，实现滚动摩擦导向；激光测距传感器 7 利用激光束来测量穿梭车相对货架端部的距离，当激光束发射到激光反射板上并反射回来时，传感器可以通过计算激光往返的时间来确定穿梭车距离激光反光板的距离，属非接触式测量，可以实现精确的测量，而且激光测距传感器可以在各种环境下工作，包括黑暗或视线不清的环境；红外传感器 10 用于穿梭车的防撞系统，通过检测前方的障碍物，帮助穿梭车避免碰撞，在安全性方面具有重要作用；顶板 12 将托盘货物顶起脱离导轨支撑面，防滑条 13 贴在顶板两侧，用于增大托盘与顶板之间的摩擦力，防止穿梭车加减速时托盘滑动而出现前后偏载。

下面分析托盘库两向穿梭车水平行走系统和顶升系统的具体方案，如图 4-6 所示，只是一种实现方案，其他方案这里不再分析。

水平行走系统的结构与原理：水平行走电机 1 经水平行走减速器 2 把动力传递给行走主动双排链轮 3，分别经行走传动长链条 5 与行走传动短链条 21 将动力传递给两端的行走从动链轮 6，两个传动链条均由行走链条张紧装置 4 张紧，使链条正反转时传动比准确；行走从动链轮 6 通过键连接安装在行走转轴 7 的两端，行走转轴 7 的两端从动链轮 6 外侧装有端面带座轴承 22，轴承座固定安装于 U 形底板 18 上，行走转轴 7 在两端端面带座轴承 22 外侧通过键连接安装有行走轮 14；行走从动链轮 6 的转动通过行走转轴 7 传递给两端的行走轮 14。托盘库两向穿梭车沿行走方向有两个行走转轴 7 和四个行走轮 14，均为驱动轮。

顶升系统的结构与原理：顶升电机 13 通过顶升减速器 12 把动力传递给顶升主动链轮 11，两侧的顶升传动链条 9 把动力传递给穿梭车前后两端的顶升从动链轮 15，顶升从动链轮 15 固定在顶升空心轴 19 上，顶升空心轴 19 套在行走转轴 7 的中间部分，二者通过轴承形成动连接；顶升摆杆 17 焊接在顶升空心轴 19 上，顶升滚轮 16 安装在顶升摆杆 17 的轴上；顶升空心轴 19 在顶升从动链轮 15 的驱动下顺时针旋转时，带动顶升摆杆 17 绕顶升空心轴 19 轴线转动，并使顶升滚轮 16 顶起顶板的纵梁（见图 4-7），顶升时顶升导向装置 8 使顶板只能竖直上下运动。

从图 4-6 中可以看出顶升空心轴 19 与行走转轴 7 轴线是重合的，二者是如何传动的呢？下面用图 4-8 分析。

如图 4-8 所示，行走转轴 4 两端通过两个端面带座轴承 1 固定在 U 形底板的两侧立板上，两端部分别通过键连接安装行走轮 8，两个端面带座轴承 1 内侧安装顶升转轴系统 5，轴向通过套筒 3、顶升转轴轴承 7 实现对顶升转轴系统 5 的定位，顶升转轴轴承 7 使中空的顶升转轴系统 5 绕着行走转轴 4 转动，顶升转轴角度传感器安装环 6 是为了安装角度传感器测其转动角度。

(2) 水平行走速度曲线设计

托盘库两向穿梭车运行位移曲线的微分就是速度曲线。速度曲线直接影响出入库输送系统的能力、效率。穿梭车在行走过程中，通过变频调速控制，使其缓启缓停，减少对搬运货物的冲击，防止货物在搬运过程中因为突启突停使物品倾倒、坠落。通过变频调速控制，对速度加速段曲线修正为 S 形曲线，称为 S 形速度曲线，整个速度曲线采用五段式加减速算法。速度曲线的最大速度 v_{m}、最大加速度 a_{m}、最大跨度 J_{m} 的值较低，使穿梭车运动更加平稳。穿梭车按照图 4-9 所示的速度曲线运行，运动噪声小、运动平稳、冲击振动小、安全性好。

(3) 水平行走电机的选择计算

托盘库两向穿梭车左右两侧基本上是对称结构，可以用单侧的两轮来考虑动力计算问

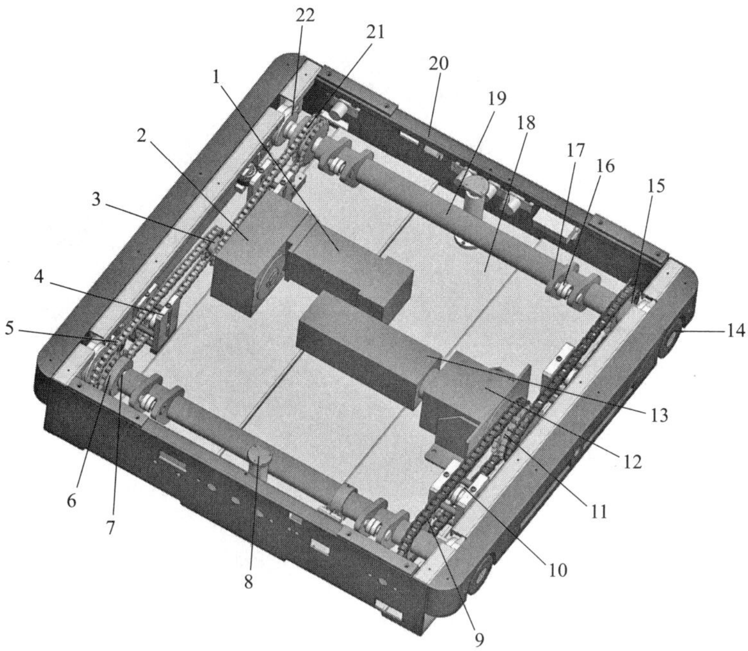

图 4-6　托盘库两向穿梭车水平行走系统和顶升系统结构

1—水平行走电机；2—水平行走减速器；3—行走主动双排链轮；4—行走链条张紧装置；5—行走传动长链条；6—行走从动链轮；7—行走转轴；8—顶升导向装置；9—顶升传动链条；10—顶升链条张紧装置；11—顶升主动链轮；12—顶升减速器；13—顶升电机；14—行走轮；15—顶升从动链轮；16—顶升滚轮；17—顶升摆杆；18—U 形底板；19—顶升空心轴；20—壳体；21—行走传动短链条；22—端面带座轴承

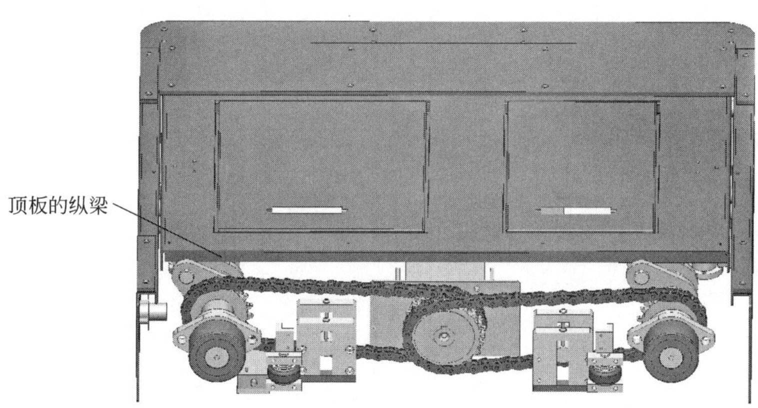

图 4-7　托盘库两向穿梭车顶升系统结构

题，如图 4-10 所示，两向穿梭车自重 m_1，与轮 1 中心的水平距离为 l_1，最大载重 m_Z，位于两轮的中间，负载时行走最大速度为 v_m，加速度最大值为 a_m，两行走轮材料为聚氨酯，中心距为 l，半径为 r，转动惯量为 J，减速器效率为 η_1，链传动效率为 η_2，求行走电机功率。

由于单侧两个行走轮均为驱动轮，都不是从动轮，在图 4-10 中摩擦力方向均向左，两个轮子的滚动摩擦力均为静摩擦力，不能按滑动摩擦力计算。

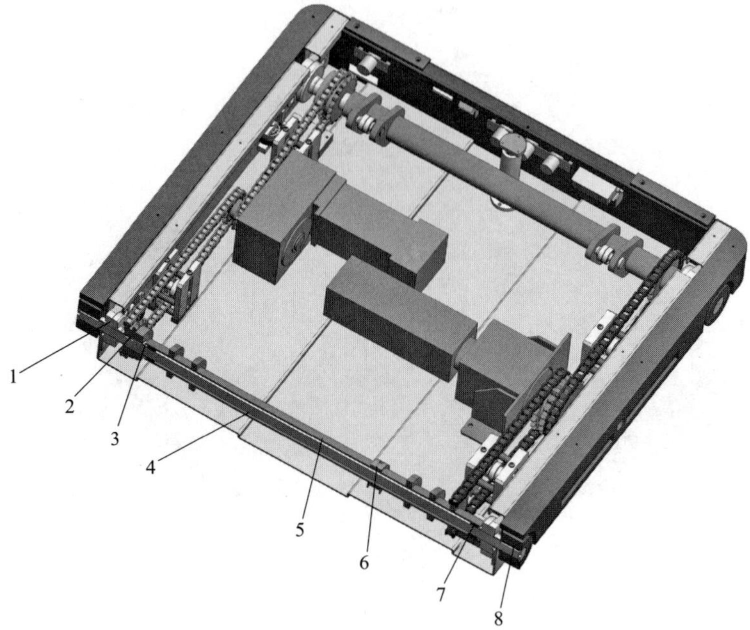

图 4-8　托盘库两向穿梭车行走转轴与顶升转轴结构

1—端面带座轴承；2—行走从动链轮；3—套筒；4—行走转轴；5—顶升转轴系统；6—顶升转轴角度传感器安装环；7—顶升转轴轴承；8—行走轮

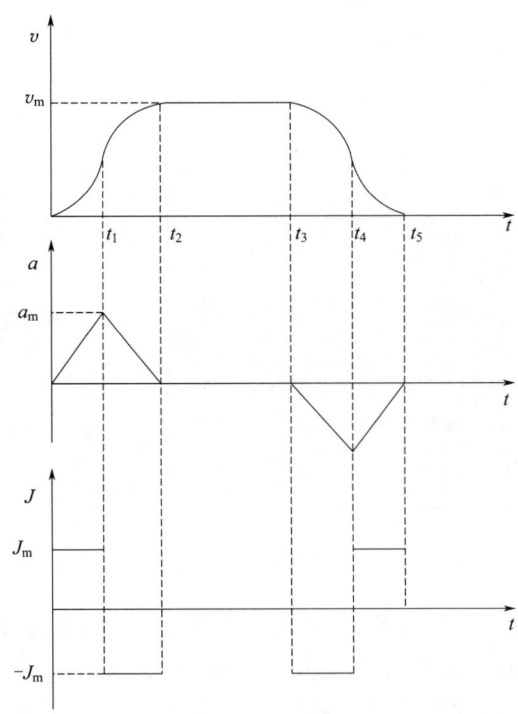

图 4-9　托盘库两向穿梭车速度与加速度曲线

对整个两向穿梭车来说，水平方向只有两个摩擦力 f_1 和 f_2，所以根据牛顿第二定律有

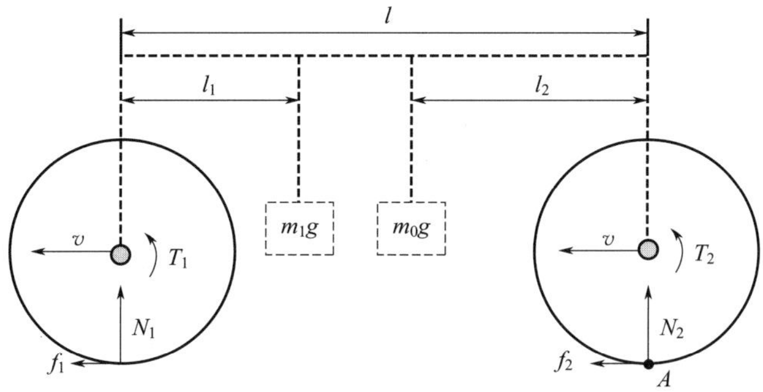

图 4-10　行走轮动力分析

$$f_2+f_1=(m_1+m_0)a \tag{4-1}$$

如图 4-11 所示，设加速度从 0 达到 a_m 所需的时间为 t_m，那么速度达到 v_m 所需的时间为 $2t_m$，在加速度曲线中阴影部分的面积就是加速度函数对时间的积分，也就是 v_m，所以有

$$2t_m a_m=v_m$$

得

$$t_m=v_m/(2a_m) \tag{4-2}$$

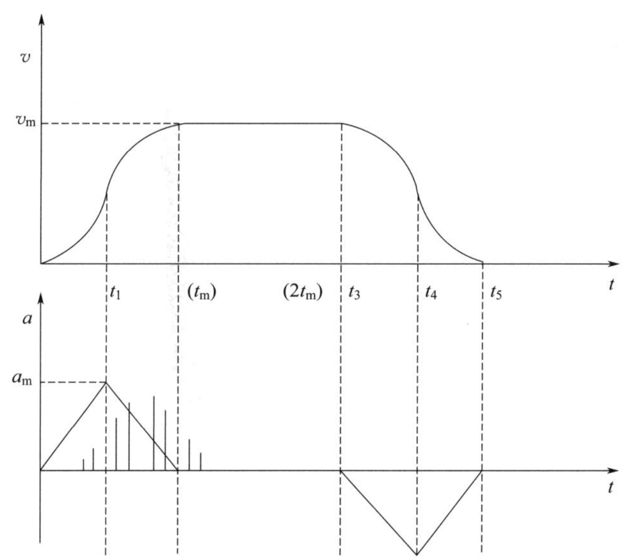

图 4-11　加速度与速度分析

根据图 4-11 加速度曲线，加速阶段加速度曲线方程可以写为

$$a=\begin{cases} kt & 0\leqslant t\leqslant t_m \\ 2a_m-kt & t_m<t\leqslant 2t_m \end{cases} \tag{4-3}$$

式中，$J_m=a_m/t_m$。

由于加速度 a 为分段函数，故进行分段讨论所需功率。

① $0\leqslant t\leqslant t_m$。速度是加速度对时间的积分，即加速度曲线与时间线、两坐标轴围成的面积，得

$$v=\frac{1}{2}J_{m}t\times t=\frac{1}{2}J_{m}t^{2} \tag{4-4}$$

联立式(4-1) 与式(4-4)，得

$$(f_{2}+f_{1})v=(m_{1}+m_{0})aJ_{m}t^{2}/2=(m_{1}+m_{0})J_{m}tJ_{m}t^{2}/2=(m_{1}+m_{0})J_{m}^{2}t^{3}/2 \tag{4-5}$$

将 $J_{m}=a_{m}/t_{m}$，$t_{m}=v_{m}/a_{m}$ 代入，得

$$P_{1}=(f_{2}+f_{1})v=(m_{1}+m_{0})aJ_{m}t^{2}/2=(m_{1}+m_{0})J_{m}tJ_{m}t^{2}/2=(m_{1}+m_{0})\frac{a_{m}^{4}}{v_{m}^{2}}t^{3} \tag{4-6}$$

由式(4-6) 可以明显地看出，功率 P_1 随着时间 t 的增大，迅速增大，所以当$t=t_{m}$ 时，功率最大，即

$$P_{1}=(m_{1}+m_{0})a_{m}v_{m} \tag{4-7}$$

设行走减速器、链传动的总传递效率 $\eta=\eta_1\eta_2$，则电机的功率为

$$P_{0}=P_{1}/\eta=(m_{1}+m_{0})a_{m}v_{m}/\eta \tag{4-8}$$

说明：水平行走驱动功率直接用 $P_{1}=(f_{2}+f_{1})v$ 计算，忽略了行走轮的转动惯量，因为行走轮直径较小，转动惯量也比较小。

② $t_{m}<t\leqslant 2t_{m}$：

$$a=2a_{m}-kt=2a_{m}-(a_{m}/t_{m})t \tag{4-9}$$

速度是加速度对时间的积分，即一个三角形和一个梯形的面积之和，得

$$v=\frac{1}{2}a_{m}t_{m}+\frac{(a_{m}+2a_{m}-a_{m}t/t_{m})(t-t_{m})}{2}$$

化简后，得

$$v=2a_{m}t-a_{m}t_{m}-\frac{a_{m}}{2t_{m}}t^{2} \tag{4-10}$$

联立式(4-1) 与式(4-10)，得

$$(f_{2}+f_{1})v=(m_{1}+m_{0})[2a_{m}-(a_{m}/t_{m})t]\left(2a_{m}t-a_{m}t_{m}-\frac{a_{m}}{2t_{m}}t^{2}\right)$$

整理，得

$$P_{1}=(f_{2}+f_{1})v=\frac{(m_{1}+m_{0})a_{m}^{2}}{2t_{m}^{2}}t^{3}-\frac{3(m_{1}+m_{0})a_{m}^{2}}{t_{m}}t^{2}+5(m_{1}+m_{0})a_{m}^{2}t-2(m_{1}+m_{0})a_{m}^{2}t_{m} \tag{4-11}$$

由式(4-11) 可以看出，P_1 是关于时间 t 的一元三次函数，求 P_1 的极值可通过 $P_1'=0$ 求得 t 的值，从而电机的功率

$$P_{0}=P_{1}/\eta \tag{4-12}$$

举例说明。设托盘库两向穿梭车自重 $m_1=80\text{kg}$，最大载重 $m_Z=1000\text{kg}$，负载时行走最大速度 $v_m=2\text{m/s}$，加速度最大值 $a_m=0.5\text{m/s}^2$，两行走轮材料为聚氨酯，中心距 $l=760\text{mm}$，半径 $r=50\text{mm}$，$J=0.0636\text{kg}\cdot\text{m}^2$，减速器效率 $\eta_1=0.8$，链传动效率 $\eta_2=0.85$，

求行走电机功率。

将 $v_m=2m/s$，$a_m=0.5m/s^2$ 代入式(4-2) 中，得 $t_m=v_m/a_m=2/0.5=4s$。

相关参数代入式(4-11) 中，得

$$P_1=8.4375t^3-202.5t^2+1350t-2160$$

为求 P_1 的最大值，令其导数为 0，即

$$P_1'=25.3125t^2-405t+1350=0$$

解得 $t=\dfrac{24-4\sqrt{6}}{3}\approx4.734s$，将其代入，求得最大值 $P_1=587.88W$，所以电机功率

$$P_0=587.88/(0.8\times0.85)=864.5(W)$$

为了安全起见，电机选用功率更大一些的电机为宜（根据厂家样本选取）。

(4) 单程行走时间计算

在计算托盘库两向穿梭车循环作业时间时，需要分别计算单程的加速阶段行走时间 δt_1、匀速阶段行走时间 δt_2、减速阶段行走时间 δt_3，根据速度、加速度曲线可以分析出：加速阶段与减速阶段的时间相同 $\delta t_1=\delta t_2=2t_m=2v_m/a_m$，所以主要是要计算匀速阶段行走时间 δt_2。

行走时间的确定与行走位移有关。设穿梭车水平行走的总位移为 δL（δL 与货架上的货位有关，是确定的），加速阶段的行走位移为 δL_1，匀速阶段的位移为 δL_2，减速阶段的位移为 δL_3，根据速度、加速度曲线可以得知 $\delta L_1=\delta L_3$，所以有 $\delta L=2\delta L_1+\delta L_2$，那么

$$\delta L_2=\delta L-2\delta L_1 \tag{4-13}$$

所以要先求加速阶段的行走位移 δL_1。

在图 4-12 中，加速阶段的位移是速度函数对时间的积分，也就是阴影部分的面积，这部分面积可用如图 4-12 所示的割补法求解，即为三角形面积，所以有

$$\delta L_1=v_mt_m \tag{4-14}$$

将式(4-2) 代入，得

$$\delta L_1=v_m{}^2/(2a_m) \tag{4-15}$$

联立式(4-13) 与式(4-15)，得

$$\delta L_2=\delta L-v_mt_m \tag{4-16}$$

匀速阶段行走时间

$$\delta t_2=\delta L_2/v_m=\delta L/v_m-t_m \tag{4-17}$$

则水平单程行走时间

$$\delta t=2\delta t_1+\delta t_2=4t_m+\delta L/v_m-t_m=\delta L/v_m+3t_m \tag{4-18}$$

(5) 顶升系统分析

根据图 4-6 和图 4-7 中的顶升系统结构，画出其机构原理图如图 4-13 所示，由于左侧顶升传动链条 3、右侧顶升传动链条 11 的运动方向相同，所以左侧摆杆 5 和右侧摆杆 9 转动方向相同，顶升机构实质上就是平行四边形机构 $ABCD$。

平行四边形机构 $ABCD$ 的动力分析，可以简化为图 4-14 所示机构。

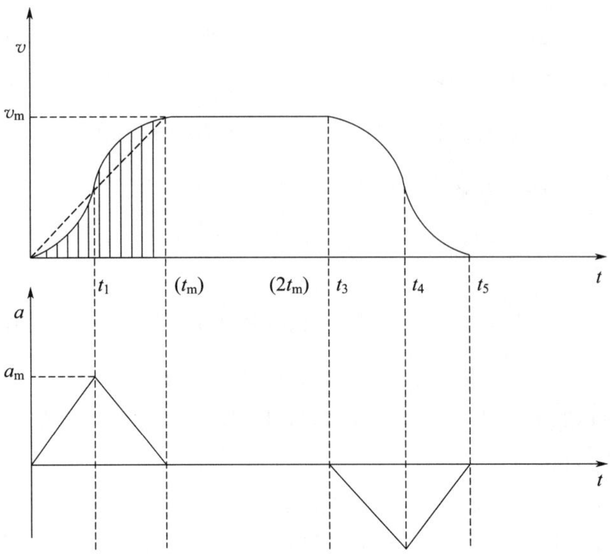

图 4-12　加速阶段位移分析

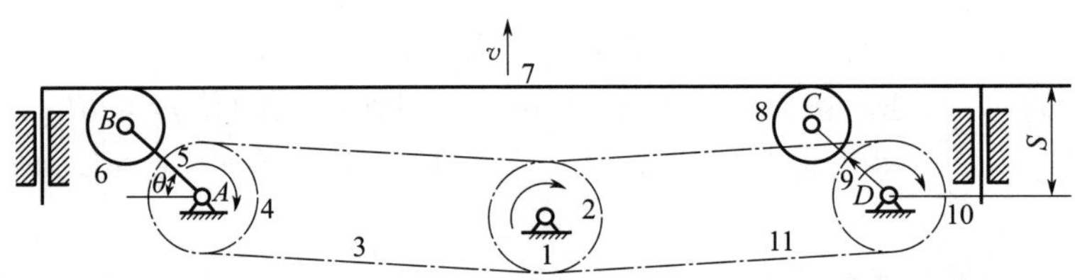

图 4-13　托盘库两向穿梭车顶升原理（一）

1—机架（壳体）；2—主动链轮；3—左侧顶升传动链条；4—左侧从动链轮；5—左侧摆杆；6—左侧顶升滚轮；7—顶板；8—右侧顶升滚轮；9—右侧摆杆；10—右侧从动链轮；11—右侧顶升传动链条

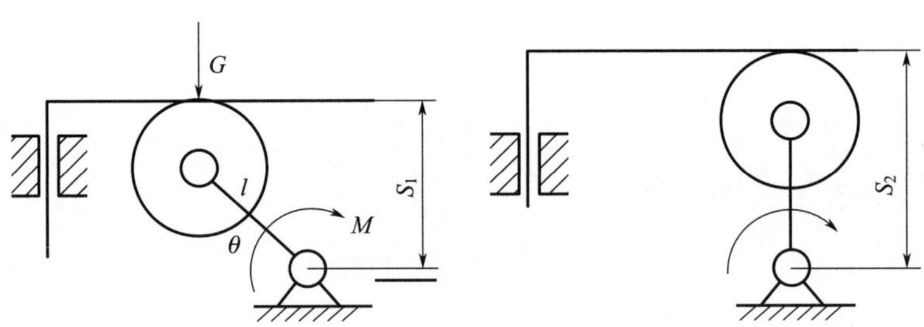

(a) 顶升过程　　(b) 顶升到最高处

图 4-14　托盘库两向穿梭车顶升原理（二）

由于顶升速度不快，忽略加速度，可得

$$M = Gl\cos\theta \tag{4-19}$$

$$P = M\omega = Gl\omega\cos\theta \tag{4-20}$$

顶升过程中载重量没有变化，开始顶升时驱动扭矩最大，顶升速度最大。

顶升至最高状态时 $\theta=90^\circ$，扭矩理论上为 0。托盘库两向穿梭车顶升后载着托盘货物行走，运动过程中需要托盘货物相对穿梭者处于锁定状态，由于顶升至最高状态时所需扭矩理论上为 0，所以施加一定扭矩后能够锁住货物下降。

设 θ 初始角度为 θ_0，则顶升距离

$$\Delta S = S_2 - S_1 = l - l\sin\theta_0 \tag{4-21}$$

确定了顶升距离 ΔS 与摆杆 AB 的长度 l，初始角度 θ_0 就可以确定了。

4.2.3　托盘库两向穿梭车轨道

（1）托盘库两向穿梭车货架结构

托盘库两向穿梭车货架如图 4-15 所示，导轨 7 的上表面是托盘的承载面，下表面是穿梭车的轨道面，二者之间的立面是穿梭车导向轮的导向面。

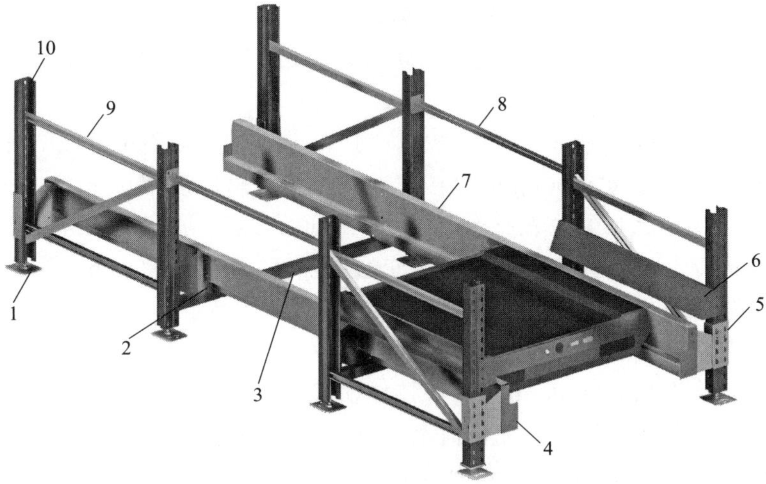

图 4-15　托盘库两向穿梭车货架结构

1—可调地脚；2—导轨接头连接件；3—导轨支撑横梁；4—端部封板；5—牛腿；6—托盘导向板；7—导轨；8—双头隔撑；9—横撑；10—立柱

托盘库两向穿梭车与货架导轨的尺寸关系如图 4-16 所示，托盘库两向穿梭车在托盘下面，外形尺寸小于托盘。

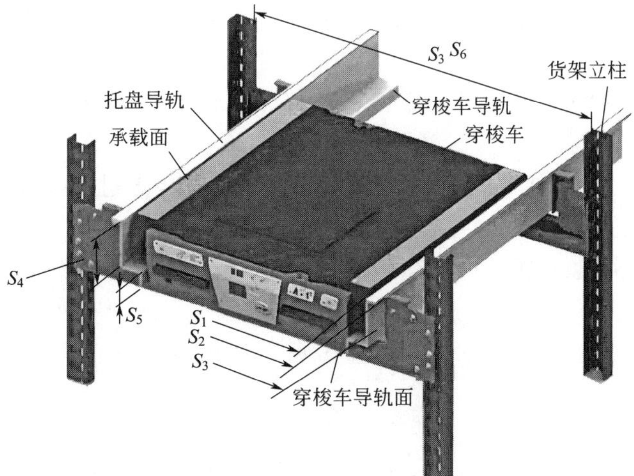

图 4-16　托盘库两向穿梭车与货架导轨的尺寸关系

S_1—轨道顶面内宽；S_2—轨道顶面外宽；S_3—轨道面内宽；S_4—轨道外侧立面高度；S_5—轨道内侧立面高度；S_6—立柱内宽

举例：托盘库两向穿梭车长×宽×高为1100mm×975mm×217mm，则轨道的尺寸参数可以取值为：

轨道顶面内宽 $S_1=983\mathrm{mm}$；

轨道顶面外宽 $S_2=1093\mathrm{mm}$；

轨道面内宽 $S_3=823\mathrm{mm}$；

轨道外侧立面高度 $S_4=163\mathrm{mm}$；

轨道内侧立面高度 $S_5=51\mathrm{mm}$；

立柱内宽 S_6 = 托盘货物宽度 $W+146\mathrm{mm}$。

（2）托盘库两向穿梭车对货架、轨道的要求

在货架轨道上行走的穿梭车，对轨道、轨道端头板、支撑立柱、托盘等有严格要求。

① 对轨道的要求：

a. 对于托盘最大负载为1000kg的穿梭车，其轨道板材厚度不小于2.75mm。

b. 对于托盘最大负载为1500kg的穿梭车，其轨道板材厚度不小于3.5mm。

c. 轨道直线度小于2/1000。在整个巷道内，轨道直线度应小于5mm。

d. 穿梭车车轮行走面，每米范围内弯曲变形（挠度）应小于2mm。

e. 轨道截面内，左右车轮行走面高度差小于2mm。

f. 轨道扭曲度，目测无明显扭曲变形。

g. 轨道接缝缝隙为2mm±0.5mm，保持伸缩缝隙。

h. 轨道接缝处，倒边、倒角，无任何毛刺、尖角，保持行走轮、导向轮圆过渡。

i. 轨道紧固螺栓与支撑板连接处不允许有任何松脱。

j. 轨道轮行走面禁止有油或添加任何油脂类、润滑类物质。

② 对轨道端头板的要求。轨道端头板，作为穿梭车最重要的安全挡板和检测用板，需要每周定期目视巡检：

a. 禁止在端头挡板脱落的巷道内存放穿梭车、托盘和货物，必须更换好后才可以进行存储作业；

b. 禁止在端头挡板松动、变形的巷道内作业，必须更换端头挡板后才可进行相关作业。

③ 对轨道支撑立柱的要求。对于立柱、横档、轨道支撑板，当发生以下情况时，需要做修复性确认后，才可以使用。

a. 立柱因承载产生横向上的弯曲变形，变形量可以通过目测看到，此情况下禁止使用；

b. 立柱被叉车等其他车辆、物体撞击后，虽未变形但有安全隐患，此情况下需要先确认后再使用；

c. 立柱、横档、轨道支撑片等被叉车撞击后，产生变形从而影响轨道尺寸，此情况下需要先确认后再使用。

④ 对托盘的要求：

a. 无论是木制托盘、塑料托盘，还是钢制托盘，当目测到明显变形时，禁止将其存放到穿梭式货架上；

b. 托盘在使用过程中，出现木条或塑料件残缺时，禁止将其存放到穿梭式货架上；

c. 托盘中心点的挠度变形量在满载时大于25mm时，必须停止使用。

4.2.4　托盘库两向穿梭车工作模式

(1) 托盘库两向穿梭车＋人工叉车

“托盘库两向穿梭车＋人工叉车”工作模式中，穿梭车是一种单机作业的移载、盘点机型，逐次由人员驾驶叉车进行移货或库架换层作业，且不能与全自动连续输送系统衔接。就操作而言，是单机作业机型。“两向穿梭车＋人工叉车”系统由巷道式货架、穿梭车及附件、叉车、托盘单元组成，可以实现托盘单元最大密度的存放，图 4-17 是人工堆高叉车与两向穿梭车对接托盘货物单元，可以适应较高的货架系统。

图 4-17　人工堆高叉车与两向穿梭车对接托盘货物单元

托盘库两向穿梭车工作流程：穿梭车放在托盘下面的穿梭车轨道上，接到作业指令后，向上顶升托盘离开穿梭车轨道上平面，并运行托盘货物到目的地。

工作原理：叉车在货架两端，协助穿梭车在货架的轨道上进行存、取等作业。可以一个巷道设置一台穿梭车，也可以多个巷道共用一台穿梭车。穿梭车数量取决于巷道深度、货物总量、出货批量、出货频率等综合因素。

存货作业：由叉车将货物放在货架巷道导轨的最前端，通过无线电遥控操作穿梭车，让穿梭车承载托盘单元在导轨上运行，并放到指定的位置。

取货作业：穿梭车把货架深处的托盘单元搬运到货架最前端，由叉车把托盘单元从穿梭车上取出。

穿梭车的换层搬运：通过叉车实现两向穿梭车的换层或维修搬运。

(2) 托盘库两向穿梭车＋AGV 叉车

把“托盘库两向穿梭车＋叉车”中的人工叉车改为 AGV 叉车，就能够实现自动模式存/取托盘，AGV 叉车在第 5 章介绍。

(3) 托盘库两向穿梭车＋堆垛机

托盘库两向穿梭车负责从货架系统中存取托盘货物，堆垛机水平行走轨道垂直于两向穿梭车行驶方向，负载接驳两向穿梭车存取货物，以及两向穿梭车的换层。

4.3　料箱库两向穿梭车

料箱库两向穿梭车，常称为多层穿梭车，简称“多穿”。

4.3.1 两向穿梭车料箱库组成与特点

(1) 组成

两向穿梭车料箱库（双深位）如图 4-18 所示，主要包括：料箱 1、料箱库两向穿梭车 2、料箱货架系统 3、缓存输送线 4、提升机 5。料箱库两向穿梭车 2 行走轨道安装在巷道两侧，通过伸缩货叉存取料箱货架系统 3 的料箱 1；缓存输送线 4 宽度是单深位，并与料箱货架系统 3 的单深货位在一条直线上，是两向穿梭车存取货的中转站，因为料箱库两向穿梭车的伸缩货叉无法直接叉取提升机 5 提升上来的料箱。

图 4-18 两向穿梭车料箱库（提升机布置在一端）

1—料箱；2—料箱库两向穿梭车；3—料箱货架系统；4—缓存输送线；5—提升机

料箱库两向穿梭车行走利用了巷道的空间，而托盘库两向穿梭车占用了仓库的高度空间，节省了巷道的空间。箱类货物尺寸小，所以巷道宽度不会太大，空间利用率较高；料箱货物较轻，一般不超过 50kg，所以料箱库两向穿梭车搬运速度明显快于托盘库两向穿梭车。料箱货物质量超过 50kg 时，一般需要定制。

当料箱库两向穿梭车料箱库长度较长时，即使行走速度较快（最高速度可达 4m/s），水平行走时间仍然较长，这时提升机布置在货架长度的中间，使平均行走距离减小一半，可大大减少水平行走时间，如图 4-19 所示，提升机设置在货架长度的中间，布置在货架下方的输送线将料箱输送至各巷道的提升机；最左侧升降装置为穿梭车换层、维修用，不升降料箱。

图 4-20 是料箱库两向穿梭车在料箱库中运行状态，从图中可以看出每一层的两向穿梭车轨道 2 分别安装在货架巷道两侧该层对应的位置，轨道截面形状为 C 形，上表面为穿梭车行走轮的承载面，内侧竖直面为穿梭车导向轮的导向面，滑触线安装在轨道的内部，隐藏式结构既安全又美观。

(2) 特点

料箱库两向穿梭车（多层穿梭车）越来越受到电商等客户青睐，原因在于：拆零拣选作业的重要性，拆零拣选既是整个物流中心的重点和难点，也是占用物流成本最高的环节；多层穿梭车货到人拣选技术非常成熟，且性价比较高。

料箱库两向穿梭车系统主要有以下几方面的优势：

① 提升订单拣选效率及准确率。多层穿梭车运行速度快，通过 WMS 软件调度，根据订单内容优化拣选次序，既保证了订单拣选准确率，又大幅提高了拣选效率。

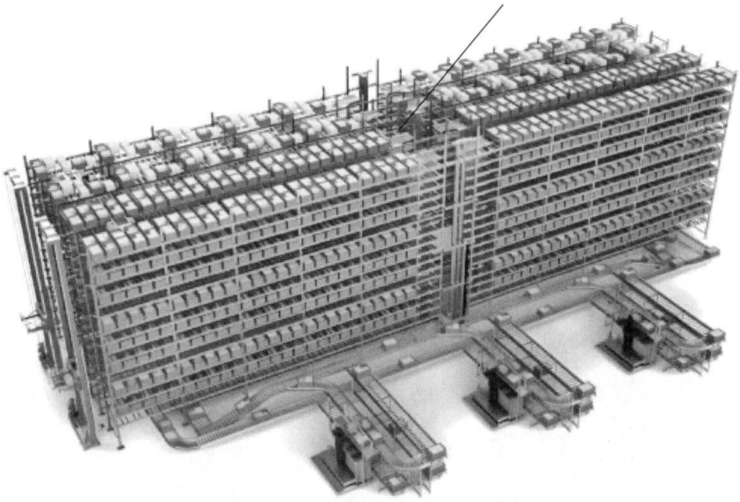

图 4-19　两向穿梭车料箱库（提升机布置在货架长度的中间）

图 4-20　料箱库两向穿梭车轨道

1—料箱库两向穿梭车；2—C 形轨道；3—滑触线

② 减少用工数量。传统仓库在面对高频出入库要求时，多是通过增加人手来满足需求，采用多层穿梭车拣选系统大约可以减少 2/3 人员投入，降低人力成本。

③ 实现高密度存储，降低用地成本。多层穿梭车系统与传统仓库相比，可节约 50%仓储用地，为企业大大降低仓储成本。

料箱库两向穿梭车系统主要适用于以下作业场景：

① 小型部件的存储及分级拣选；

② 制造业生产线的零部件等物料补给；

③ 发货区货物的临时存放；

④ 在线交易中的订单拣选系统；

⑤ 需要实现高存储密度的库房；

⑥ 发货环节的包装工位货品排序。

4.3.2 料箱库两向穿梭车结构

料箱库两向穿梭车，如图4-21所示，两侧呈对称结构，外围主要部件包括：主动轮1、导向轮2、箱体3、夹抱式伸缩货叉4、从动轮5，主动轮1和从动轮5在轨道上表面行走，导向轮2由轨道内侧立面导向，箱体3可低于主动轮1和从动轮5，所以箱体3的厚度不是料箱库两向穿梭车的主要技术指标；夹抱式伸缩货叉4操作的料箱质量一般要求低于50kg。

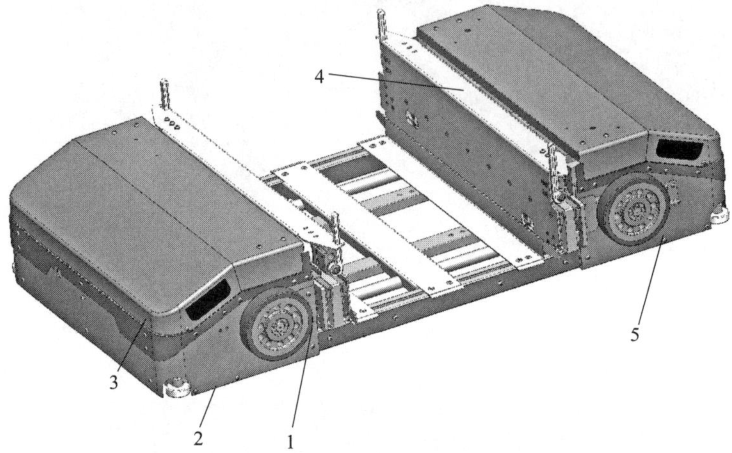

图4-21　料箱库两向穿梭车外围主要结构

1—主动轮；2—导向轮；3—箱体；4—夹抱式伸缩货叉；5—从动轮

料箱库两向穿梭车主要运动是水平行走运动和货叉的伸缩运动，其结构也主要包括两部分：水平行走系统和伸缩货叉系统。

料箱库两向穿梭车行走轮一般为四轮（也有八轮的），两个主动轮，两个从动轮，直径较大，这点与托盘库两向穿梭车不同，托盘库两向穿梭车行走轮直径较小，原因在于料箱库两向穿梭车搬运料箱较轻，行走驱动扭矩较小，行走轮直径可大一些；而托盘库两向穿梭车搬运托盘较重，行走驱动扭矩较大，所以行走轮直径需要小一些。

将图4-21所示的料箱库两向穿梭车箱体盖隐藏后，水平行走系统结构如图4-22所示。行走驱动电机1经带输出孔减速器2，将动力传递给驱动轴3，驱动轴3两端固定连接驱动轮，并由轴承座固定于箱体上，结构比较简单。需要说明的是气弹簧4是打开箱体盖时支撑

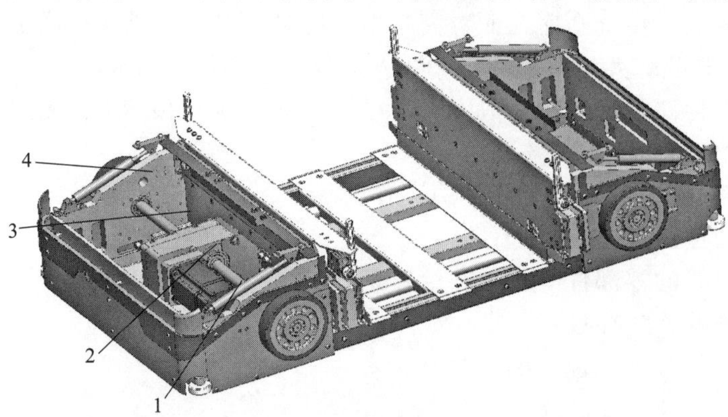

图4-22　料箱库两向穿梭车行走系统结构

1—行走驱动电机；2—带输出孔减速器；3—驱动轴；4—气弹簧

的部件，相当于汽车后备箱液压支撑杆的作用。

料箱库两向穿梭车伸缩货叉系统作业对象是料箱，所采用的夹抱式伸缩货叉工作原理和结构方案与料箱库堆垛机的货叉相同，这里不再重复介绍。需要说明的是，夹抱式伸缩货叉是穿梭车的关键核心部件，需要解决伸缩行程、移动检测、宽度调节等问题，有些应用场景需要解决不同箱、盒，不同尺寸要求的货物准确存取问题，伸缩货叉需要设有宽度调节机构，也是影响穿梭车存取料箱效率和造价的重要因素。

4.3.3　料箱库两向穿梭车性能分析

(1) 运动参数

料箱库两向穿梭车加速阶段采用匀加速运动曲线，加速到最大速度后匀速行驶，然后以同样的加速度匀减速。表 4-4 是常用料箱库两向穿梭车的一组性能参数，可以明显地看出最大行走加速度比托盘库两向穿梭车的大，后者因托盘货物重，加速度较小。

表 4-4　料箱库两向穿梭车性能参数

项目	参数	
额定负载	50kg	
最大行走速度	空载	4m/s
	满载	3m/s
最大行走加速度	空载	$3m/s^2$
	满载	$2m/s^2$
最大货叉速度	0.45m/s	
最大货叉加速度	$0.5m/s^2$	

(2) 动力计算

由料箱库两向穿梭车结构可知，左右基本上是对称结构，所以两向穿梭车水平行走的动力计算模型与 3.2.4 节中图 3-23 模型是相同的，都是一个驱动轮，一个从动轮，这里不再重复其推导过程，用前面的结论举例说明其动力计算。

如图 3-23 所示的模型，穿梭车两轮中心距为 $l=763$mm，穿梭车运动系统质量为 $m=131$kg，$l_1=405$mm，叉取货物质量为 $m_0=50$kg，$l_2=382$mm，满载行走速度 $v=3$m/s，行走加速度 $a_x=2m/s^2$，行走轮半径 $r=0.07$m，转动惯量 $J=0.00086kg\cdot m^2$，电机与驱动轮之间的减速器效率为 $\eta=0.85$。根据这些主要参数计算行走电机功率大小。

从动轮所受正压力

$$N_1=[mg(l-l_1)+m_0gl_2]/l=[131\times9.8\times(763-405)+50\times9.8\times382]/763=847.7(\text{N})$$

地轨对从动轮施加的摩擦力

$$f_1=N_1\left[\frac{1}{r}(\mu r+\lambda)+c\right]=847.7\times[1/0.145(0.005\times0.145+0.003)+0.5/1000]=22.2(\text{N})$$

驱动轮将加速到最大速度时，所需驱动功率

$$\begin{aligned}P&=(\mu+\lambda/r+c)[mg(l-l_1)+m_0gl_2]v/(l\eta)+(m+m_0)va/\eta_6+Jav/(r^2\eta)\\&=(0.005+0.5/145+0.003)\times[131\times9.88(763-405)+50\times9.8\times382]\\&\quad\times3/(763\times0.85)+(131+50)\times2\times3/0.85+0.00086\times2\times3/(0.07^2\times0.85)\\&=77.8+1277.6+1.24=1356.6(\text{W})\end{aligned}$$

从上式计算结果来看，第一部分功率（克服从动轮阻力）为 77.8W，占比不大；第二部分功率（因加速所需动力）为 1277.6W，占比最大；第三部分功率（主动轮转动）为 1.24W，占比很小，也就是说因驱动轮转动惯量，转速由 0 到最大转速所需要的功率可以忽略。要想降低第二部分功率，在运动参数不变的情况下，降低穿梭车自身质量非常重要，所以料箱库两向穿梭车使用滑触线而不用移动电源能够有效降低自身质量。

(3) 出/入库能力计算

料箱库两向穿梭车的出/入库能力计算与堆垛机的相似，区别在于前者没有竖直方向的运动，所以只需考虑货叉的运动和水平行走即可。

设某穿梭库巷道两排货架均为单深位，共有 10 层、79 列，料箱尺寸（长宽高尺寸）为 600mm×400mm×300mm，列宽为 500mm，穿梭车运动参数值如表 4-4 所示，分析单循环工作模式下每层穿梭车的出/入库能力。

为计算平均循环作业时间，需要先计算出该层中间位置的料箱存取时需要移动的位移，由于单排货架上的料箱是 79 列，列数为奇数，所以取第 40 列的料箱作为目标料箱分析，出/入库口到第 40 列货架水平距离 $L_{40}=0.5\times40=20(\text{m})$。

计算穿梭车单循环取货时间。

① 计算空载水平行走时间 t_{x0}：

加速时间：$t_{x1}=v_x/a_y=4/2=2(\text{s})$

加速行程：$L_{x1}=a_xt^2/2=2\times2^2/2=4(\text{m})$

减速行程：$L_{x3}=L_{x1}=4\text{m}$

匀速行程：$L_{x2}=L_x-L_{x1}-L_{x3}=20-4-4=12(\text{m})$

匀速时间：$t_{x2}=L_{x2}/v_y=12/4=3(\text{s})$

空载水平行走总时间：$t_{x0}=t_{x1}+t_{x2}+t_{x3}=2+3+2=7(\text{s})$，取 $t_{x0}=7.0\text{s}$。

② 计算货叉伸出取货时间 t_z：

加速时间：$t_{y1}=v_y/a_y=0.45/1=0.45(\text{s})$

加速行程：$L_{z1}=a_zt^2/2=1\times0.45^2/2=0.1025(\text{m})$

减速行程：$L_{z3}=L_{z1}=0.1025\text{m}$

匀速行程：$L_{z2}=L_z-L_{z1}-L_{z3}=0.8-0.1025-0.1025=0.5975(\text{m})$

匀速时间：$t_{z2}=L_{z3}/v_z=0.5975/0.45=1.33(\text{s})$

货叉伸出总时间：$t_z=t_{z1}+t_{z2}+t_{z3}=0.45+1.33+0.45=2.23(\text{s})$。

入库时，货叉取货伸出货叉不带负载，取 $t_z=2.5\text{s}$。

③ 拨叉转动时间取 $t_b=0.5\text{s}$。

④ 货叉缩回时间 $t_z=2.5\text{s}$。

⑤ 计算满载水平行走时间 t_x：

加速时间：$t_{x1}=v_x/a_y=3/2=1.5(\text{s})$

加速行程：$L_{x1}=a_xt^2/2=2\times1.5^2/2=2.25(\text{m})$

减速行程：$L_{x3}=L_{x1}=2.25\text{m}$

匀速行程：$L_{x2}=L_x-L_{x1}-L_{x3}=20-2.25-2.25=15.5(\text{m})$

匀速时间：$t_{x2}=L_{x2}/v_y=15.5/3=5.17(\text{s})$

满载水平行走总时间：$t_x=t_{x1}+t_{x2}+t_{x3}=1.5+5.17+1.5=8.17(\text{s})$，取 $t_x=8.5\text{s}$。

⑥ 拨叉转动时间 $t_b=0.5\text{s}$。

⑦ 货叉伸出存货时间 $t_z=2.5\text{s}$。

⑧ 货叉缩回时间 $t_z=2.5s$。

⑨ 拨叉转动时间取 $t_b=0.5s$。

穿梭车单循环取货时间：

$T_s=4t_z+3t_b+t_{x0}+t_x$+动作间隔时间$=4\times2.5+3\times0.5+7+8+8\times0.5=30.5(s)$

单层穿梭车出/入库能力，即每小时出库或入库次数为

$$C_o=3600/T_s=3600/30.5=118(次)$$

因此 10 层穿梭车出/入库能力为 $C_o\times M=118\times10=1180$(次)，但整个巷道出/入库能力不完全取决于穿梭车，提升机的处理可能成为瓶颈，所以层数较少时，一个巷道一台提升机能够满足出入库要求，层数较多时就需要考虑如何提高提升机的效率。

多层穿梭车系统中的提升机分为三类，一类是用于穿梭车换层用的载车提升机，一类是用于出入库的料箱提升机，还有一类是把载车和载料箱功能合二为一。其中，料箱的提升速度是穿梭车立体仓库系统的瓶颈，因而提升机控制多采用伺服控制系统，加快提升速度和加强定位精度。料箱提升机的载货台多采用多箱载货台、双侧载货台、上下双层载货台等方式来提升效率。

4.3.4　两向穿梭车料箱库作业流程

(1) 单循环工作模式作业流程

单循环工作模式包括单出库和单入库两种作业，这里只分析单出库作业，单入库作业与之类似。

在单出库作业的多层穿梭车仓储系统中，作业流程如下：出库层的穿梭车首先运行至出库的目标货位，穿梭车使用货叉将料箱移动至穿梭车上，穿梭车水平行走至该层的出入口，将料箱移载至缓存输送线，同时请求提升机，此时释放穿梭车占用，提升机有空闲时间响应此次调度服务请求后，垂直运动至出库层，与等待交接料箱的缓存输送线完成料箱的移载；该出库料箱由提升机运送到最底层出库输送线并移载料箱，之后释放提升机占用，提升机可去执行下一条出库任务，循环往复如图 4-23 所示。

(2) 出/入库复合工作模式作业流程

出/入库作业非同层，且出库、入库均不在第一层，是最复杂的情形。下面分析这种最复杂的出/入库复合工作模式作业流程，以先出库接着入库作业为例进行分析。先入库接着出库作业与之类似，这里不再赘述。

出库目标层料箱库两向穿梭车接到出库任务后，从水平移动到出库货位，伸缩货叉取出料箱，水平运行至该层出入库口，将料箱移载至缓存输送线，并向提升机申请调度服务；待提升机空闲时响应该调度服务请求，升降至该层，提升机与缓存输送线完成料箱移载，提升机将料箱运送到出库输送线，将料箱移载至出库输送线后完成出库任务。提升机接到入库任务，从入库输送线移载料箱，提升机取货后向入库目标层竖直上升，同时请求穿梭车交接；提升机到达入库层，将料箱移载到缓存输送线，穿梭车利用自身的伸缩货叉叉取缓存输送线上的料箱并释放提升机，再将料箱运送到相应入库货位，入库任务完成。详细的工作流程如图 4-24 所示，左虚线框为出库部分的流程，右虚线框为入库部分的流程，图中包含了穿梭车的详细工作过程。

在出/入库复合工作模式中，有三种情形比较特殊，单独说明一下。

① 出/入库作业在同层。这种情况，出库作业和入库作业均由同一台穿梭车完成，提升机只对这一层料箱移载。

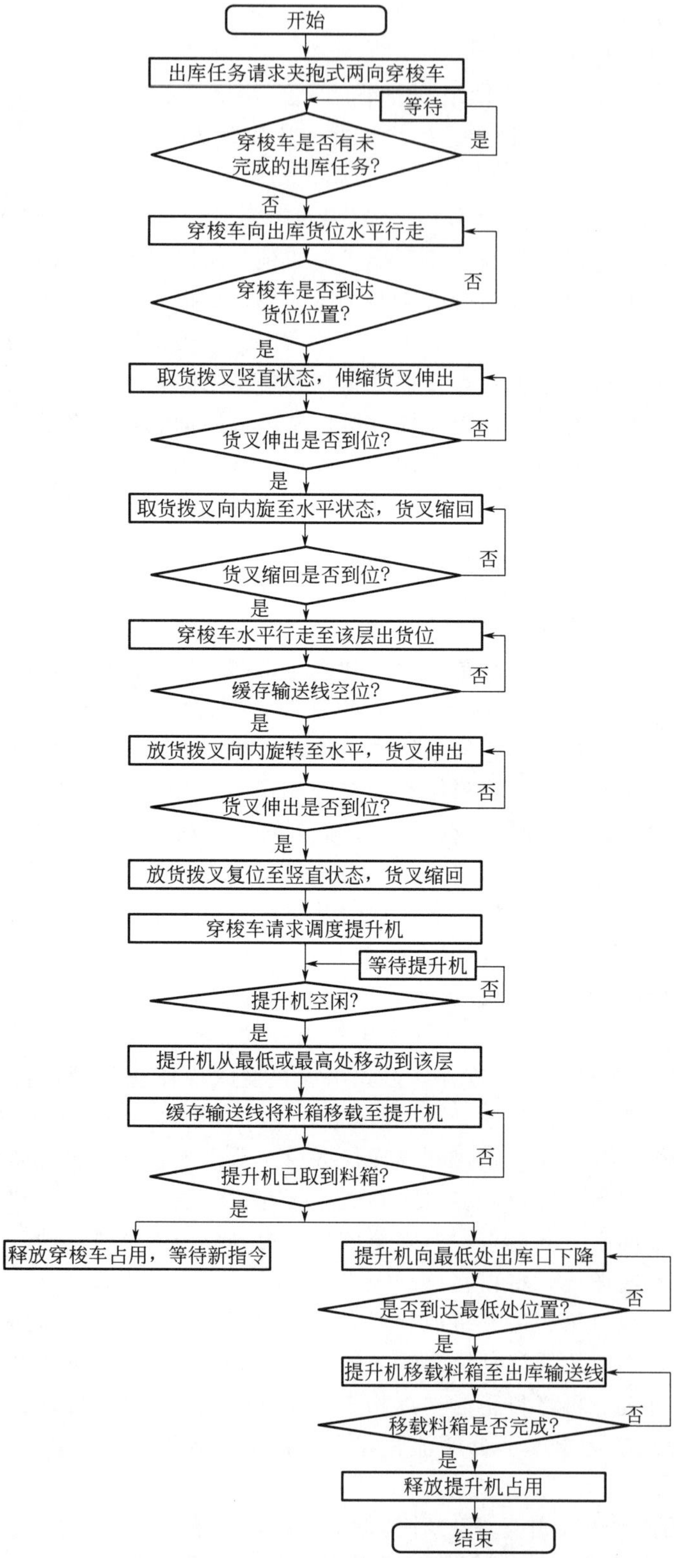

图 4-23　两向穿梭车料箱库出库流程

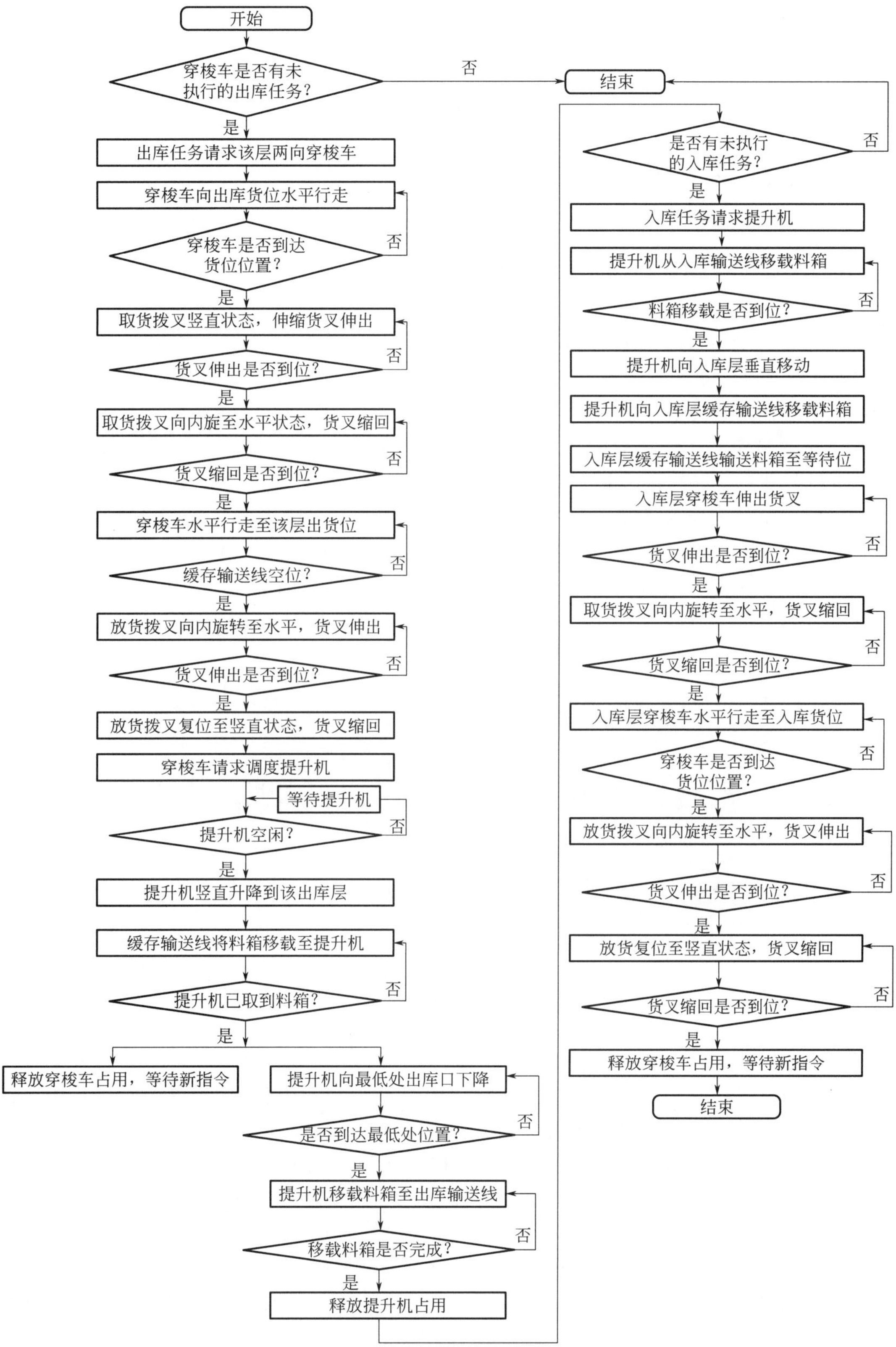

图 4-24　两向穿梭车料箱库出/入库复合工作模式作业流程

② 出/入库作业在同层，且均在第一层。与①类似，不同在于提升机无须升降，只需移载即可实现出/入库作业。

③ 出/入库作业非同层，但其中之一在第一层。与②类似，不同在于减少了一次提升机升高换层。

4.4 托盘库子母穿梭车

4.4.1 子母穿梭车立体库组成及特点

(1) 子母穿梭车立体库系统组成

图 4-25 是一个应用了子母穿梭车的立体库系统，主要包括：托盘货物 1、子穿梭车 2、提升机 3、母穿梭车 4 和货架系统 5。货架系统 5 包括横向的支巷道和纵向的主干巷道，托盘货物 1 存放在支巷道中，子穿梭车 2 的结构基本上就是托盘库两向穿梭车，在支巷道中进行存取托盘货物作业，母穿梭车 4 在主干巷道中行走，可以接驳子穿梭车 2 载来的托盘货物，也可以只接驳子穿梭车 2 进行换支巷道或者换层作业，母穿梭车 4 与提升机 3 对接，提升机 3 与母穿梭车 4 接驳移载托盘货物后，下降到最低处，将托盘货物移载给出库输送线。主干巷道如选场地较长的方向，这样支巷道短一些，存放托盘货物种类多，有利于拣选；主干巷道如选场地较短的方向，支巷道长得多，存放托盘货物种类少，适合于托盘货物种类少、数量大的场景。

图 4-25 子母穿梭车立体库系统

1—托盘货物；2—子穿梭车；3—提升机；4—母穿梭车；5—货架系统

托盘货物在子母穿梭车立体库货架的存取运动有三个方向：主干巷道、支巷道和竖直方向，分别对应堆垛机的水平行走、货叉伸缩和竖直方向升降；堆垛机的三个运动都是由堆垛机一个设备完成，尽管堆垛机水平行走和竖直方向升降大部分时间是并行的，但这两个运动与货叉伸缩运动是串行的，会造成堆垛机作业时间的浪费，导致作业效率降低；子母穿梭车立体库中三个运动分别由三个设备完成，大部分时间是并行的，只有少部分时间是串行的，所以作业时间浪费少，作业效率高一些。

子穿梭车不是只在支巷道中作业，也会行驶到母穿梭车上，随母穿梭车一起行走，所以子穿梭车的供电方式就不适合用滑触线供电，而是选用锂电池或超级电容，这一点和托盘库两向穿梭车有很大不同。

(2) 子母穿梭车立体库特点

① 子母穿梭车属于多深位密集仓储系统，仓储能力大，但柔性略差。仓储能力基本上达到最大化，实现仓库空间资源的最大化利用。同等条件下，仓储能力是堆垛机型立体库的 1.2～1.4 倍，多深位存储，柔性较弱，可拣选性差，适用于定制性的仓储。

② 在子母穿梭车系统中，母车与子车作业模式灵活。同层母车携带子车在密集库主干道行驶，当抵达指定支道时，子车脱离母车，自主在支道上进行货物存取作业；与此同时，母车可在主干道上接驳协同其他子车作业。总体来说，同层母车可协同多个子车作业，也可通过提升机实现跨层作业，整体系统效率高，经济性好。

③ 子母穿梭车系统能够实现自动化运行。子母穿梭车是一种用于自动化物流系统中的智能型搬运设备，具有动态移载的特点，能使物料在不同工位之间的输送布局更加紧凑、简捷，从而提高物料的输送效率。子母穿梭车的托盘能够实现自动化运行，使子母穿梭车的货物运输量得到了极大程度的提高，保证了货物运输量和运输效率。

④ 运行误差低。子母穿梭车运行时，可以通过对子车运行状态的检测来确定其在干道上面的运行进度，实时把握设备的运行状态，降低设备的运行误差率。

⑤ 子母穿梭车立体仓库相比堆垛机型立体仓库更节能。堆垛机水平行走时，质量较大，而母穿梭车行走的质量要小得多，且升降部分的质量也小一些，所以更加节能。在同样载重 1t 的情况下，堆垛机自重达到 2t 以上，功率超过 10kW，子母车系统则只需要 3kW，节能明显。

⑥ 实现了整个仓库系统内部子系统的相互融合，能够共享数据，实现信息共享，能够更好地实现仓库中的实时仓储情况管理。

4.4.2 子母穿梭车工作原理

这里以出库作业为例，说明子母穿梭车的工作原理，入库作业过程与之相反，不再赘述。

(1) 子穿梭车支巷道作业，母穿梭车主干巷道搬运

子母穿梭车包括子穿梭车和母穿梭车，子穿梭车就是 4.1 节中介绍的托盘库两向穿梭车，子穿梭车主要在支巷道中作业，母穿梭车只在主干巷道上行驶。当子穿梭车在支巷道中顶升托盘货物到支巷道口，请求母穿梭车来取货，如图 4-26(a) 所示，母穿梭车在主干巷道上过来接驳托盘货物；图 4-26(b) 为母穿梭车和子穿梭车即将接驳的状态，此时母穿梭车的轨道和支巷道的轨道对齐，子穿梭车顶升托盘货物自动行驶到母穿梭车上，如图 4-26(c) 所示状态，这个过程中托盘下表面高于母穿梭车链式输送机；图 4-26(d) 状态为子穿梭车顶升系统下降，托盘货物落在母穿梭车链式输送机上；子穿梭车顶板与托盘之间有一定距离，子穿梭车离开母穿梭车，如图 4-26(e) 所示，待子穿梭车完全离开母穿梭车，母穿梭车载着托盘货物沿着主干巷道向提升机方向行走，如图 4-26(f) 所示。子穿梭车和母穿梭车的数量不一定相同，一般来说母穿梭车数量少一些。

(2) 母穿梭车载子穿梭车换支巷道

在子穿梭车数量少于支巷道数量的场景，接到出库任务时，母穿梭车载着子穿梭车向目标支巷道方向行走，当到达某目标支巷道时，子穿梭车从母穿梭车中释放，子穿梭车到该支巷道中进行存取托盘货物作业，母穿梭车此时不再等待该子穿梭车，而是继续向前或反向行驶，去接驳其他支巷道的子穿梭车托盘货物或子穿梭车，这样就节约了母穿梭车的等待时间，从而大大加快了作业的速度。

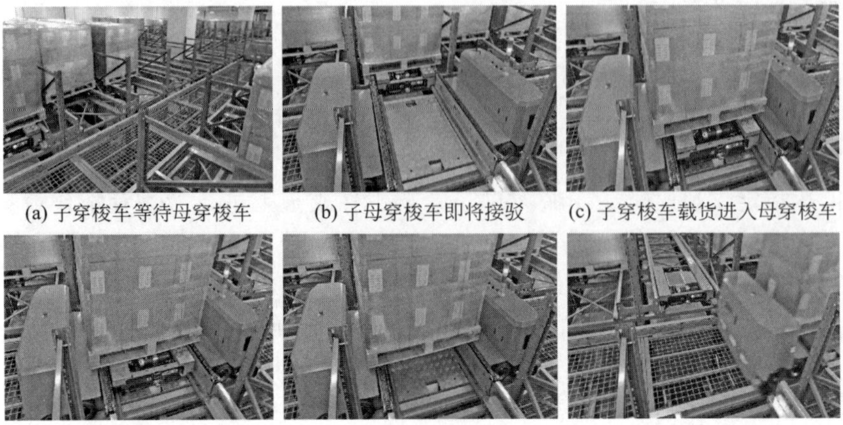

(a) 子穿梭车等待母穿梭车　(b) 子母穿梭车即将接驳　(c) 子穿梭车载货进入母穿梭车

(d) 子穿梭车将货物放到母穿梭车上　(e) 子穿梭车离开母穿梭车　(f) 母穿梭车纵向搬运

图 4-26　子母穿梭车工作原理

子母穿梭车技术目前通常用于托盘立体库，这是因为托盘库母穿梭车能够移载托盘货物，子穿梭车也能进入或离开母穿梭车，而料箱库母穿梭车由于设置宽度可变的伸缩货叉，其要给子穿梭车留出空间，结构设计难度大、结构复杂，所以母穿梭车没有伸缩货叉不能移载料箱货物，所以只能通过载着子穿梭车移载料箱到提升机，这样子穿梭车就增加了母穿梭车的负载，且减少了子穿梭车独立运行的时间，效率反而不高，所以，料箱库不适合用子母穿梭车方案。

由于近年来子母穿梭车技术逐渐被四向穿梭车取代，应用越来越少，所以本节只是简单介绍子母穿梭车技术，不做深入分析。

子穿梭车一般是两向穿梭板，子穿梭车没有特别的新技术，所以主要讨论母穿梭车。

4.4.3　母穿梭车

(1) 母穿梭车分析

① 托盘母穿梭车要给子穿梭车留出存放空间，便于子车把托盘放到母车上，子车顶升装置下降，把托盘放置在母车的链条式移载装置上承载托盘，此时子车可以脱离母车。如果子车不脱离母车，托盘就不需要放置在母车的链条式移载装置上。子车不在母车上时，母车通过提升机下降后，通过链条式移载装置把托盘移载至输送线。

子车顶升托盘进入母车时，托盘的高度要高于母车的移载装置，这样子车才能进入母车。子车顶升装置下降后，子车的顶板要低于母车的移载装置，这样便于子车脱离母车独立运行。若子车顶升距离 22mm，顶升装置下降后，顶板与链条上表面的距离在 12mm 左右，如图 4-27 所示。

② 托盘母穿梭车的行走轮多为 8 轮，如图 4-28(a) 所示，进出提升机时不受货架轨道与提升机之间缝隙的影响。有的行走轮是 4 轮，如图 4-28(b) 所示，直径较大，但仍受货架轨道与提升机之间缝隙的影响。

③ 托盘母穿梭车技术性能参数。常用托盘母穿梭车的一组参数：

a. 最大行驶速度：空载 2m/s，满载 1.5m/s；

b. 最大加速度：空载 $0.5m/s^2$，满载 $0.2m/s^2$；

c. 最大载重：1500kg；

图 4-27　子母穿梭车工作原理

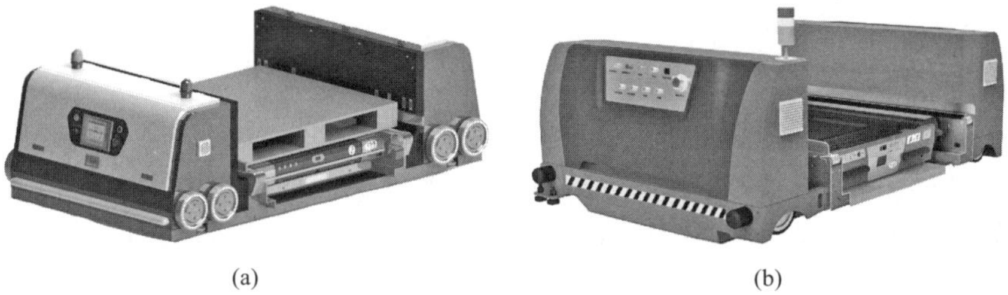

图 4-28　不同行走轮数量的母穿梭车

d. 定位方式：激光定位；

e. 外形及关键尺寸如图 4-29 所示。

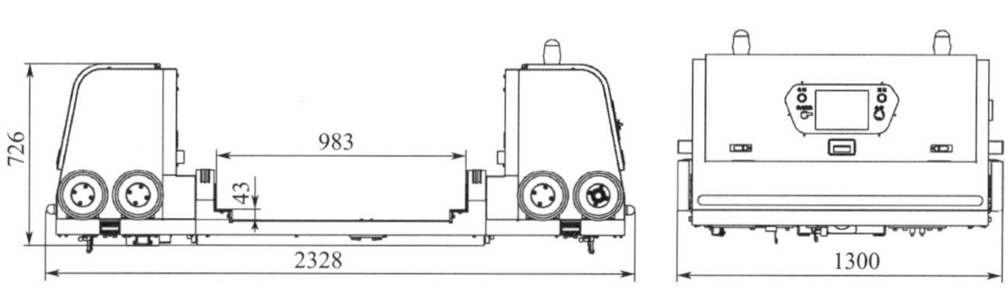

图 4-29　母穿梭车外形及关键尺寸

④ 穿梭车母车功能：

a. 穿梭车母车是子母穿梭车系统的主干巷道搬运设备；

b. 接子穿梭车切换支巷道或换层作业使用；

c. 将托盘单元移载到出入库口输送机上；

d. 速度高，定位精度准确；

e. 母车可以在运行中通过电池给子车充电。

（2）子母穿梭车逐渐被淘汰原因分析

料箱式母穿梭车为什么很少用了？母穿梭车的伸缩货叉要么能变宽度，自己可以移载料箱，要么只能载着子车一起运动，用子车的伸缩货叉移载料箱。母车上的伸缩货叉宽度变化范围较大，所以实现难度大。母车带着子车行走，子母车分离作业的时间就大大缩短了，而且母车增加了子车的运行质量，这个方案就被四向穿梭车取代了。另外，托盘母车的尺寸也比托盘大得多，导致提升机等尺寸相应增加，所以托盘母车也逐渐被四向穿梭车取代。

可以说子母穿梭车是两向穿梭车的技术发展，但仔细思考，子母穿梭车需要两套行走机构、两套移载装置（顶升移载、链式移载）、两套电源。两套行走机构、两套移载装置、两套电源如能分别合并，就能大大节省设备成本。四向穿梭车就是按照这样的组合创新原理发明的。

子母穿梭车是通过子穿梭车和母穿梭车两个垂直方向的运动，实现对货物到货格的存取，如果把子穿梭车和母穿梭车合为一体，不用分离和组合动作，那么子母穿梭车就变成了四向穿梭车。

4.5 托盘库四向穿梭车

以四向穿梭车为核心设备的立体仓库，有存储托盘货物的，也有存储料箱货物的，前者用顶升式四向穿梭车存取托盘单元，后者用夹抱式四向穿梭车存取料箱单元。四向穿梭车一般有两套轮系，可以自主完成“前后左右”的运行，一套负责纵向行走，另一套负责横向行走。穿梭车在轨道上运行，遇到换向处，是通过更换轮系来完成的。因此，货物单元的方向在整个作业时间内是不变的。四向穿梭车既可以实现在巷道内的出入库作业，又可以实现在同一层的不同巷道切换。在竖直方向，四向穿梭车可通过与提升机的灵活匹配，实现立体三维空间内任意货位的存储。

本节先讨论托盘库四向穿梭车。

4.5.1 四向穿梭车托盘库概述

(1) 四向穿梭车托盘库组成

如图 4-30 所示，四向穿梭车托盘库，主要包括：四向穿梭车用货架 1、托盘货物 2、四向穿梭车 3 和提升机 4。和两向穿梭车托盘库、两向穿梭车料箱库均不同，四向穿梭车用货架 1 上既有托盘下面的纵向轨道，又有与纵向轨道垂直的横向轨道，四向穿梭车 3 既可以进入纵向轨道内，又可以行驶到横向轨道顶升搬运托盘货物，只不过两种轨道上运动方向垂

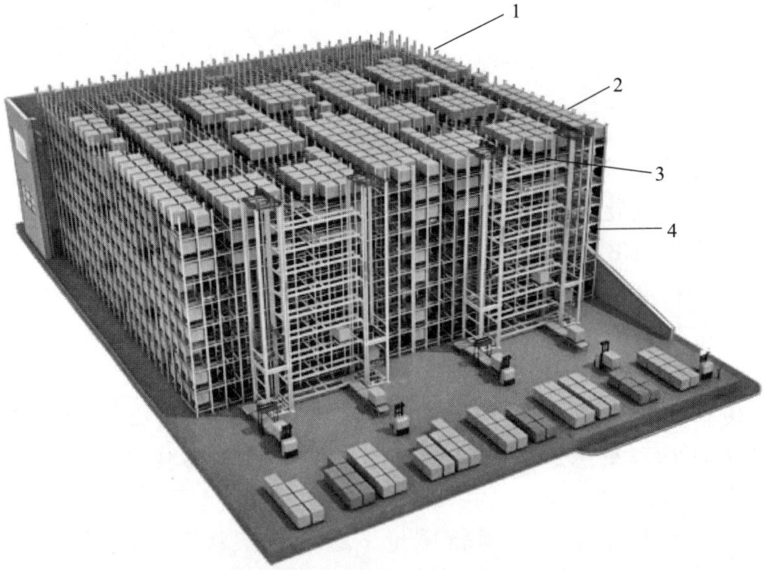

图 4-30 四向穿梭车托盘库

1—四向穿梭车用货架；2—托盘货物；3—四向穿梭车；4—提升机

直，需要行走轮的切换。四向穿梭车 3 在纵向轨道行驶可以载着托盘货物进入提升机，也可以空车进入提升机 4 进行换层作业。四向穿梭车 3 相当于子穿梭车和母穿梭车的合体，既可以去支巷道取货，也可以在主干巷道行走，而且不用合体和分体，用一套电源即可，质量小于子穿梭车和母穿梭车质量之和。

为了更好地理解四向穿梭车托盘库横向轨道和纵向轨道的关系，用图 4-31 来说明，大部分纵向轨道上均存储了托盘货物，只有部分纵向轨道是空的，用于四向穿梭车载着托盘货物行走的通道；而横向轨道都不是能够放置托盘货物的轨道，只是能够让四向穿梭车载着托盘货物行走，横向轨道的多少取决于货物种类的多少和存储密度的要求，所以说横向轨道和纵向轨道的结构是不同的。

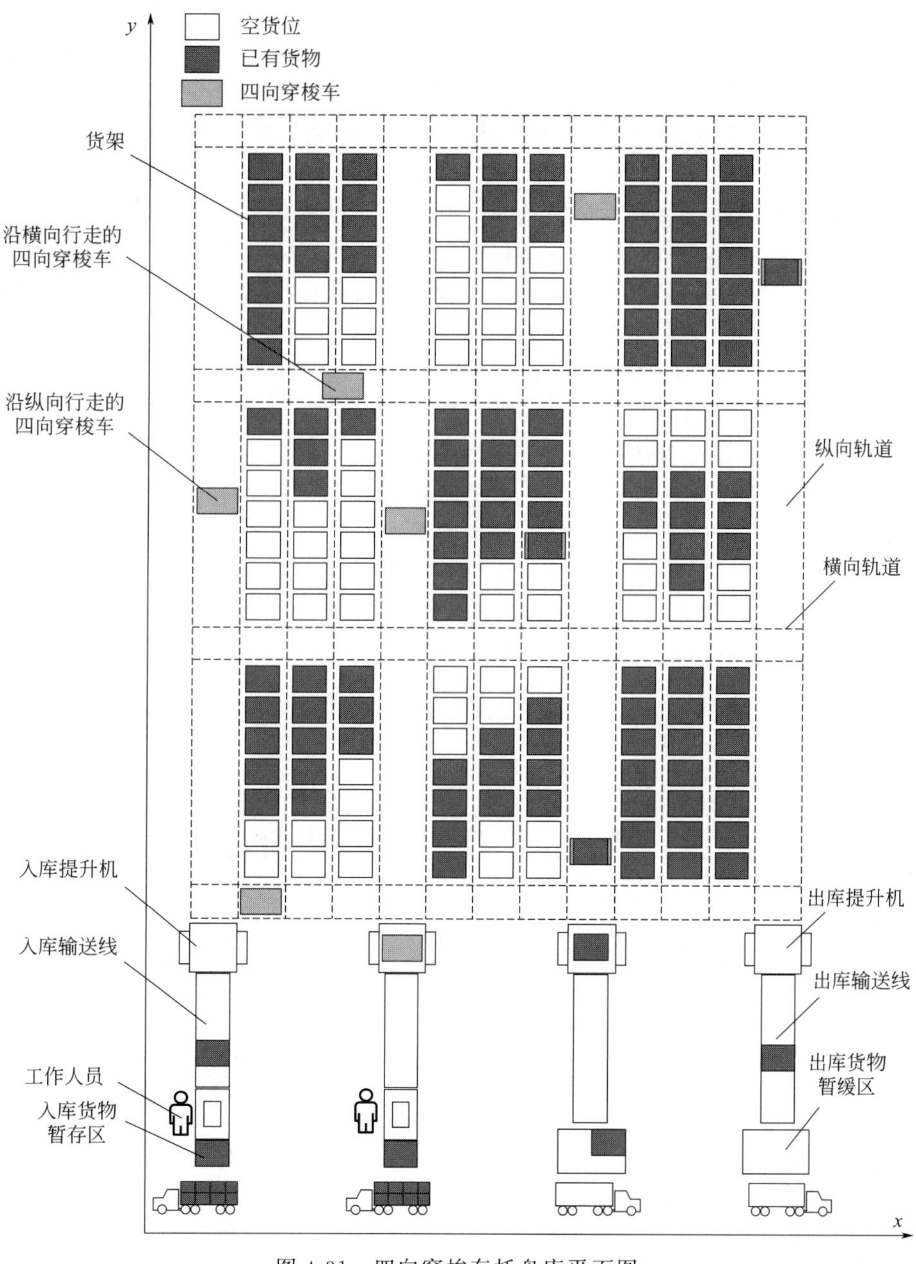

图 4-31　四向穿梭车托盘库平面图

(2) 四向穿梭车托盘库和堆垛机型托盘库的对比分析

四向穿梭车具有灵活性高、可任意变换作业巷道，并通过增减穿梭车的数量来调节系统的能力，必要时可通过组建作业车队的调度方式来应变系统的峰值，解决出入作业的问题。理论上讲，只有一台车可以实现整个货架内的所有空间托盘货物的存取，所以用户只需扩展货架，就可以满足存储空间的需求，对于高峰订单的需求，可以通过增加四向穿梭车数量来满足出入库频率的需求，非常方便而经济。

四向穿梭车和堆垛机两种设备有着各自不同的特点，因此在应用上也会有所区别。四向穿梭车与堆垛机在自动化立体库中的应用区别如下。

① 对仓库建筑的要求不同。四向穿梭车托盘仓库布局受仓库是否方正、是否受立柱的影响小，不像使用堆垛机型仓库容易受不方正、立柱的影响。四向穿梭车托盘仓库既适合高的仓库，也适合低的仓库，而堆垛机型仓库更适合高的仓库，高的仓库更能发挥出堆垛机的优势，并能够降低仓库成本。

② 成本的不同。一般情况下，每条通道都需要一台堆垛机，而堆垛机的造价较高，这样导致立体库建设成本增高了。而四向穿梭车立体库是根据整体仓库的效率要求来选择数量，因此在一般的情况下，四向穿梭车立体库方案相比堆垛机立体库来说，成本要低一些。

③ 工作效率不同。在实际应用中，四向穿梭车的工作效率相比于堆垛机，要低一些，因为它的运行速度比堆垛机低。四向穿梭车的所有通行都必须在预定规划的路线中运行，它的转向需要通过行走轮的升降而更换轨道，不像堆垛机，一般只在一个巷道中，在天轨与地轨间运行，可以更快地提升其运行速度。

④ 系统关键设备冗余度不同。四向穿梭车之间是可以达到相互替换的，当在进行作业操作时，其中某台穿梭车或者是提升机出现故障时，便可以通过调度系统来调度其他四向穿梭车或提升机，继续完成正在进行的作业，使其系统能力不受影响。而堆垛机型立体库，一般一个巷道只有一台堆垛机作业，一旦该堆垛机发生故障，则整个巷道的存取货物作业都受影响。

⑤ 仓库空间利用率不同。四向穿梭车货架可像贯通式货架一样，可以实现密集式存储，因为四向穿梭车可以由轨道直接到达任一指定的货位，可以根据托盘货物种类的多少灵活设置横向轨道的多少，可以少占用空间。而堆垛机巷道比四向穿梭车横向的轨道宽，空间利用率就低一些。

其他不同点这里不再分析，详细情况见表 4-5。

表 4-5 堆垛机型托盘库与四向穿梭车托盘库对比

项目类型	堆垛机型托盘库	四向穿梭车托盘库
堆放方式	自动窄巷道高层货架	自动密集型高层货架
仓库条件	适用于仓库层高较高、布局规整的矩形仓库	适用于仓库层高有限、多立柱、形状不规则的仓库
载重范围	额定载重 1～3t，最高可达 8t	额定载重多为 2t
作业效率	单机作业模式，效率有限	多设备联动作业，效率较高
存储密度	采用单深位或双深位设计，容积率约 30%～40%	根据需求设计进深数，容积率约 40%～60%
作业柔性	仓库布局完成后无法更改，堆垛机固定轨道运行，数量无法增减	可增减四向穿梭车数量，适应作业量需求变化

续表

项目类型	堆垛机型托盘库	四向穿梭车托盘库
建设成本	建设成本较高，库位量较少，单个货位平均成本高	建设成本低，库位数量多，单个货位成本低
维修方式	单机故障巷道停摆，须在库内维修、保养	故障车辆可由正常车辆推出巷道，可在库外维修、保养
运行噪声	设备自重约 3～5t，运行噪声较大	车体自重较小，运行噪声较小

综上所述，可以看出穿梭车立体库以及堆垛机立体库之间的区别，在选型时可参考以下几点：

① 如果对仓库存取效率要求较高，且需要快速地出入货物，如果选用四向穿梭车则需要增加穿梭车数量或者选用堆垛机；

② 如果仓库的建筑高度低，或者立柱多，或者不方正，可以选用四向穿梭车立体库；

③ 如果仓库的建筑高度高，巷道长度又长，可以选用堆垛机型立体库；

④ 如果需要控制成本或每个巷道的长度较短，可以选用四向穿梭车立体库。

(3) 四向穿梭车托盘库和两向穿梭车托盘库的对比分析

四向穿梭车托盘库和堆垛机型托盘库相比，有着鲜明的技术特点和优势，那么与两向穿梭车托盘库之间有什么异同点呢？

① 两向穿梭车托盘库是每排贯通货架都要有一个两向穿梭车作业，两向穿梭车要想换一排贯通货架作业，就需要在出/入库口有叉车协助换排作业，叉车擅长竖直方向作业，换层作业简单一些，但换排作业需要有横移功能，所以叉车对两向穿梭车的换排作业效率较低。四向穿梭车托盘库不仅有纵向轨道，也有横向轨道，四向穿梭车要想换一排作业，只需到换向区由纵向轨道行走换为横向轨道作业行走，就可以到目标排的货架作业，软件调度就可以实现，无须用其他设备协助出库，提高了托盘库设备的效率和作业的柔性。

② 两向穿梭车托盘库要想实现先进先出模式的作业，需要在贯通式货架系统的两端分别设置入库口和出库口。四向穿梭车托盘库要想实现先进先出模式的作业，可以在一端设置出/入库口就可以实现，不需要在货架系统的两端分别设置入库口和出库口，这样可以大大节省仓库的出/入库口场地。

③ 两向穿梭车托盘库一般层数较少，因为叉车作业效率较低；当托盘库层数较多时，即使用堆高叉车也会成为该排货架的瓶颈。四向穿梭车托盘库层数多少均可，层数较多时，提升机也会成为对应纵向巷道的作业效率瓶颈，但四向穿梭车可以到其他空闲的提升机出入库作业，仓库效率会得到充分发挥；即使所有提升机效率都饱和了，也可以适当减少四向穿梭车的数量，降低整个仓库的成本。

总之，四向穿梭车相比两向穿梭车，能够使托盘库的自动化水平、作业的柔性化、成本的可控性更好一些。

(4) 四向穿梭车托盘库作业流程

① 入库作业流程　四向穿梭车托盘库应用场景不同，入库作业流程也不完全相同，如有的托盘库每层的出/入口处设置链条机与提升机移载货物，四向穿梭车又能进入链条机顶升链条机上的托盘货物，这样有了链条机接驳托盘货物，提升机就不需要等待与之接驳的四向穿梭车，减少了等待时间，并能够提高效率；有的托盘库每层的出/入口处没有设置链条机；有的提升机只接驳托盘货物不对四向穿梭车换层，换层作业有单独的换层提升机；有的

托盘库每层只有一台四向穿梭车，一般也不换层作业等。

这里以如图 4-31 所示的四向穿梭车托盘库四为例，说明其入库作业流程，该仓库主要由货架、四向穿梭车、提升机、输送线等组成，货架有横向和纵向轨道，四向穿梭车在货架平面内可以跨巷道作业，在竖直方向通过提升机实现跨层，立体仓库中配备多台提升机：入库与出库的提升机，提升机安装在纵向巷道前端，提升机内设置有穿梭车导轨，穿梭车可以沿纵向导轨进入提升机，实现换层。货架的第一层设有货物缓存区，该层待入库的货物或该层已出库等待提升机输送的货物可以先放置在层货物缓存区。

四向穿梭车托盘库入库作业流程如图 4-32 所示，这里说明几点。

a. 入库任务明确后，入库口确定了，入库的提升机也就确定了，只能由该提升机执行入库指令，如果提升机不处于空闲状态，只能等待。其他提升机有可能被调度执行换层指令。

b. 四向穿梭车与提升机的调度。入库指令发出后，按照先入先出原则请求与四向穿梭车进行任务匹配。四向穿梭车调度软件优先调用本层的四向穿梭车，如果有四向穿梭车处于无任务状态，则该四向穿梭车与此入库任务匹配成功，此四向穿梭车不再接受其他任务；如果没有空闲的四向穿梭车，则该入库任务进入等待队列，调度软件确定等待时间，如果等待时间短，则等待调用本层四向穿梭车；如果等待时间长或本层无四向穿梭车，则调用换层作业指令。

c. 目标层四向穿梭车与提升机进行托盘货物移载前，二者都必须到位，有一个设备没到位不执行移载程序。

d. 目标层四向穿梭车与提升机完成托盘货物移载是这样实现的：四向穿梭车由纵向轨道进入提升机中的链条式移载机，到位后顶升托盘货物，然后离开提升机回到纵向导轨。

e. 入库提升机完成入库作业后可能没有任务，也可能接收换层指令，在入库提升机和出库提升机不区分的情况下，也有可能去执行出库任务，虽然本流程已经说明不会出现这种情况，但流程图中也考虑了这点，也就是说无论入库提升机和出库提升机是否区分，本流程这部分都适用。

② 出库作业流程。四向穿梭车托盘库出库作业流程如图 4-33 所示，出库作业完成后，四向穿梭车和提升机分别释放后，分为不同情况做了流程处理。四向穿梭车释放后，可能继续出库作业，也有可能入库作业，也有可能被提升机调度去换层作业，也有可能结束作业；提升机被释放后，可能继续出库作业，也有可能去执行入库作业，也有可能被调度去对四向穿梭车执行换层作业，也有可能结束作业。

(5) 货架参数和结构设计

① 货架结构。货架基本结构如图 4-34 所示。货架的主要构件包括：

a. 立柱片，又称立柱组，是货架的主要受力支撑部件，由两根立柱、横腹杆、斜腹杆等构成，左右两侧的立柱通过横腹杆及斜腹杆固定连接，立柱正面均匀分布许多圆孔和长孔，用来挂接横梁的柱卡或者安全销；

b. 纵梁，是连接立柱片并支撑托盘货物的构件，兼作四向穿梭车在货架上行走的纵向轨道，横梁通过柱卡插入立柱孔与立柱固定连接；

c. 横梁，四向穿梭车在货架行走的横向轨道，通过单牛腿固定连接在立柱上；

d. 地脚，用于连接货架与地面，使货架更稳固；

e. 隔撑，用来连接货架，也起到安全防护作用。

② 货位尺寸的确定。堆垛机型货架的立柱把货位分成若干个货格，四向穿梭车货架结

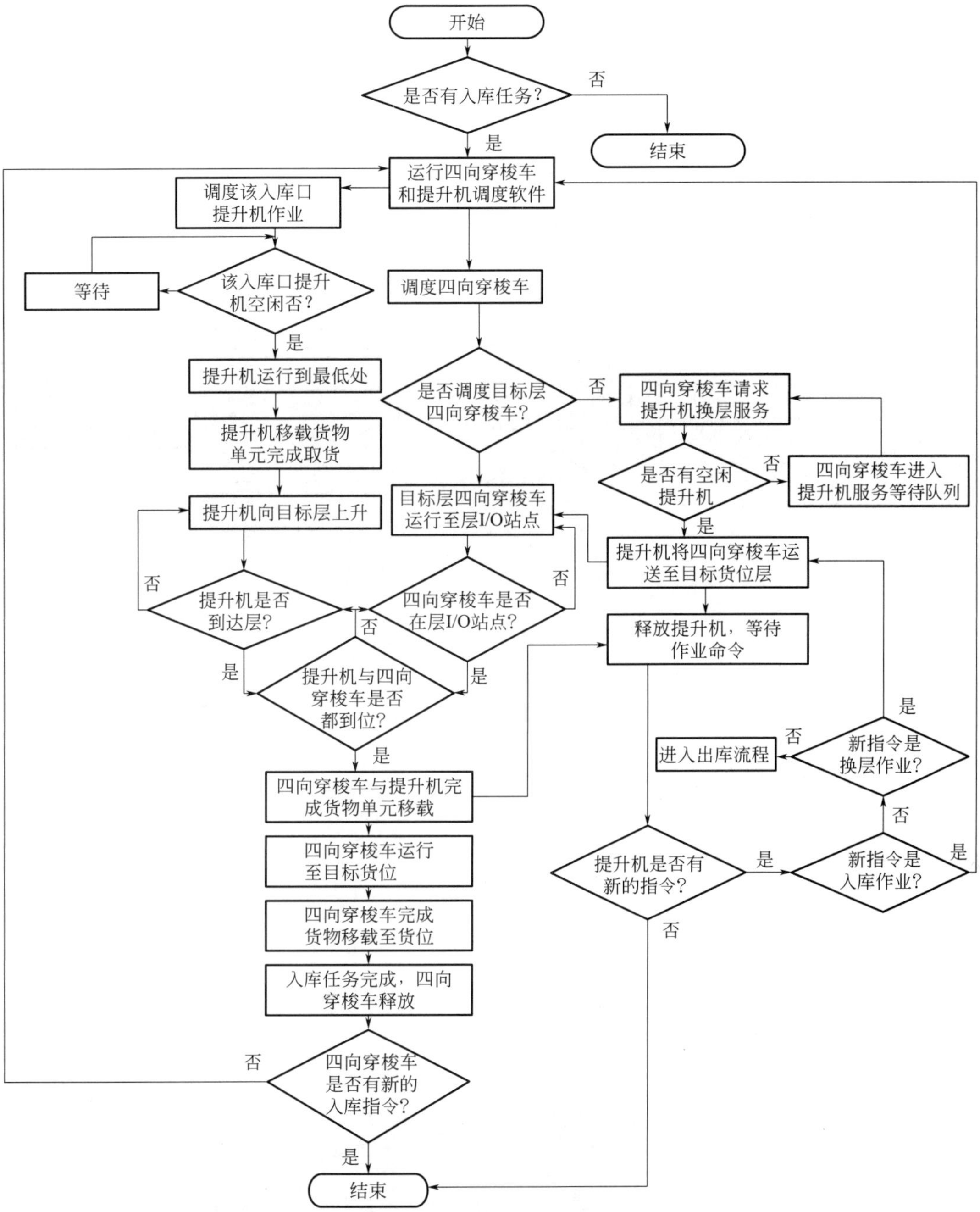

图 4-32　四向穿梭车托盘库入库作业流程

构与堆垛机型货架不同，货格的概念淡化，因为纵梁（纵向导轨）是连续的，成为一个大的货格，所以更多用货位表示与托盘货物之间的关系。四向穿梭车货位尺寸取决于托盘货物的货态，明确了托盘货物的尺寸就可以确定货位的尺寸，合理地设计货位尺寸可以有效地节省仓库空间，增加仓库的库容量，提高仓库的空间利用率。设 w_w、h_w、d_w 分别表示货位的宽度、高度和深度，w_t、h_t、d_t 分别表示托盘货物在货架上的纵向宽度、高度和横向深度，则货位尺寸有以下关系

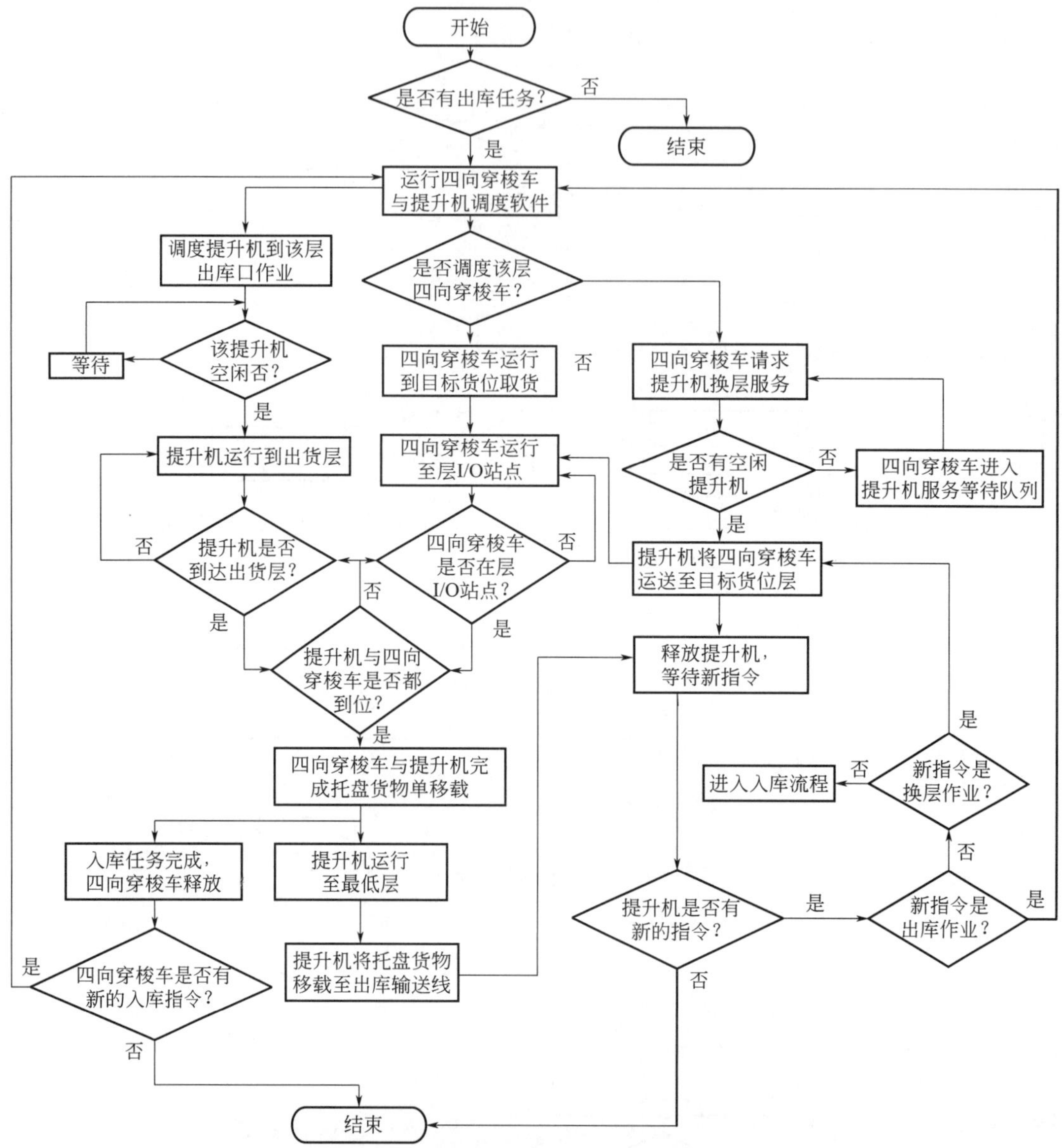

图 4-33　四向穿梭车托盘库出库作业流程

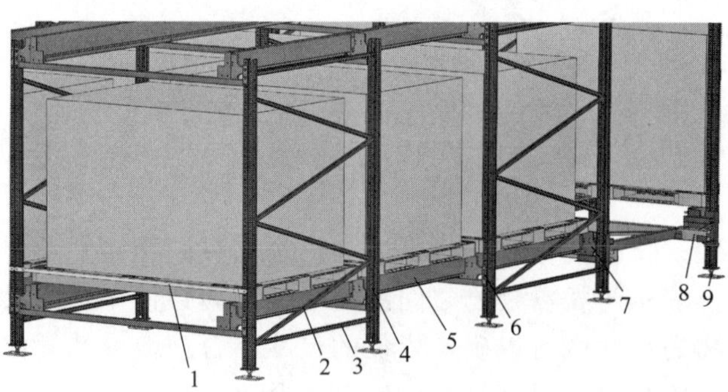

图 4-34　货架模型图

1—隔撑；2—斜腹杆；3—横腹杆；4—立柱；5—纵梁（纵向轨道）；
6—柱卡；7—单牛腿；8—横梁（横向轨道）；9—地脚

$$w_w = w_t + a_1 \tag{4-22}$$

$$h_w = h_t + b_1 + c_1 \tag{4-23}$$

$$d_w = d_t + (200 \sim 300\text{mm}) \tag{4-24}$$

式中　a_1——托盘货物两侧与相邻托盘货物之间的间隙，一般取 75～100mm；

b_1——行走轨道与托盘底面的距离，大小取决于四向穿梭车纵向轮最低点到顶板的距离，如 b_1=150mm；

c_1——预留安全距离，一般取 150～200mm。

4.5.2　四向穿梭车运动系统分析

(1) 运动分析

托盘库四向穿梭车纵向行走轨道在托盘的下方，如图 4-35 所示，轨道的高度取决于四向穿梭车的厚度，四向穿梭车的厚度影响了货架的层高，从而也影响了货架的存储能力，所以四向穿梭车的厚度是非常重要的性能参数。托盘库四向穿梭车相比托盘库两向穿梭车，由于其行走轨道的不唯一性，所以不能使用滑触线供电，一般选用锂电池供电，移动电源又要占用一部分空间，导致托盘库四向穿梭车内部结构设计难度较大，尽可能地减少驱动数量，不仅能够降低产品成本，也能减少空间布局的难度。

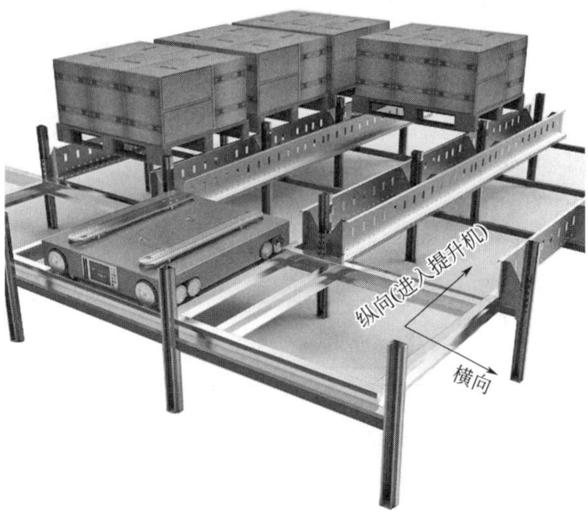

图 4-35　托盘库四向穿梭车纵向轨道与横向轨道

托盘库四向穿梭车共有四个运动，如表 4-6 所示，可做以下分析：

① 纵向行走时，横向不行走，且横向行走轮悬空，无负载，同样地，横向行走时，纵向不行走，且纵向行走轮悬空，无负载，所以纵向行走与横向行走可以考虑用同一个直流伺服电机驱动，这是基于一个方向行走时，另一个方向的行走轮可以空转，消耗不了多少能量。纵向行走与横向行走共用一个驱动是目前四向穿梭车普遍采用的技术。

② 顶升运动是四向穿梭车顶起托盘货物离开轨道上表面，顶升负载大，运动时间短；在最高状态时负载大、时间长，因为四向穿梭车要载着托盘货物在横向轨道或纵向轨道中行走，行走时间长；顶升运动下降至最低时几乎没有负载，只有顶板的质量是负载。

③ 换向运动就是四向穿梭车的换轨运动，只在更换行走轨道时运动，换轨后要求运动机构锁住行走轮的状态。换向运动与顶升运动的时间不同，相同点在于都是竖直方向的运

动，两个运动使用一个驱动有一定难度，但也有一定可能性。

表 4-6　托盘库四向穿梭车运动分析

序号	运动名称	特点	驱动减少可能性
1	纵向行走	纵向行走时，横向不行走，且横向行走轮悬空，无负载	可以用同一个驱动，一个方向行走轮负载行走时，另一个方向行走轮空转
2	横向行走	横向行走时，纵向不行走，且纵向行走轮悬空，无负载	
3	顶升运动	顶起托盘离开轨道上表面，顶升负载大，运动时间短；最高状态时负载大、时间长；下降至最低时几乎没有负载	有可能与换向运动使用同一个驱动
4	换向运动	就是换轨运动，只在更换行走轨道时运动，换轨后要求锁住行走轮的状态	有可能与顶升运动使用同一个驱动

(2) 行走运动

四向穿梭车需要从纵向轨道进入提升机实现换层，纵向轨道与提升机衔接位置存在缝隙，由于四向穿梭车自重与负载较重，这个缝隙对穿梭车的稳定性有较大的影响。如图 4-36(a) 所示，如果四向穿梭车纵向轮数量为 4 个，也就是单侧为前后各 1 个，共 2 个行走轮，那么两个轮在过缝隙时如有冲击，轮径越小，冲击越大，对四向穿梭车稳定性和可靠性有一定影响；如图 4-36(b) 所示，如果四向穿梭车纵向轮数量为 8 个，也就是单侧前后各 2 个一组，共 4 个行走轮，由于第二个行走轮的支撑作用，第一个行走轮可以悬空后越过缝隙，也不会对穿梭车行走有什么影响；如图 4-36(c) 所示，当第一个行走轮在越过缝隙后，就会成为第二个行走轮过缝隙的支撑，所以第二个行走轮悬空过缝隙也不会对穿梭车行走有什么影响。同理，四向穿梭车后面一组两个行走轮过缝隙也不会对穿梭车行走有什么影响。所以纵向轮组选用 8 个，在横向行走时没有缝隙需要越过，横向轮组选用 4 个。四向穿梭车选用“纵 8＋横 4”的轮系布局方式，如图 4-37 所示。

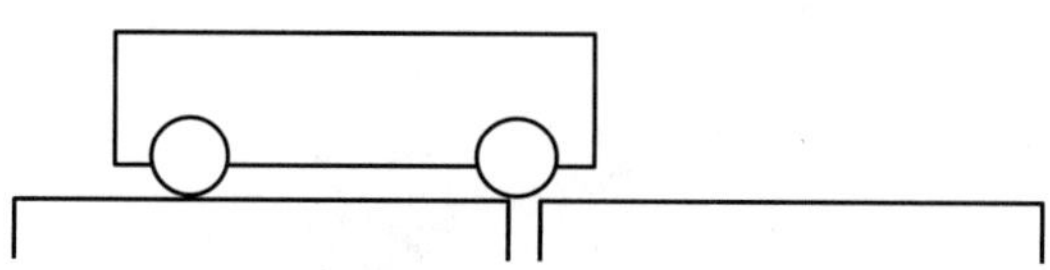

(a) 单侧两轮方案过缝隙

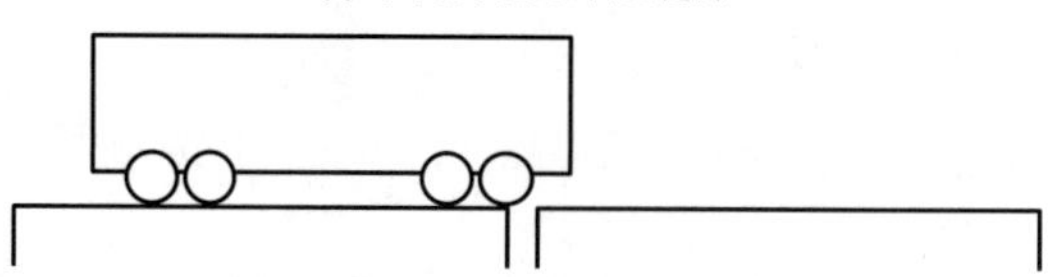

(b) 单侧四轮方案第一个轮过缝隙

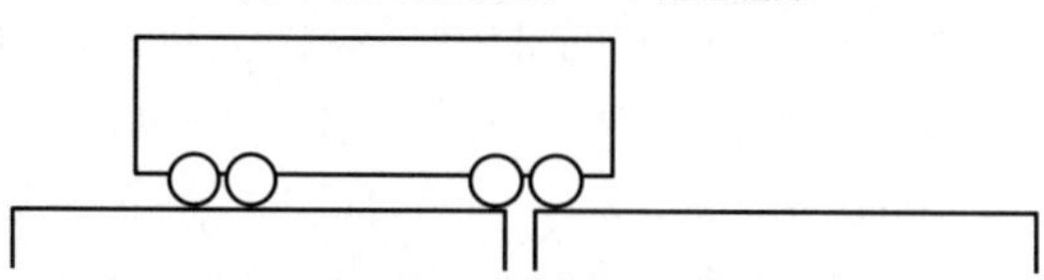

(c) 单侧四轮方案第二个轮过缝隙

图 4-36　行走机构传动方案简图

纵向行走与横向行走两套轮组，有一个电机驱动，常用的有两种方案，如图 4-37 所示。图 4-37(a) 为单向输出减速器＋轮系方案。这个方案轮系设计较为复杂，传动部件均是刚性，安装布局难度大，优点是传动精度高，传动功率大。图 4-37(b) 为垂直双向输出减速器＋链/同步带传动方案。垂直双向输出减速器是非常规减速器，可能需根据设计要求定做，减速器输出端到两个方向行走轮传动轴距离大，用链传动或同步带传动连接，此方案整体结构简单，具有一定的经济性。

两种方案都实现了当横向轮组在轨道上行走时，纵向轮组处于悬空空转状态，反之，当纵向轮组在轨道上行走时，横向轮组处于悬空空转状态。

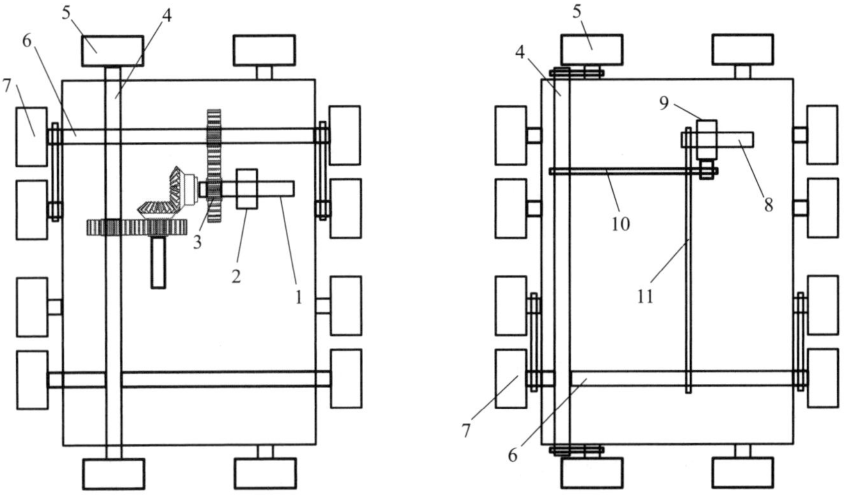

(a) 单向输出减速器+轮系方案　　(b) 垂直双向输出减速器+链/同步带传动方案

图 4-37 行走机构传动方案

1—电机Ⅰ；2—减速器；3—轮系；4—横向轮传动轴；5—横向轮；6—纵向轮传动轴；7—纵向轮；8—电机Ⅱ；9—垂直双向输出减速器；10—横向行走链传动/带传动；11—纵向行走链传动/带传动

托盘库四向穿梭车行走系统无论横向行走还是纵向行走，均采用“加速段＋匀速段＋减速段”的速度曲线，由于托盘库四向穿梭车负载较大，加速段一般选用 S 形速度曲线，如图 4-9 所示，相关的运动参数、动力参数可以参考托盘库两向穿梭车部分，这里就不再赘述。

(3) 换向运动

换向系统是四向穿梭车的关键机构，四向穿梭车在货架上可以沿横向和纵向轨道行驶，在轨道交叉处要依靠换向机构改变横向与纵向车轮之间的相对位置，实现四向穿梭车在两个方向的切换。

① 车轮升降方案。换向机构的功能是实现四向穿梭车横向与纵向轮的切换，现拟定两种方案，如图 4-38 所示。

a. 横向轮升降方案。由于横向行走轮数量要么比纵向的少，要么一样，所以升降横向轮难度小一些。横向轮升降方案中纵向轮轴与车体固定连接，通过改变横向轮的位置实现两组轮系的行走切换，如图 4-38(a) 所示。

纵向行走换为横向行走原理：纵向轮着轨时，横向轮处于悬空状态，此时车体重心与轨道的距离为 L_1。横向轮随机构运动下降至与轨道接触，此时横向轮与纵向轮都处于着轨状态，车体重心与轨道距离仍为 L_1，然后横向轮继续下降，车体重心开始上移，换向动作结束，此时横向轮着轨，纵向轮悬空，车体重心与轨道的距离为 L_2。只有横向轮上下升降，在换向过程中车体重心会发生变化，重心升降距离为 $L_2 \sim L_1$，重心变化会增加穿梭车的能耗。

b. 纵向轮和横向轮均升降方案。纵向轮和横向轮均升降方案中横/纵向轮轴与车体滑动

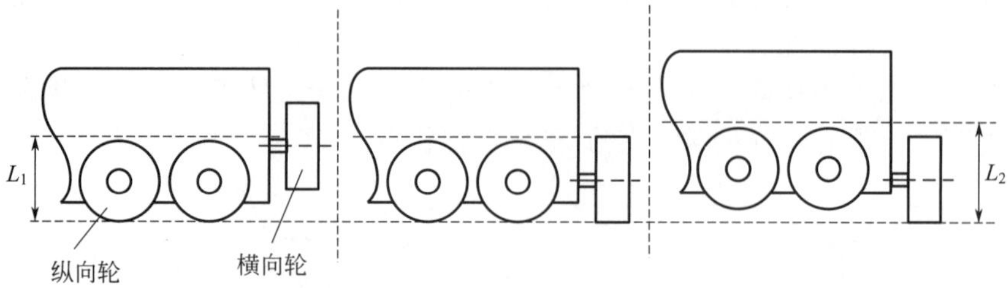

(a) 横向轮升降方案

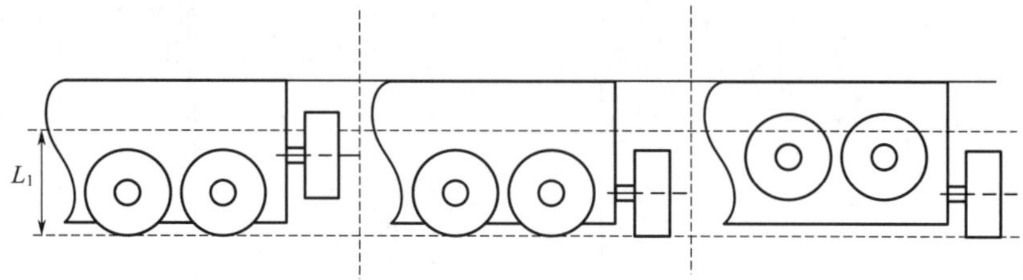

(b) 纵向轮和横向轮均升降方案

图 4-38　车轮升降方案

连接，通过改变横/纵向轮的位置实现两组轮系的行走切换，如图 4-38(b) 所示。

纵向行走换为横向行走原理：纵向轮组着纵向轨道，横向轮悬空，然后横向轮逐渐下降，当横向轮着横向轨道时，纵向轮还未离开纵向轨道，二者同时着轨，然后纵向轮相对车体再上升至最高状态，悬空，此时车体重心与轨道的距离仍为 L_1，没发生改变。也就是说横/纵向轮都可上下升降，但不同步，换向过程中，一个方向的行走轮做上升或下降运动，另一个方向的行走轮位置保持不变，整个过程中始终有轮组着轨，保证了车体重心高度不发生变化。这种换向运动是节能的。

② 换向机构。根据设计要求，为保证换向过程的稳定性和可靠性，需认真考虑机构传动方案，四种方案特点如表 4-7 所示，四种方案实际产品均有实际应用的案例，需要根据应用场景合理化选择。

表 4-7　实现直线升降运动的常见传动方式

机构方式	原理	特点
齿轮齿条机构	轮齿啮合实现齿条上下运动	可靠性高并且传动比稳定，但制造安装精度要求高
丝杠螺母	丝杠转动，螺母升降	可靠性高并且传动比稳定，但制造安装精度要求高
移动凸轮机构	移动凸轮的直线运动推动从动件做往复直线运动	体积小，结构简单，可靠性高，移动凸轮与从动件为点或线接触，易磨损，可用滚轮变滑动摩擦为滚动摩擦
液压缸	液压缸活塞杆推动从动件做直线往复运动	体积小、结构紧凑，能产生较大顶升力，但不适合低温环境

(4) 顶升运动

顶升机构功能是顶板顶升托盘货物脱离轨道上表面，且在最高处能够自锁，四向穿梭车载着托盘货物时不能让托盘货物回落。目前常见的顶升机构有移动凸轮机构、平行四边形机构、液压缸、剪刀叉机构等。移动凸轮机构、平行四边形机构容易实现在最高处自锁，不用继续施加动力；剪刀叉机构本身不具有自锁能力，需要传动装置的自锁或能够自锁的机构（如死点特性）对剪叉机构实现自锁功能；液压缸不具有自锁性，需要液压回路的自锁实现，但需要提供持续的压力，否则重载时自锁不可靠。

4.5.3　顶升运动与换向运动同驱动的托盘库四向穿梭车

4.5.2 节中已经分析了纵向和横向行走运动可以用同一个驱动实现，降低了四向穿梭车的成本和减少了驱动部件的安装空间。这里再将顶升运动与换向运动使用同一个驱动，这是目前四向穿梭车的主流技术。

(1) 原理

以四向穿梭车取货为例，说明顶升运动与换向运动使用同一个驱动方案的工作原理。此方案中横向轨道与纵向轨道不同高，纵向导轨比横向导轨高 15mm（本例中所有数据可根据需要设定），如图 4-39 所示，为了描述方便，较高的纵向导轨简称为纵向高轨，较低的横向导轨简称为横向低轨。纵向高轨被两条横向低轨截断，中间部分没有托盘支撑面，行走轮轨道面与两侧纵向高轨的高度一致；横向低轨在轨道交叉处是连续的。

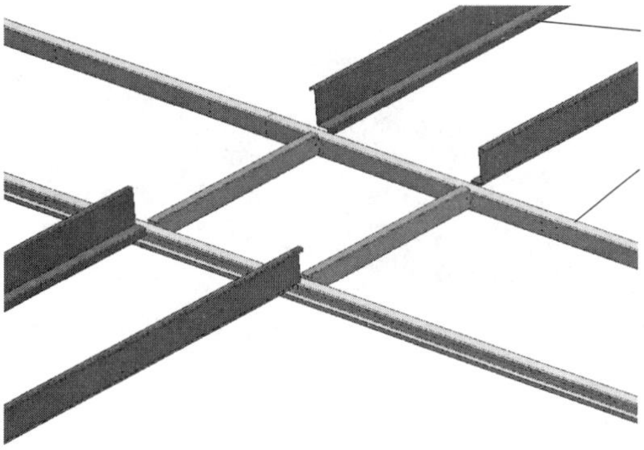

图 4-39　高低不同的四向穿梭车轨道

以取货过程为例分析该方案四向穿梭车原理，四向穿梭车存货工作过程与取货过程相反，这里不再赘述。为了表达更清晰，以托盘表示托盘货物单元。

① 四向穿梭车空车横向行驶：横向轮着横向低轨，四向穿梭车重心位置处于最低，顶板也处于最低位置，此时纵向 8 轮比横向 4 轮高 20mm，最低处比纵向高轨高 5mm，这样行走到换向区纵向轮不会被纵向高轨的中间段卡住，如图 4-40 所示。

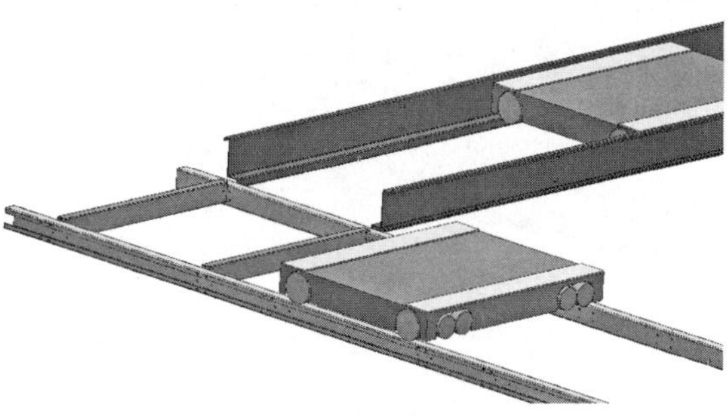

图 4-40　四向穿梭车空车横向行驶

② 四向穿梭车由横向低轨切换到纵向高轨：顶板与横向轮一起相对纵向轮（与箱体固定）上升 20mm，纵向轮逐步着纵高轨的中间段，最后横向轮悬空，顶板高度相对于纵向轮也随着上升了 20mm，但相对于纵向高轨升高了 15mm，如图 4-41 所示。

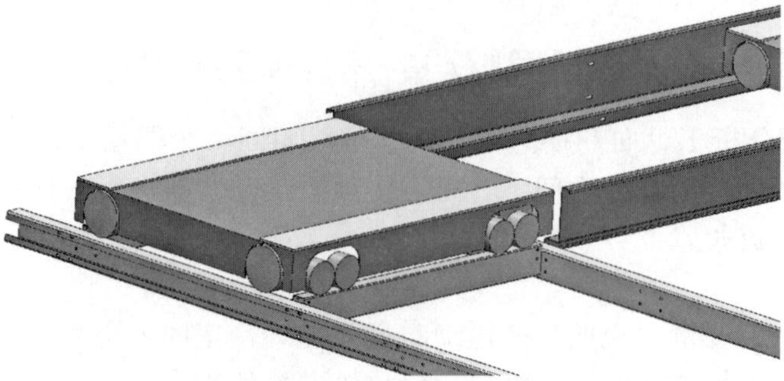

图 4-41　四向穿梭车由横向低轨切换到纵向高轨

③ 四向穿梭车纵向行驶去取货：纵向轮着纵向高轨行走，横向轮悬空，顶板位置不发生变化，低于托盘下表面 15mm，准备进入托盘下方顶升取货，如图 4-42 所示。

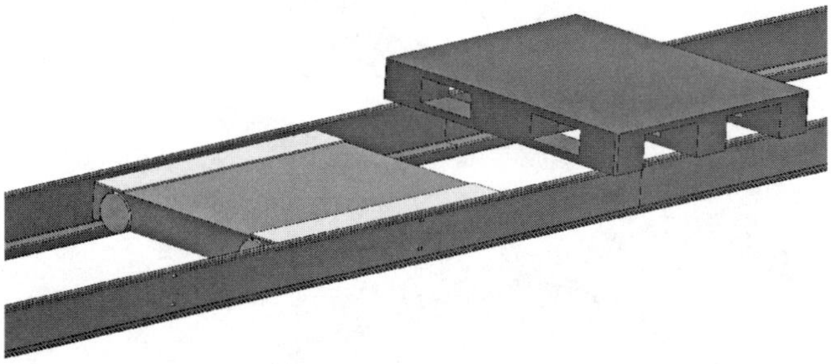

图 4-42　四向穿梭车纵向行驶去取货

④ 取货并沿纵向高轨行走：横向轮相对纵向轮再上升 25mm，顶板同步上升 25mm，此时顶升板达到最高位置，顶起货物，货物被从货架上顶起并脱离轨道上表面 10mm，四向穿梭车载着托盘货物沿纵向高轨行走，如图 4-43 所示。

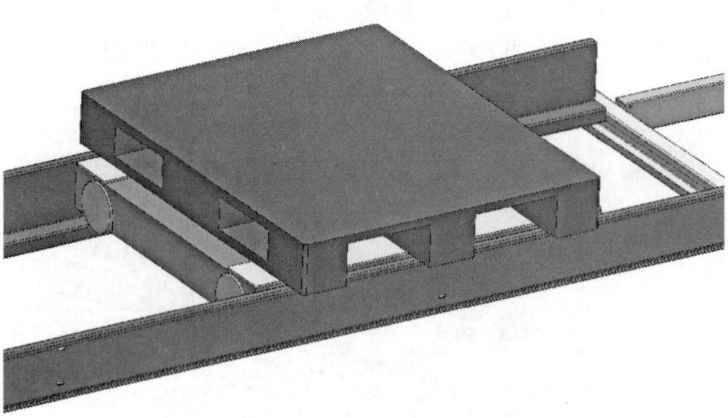

图 4-43　四向穿梭车在纵向轨道中取货并行走

⑤ 载货到达换向处：四向穿梭车载货到达换向处，此时纵向轮着纵向高轨，横向轮悬空，且距离横向低轨 40mm，如图 4-44 所示。

⑥ 纵向着轨换为横向着轨：四向穿梭车横向轮相对纵向轮下降 45mm，横向轮逐步着横向低轨，顶板位置随之下降到最低高度，此时纵向轮被抬离纵向高轨 5mm，如图 4-45 所示。

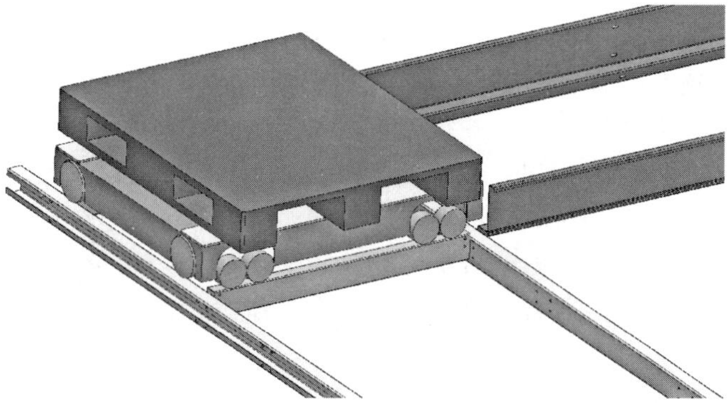

图 4-44　四向穿梭车载货到达换向处

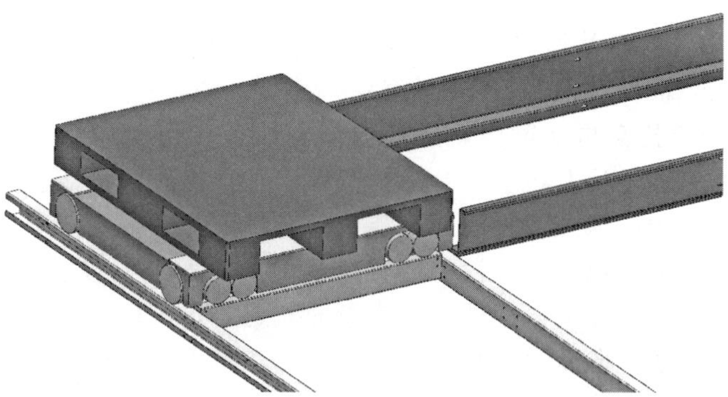

图 4-45　四向穿梭车载货纵向着轨换为横向着轨

⑦ 载货沿横向轨道行走：四向穿梭车横向轮着横向低轨，四向穿梭车载着货物在横向轨道行走。此时，顶板处于最低状态，纵向轮悬空且处于空转状态，如图 4-46 所示。

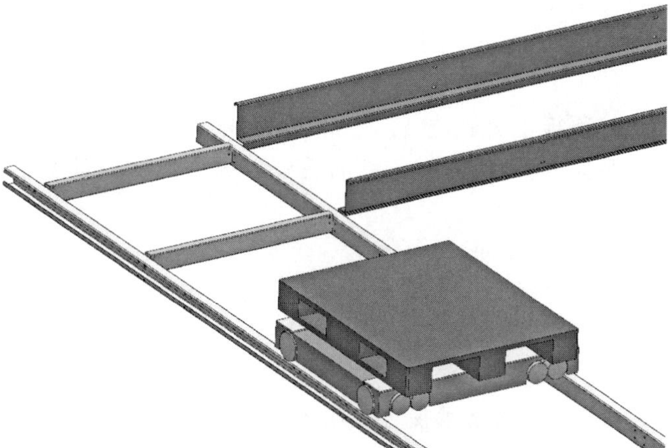

图 4-46　四向穿梭车载货沿横向轨道行走

总结上述四向穿梭车换向、顶升作业的整个过程，换向运动与顶升运动并不同步，也不在一个区域，但怎么能够用一个驱动实现呢？这是一个创新的思路，巧妙之处在于把顶升运动的行程分为两部分，一部分行程 20mm 是由横向着轨转变为纵向着轨时实现的，此部分行程对顶板来说完全是空行程，可以称为换向行程；另一部分行程 25mm 是进入托盘下方后实现的，可以称为顶升行程，这部分行程前段为空行程 15mm，后段为负载行程 10mm。托板上升的两部分高度之和构成了顶升行程 45mm，换向行程 20mm 对顶升来说是没有用的行程，是属于陪着换向运动的行程，顶升行程 25mm 对换向来说是没有用的，是属于陪着顶升运动的行程。打个比方来说，就是甲、乙两个人乘同一辆车在同一条路上同方向去购物，甲先陪着乙去购物，然后乙再陪着甲去购物，虽然两个人购物时间与地点均不相同，但甲、乙二人一直乘同一辆车，不需要分别乘一辆车，所以以此类推，换向运动与顶升运动可以用一个驱动实现。

下面分析换向与顶升运动的能耗。

① 在纵向轨道顶升过程中，顶升托盘货物负载的行程为 10mm，其他行程是顶着横向行走轮和顶板等部分，质量不算大，所以整个过程耗能不算大。

② 四向穿梭车载着托盘从纵向轨道换为横向轨道，换向行程和顶升行程总计 45mm 都要下降，这个过程能耗很少，几乎不需要能耗。

③ 四向穿梭车载着托盘再从横向轨道换为纵向轨道，换向和顶升行程总计 45mm，这时无论是换向运动部分还是顶升运动部分，都是载着托盘上升，由于托盘货物重量较大，所以这个换向运动能耗较大。那这个过程能不能只上升换向行程，而不上升顶升行程呢？结论分两种情况，如果空巷道的纵向轨道没有放置托盘的上表面（高度较高），也就是说这个巷道没有放置托盘的结构，那么从横向轨道换为纵向轨道时，可以只上升换向行程；如果空巷道的纵向轨道结构和其他纵向轨道一样，那么从横向轨道换为纵向轨道时，换向行程和顶升行程都要上升才能保证托盘货物不受纵向轨道的影响。

④ 四向穿梭车在作业过程中，要尽可能减少换向运动，特别是在载着托盘货物运动时，要尽可能减少从横向轨道换为纵向轨道，这个换向能耗较大。

为了对换向运动与顶升运动使用同一个驱动原理有更深刻的理解，用图 4-47 进一步分析。各高度符号的说明在图中已经说明，这里不再赘述，下面分析这些高度之间关系。

h_1、h_2、h_3、h_4、h_5、h_7 均属于结构参数，不是运动参数，其中容易看出

$$h_3=h_1-h_2 \tag{4-25}$$

升降系统上升 H_1 时顶板上升距离 h_6，二者并不相等，原因在于横向轮着横向地轨时，纵向轮比纵向高轨高出距离 h_5，换向时，纵向轮要着纵向高轨，就要下降 h_5，所以有

$$H_1=h_5+h_6 \tag{4-26}$$

由于 h_5、h_6 均是正数，所以运动参数 H_1 就要满足式(4-26)。

对比 h_2、h_4、h_7 符号的含义，可得到

$$h_7=h_4-h_2 \tag{4-27}$$

由于 h_7 是正数，且必须留有一定余量，否则四向穿梭车进入托盘下方时，顶板会被下凸变形的托盘卡住，所以 h_7 取值必须保证顶板不被卡住。

升降系统上升 H_2 时顶板先上升 h_7，顶板与托盘接触，与纵向轨道上表面同高度，然后顶板继续上升使托盘离开纵向轨道上表面 h_8，所以有

$$H_2=h_7+h_8 \tag{4-28}$$

由于 h_8 是正数，且必须留有一定余量，否则四向穿梭车载着托盘货物沿纵向高轨行走时，顶板外侧的托盘会有一定变形，有可能与纵向高轨上表面摩擦，所以 h_8 取值必须是托盘与纵向高轨上表面完全脱离，那么 H_2 的取值就不能太小。

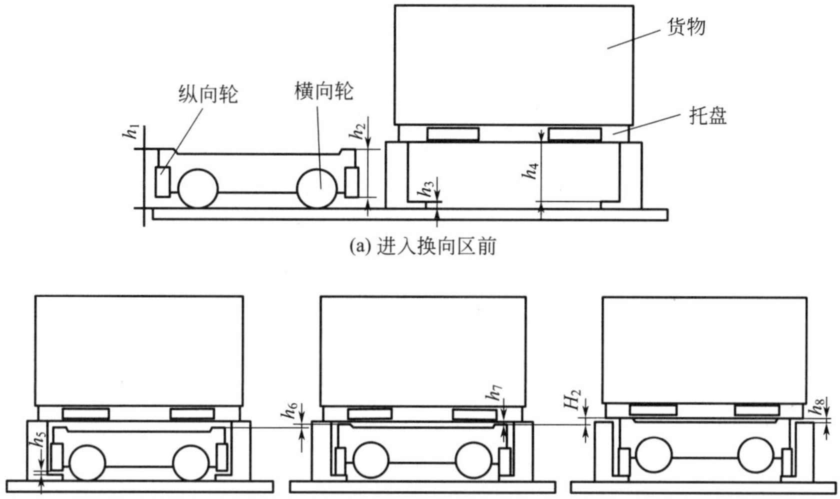

(a) 进入换向区前

(b) 进入换向区　(c) 升降系统因换向上升H_1　(d) 升降系统因顶升托盘上升H_2

图 4-47　换向运动与顶升运动驱动行程分析

h_1—横向轮底部到顶板高度；h_2—纵向轮底部到顶板高度；h_3—纵向轨道比横向轨道高出的距离；h_4—纵向轨道面到上表面距离；h_5—横向轮着横向地轨时，纵向轮比纵向高轨高出的距离；h_6—升降系统上升 H_1 时顶板上升距离；h_7—升降系统上升 H_1 时顶板与托盘之间的距离；h_8—托盘被顶升后与纵向高轨上表面之间的距离

对应前面的案例，各参数的取值情况如下：$h_3=15\text{mm}$、$h_5=5\text{mm}$、$h_6=15\text{mm}$、$h_7=15\text{mm}$、$h_8=10\text{mm}$、$H_1=20\text{mm}$、$H_2=25\text{mm}$，总行程 $H=H_1+H_2=45\text{mm}$。其他结构参数 h_1、h_2、h_4 只要确定了 h_2，剩余两个 h_1、h_4 就可根据上述参数和式(4-25)、式(4-27) 分别求得。

取值时，尤其是纵向轮底部到顶板高度 h_2，只要结构允许，尽可能设计得小一些，因为 h_2 对纵向轨道面到上表面距离 h_4 有直接影响，h_4 又直接影响层高，所以货架层数会受到影响。不能片面地强调箱体的厚度，纵向轮底部到顶板高度 h_2 才是关键因素。

(2) 结构案例

四向穿梭车是技术密集的智能设备，这里介绍的顶升运动与换向运动为同一驱动的四向穿梭车方案只是众多方案中的一个，不具有方案唯一性，其他方案的四向穿梭车可以参考其他资料。

为了更清晰地分析其结构特点，行走系统、顶升与换向系统分别介绍。横向轮既要升降，又要行走，所以两部分运动链都要有横向轮，是两个系统的交汇点。

① 行走系统结构。如图 4-48 所示，四向穿梭车行走系统结构除部分部件外，整体上呈对称布置，为了能看清内部结构，对部分零件作了隐藏或透明处理。行走驱动伺服电机 1 经减速器 2 将动力传递给驱动链轮 3，再经过链条 4 将动力传递给左右两侧的两根横向行走驱动轴 5，单根横向行走驱动轴 5 有两个传动路线：一是两端通过可伸缩的双万向铰传动 8 把动力传递给两端的横向轮 10（两个横向轮均为驱动轮）；二是经锥齿轮传动 6、定轴轮系传动 7 将动力传递给单侧的四个纵向轮 9（四个纵向轮均为驱动轮）。所有行走轮均为驱动轮，这有利于增大驱动摩擦力，驱动加速度更大一些。

之所以用可伸缩的双万向铰传动 8，主要是因为横向轮 10 要相对于安装纵向轮 9 的车体有升降运动，要保证横向行走驱动轴 5 与横向轮 10 的安装轴平行且同速转动，双万向铰

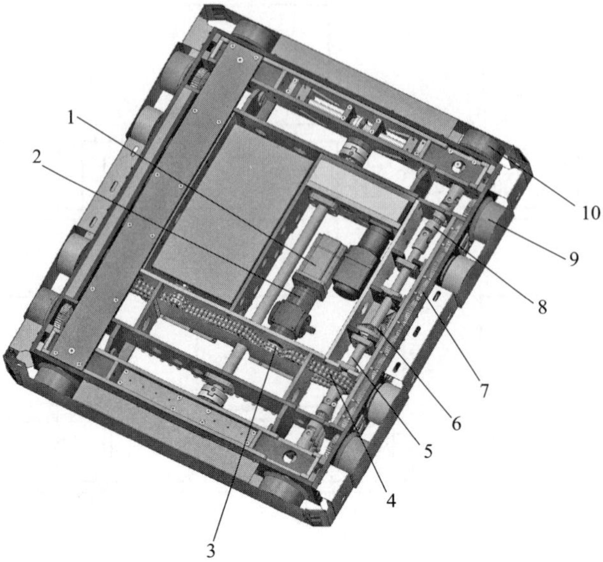

图 4-48 所有行走轮均为驱动轮的四向穿梭车行走系统

1—行走驱动伺服电机；2—减速器；3—驱动链轮；4—链条；5—横向行走驱动轴；6—锥齿轮传动；7—定轴轮系传动；8—可伸缩的双万向铰传动；9—纵向轮；10—横向轮

传动 8 具有这样的功能，原理图如图 4-49 所示，可使横向轮 10 在上下升降过程中转速稳定，双万向铰链中间的伸缩运动是由花键实现的，既承受扭矩又要滑动，是四向穿梭车很重要的零部件。

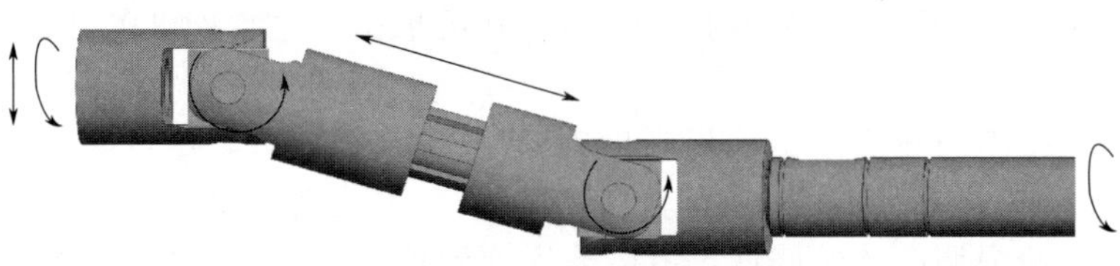

图 4-49 可伸缩的双万向铰链原理图

② 顶升与换向系统结构。顶升与换向系统如图 4-50 所示，减速伺服电机 1 经齿轮减速器 3 将动力传递给顶升与换向传动轴 2，然后将动力向轴的两端传递，两侧呈对称结构，顶升与换向传动轴 2 经联轴器 4 将动力传递给锥齿轮传动 5，改变了转动方向，将动力传给垂直方向滚珠丝杠 6，滚珠丝杠 6 再锥齿轮两侧的部分旋向相反，螺距相同，滚珠丝杠 6 的转动使两端的丝杠螺母 7 相向或者相反方向运动，丝杠螺母 7 两侧对称安装有滚轮轴承 8，滚轮轴承 8 与带有凸轮槽的立板 9 构成移动凸轮机构，滚轮轴承 8 水平移动、高度不变，驱动带有凸轮槽的立板 9 上下升降运动，且万向铰链轴承 10、横向轮 11 的轴承、顶板 12 均安装于凸轮槽的立板 9 上，所以就驱动横向轮 11 和顶板 12 上下升降。

为了更清晰地了解顶升与换向系统结构，图 4-51 从整体图中分离出来，可以明显地看出，两个顶板的两端均由顶升和换向系统支撑着，所以顶升托盘货物平稳。丝杠螺母驱动滚轮轴承水平移动，由于丝杠两端旋向相反，所以丝杠水平作用力被抵消，只有对顶板和横向轮的升降驱动力，受力状态较好。

丝杠螺母机构驱动滚轮轴承部分局部放大后，如图 4-52 所示。

丝杠螺母机构驱动滚轮轴承实现顶升的原理图，如图 4-53 所示，m_0 为托盘货物质量，

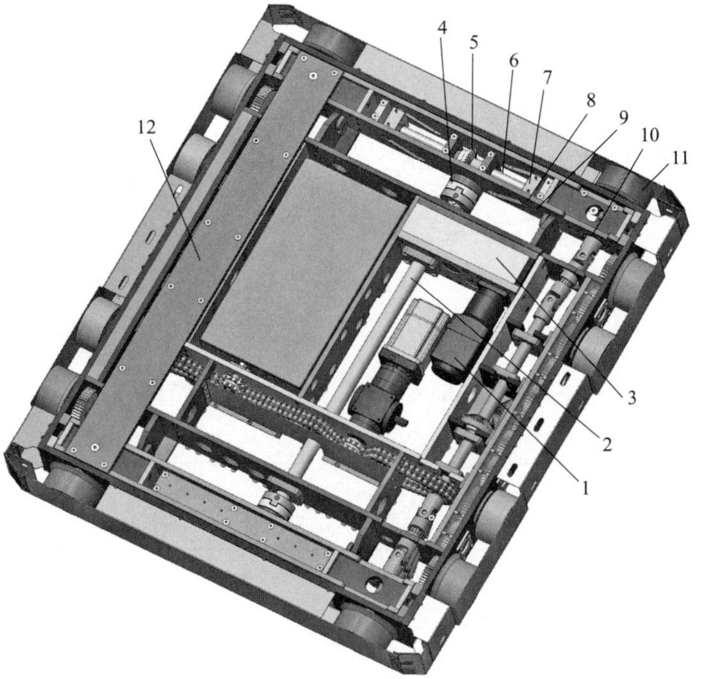

图 4-50　同一驱动的顶升与换向系统

1—减速伺服电机；2—顶升与换向传动轴；3—齿轮减速器；4—联轴器；5—锥齿轮传动；6—滚珠丝杠；7—丝杠螺母；8—滚轮轴承；9—带有凸轮槽的立板；10—万向铰链轴承；11—横向轮；12—顶板

图 4-51　顶升与换向系统结构

m_{1a} 表示四向穿梭车被顶升的部分自重，从图中可以明显地看出，F_1 和 F_1'大小相等方向相反，两个力相互抵消，F_2 和 F_2'是顶升所需要的上升动力。由于所有顶升的动力来源于同一个驱动，所以在分析最大动力时可以考虑最大负载即可。

由图 4-53 可知

$$F_2=(m_{1a}+m_0)g/4 \tag{4-29}$$

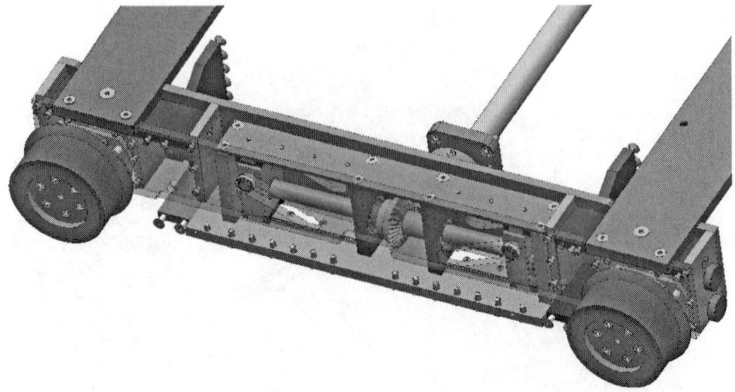

图 4-52　顶升与换向系统局部放大结构

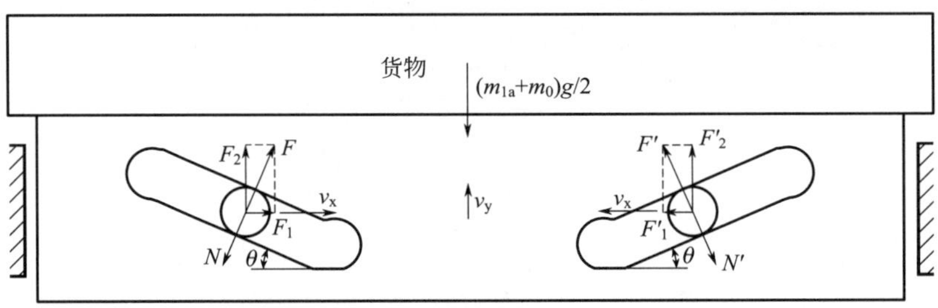

图 4-53　移动凸轮机构顶升原理分析

$$F_1=F_2\tan\theta \tag{4-30}$$

设移动凸轮机构传动效率为 η_1（包括顶升移动副效率），则实际作用在丝杠上的力

$$F_s=\frac{F_1}{\eta_1} \tag{4-31}$$

设丝杠导程为 p，丝杠螺母之间传动效率为 η_2，则单侧作用在丝杠上的扭矩 T_s 可根据旋转一圈所做的功等于力 F_s 所做的功求得

$$T_s=\frac{F_s p}{2\pi\eta_2} \tag{4-32}$$

由于单根丝杠上有 2 个丝杠螺母，则丝杠所需扭矩（即锥齿轮输出扭矩）

$$T=2T_s \tag{4-33}$$

顶升行程为 H，丝杠螺母从初始位置移动至最终位置，移动距离（即丝杠的行程）为 ΔL，则有

$$\Delta L=H\cot\theta \tag{4-34}$$

设顶升总时间为 Δt，由于顶升时间短，将顶升过程视为匀速过程，可以计算出丝杠螺母移动速度

$$v_s=\frac{\Delta L}{\Delta t} \tag{4-35}$$

丝杠的转速

$$n_s=\frac{v_s}{p} \tag{4-36}$$

单根丝杠所需功率为

$$P = Tn_s \tag{4-37}$$

设锥齿轮传动效率为 η_3，链传动效率为 η_4，则电机功率为

$$P_0 = \frac{2P}{\eta_3 \eta_4} \tag{4-38}$$

举例说明。托盘货物质量 $m_0=1000\text{kg}$，四向穿梭车被顶升的部分自重 $m_{1a}=75\text{kg}$，凸轮槽角度 $\theta=23.5°$，丝杠导程 $p=4\text{mm}$，顶升总时间 $\Delta t=3\text{s}$，顶升高度 $H=45\text{mm}$，传动效率 $\eta_1=0.85$、$\eta_2=0.9$、$\eta_3=0.9$、$\eta_4=0.9$，根据这些参数计算驱动电机的功率。

根据式(4-29)、式(4-30) 可得

$$F_2=(70+1000)\times 9.8/4=2621.5(\text{N})$$

$$F_1=F_2\tan\theta=2621.5\times\tan 23.5°=1139.9(\text{N})$$

根据式(4-31) 得实际作用在丝杠上的力

$$F_s=F_1/\eta_1=1139.9/0.85=1341.1(\text{N})$$

根据式(4-32) 得单侧作用在丝杠上的扭矩 T_s

$$T_s=\frac{F_s p}{2\pi\eta_2}=\frac{1341.1\times 0.004}{2\times 3.14\times 0.9}=0.949(\text{N}\cdot\text{m})$$

根据式(4-33) 得单根丝杠的扭矩 $T=2T_s=2\times 0.949=1.898(\text{N}\cdot\text{m})$

根据式(4-34) 得丝杠的行程 $\Delta L=H\cot\theta=45\times\cot 23.5°=103.49(\text{mm})$

根据式(4-35) 得丝杠螺母移动速度 $v_s=\Delta L/\Delta t=103.49/3=34.5(\text{mm/s})$

根据式(4-36) 得丝杠的转速 $n_s=v_s/p=34.5/4=8.625(\text{r/s})$

根据式(4-37) 得单根丝杠所需功率 $P=Tn_s=1.898\times 8.625\times 2\times 3.14=102.8(\text{W})$

根据式(4-38) 得电机功率 $P_0=2P/(\eta_3\eta_4)=2\times 102.8/(0.9\times 0.9)=253.8(\text{W})$

电机选型时，功率需再留有一定余量。链传动减速比、锥齿轮减速比计算，需确定电机具体型号后，根据电机输出转速与丝杠所需转速分配确定。

4.5.4　顶升运动与换向运动分别驱动的托盘库四向穿梭车

这里分析的托盘库四向穿梭车顶升运动与换向运动分别驱动。

四向穿梭车主要由行走系统、换向系统、顶升系统、车架、电池、控制系统等部分组成，如图 4-54 所示。下面分别介绍行走系统、换向系统、顶升系统。

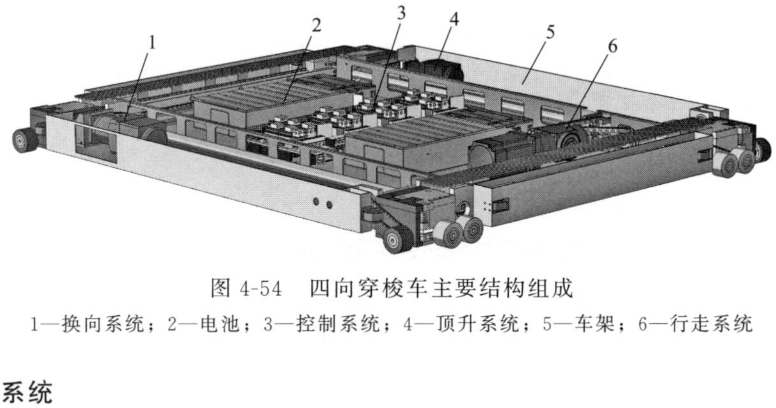

图 4-54　四向穿梭车主要结构组成

1—换向系统；2—电池；3—控制系统；4—顶升系统；5—车架；6—行走系统

(1) 行走系统

行走机构三维图如图 4-55 所示，主要包括车体、导向轮、驱动部件。车体由底壳、车

架组成，主要作用是承载四向穿梭车自重及托盘货物的质量；驱动部件主要由横/纵向轮、电机、减速器、传动轴、链轮、链条、轮轴等组成，电机与减速器固定连接，减速器的两个输出轴分别通过链传动连接横/纵向主动轴，横/纵向主动轴再通过链条带动横/纵向轮转动，所有行走轮组件固定安装在车架上。

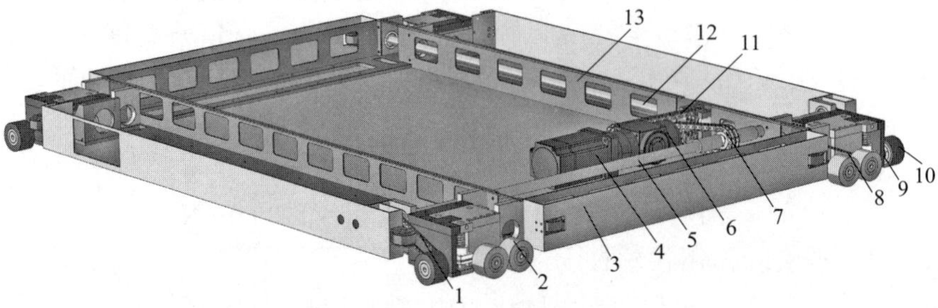

图 4-55　行走系统

1—纵向轮链条；2—横向轮；3—底壳；4—电机；5—纵向传动轴；6—减速器；7—纵向传动链条；8—横向轮链条；9—纵向轮；10—轮轴；11—横向传动链条；12—横向传动轴；13—车架

（2）换向系统

选用凸轮结构作为换向机构方案。

① 联动凸轮换向原理分析。常见的凸轮有盘形凸轮、移动凸轮和圆柱凸轮，从安装空间、使用寿命和换向速度等方面考虑，本节选择直动滚子从动件凸轮结构，通过前文分析可知，换向机构需要保证两个方向的行走轮位置一升一降，而且升降的动作不能同时发生，如果采用两个电机分别控制两个方向的行走轮升降，增加了车体自重，而且成本较高。基于凸轮轮廓的特性，提出了一种联动凸轮，可以同时控制两个方向行走轮的升降，如图 4-56 所示。

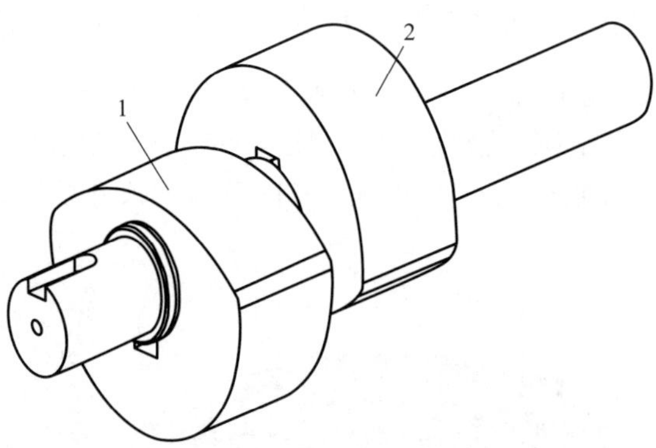

图 4-56　联动凸轮

1—凸轮Ⅰ；2—凸轮Ⅱ

两个轮廓一致的凸轮以相差 180°的角度安装在同一根凸轮轴上，当凸轮Ⅰ离凸轮轴中心最远位置与从动件接触时，凸轮Ⅱ离凸轮轴中心最近位置与另一从动件接触，两个从动件的位置形成了一个高度差，滚子从动件的运动规律与凸轮轮廓曲线之间的相互关系如图 4-57 所示。

当滚子从动件与凸轮轮廓上的 A 点相接触时，滚子从动件处于上升的起始位置，凸轮开始以角速度 ω 顺时针方向回转 Φ 时，滚子从动件被凸轮轮廓推动，以一定的运动规律由

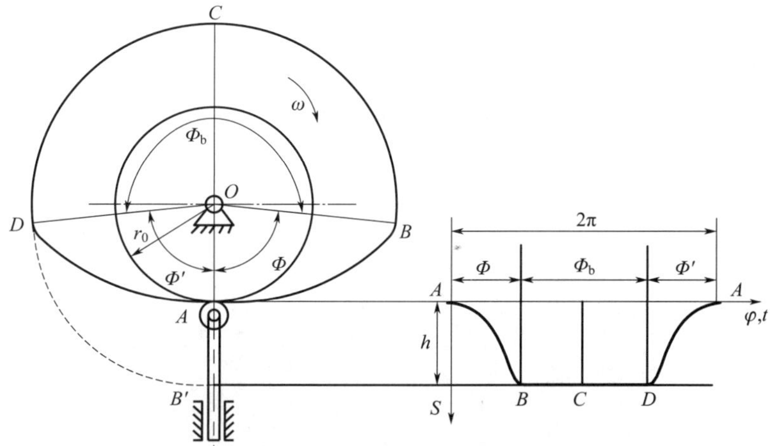

图 4-57　凸轮轮廓与从动件位移线图

离旋转中心最近位置 A 到达最远位置 B'，当凸轮继续回转 Φ_b 时，以 O 点为圆心的圆弧 BD 与滚子相互作用（C 点位于圆弧 BC 的中点），滚子从动件在最远位置停留不动，凸轮继续回转 Φ'时，从动件在弹簧或重力作用下，以一定的运动规律回到起始位置。

以四向穿梭车由横向切换到纵向为例，联动凸轮实现四向穿梭车换向的工作原理如图 4-58 所示，实线表示凸轮Ⅰ，控制纵向轮的升降，虚线表示凸轮Ⅱ，控制横向轮的升降。

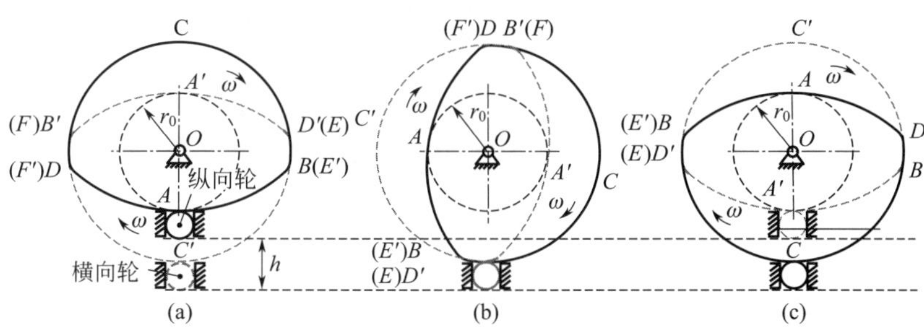

图 4-58　换向原理示意图

图 4-58(a) 中滚子从动件 1 与凸轮Ⅰ的近点位置 A 相接触，滚子从动件 2 与凸轮Ⅱ的远点位置 C'相接触，此时横向轮与轨道接触，纵向轮处于悬空状态，两行走轮在垂直方向上的距离为 h。

图 4-58(b) 中凸轮轴以角速度 ω 顺时针回转 $\Phi_b/2$ 时，凸轮Ⅰ和凸轮Ⅱ同轴旋转运动，刚开始滚子从动件 1 与凸轮Ⅰ的圆弧段 AB 相作用，由最近距离被推至最远距离，接着与以 O 点为圆心的圆弧 BE 相作用，从动件 1 停留在最远位置不动；滚子从动件 2 始终与以 O 点为中心的圆弧 $C'D'$相作用，从动件 2 停留在最远位置不动，两凸轮的相对状态如图 4-58(b) 所示，在这个运动过程中，横向轮位置保持不动，纵向轮慢慢下降至与横向轮水平。

图 4-58(c) 中凸轮轴继续以角速度 ω 顺时针回转 Φ 时，滚子从动件 1 始终与以 O 点为中心的圆弧 CE 相作用，从动件 1 停留在最远位置不动；滚子从动件 2 与凸轮Ⅱ的圆弧段 $A'D'$相作用，由最远距离回至最近距离，两凸轮的相对状态如图 4-58(c) 所示，在这个运动过程中，纵向轮位置保持不动，横向轮慢慢上升，实现轮系切换。

② 联动凸轮换向结构。换向系统结构三维图如图 4-59 所示，主要由驱动减速电机、电机传动链条、换向传动轴、联动凸轮、滚子从动件、轴承、侧板、底座、导向筒、导向柱、

盖板、链轮等组成。驱动电机通过安装板固定在车体底壳上，导向筒与车架固定连接，换向机构包含四组凸轮换向机构，每一组凸轮机构有 6 个导向柱，凸轮机构通过导向柱与车体实现滑动连接，同时导向柱还确保了横/纵向轮沿竖直方向升降。横/纵向轮轴穿过侧板固定在底座上，滚子从动件分别与各自的底座固定连接，换向电机与驱动轴通过链条传动连接，凸轮轴另一端通过链条连接同侧凸轮机构。

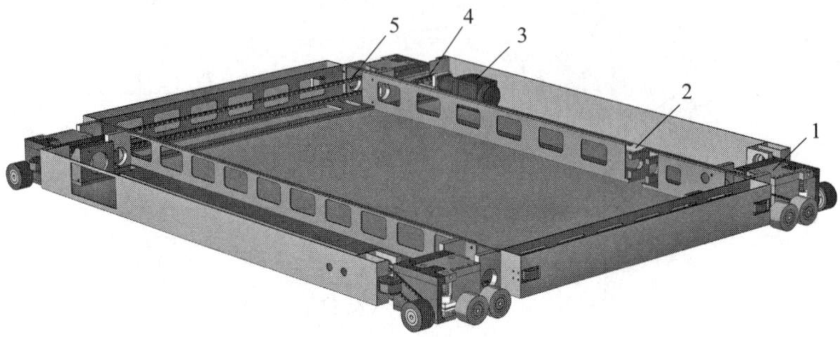

(a) 换向系统整体三维图

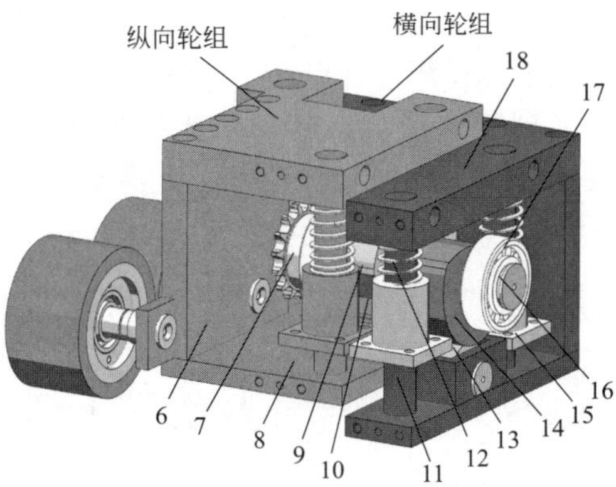

(b) 局部凸轮换向机构结构图

图 4-59　换向系统结构三维图

1—凸轮换向机构；2—换向传动轴；3—驱动减速电机；4—电机传动链条；5—长链条；6—侧板；7—链轮；8—底座；9—凸轮 2；10—滚子从动件 2；11—导向柱；12—弹簧；13—滚子从动件 1；14—凸轮 1；15—导向筒；16—凸轮轴；17—轴承；18—盖板

当横向轮着轨，纵向轮处于悬空状态，由于轮组自身的惯性，纵向轮组会有向下的运动趋势，通过在盖板和导向筒之间安装弹簧来阻挡车轮组向下运动的趋势，位于下方的车轮组弹簧处于压缩状态，位于上方的车轮组弹簧处于放松状态。当需要换向时，处于下方的车轮组依靠弹簧势能升起，在上方的车轮组依靠凸轮挤压滚子从动件的方式下降，下降时只需要克服车轮组自身重力和弹簧势能，所需电机功率小。联动凸轮＋弹簧的结构形式解决了四向穿梭车换向能耗高的难题。

四向穿梭车换向时有三种状态，如图 4-60 所示。这种换向方式如图 4-60(b) 中分析，四向穿梭车重心不发生变化，能耗最低。

(3) 顶升系统

顶升机构功能是顶升纵向导轨上表面的托盘货物，这里介绍一种曲柄连杆——平行四边形组合机构式顶升方案。

① 顶升机构原理。首先分析曲柄连杆初始位置状态。如图 4-61 所示，顶升机构主体是

(a) 横向轮着轨

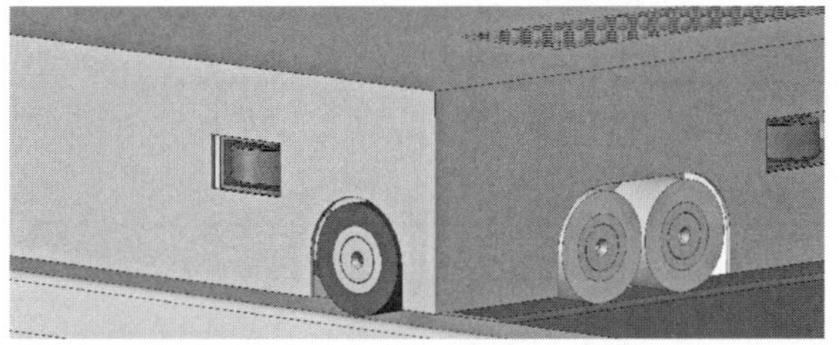

(b) 横/纵向轮都着轨

(c) 纵向轮着轨

图 4-60　四向穿梭车换向时的三种状态

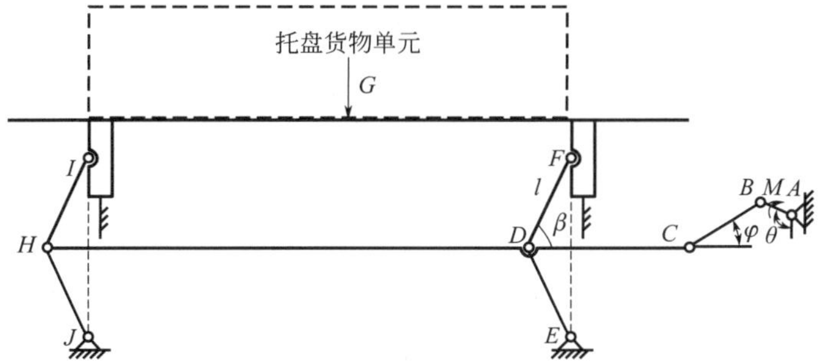

图 4-61　顶升机构原理

两个平行四边形机构 $DEJH$ 和 $DFIH$，两个平行四边形机构共用杆 DH，且均由这根杆驱动，杆 DH 又是曲柄连杆机构 $ABCD$ 的运动输出构件。

曲柄 AB 的初始位置可能会影响顶升机构的运动性能，下面对曲柄 AB 的初始位置进行分析，图 4-62(a)、(b) 分别表示曲柄 AB 在杆 CD 上方、下方两种情况。

图 4-62(a) 中 A、B 两点位于 C、D 上方，四边形 $CKED$ 为平行四边形，杆 BC 与杆 CD 的夹角为 φ，C 点始终绕固定点 K 转动，速度 v_C 垂直于 CK，压力角为 α_1，传动角为 γ_1；相同地，图 4-62(b) 图中 A、B 两点位于 C、D 下方，压力角为 α_2，传动角为 γ_2。在连杆机构中常用传动角 γ 作为衡量机构传动性能的指标，图 4-62(a)、(b) 中机构承载的载荷相同，杆 BC 与杆 CD 的夹角 φ 大小相同，从图中可看出传动角 γ_1 大于 γ_2，传动角越大，机构的传动性能越好，故顶升机构选用图 4-62(a)，而且顶升过程中曲柄 AB 最好始终在连

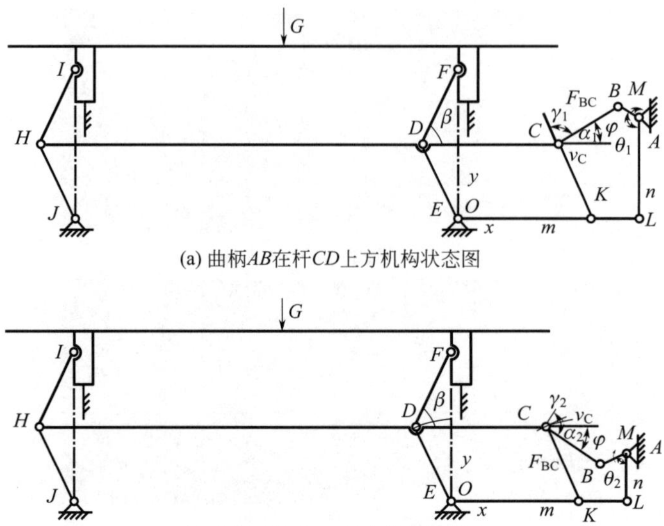

(a) 曲柄AB在杆CD上方机构状态图

(b) 曲柄AB在杆CD下方机构状态图

图 4-62　曲柄连杆——平行四边形组合机构

杆 CD 上方。

设刚开始顶升时杆 FD 与杆 HC 夹角为 β_0，如图 4-63 所示，杆 HI、HJ、DF、DE 长度均为 l，则 $S_1=2l\sin\beta_0$。

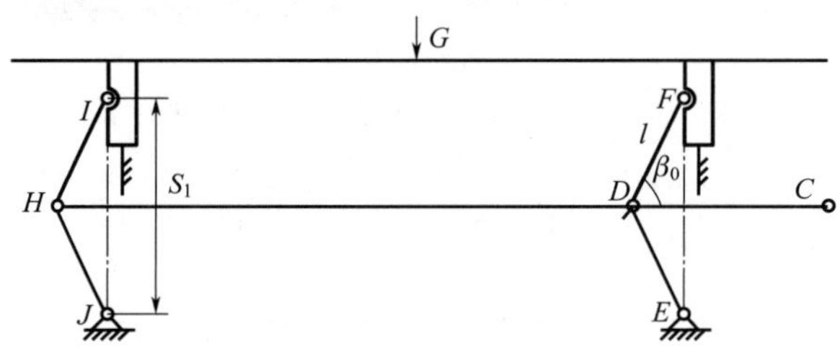

图 4-63　开始顶升时机构状态图

顶升动作完成时机构状态如图 4-64 所示，杆 HI、HJ、DF、DE 处于竖直状态，此时 $S_2=2l$。

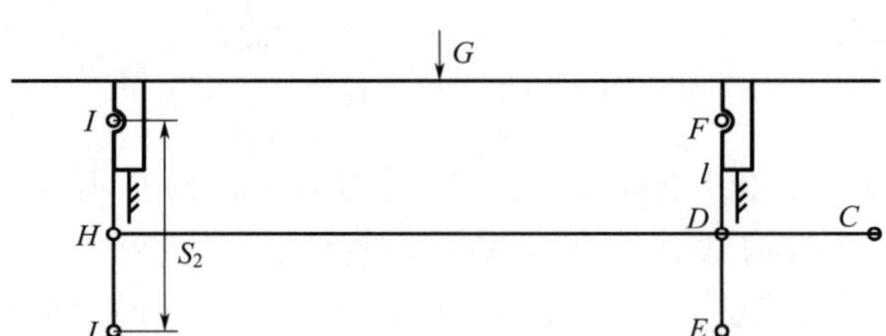

图 4-64　顶升结束时机构状态图

对比图 4-63 和图 4-64 两个状态，可知顶升距离

$$\Delta S=S_2-S_1=2l(1-\sin\beta_0) \tag{4-39}$$

在顶升距离 ΔS 为已知条件下，设定 l，β_0 求得

$$\beta_0=\arcsin[1-\Delta S/(2l)] \tag{4-40}$$

设置 A 点位置固定，初状态时 B 点的位置可能影响机构顶升高度变化以及 F 点位置的变化规律，下面对 B 点在不同位置的情况进行分析，确定 B 点位置。

确定了曲柄 AB 在连杆 CD 上方位置，A 点位置固定，则 B 点初始位置有三种情况，如图 4-65 所示，图 4-65(a)～(c) 分别为 B 点位于 AC 连线下方、上方和连线上的情况。

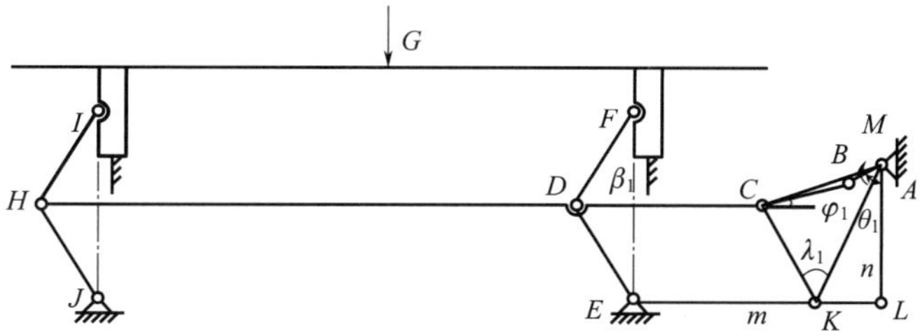

(a) B点位于AC连线下方

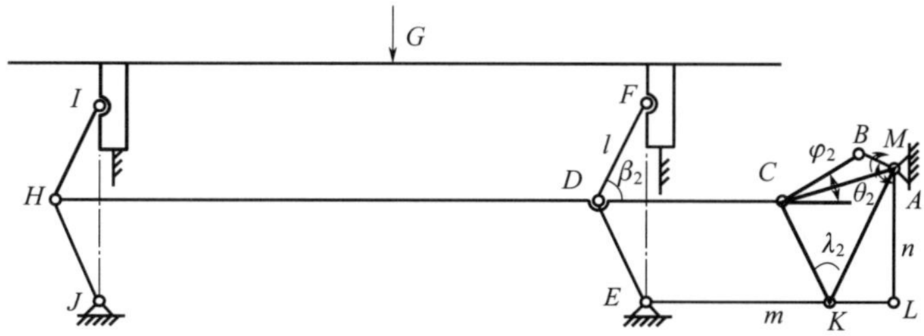

(b) B点位于AC连线上方

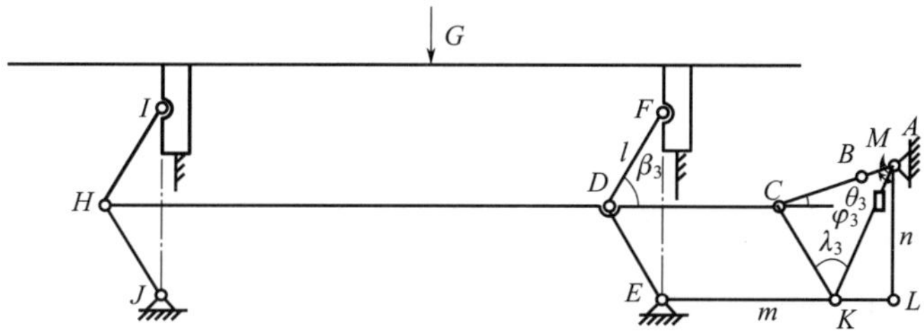

(c) B点位于AC连线上

图 4-65　B 点位于不同位置时机构状态分析图

图 4-65 中 A、E 点位置固定，AB、BC、CD、DE 长度根据托盘货物单元尺寸确定，在保证强度情况下，曲柄 AB 尽可能短，连接 AC、AK、CK，四边形 $CDEK$ 为平行四边形，由此 K 点位置确定，AK、CK 长度确定，曲柄 AB 顺时针旋转，C 点绕 K 点定轴旋转运动。AK 与 CK 的夹角在三种状态下分别为 λ_1、λ_2、λ_3。

当 B 点位于 AC 连线上时，AC 连线最长，可得 λ_3 最大，由此可知当 B 点位于 AC 连线上，C 点位置在最左、最下方，即 CD 杆高度是最低状态；当 B 点位于 AC 连线下方时，曲柄 AB 顺时针旋转，在运动至 A、B、C 三点共线状态前，CD 杆是下降状态，随后 CD 杆是上升状态。

由此分析，在 A、K 点位置固定情况下，将 A、B、C 三点共线作为顶升的初始状态是最合适的。

下面分析曲柄连杆——平行四边形组合式机构转矩。

通过前面分析，顶升机构选用曲柄 AB 位于连杆 CD 上方的情形，下面对曲柄 AB 的转矩进行分析，用静力学的方法可以对顶升机构的杆件受力情况进行分析，但计算较为繁杂，本节采用虚位移原理来进行分析。

虚位移原理：具有理想约束的静止质点系，其平衡的必要和充分条件是所有主动力在任何虚位移上的虚功之和等于零。

如图 4-66 所示，A、E 点位置固定，以 E 点为原点，建立坐标系。

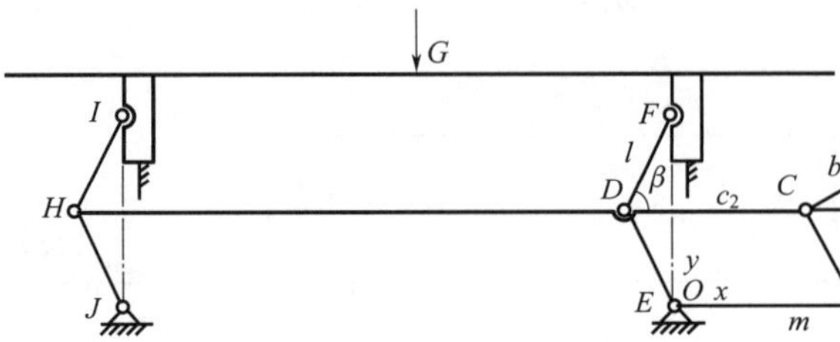

图 4-66　曲柄连杆——平行四边形组合机构分析图

根据虚位移原理，有

$$G\delta y_F = M\delta\theta \tag{4-41}$$

即

$$M = G\frac{\delta y_F}{\delta\theta} \tag{4-42}$$

通过几何关系，可以求得 A 点的坐标及 F 点纵坐标：

$$x_A = a_2\sin\theta + b_2\cos\varphi + c_2 - l\cos\beta = m \tag{4-43}$$

$$y_A = a_2\cos\theta + b_2\sin\varphi + l\sin\beta = n \tag{4-44}$$

$$y_F = 2l\sin\beta \tag{4-45}$$

式(4-43) 两边对 θ 求导：

$$a_2\cos\theta - b_2\sin\varphi\frac{d\varphi}{d\theta} + l\sin\beta\frac{d\beta}{d\theta} = 0 \tag{4-46}$$

式(4-44) 两边对 θ 求导：

$$-a_2\sin\theta + b_2\cos\varphi\frac{d\varphi}{d\theta} + l\cos\beta\frac{d\beta}{d\theta} = 0 \tag{4-47}$$

式(4-45) 两边对 θ 求导：

$$\frac{dy_F}{d\theta} = 2l\cos\beta\frac{d\beta}{d\theta} \tag{4-48}$$

联立式(4-46) 和式(4-47)，消去 $d\varphi/d\theta$，得：

$$\frac{d\beta}{d\theta} = \frac{-a_2\cos(\theta+\varphi)}{l\sin(\beta+\varphi)} \tag{4-49}$$

将式(4-48) 代入式(4-49) 得：

$$\frac{dy_F}{d\theta} = \frac{-2a_2\cos(\theta+\varphi)\cos\beta}{\sin(\beta+\varphi)} \tag{4-50}$$

将式(4-50) 代入式(4-42) 得：

$$M = G\times\frac{-2a_2\cos(\theta+\varphi)\cos\beta}{\sin(\beta+\varphi)} \tag{4-51}$$

式(4-51) 中 φ 值变化范围为 0°～90°，β 值变化范围为 0°～90°。根据式(4-51) 对曲柄 AB 的转矩值变化情况进行分析。

初状态：A、B、C 三点共线，$\varphi+\theta=90°$，根据式(4-51) 可知，曲柄 AB 的初始转矩为 0，φ 取较小值，$\theta>\varphi$。

前期：随着曲柄 AB 运动，β、φ 缓慢增大，$\cos\beta$、$\sin(\beta+\varphi)$ 值变化较小，由于 θ 变

化较大，所以（$\theta+\varphi$）值变化也较大，所以 $dy_F/d\theta$ 主要变化因素是 $\cos(\theta+\varphi)$，$\cos(\theta+\varphi)$ 值在 90°～180°内递减，$dy_F/d\theta$ 从 0 开始递增。

后期：随着 β 不断变大，β 值接近于 90°，$\cos\beta$ 接近于 0，转矩 M 趋向于 0。

初始状态 A、B、C 三点共线时转矩为 0，转矩 M 由 0 递增，然后再递减，运动过程中存在最大转矩，最大转矩的值可通过 SolidWorks 中的 Motion 插件进行动力学仿真得到。

② 顶升机构结构设计。先设定主要设计参数。托盘货物单元最大尺寸为 2100mm×1650mm×1800mm，单元最大质量为 1000kg（含托盘），曲柄 AB 长度 $a_2=16$mm，杆 BC 长度 $b_2=51$mm，CD 长度 $c_2=91.5$mm，杆 HI、HJ、DF、DE 的长度 $l=49.5$mm，设顶升距离 $\Delta S=35$mm，则通过式(4-40) 得 $\beta_0=40.28°$。设初始状态 A 点的坐标（m,n）为(118,56.7)，通过式(4-43) 和式(4-44) 可得 $\varphi_0=16.4°$、$\theta_0=73.6°$，θ 变化范围为 73.6°～232.8°。

穿梭车顶升机构如图 4-67 所示，顶升机构由两组曲柄连杆——平行四边形组合式结构组成，电机通过链条与顶升传动轴相连，顶升传动轴的两端分别安装有传动部件，一端通过螺栓与传动轴固定连接，另一端通过螺栓螺母与连接杆固定连接，连接杆的另一端与长连杆连接，两根长连杆用螺栓固定保证平衡，四组短连杆固定连接在长连杆上，短连杆 1 的一端与连杆支撑座连接，短连杆 2 的一端与顶升台固定连接，连杆支撑座与车体底部通过刚性连接件固定。四组顶升台均安装了导向柱，对顶升机构具有导向作用，导向柱固定安装在车体上，整个车体对称安装两组曲柄连杆——平行四边形组合式顶升机构，与同一传动轴相连，保证同步运动。

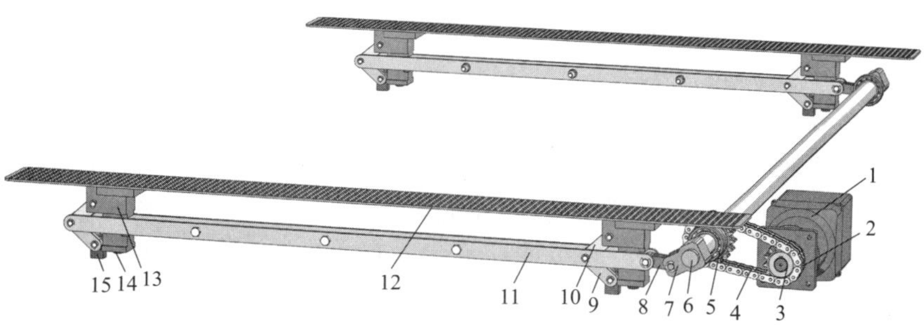

图 4-67 曲柄连杆——平行四边形组合式顶升机构图

1—驱动电机；2—电机安装板；3—链轮；4—链条；5—轴承；6—传动轴；7—曲柄；8—连接杆；9—短连杆 1；10—短连杆 2；11—长连杆；12—顶板；13—顶升台；14—导向柱；15—底座

4.6 料箱库四向穿梭车

4.6.1 四向穿梭车料箱库概述

(1) 四向穿梭车料箱库组成

四向穿梭车料箱库，如图 4-68 所示。

图 4-68 中四向穿梭车料箱库主要包括：料箱库四向穿梭车 1、料箱 2、货架横向导轨 3.1、货架纵向导轨 3.2、料箱提升机 4、入库输送线 5 和出库输送线 6。图 4-68 中料箱库四向穿梭车 1 载有双深位伸缩货叉，在货架纵向导轨 3.2 行走并取货后，切换到货架横向导轨 3.1 行走，并和料箱提升机 4 的移载辊筒线对接，将料箱 2 移载到料箱提升机 4，料箱提升

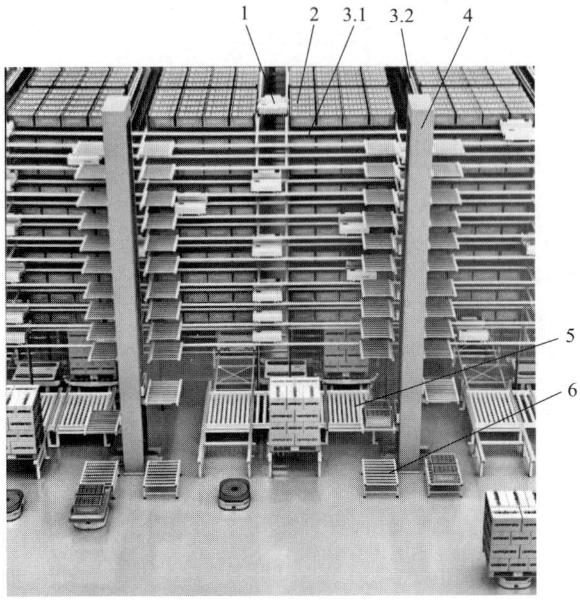

图 4-68　四向穿梭车料箱库

1—料箱库四向穿梭车；2—料箱；3.1—货架横向导轨；3.2—货架纵向导轨；4—料箱提升机；5—入库输送线；6—出库输送线

机 4 下降到最低处，将料箱 2 移载给出库输送线 6，完成出库任务。入库任务工作流程相反。

（2）四向穿梭车料箱库对比 miniload 堆垛机料箱库特点

① 灵活性强。四向穿梭车可以相互替换，当某台穿梭车或提升机出现故障时，可通过调度系统调度其他穿梭车或提升机继续完成作业，确保系统能力不受影响。

② 可扩展性强。可通过增加或减少四向穿梭车的数量来调节仓库系统的出/入库能力，以应对不同的场景作业需求。

③ 高效性。不仅适用于各种料箱仓库，还可以通过调整小车数量来适应实际需求的变化，相比堆垛机型料箱库，效率高。

④ 三维运动。在货到人拣选系统中，四向穿梭车可以通过提升机实现三维空间中的灵活移动。

⑤ 空间利用率。高度尺寸小，节省更多存储空间；配合垂直提升机实现换层作业，进一步增加仓库货架布局和库内作业的灵活性与可扩展性，比堆垛机型料箱库空间利用率高，实现高密度存储，提高库容 20%以上，尤其适用于冷库、物流仓库等场景，并且能够有效提升仓库利用率。

⑥ 自动化与智能化。具有全自动和半自动两种工作模式，可通过 WMS/WCS 等系统软件与企业的 ERP/SAP/MES 等管理系统软件的对接，实现货物的先进先出等管理策略。

⑦ 应用广泛：适合应用于不规则、异形，长宽比较大，出入库效率较大或较小的仓库，以及少品种大批量或多品种大批量的存储需求。

（3）四向穿梭车料箱库与两向穿梭车料箱库的对比

① 在追求更好出入库能力的应用场景下，料箱库选用料箱库两向穿梭车方案更为合适，这时一个巷道对应一个提升机，每层设置一台两向穿梭车，仓库出入库效率高，但建设成本

相对较高，更适用于电商仓库。

但在一些生产类型的料箱库，出入库能力要求没那么高，没有必要每个巷道都要设置一台穿梭车，这种应用场景就适合选用夹抱式四向穿梭车，由于四向穿梭车有横向轨道，可以调度到所需要的巷道中作业，每层货架只需要若干台就足以达到出入库效率要求，成本也更可控。从理论上讲，如果没有出入库能力要求的话，一个仓库布置 1 台穿梭车即可以完成整个仓库的出入库作业，这对于出入库频率较低的系统，具有很大优势。

② 四向穿梭车料箱库对场地的高度和规整性没有要求；而两向穿梭车料箱库上限可以达到 20m 以上，下限不宜小于 10m，且场地最好是规整的。

③ 四向穿梭车料箱库柔性和冗余性更好，一旦一台四向穿梭车出现故障，可以调度其他四向穿梭车将其推出来修维和保养，其作业任务可由其他四向穿梭车替代完成；而两向穿梭车料箱库中，一旦一台两向穿梭车出现故障，无法调度其他同层两向穿梭车将其推出来修维和保养，只能等待提升机调度新的两向穿梭车到本层实施救援和作业任务替代。

（4）四向穿梭车料箱库与四向穿梭车托盘库的对比

四向穿梭车料箱库相比四向穿梭车托盘库应用少一些，笔者认为下面是其中的一个重要原因：料箱库两向穿梭车运行速度快，如果采用四向穿梭车，一般会用到更换运行轨道即换向运动，势必降低整体运行速度；但为什么托盘库这个问题不突出呢？这是因为托盘库四向穿梭车行走速度慢，换向运动耽误的时间相对整体效率来说，占比较小，影响较小。

另外，四向穿梭车料箱库纵向轨道需要单独的巷道，一般是单深或者双深，也就是两排货架或四排货架就需要一个巷道，而四向穿梭车托盘库纵向轨道设置在托盘货物的下面，不需要单独的巷道，尽管需要空的纵向巷道，但数量少，占用场地面积相对更小，仓库更为密集。

（5）四向穿梭车料箱库作业流程

四向穿梭车料箱库中的提升机一般有两种类型：料箱提升机和换层提升机，有的料箱库中的提升机兼有料箱提升和穿梭车换层功能，但这种数量较少，这里讨论功能分开的提升机。料箱提升机只提升料箱，设置在出入库端，换层提升机设置在另一端，只执行换层作业和维修保养的四向穿梭车出入库。

① 入库作业流程（inbound and outbound workflow）。料箱库四向穿梭车立体仓库入库作业流程如图 4-69 所示。

a. 入库任务明确后，入库口也就确定，入库的提升机也就确定，只能由该提升机执行入库指令，如果提升机不处于空闲状态，只能等待。

b. 四向穿梭车与提升机的调度。入库指令发出后，按照先入先出原则请求与四向穿梭车进行任务绑定匹配。四向穿梭车调度软件优先调用本层的四向穿梭车，如果有四向穿梭车处于无任务状态，则该四向穿梭车与此入库任务绑定匹配成功，此四向穿梭车不再接受其他任务；如果没有空闲的四向穿梭车，则该入库任务进入等待队列，调度软件确定等待时间，如果等待时间短，则等待调用本层穿梭车；如果等待时间长或本层无四向穿梭车，则调用换层指令通过换层提升机完成四向穿梭车换层作业。

c. 入库料箱提升机与目标层缓存输送线完成料箱移载，不与料箱库四向穿梭车直接接驳料箱。

d. 目标层四向穿梭车与缓存输送线完成料箱移载，是通过伸缩货叉实现的。

e. 入库提升机完成入库作业后可能没有任务，也可能接收出库任务，流程图中也考虑了这点。

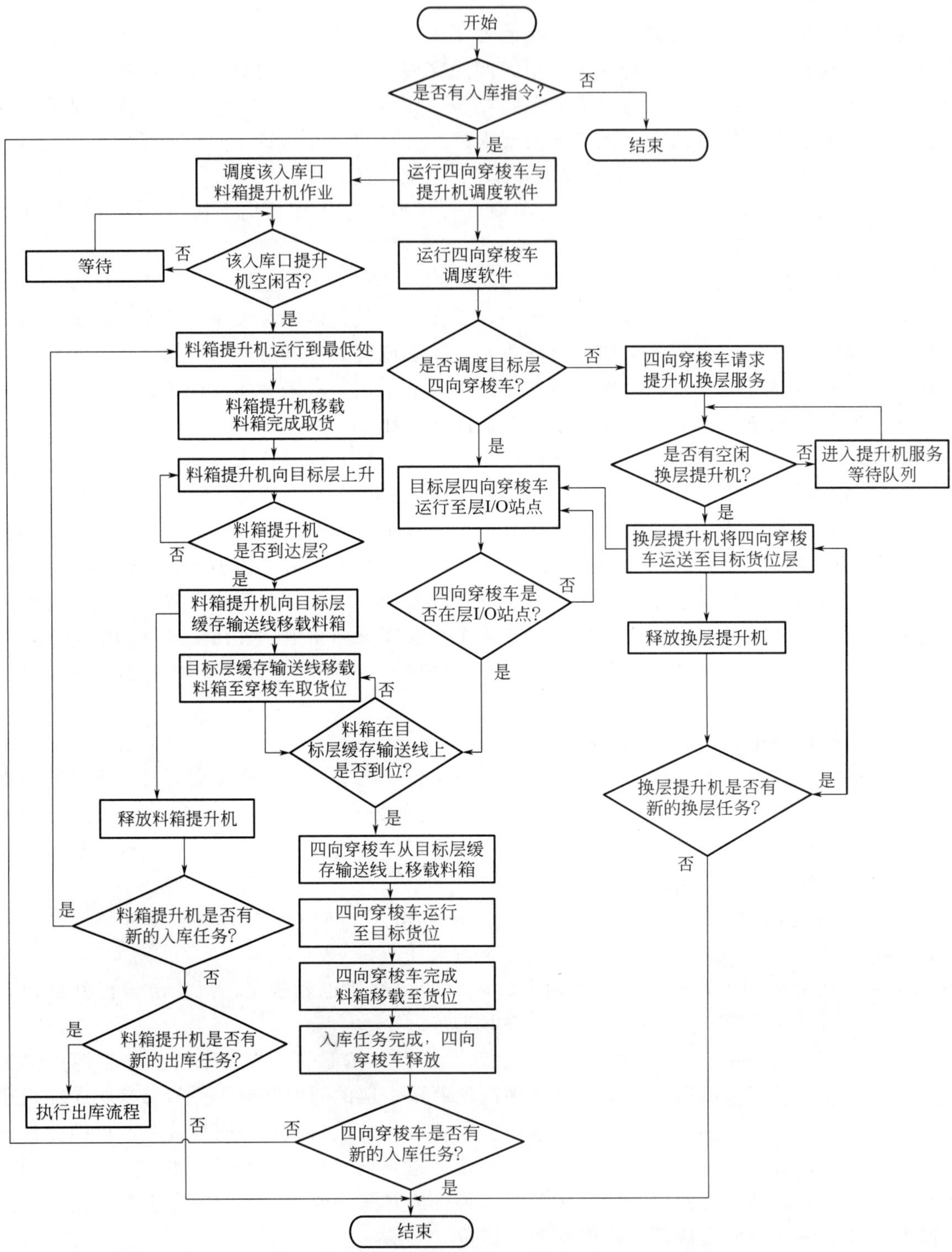

图 4-69　料箱库四向穿梭车立体仓库入库作业流程

② 出库作业流程。料箱库四向穿梭车立体仓库出库作业流程如图 4-70 所示。出库作业完成后，四向穿梭车、料箱提升机、换层提升机分别释放后，分不同情况做了流程处理。四向穿梭车释放后，可能继续出库作业，也有可能执行入库作业，也有可能被提升机调度去换

层作业，也有可能结束作业；料箱提升机被释放后，可能继续出库作业，也有可能执行入库作业，也有可能结束作业；换层提升机释放后，可能被调度去对四向穿梭车执行换层作业，也有可能结束作业。

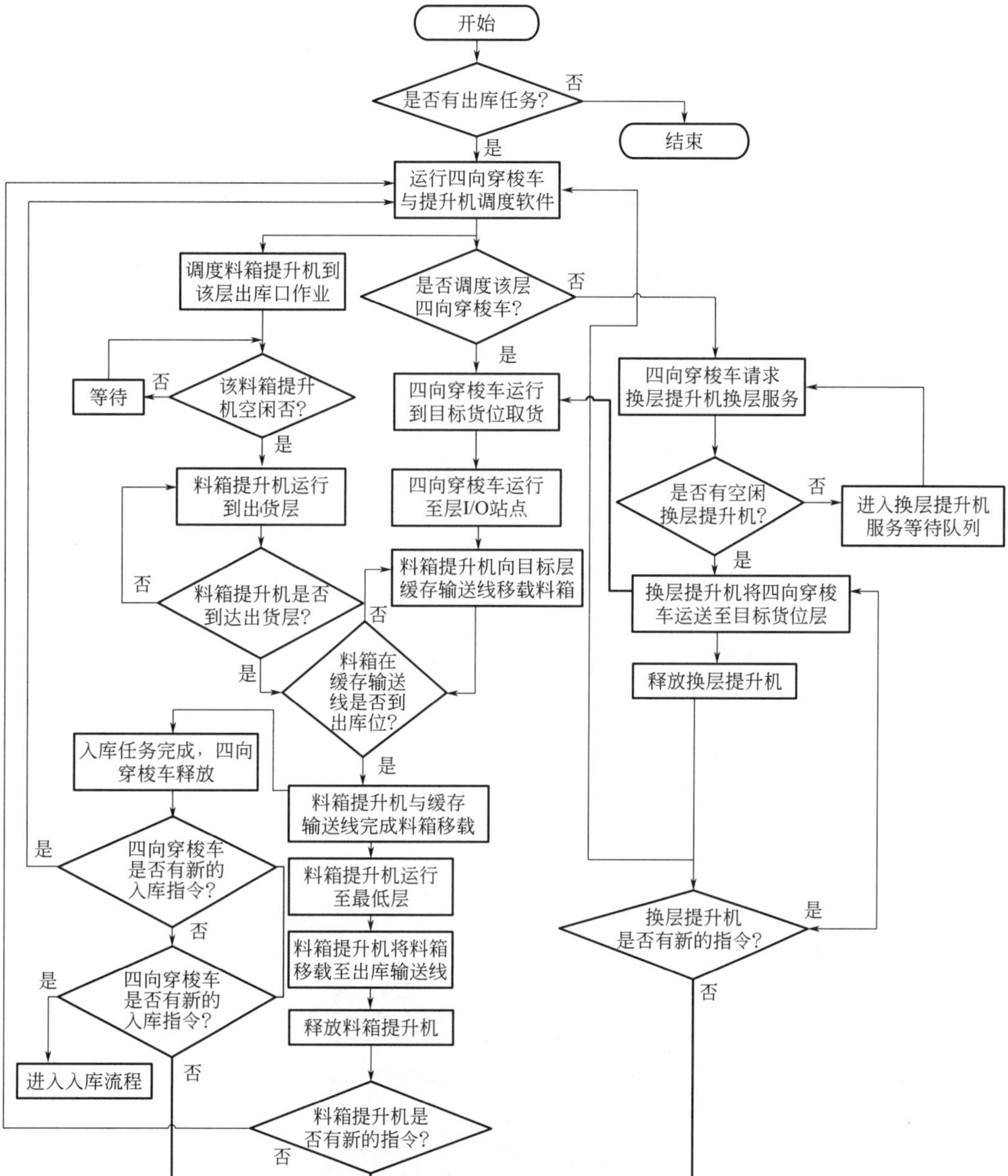

图 4-70　料箱库四向穿梭车立体仓库出库作业流程

4.6.2　四向穿梭车运动系统分析

（1）运动分析

料箱库四向穿梭车共有四种运动，如表 4-8 所示，可做以下分析：

① 纵向行走时，横向不行走，且横向行走轮悬空，无负载。同样地，横向行走时，纵

向不行走，且纵向行走轮悬空，无负载，所以纵向行走与横向行走可以考虑用同一个直流伺服电机驱动，这是基于一个方向行走时，另一个方向的行走轮可以空转，消耗不了多少能量。

但由于伸缩货叉结构布局的影响，料箱库四向穿梭车在纵向行走方向中间是凹形的，对行走驱动系统有一定影响，如果纵向行走与横向行走用同一个直流伺服电机驱动，就需要足够的空间将两个方向的传动系统连接起来。还有一点，料箱库四向穿梭车负载小，电机与减速器功率小，尺寸小，安装空间也小一些，所以也可以考虑纵向行走与横向行走分别驱动。

② 换向运动就是四向穿梭车的换轨运动，只在更换行走轨道时运动，换轨后要求运动机构锁住行走轮的状态，由于料箱货物较轻，所以换向动力比托盘库四向穿梭车要求低得多。

③ 伸缩货叉的运动使料箱库四向穿梭车具有移载料箱能力，伸缩货叉的原理、结构与料箱库堆垛机用的伸缩货叉是相同的，这里就不再赘述。

表 4-8 四向穿梭车运动分析

序号	运动名称	特点	驱动特点分析
1	纵向行走	纵向行走时，横向不行走，且横向行走轮悬空，无负载	可以用同一个驱动；功率小，尺寸小，也可以考虑分别驱动
2	横向行走	横向行走时，纵向不行走，且纵向行走轮悬空，无负载	
3	换向运动	就是换轨运动，只在更换行走轨道时运动，换轨后要求运动机构锁住行走轮的状态，由于负载小，换向动力小	难以与其他运动使用一个驱动
4	货叉运动	货叉运动包括货叉伸缩、2组拨叉的摆动	成熟的产品模块

(2) 行走运动

料箱库四向穿梭车纵向轨道是指垂直于伸缩货叉的方向，也就是料箱进入提升机的方向，横向轨道是指伸缩货叉伸出的方向，纵向轨道和横向轨道一般高度一致，如图 4-71 所示，所以四向穿梭车无论是纵向轨道还是横向轨道都是连续的，没有缝隙；由于料箱库四向穿梭车有伸缩货叉，是通过每层的缓存输送线作为中转与提升机接驳料箱，不是直接进入提升机，所以货架与料箱提升机之间即使有缝隙，也不会影响料箱库四向穿梭车的运行。这点与托盘库四向穿梭车有很大的不同。

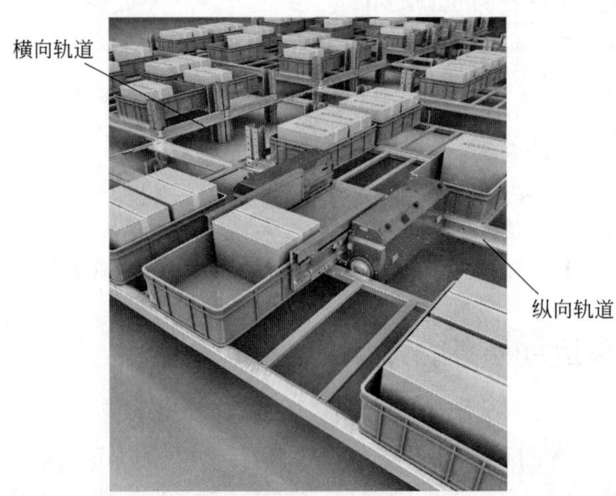

图 4-71 料箱库四向穿梭车行走轨道

根据上面的分析，料箱库四向穿梭车不需要选用“纵 8＋横 4”的轮系布局，一般选用“纵 4＋横 4”的轮系布局，如图 4-72 所示，且一般是纵向轮直径大一些，横向轮小一些，一方面纵向轨道尺寸长，纵向轮直径大一些，可以减少行走时间，另一方面由于两个方向行走轮轴交叉，需要在高度上错开，避免尺寸干涉；纵向行走和横向行走分别由 4 个纵向导向轮和 4 个横向导向轮来导向。

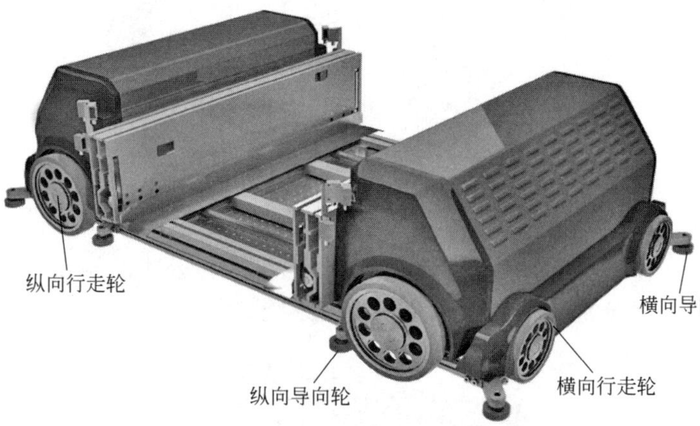

图 4-72　料箱库四向穿梭车

纵向行走与横向行走两套轮组，分别由一个电机驱动，常用的有两种方案，如图 4-35 所示。两种方案都实现了当横向轮组在轨道上行走时，纵向轮组处于悬空空转状态，反之，当纵向轮组在轨道上行走时，横向轮组处于悬空空转状态。

料箱库四向穿梭车行走系统无论横向行走还是纵向行走，一般均采用“匀加速段＋匀速段＋匀减速段”的速度曲线，行走动力的计算可以参考 miniload 堆垛机的计算方法。需要说明的是，纵向轨道长，且与伸缩货叉方向垂直，所以纵向行走最大速度和最大加速度可以大一些，但横向行走最大速度和最大加速度不宜过大，原因是横向轨道距离较短，横向行走距离也短，行走最大速度和最大加速度设计过大，会浪费其运动能力而增大成本。

(3) 换向运动

① 轮系升降方案。换向系统是料箱库四向穿梭车的关键机构，四向穿梭车在货架上可以沿横向和纵向轨道行驶，在轨道交叉处要依靠换向机构改变横向与纵向车轮之间的相对位置，实现四向穿梭车在两个方向的切换，一般采用横向轮升降方案，只升降一个方向的行走轮，技术难度小。

② 换向机构。根据设计要求，为保证换向过程的稳定性和可靠性，表 4-7 列出了四种换向执行方案，料箱库四向穿梭车一般不采用液压缸这种方案，一是因为负载没那么大，二是出于轻量化考虑。

4.6.3　四向穿梭车结构

料箱库四向穿梭车结构方案有多种，但均主要由行走系统、换向系统、伸缩货叉系统、控制系统、传感器系统、电源系统等部分组成。这里介绍一种结构方案，外观如图 4-73 所示，重点分析行走系统和换向系统。

由于料箱库四向穿梭车行走系统结构均在下半部分箱体内，所以把四向穿梭车倒过来分

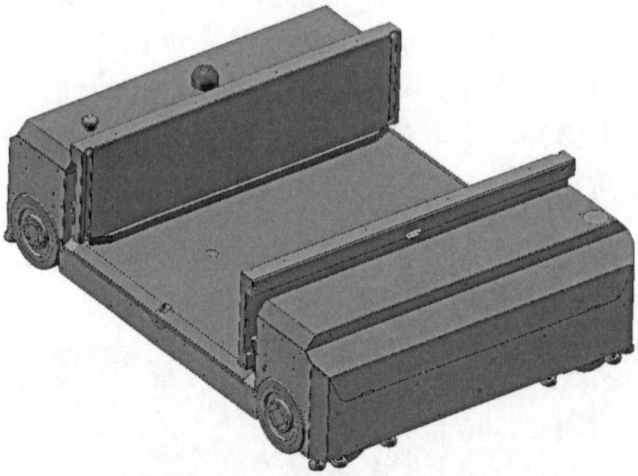

图 4-73　一种料箱库四向穿梭车

析，隐藏部分零部件，主要零部件如图 4-74 所示。四个主要运动，各有一个减速电机驱动，空间布局非常紧凑。下面分别分析行走系统和换向系统。

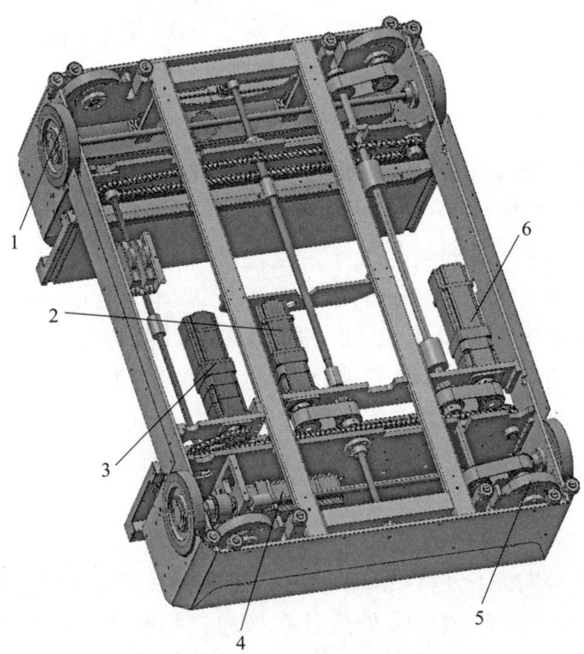

图 4-74　料箱库四向穿梭车主要零部件

1—纵向行走轮；2—换向减速电机；3—伸缩货叉减速电机；4—纵向行走减速电机；5—横向行走轮；6—横向行走减速电机

(1) 行走系统

料箱库四向穿梭车横向轮行走系统主要包括：横向行走减速电机 1、减速器端同步带传动系统 2、横向行走传动轴 3、横向轮端同步带传动系统 4 和横向轮 5，如图 4-75 所示。横向行走减速电机 1 经减速器端同步带传动系统 2 将动力传递给横向行走传动轴 3，横向行走传动轴 3 两端通过横向轮端同步带传动系统 4 将动力传递给两侧的横向轮 5 上，实现对横向轮 5 的驱动。横向行走传动轴 3 只有一根，其两端横向轮 5 均为驱动轮，另外两个横向轮 5 为从动轮，分别安装在换向系统上，两个从动横向轮 5 没有通过芯轴连接。

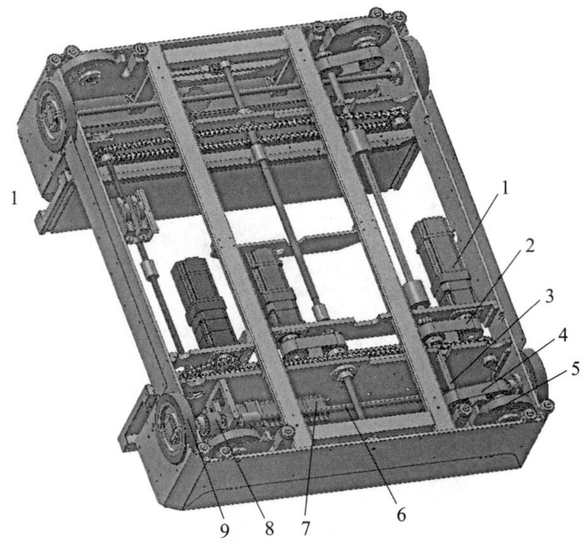

图 4-75　料箱库四向穿梭车行走系统

1—横向行走减速电机；2—减速器端同步带传动系统；3—横向行走传动轴；4—横向轮端同步带传动系统；5—横向轮；6—纵向行走传动轴；7—纵向行走减速电机；8—纵向轮同步带传动系统；9—纵向轮

横向行走传动轴 3 最两端通过带座轴承安装于两侧箱体上，并不与横向轮 5 一起升降，那么横向轮 5 在升降过程中会不会影响横向轮端同步带传动系统 4 呢？结论是不会，这是因为横向轮 5 升降方向与同步带长度的误差敏感方向的夹角在 90°附近变化，且横向轮 5 升降距离 10mm 足够，而同步带传动是啮合传动不是摩擦传动，不需要张紧，所以影响较小。

料箱库四向穿梭车纵向轮行走系统主要包括：纵向行走传动轴 6、纵向行走减速电机 7、纵向轮同步带传动系统 8 和纵向轮 9，如图 4-75 所示。纵向行走减速电机 7 通过纵向轮同步带传动系统 8 将动力传递给纵向行走传动轴 6，纵向行走传动轴 6 通过带座轴承固定安装于箱体上，最两端装有纵向轮 9，实现了对纵向轮 9 的驱动。纵向行走传动轴 6 有两根，没有标识的为芯轴，不是驱动轴，所以纵向轮 9 两个为驱动轮，两个为从动轮。

需要强调的是，横向行走传动轴 3 与两根纵向行走传动轴 6 垂直，且高度上错开，横向传动轴 3 更靠近箱体底部，所以在横向导轨与纵向导轨高度相同的情况下，横向行走轮直径比纵向行走轮直径小一些。

(2) 换向系统

料箱库四向穿梭车横向轮换向系统主要包括：换向减速电机 1、减速器端同步带传动系统 2、换向传动轴 3、锥齿轮传动 4、双同步带轮轴 5、水平传动同步带 6、装有同步带轮的丝杠 7、丝杠螺母 8、丝杠安装架 9、横向轮安装板 10 和横向轮 11，如图 4-76 所示。换向减速电机 1 经减速器端同步带传动系统 2 将动力传递给换向传动轴 3，换向行走传动轴 3 两端通过锥齿轮传动 4 将动力传递给竖直的双同步带轮轴 5，双同步带轮轴 5 通过两侧的同步带 6 将运动传递给装有同步带轮的丝杠 7，丝杠两端分别通过轴承安装在与箱体固定安装的丝杠安装架 9 上，丝杠螺母 8 固定安装在横向轮安装板 10 上，由于横向轮安装板 10 上固定安装了两个丝杠螺母 8，所以装有同步带轮的丝杠 7 的转动就能转化为两个丝杠螺母 8 的升降，从而带动固定安装在横向轮安装板 10 上的两个横向轮一起升降。

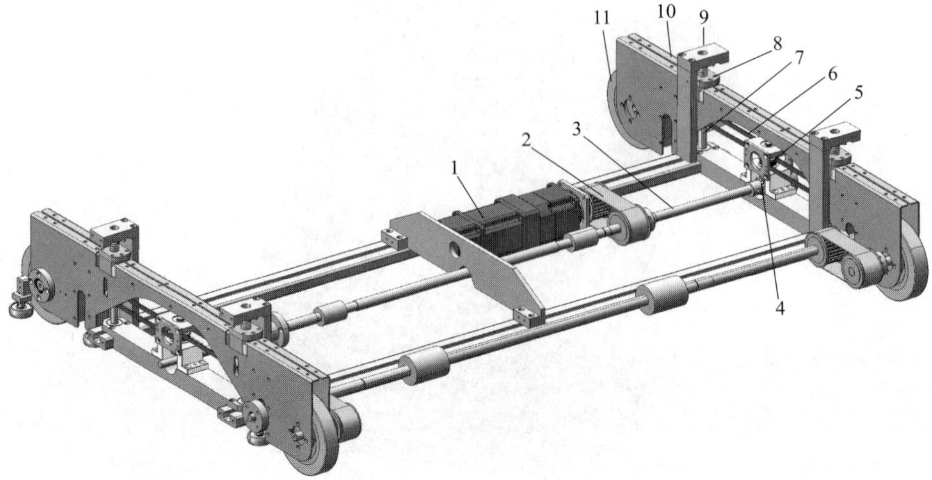

图 4-76　料箱库四向穿梭车换向系统

1—换向减速电机；2—减速器端同步带传动系统；3—换向传动轴；4—锥齿轮传动；5—双同步带轮轴；6—水平传动同步带；7—装有同步带轮的丝杠；8—丝杠螺母；9—丝杠安装架；10—横向轮安装板；11—横向轮

左右两侧的升降系统相同，对称布置，且由同一个换向传动轴 3 驱动，所以四个横向轮能够同步升降。在此方案中，丝杠螺母传动、斜齿轮传动，都需要较高的安装定位精度，且丝杠螺母需要具有自锁性。

纵向轮与横向轮换向状态如图 4-77 所示，纵向轮固定安装于箱体上，只有横向轮相对于纵向轮升降运动。

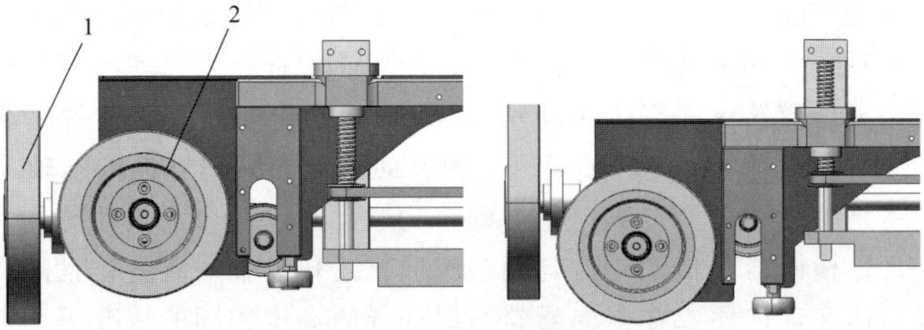

图 4-77　纵向轮与横向轮换向状态

1—横向行走轮；2—纵向行走轮

某料箱库四向穿梭车的主要技术参数如表 4-9 所示，选型与设计时可作为参考。

表 4-9　四向穿梭车的主要技术参数

序号	项目	技术参数
1	穿梭车最大载重	50kg
2	行走最大速度	4m/s(纵向)
		2m/s(横向)
3	行走最大加速度	$2m/s^2$(纵向)
		$1m/s^2$(横向)

续表

序号	项目	技术参数
4	穿梭车驱动方式	单向两轮驱动
5	换向时间	1.5s
6	作业料箱长宽高尺寸	600mm×400mm×300mm
7	穿梭车长宽高尺寸	1000mm×900mm×300mm
8	供电方式	锂电池
9	整车自重	110kg

4.7 穿梭车型立体库往复提升机

穿梭车型立体库中，子母穿梭车托盘库、四向穿梭车托盘库、四向穿梭车料箱库、两向穿梭车托盘库、两向穿梭车料箱库中均用到了往复提升机，下面分析往复提升机提升方式和移载方式。往复提升机一般有三种提升方式，如表 4-10 所示。

表 4-10　往复提升机常见提升方式

提升方式	优点	缺点
钢丝绳提升	钢丝绳通常由多股钢丝绞合而成，具有很强的承载能力；噪声低，质量小，成本较低；钢丝绳表面硬度高，遇到外界摩擦和挤压时通常不易损坏，使用寿命较长；适合长时间、长距离提升	在提升过程中，钢丝绳可能会出现前后左右全方位晃动的情况，对设备的稳定性和安全性有一定影响；钢丝绳维修需整根更换，且缠绕要求高
链条提升	链条由许多小链环连接而成，具有一定的承载能力，安装精度及成本较低；链条提升方式在稳定性方面通常优于钢丝绳，因为链条与链轮之间的配合更为紧密，晃动幅度较小；链条损坏只需更换几节，维修成本低	承载能力相对于钢丝绳而言较弱；传动过程中存在冲击，不适合长距离提升；在高负荷或频繁使用的场合中，其维护成本和更换成本可能会增加；链条提升在长距离易卡齿、跳齿，且噪声较大
同步带提升	噪声低，质量小，适合轻载；同步带提升方式在稳定性方面通常优于钢丝绳、链条	强度与刚度较低，制造安装精度高，成本高，不适合重载场景

由表 4-10 可知，三种提升方式各有优缺点，重载时低于四层楼高度倾向于选用链条提升，五层以上倾向于选用钢丝绳提升，轻载时选用同步带提升。

托盘库、料箱库货物与穿梭车进出往复提升机移载方案如表 4-11 所示。

表 4-11　往复提升机移载方案

仓库类型	移载对象	输送方式	特点
托盘库	托盘货物单元	链式输送	强度高，能移载托盘重载货物，安装精度及成本较低，但运行噪声大，链条的自重以及磨损比较大
	托盘库四向穿梭车	留有托盘库四向穿梭车轨道，四向穿梭车纵向行走进入提升机或离开提升机	
	托盘库四向穿梭车载着托盘货物单元		
料箱库	料箱货物单元	辊筒输送	结构、安装和维修简单，应用广泛
	料箱库两向穿梭车	留有料箱库两向穿梭车轨道，两向穿梭车纵向行走进入提升机或离开提升机	
	料箱库四向穿梭车	留有料箱库四向穿梭车轨道，四向穿梭车纵向行走进入提升机或离开提升机	

下面按照功能分别分析托盘库往复提升机和料箱库往复提升机。

4.7.1 托盘库往复提升机

由于子母穿梭车托盘库应用越来越少，这里只介绍四向穿梭车托盘库往复提升机。

(1) 功能

四向穿梭车托盘库往复提升机，一般具备以下功能：

① 提升机具备升降功能，可承载四向穿梭车和托盘货物实现换层。

② 提升机需要有足够的强度与刚度，能够承受升降运动状态下穿梭车与货物的质量，保证提升机作业过程中的可靠性。

③ 提升机具备水平移载功能，可实现仅托盘货物的移载。

④ 为保证提升机升降过程中的安全性，需要设计安全防护装置，防止危险发生。

(2) 提升机结构

托盘库往复提升机主要由机架、载货台、升降驱动系统、配重系统、安全保护系统、导向系统等部分组成，其结构如图 4-78 所示。

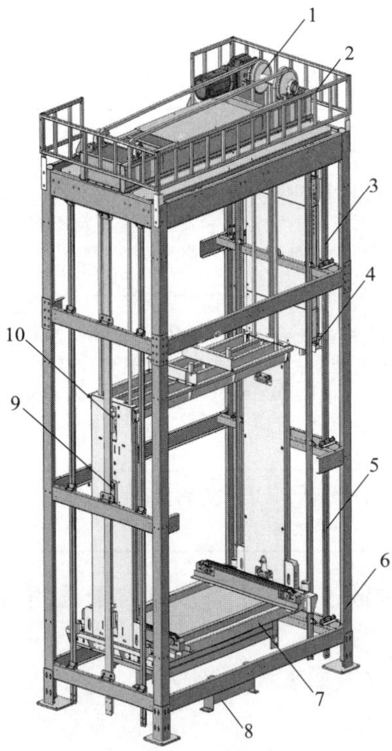

图 4-78 提升机结构图

1—升降驱动机构；2—防护栏；3—配重系统；4—配重导靴；5—导轨；6—机架；7—载货台；8—防撞缓冲装置；9—安全钳；10—载货台导靴

机架：辅助载货台升降，并将垂直升降驱动机构、载货台及负载的载荷传递到地面。

载货台：承载托盘货物和四向穿梭车。

升降驱动系统：是提升机的动力源，驱动载货台升降。

配重系统：平衡载货台及其负载的质量，减少升降驱动机构的输出功率。

安全保护系统：保证提升机安全使用，防止一切危害人身安全的事故发生。

导向系统：限制载货台和配重的活动自由度，为载货台和配重机构的升降提供确定的运行导向，常用的导向形式有导向轮、导靴，一般安装于载货台和配重结构上。

① 机架结构。提升机机架是提升机的支撑部件，结构主要包括立柱、上横梁以及底部固定等部件，其立柱两侧均安装有导轨，载货台沿其导轨做往复升降运动。提升机机架为四立柱式结构，如图 4-79 所示，四根垂直于地面的立柱 2 两两平行，通过横梁固定连接，两侧面立柱之间安装导轨，立柱 2 与顶部框架固定连接，升降驱动系统安装在顶部框架 1 上，短横梁 3 与长横梁 4 均对立柱刚性起加固的作用，四立柱式提升机对立柱及其相应部件的水平安装精度与垂直安装精度要求较高。

② 升降驱动系统。升降驱动系统为载货台的升降提供动力，其结构如图 4-80 所示，主要由减速电机 1、电机安装板 2、驱动轴 3、驱动链轮 4、带座轴承 5、链条 6、支撑框架 7、改向链轮轴 8 和支撑链轮 9 组成。

升降驱动系统工作原理：减速电机 1 输出轴与驱动轴 3 通过联轴器连接，驱动轴 3 上安

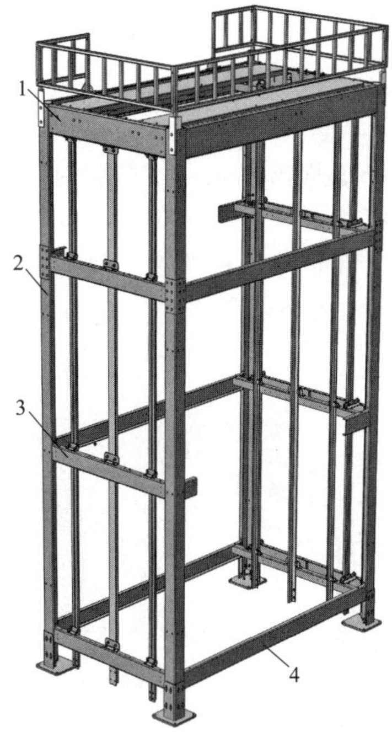

图 4-79　四立柱式提升机机架

1—顶部框架；2—立柱；3—短横梁；4—长横梁

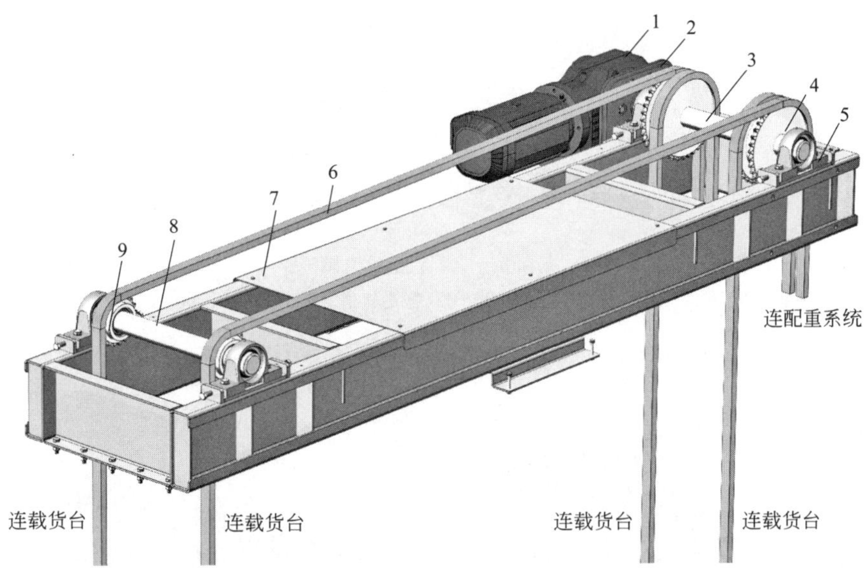

图 4-80　升降驱动机构

1—减速电机；2—电机安装板；3—驱动轴；4—驱动链轮；5—带座轴承；
6—链条；7—支撑框架；8—改向链轮轴；9—支撑链轮

装四个驱动链轮 4，与内侧两个驱动链轮 4 啮合的链条一端连接载货台，一端连接配重机构，与外侧两个驱动链轮 4 啮合的链条一端绕过支撑链轮连接载货台，一端绕过外侧链轮连接配重机构，载货台的四端被四条链条提拉，四点起吊方式更加平稳；减速电机 1 驱动链轮

4顺时针转动时，载货台四条链条被提拉升起，此时连接配重系统的四条链条在配重系统的作用下下降，从而起到配重的作用。

③ 载货台结构。载货台主要由轿架、链式输送机、行走轨道、导靴等组成，如图4-81所示，其功能是承载四向穿梭车和托盘货物，当四向穿梭车需要换层时，穿梭车可以沿载货台的行走轨道进入提升机；当仅托盘货物单元需要换层时，托盘货物通过载货台上的链式输送机进入提升机。轿架是提升机载货台的主要承重部件，主要由上横梁、立柱侧板、下横梁等部件组成，链式输送机固定安装在轿架下横梁上，导靴安装在立柱侧板和下横梁上，其限制载货台的自由度，使其始终沿导轨做升降运动。

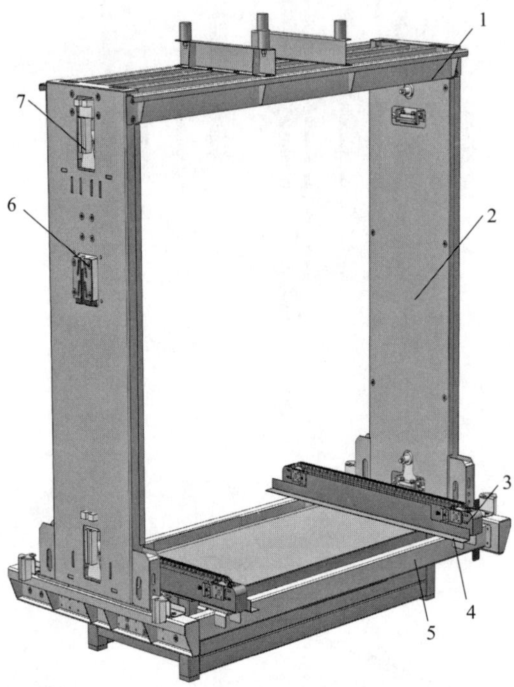

图4-81 载货台结构图

1—上横梁；2—立柱侧板；3—链式输送机；4—行走轨道；5—下横梁；6—安全钳；7—导靴

链式输送机主要由驱动装置、线体、张紧装置组成，其结构如图4-82所示。

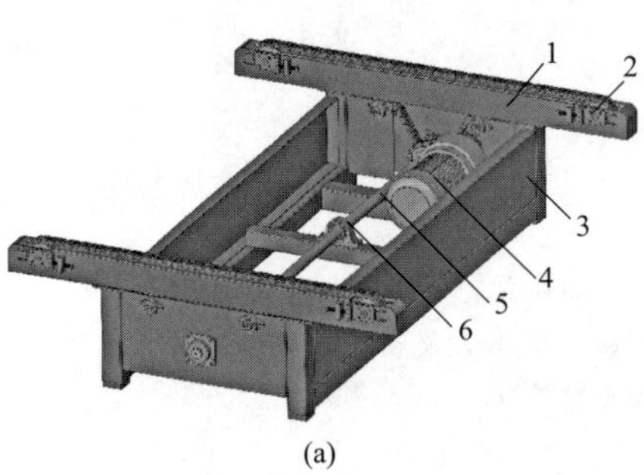

(a)

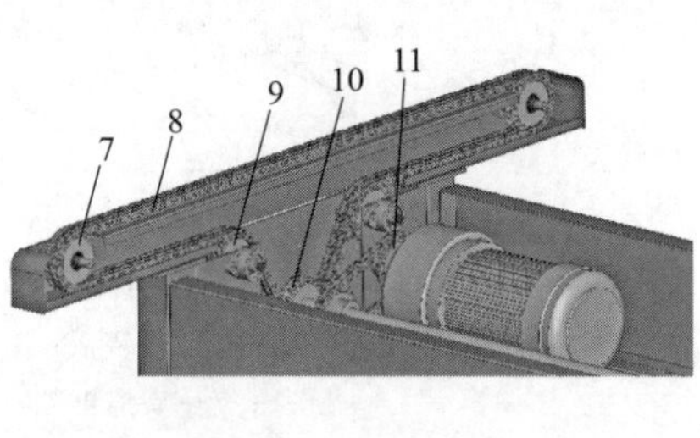

(b)

图4-82 链式输送机

1—链条防护壳体；2—张紧装置；3—机架；4—驱动电机；5—传动轴；6—带座轴承；7—第二从动链轮；8—输送链条；9—惰轮；10—第二主动链轮；11—第一链传动组

驱动装置包括驱动电机、第一链传动组、传动轴、带座轴承，线体包括输送链条、第二主动链轮、第二从动链轮、惰轮等，驱动电机的输出轴通过第一链传动组连接传动轴，传动轴通过带座轴承固定在机架上，传动轴两端的第二主动链轮与第二从动链轮通过输送链条传动连接，链条外圈设置两个与输送链条啮合连接的惰轮，对称安装在机架侧板上，如图 4-82 所示。

④ 配重系统设计。配重系统的作用是平衡载货台及其负载的质量，减少升降驱动机构的输出功率，因此，配重的设计非常重要，配重的质量为

$$m_3=m_4+K_1m_5 \tag{4-52}$$

式中　m_3——配重质量，kg；

m_4——载货台质量，50kg；

m_5——最大载荷质量，1500kg；

K_1——平衡系数，一般取 0.45。

配重系统主要包括配重框架、配重块、侧板、导靴、缓冲装置等，如图 4-83 所示。

考虑到配重质量比较大，为了便于安装，采用多个小配重块堆叠的形式，导靴固定安装在框架的四个角上，限制配重机构的自由度，使配重机构始终沿导轨上下运动，链条连接螺栓固定安装在框架上方，框架上下两横梁上均安装了聚氨酯防撞块。

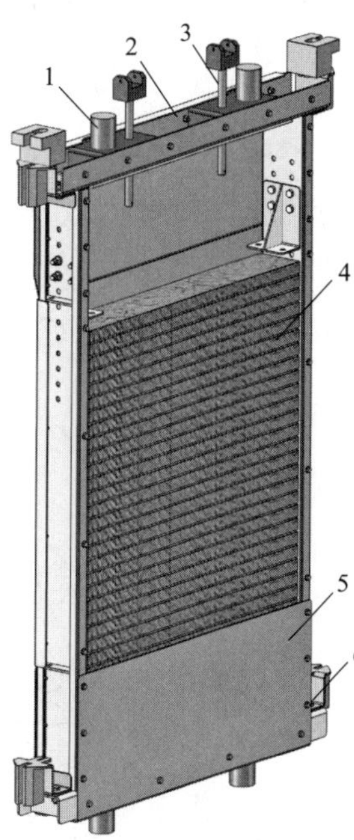

图 4-83　配重系统

1—聚氨酯防撞块；2—配重框架；3—链条连接螺栓；4—配重块；5—配重侧封板；6—导靴

⑤ 安全钳结构分析。安全保护装置是提升机结构中必备的机械保护装置，主要由限速器、张紧轮、限速器绳、安全钳操纵杆以及安全钳组成，安全钳是机械保护中最核心的部件，当提升机速度超过某一限定值时，通过夹绳装置夹紧限速器绳，从而带动安全钳制动块运动，将载货台快速制停在导轨上。目前国内外对提升机安全钳方面的研究比较少，尚未检索到国内外相关文献，单提升机结构与电梯比较相似，可参照电梯安全钳的相关研究对提升机安全钳进行分析和设计。

a. 安全钳的选择。根据适用速度范围的不同，安全钳分为瞬时式和渐进式两种。

瞬时式安全钳没有弹性元件，具有结构简单、制动时间短、制动距离短、价格低等优点，平均加速度可达到 $5g\sim10g$，因此会产生很大的制动加速度和冲击力，瞬时式安全钳制动过程的机械能主要由钳体、楔块和导轨的变形所消耗，一般常用于低速电梯系统中。渐进式安全钳由于弹性元件的存在，可以调节安全钳的制动力，减小制动冲击力和加速度，使载货台制停过程中更加平稳，因此又称为柔性安全钳，在制停过程中，载货台和载荷的机械能大部分转化为动滑块与导轨摩擦产生的热能，小部分转化为弹簧的弹性势能。

根据 GB/T 7588.1—2020《电梯制造与安装安全规范　第 1 部分：乘客电梯和载货电梯》要求，当提升机额定速度在 0.63m/s 以上时，使用的安全钳只能是渐进式的，其他速度范围可使用瞬时式安全钳，这里以额定速度为 0.75m/s 的提升机为例分析安全钳，根据规范要求须采用渐进式安全钳，根据制动元件的不同可分为偏心式、滚柱式和楔块式。

• 偏心式：采用偏心轮的结构触发夹紧块夹紧导轨来制停载货台，如图 4-84 所示。

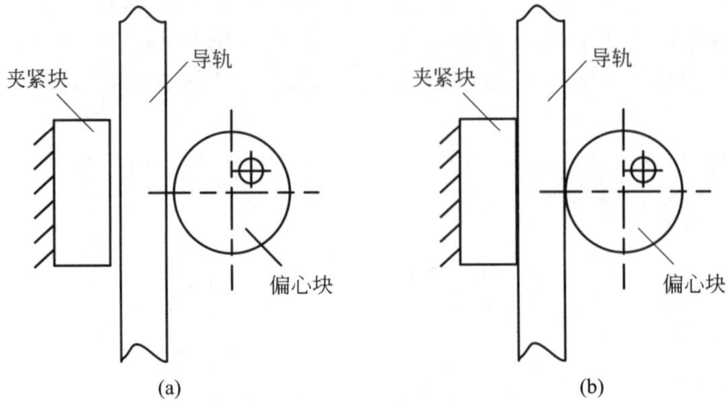

图 4-84　偏心式安全钳

图 4-84(a) 是常规状态，图 4-84(b) 是制动状态，在制动过程中，夹紧块与导轨之间是面接触，接触面之间的比压小，而偏心轮与导轨之间是线接触，接触面之间的比压大，易发生变形。

• 滚柱式：通过滚柱与导轨的接触实现制动，如图 4-85 所示，图 4-85(a) 是常规状态，图 4-85(b) 是制动状态，制动时提拉杆提起滚柱，滚柱受拉向上运动，位于导轨与弹簧之间，滚柱与导轨之间是线接触，易发生变形。

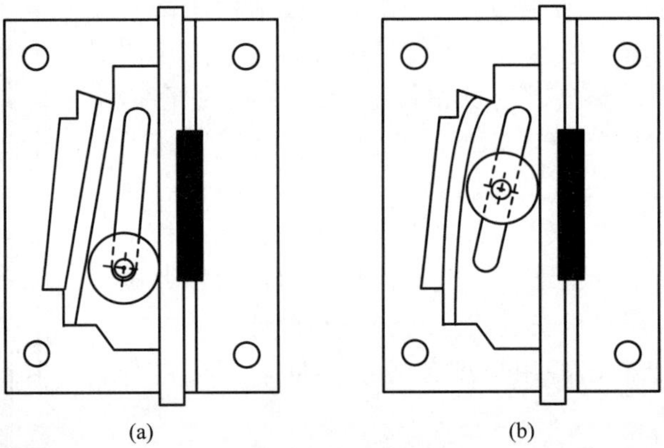

图 4-85　滚柱式安全钳

• 楔块式：通过楔形动滑块与导轨的接触来实现制动，如图 4-86 所示，图 4-86(a) 是常规状态，图 4-86(b) 是制动状态，制动时两动滑块夹抱导轨，楔形动滑块与导轨是面接触，接触面积大，对导轨的损伤小，而且制动停止后楔块能够实现自锁，因此应用场景比较广泛。

下面以楔块渐进式安全钳为例，说明安全钳原理。

b. 安全钳结构设计。如图 4-87 所示，安全钳主要由钳座、固定楔块、U 形板簧、动滑块、导板、滚柱排等组成。U 形板簧与固定楔块通过螺栓固定连接，钳座限制固定楔块在竖直方向上的自由度，在水平方向设有开口槽，固定楔块可沿开口槽运动，固定楔块和动滑块对称安装在 U 形板簧内侧，提拉杆通过同步架连接两动滑块，实现两动滑块同步运动。

安全钳的制动过程可分为以下几个阶段：

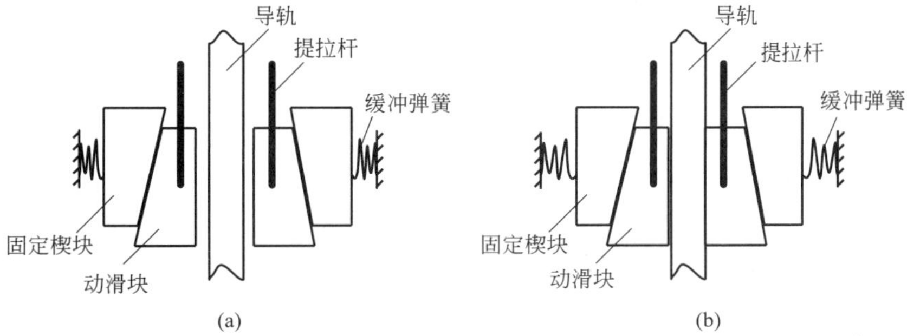

图 4-86　楔块式安全钳

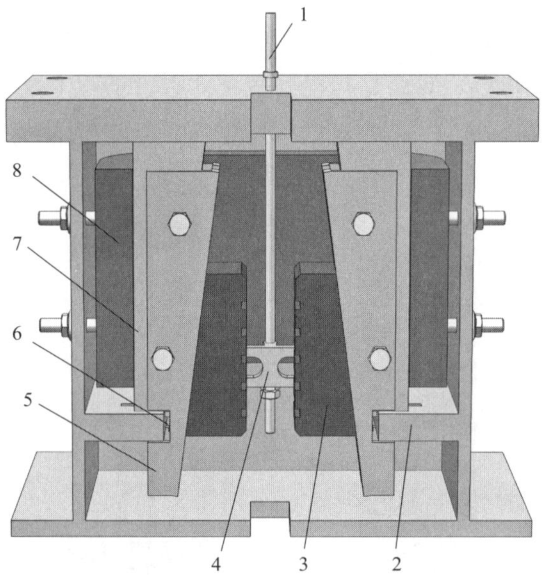

图 4-87　楔块渐进式安全钳结构

1—提拉杆；2—钳座；3—动滑块；4—同步架；5—导板；6—滚柱排；7—固定楔块；8—U 形板簧

提升机正常运行时，动滑块处于最低状态，动滑块与导轨之间存在一定的间隙。当提升机超速并达到限速器动作速度时，触发限速器动作，限速器轮卡死并停止转动，限速器绳与限速器轮之间存在摩擦力，对提拉装置产生向上的提拉力，在提拉装置反应动作时间内，安全钳的动滑块仍处于初状态，与导轨之间的间隙不变。

当提拉杆将力传递给动滑块，动滑块相对于钳座向上运动时，其动滑块的导向面是上窄下宽的结构，在动滑块向上运动的过程中，动滑块与导轨之间的间隙不断减小直至与导轨接触。

载货台继续向下运动，导轨给动滑块向上的摩擦力，动滑块相对钳座继续向上运动时，对固定楔块产生横向力并传递给 U 形板簧，使 U 形板簧张开，对动滑块产生反向正压力，U 形板簧张开越大，对动滑块的正压力就越大，动滑块与导轨之间的摩擦力就越大，当动滑块运动至钳座上端面时，动滑块与导轨之间的摩擦力最大，并保持恒定。

载货台继续向下运动，动滑块与导轨之间的摩擦力远大于载货台自身重力，载货台开始做减速运动，直至动滑块完全将载货台夹停在导轨上，依靠安全钳的自锁性保证载货台静止不动。

关于导向系统，由于其结构和作用较简单，此处不再展开介绍。

4.7.2 料箱库往复提升机

料箱库往复提升机根据功能分为料箱提升机和换层提升机。

料箱提升机通过控制载货台的升降将料箱提升到货架的目标层，与缓存输送线精准对接，料箱通过缓存输送线送到缓存位，再由料箱穿梭车实现料箱的搬运与存储。

换层提升机通过控制载货台的升降将料箱穿梭车提升到货架的目标层，料箱穿梭车行走到货架的纵向轨道。换层提升机通过提升机载货台的升降与精准定位，实现料箱穿梭车换层作业。换层兼顾料箱提升的提升机很少，这里就忽略了。

(1) 料箱提升机

料箱提升机根据载货台数量的不同，分为单边单层料箱提升机、单边双层料箱提升机、双边单层料箱提升机和双边双层料箱提升机，如图 4-88 所示。单边与双边是指提升机左右两侧分别有一个和两个载货台，双层是指提升机单侧有上下两个载货台。增加双边和双层均是为了提高料箱提升机的运载效率，因为提高料箱提升机的运载效率往往是穿梭车料箱库效率的瓶颈。

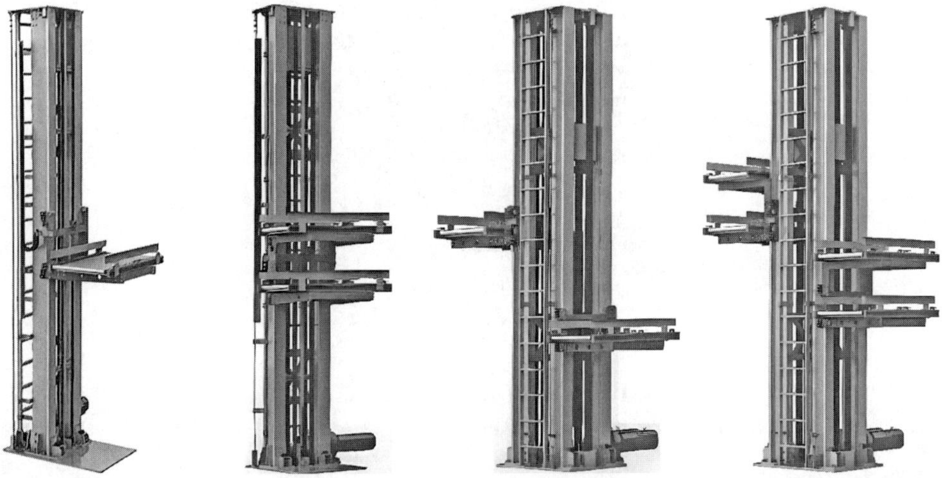

(a) 单边单层料箱提升机　(b) 单边双层料箱提升机　(c) 双边单层料箱提升机　(d) 双边双层料箱提升机

图 4-88　料箱提升机

由于料箱一般质量较小，所以料箱提升机一般采用同步带方式提升，均采用悬臂结构，如图 4-88 所示，且为了维修方便，常把驱动减速电机设置在底部，也是为了减轻顶部质量的需要，但这样也带来新的问题，同步带较长，受力后被拉长，时间长了会使下端的同步带驱动轮与同步带之间出现跳齿现象，这种情况一般采用断开的同步带，两个断口之间用张紧装置连接起来，这样检修时可以通过张紧来调节同步带受力变形的长度。有的料箱提升机驱动减速电机设置在顶部，这样不仅能省一个从动同步带轮，同步带长时间受力变长的问题就对驱动没有影响了，但安装与维护都不方便。所以驱动系统设置在下方还是上方均有利弊。

(2) 换层提升机

换层提升机如图 4-89 所示，穿梭车轨道相对于升降结构的布局不同，可分为两类。

悬梯结构换层提升机可采用悬臂结构，如图 4-89(a) 所示，虽然也用了两个立柱，两立

(a) 悬梯结构　　(b) 双立柱结构

图 4-89　换层提升机

柱均在载货台的一侧，但仍属于单立柱结构，这种结构的载货台穿梭车轨道靠近提升机这端是封闭的，穿梭车无法从这一端行驶出来。

双立柱换层提升机可采用双立柱结构，如图 4-89(b) 所示，这种结构载货台受力更好，更适合质量大的穿梭车，且穿梭车轨道两端都是开放的，穿梭车从载货台上的轨道可以行驶出来，方便接驳。

4.8　其他密集存储系统

其他密集存储系统较多，如适用于小件物品的最密集的存储拣选系统——AutoStore，已经应用多年，这里更关注料箱与托盘的密集存储系统，尤其是料箱密集存储系统出现了新技术，下面分析几种典型技术。

4.8.1　基于可爬升货架穿梭车的仓储系统

穿梭车技术的发展可以从穿梭车轨道的发展折射出来，从直线轨道的两向穿梭车，后来发展到纵横交错平面轨道的四向穿梭车，提升机完成了竖直方向上的运动，但提升机往往成为穿梭车库的效率瓶颈，那有没有穿梭车自己实现竖直方向运动的方案呢？不仅有，而且还不止一种方案，这里介绍两个典型方案。

(1) 竖直平面行走的穿梭车料箱库

竖直平面行走的穿梭车料箱库，如图 4-90 所示，分为若干相对独立的单元，根据存储量和出入库效率的要求增减单元数量。

料箱穿梭车不是在货架的每一层所在的平面上运动，而是在每个巷道所在的平面内运动，如图 4-91 所示。该穿梭车立体库系统包括：货架 1、轨道系统 2、出入库操作台 3 和穿梭车 4。货架 1 有多层，且一般有两排，也可以根据实际需要安装多排，在相邻的货架之间安装轨道系统。轨道系统 2 包括若干水平轨道 21 和垂直轨道 22，水平轨道分别安装于货架的顶部和底部，垂直轨道两端分别连接顶部和底部的水平轨道。垂直轨道和水平轨道均包括

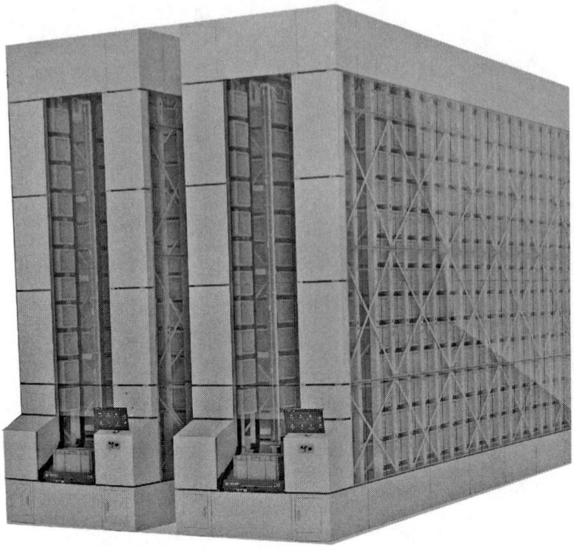

图 4-90　竖直平面行走的穿梭车料箱库

齿条轨道以及普通轨道，所述齿条轨道与普通轨道并列排布，穿梭车沿齿条轨道行进，普通轨道为穿梭车行进提供辅助导向。垂直轨道和水平轨道在横纵交叉处设有活门开关机构 23，活门开关机构 23 实现水平行走与下降行走的切换。出入库操作台 3 与货架 1 通过轨道系统 2 连接，通过向控制模块发送控制指令来控制穿梭车的移动。穿梭车从出入库操作台 3 进或出货架 1，操作人员在操作台进行上下货操作，操作台通过向控制模块发送控制指令来控制穿梭车的移动。

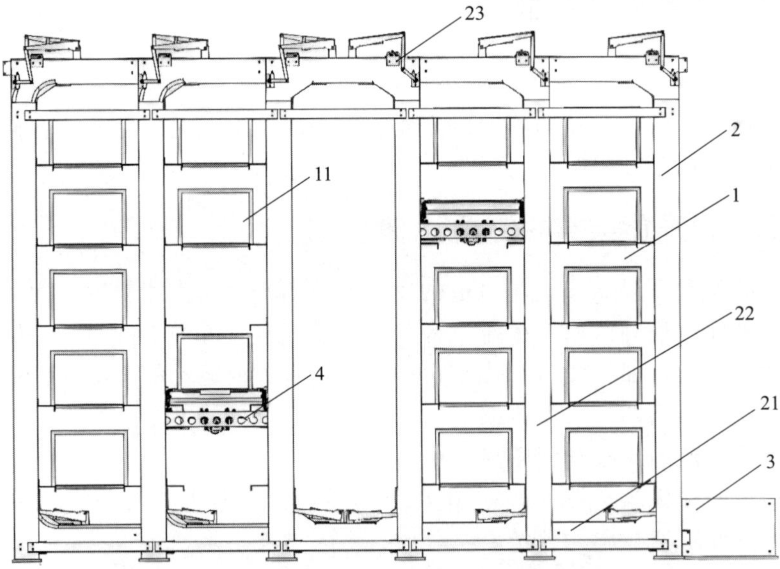

图 4-91　竖直平面行走的穿梭车料箱库原理

1—货架；2—轨道系统（21—水平轨道；22—垂直轨道；23—活门开关机构）；3—出入库操作台；4—穿梭车

以出库为例，说明其工作原理：如图 4-92 所示，箭头表示穿梭车行走路线，入库口与出库口在一端（图中为右端），穿梭车从靠近入库口的一列轨道上升到最高层，然后向左行驶，到达目标列后，开始下降，下降到目标层后，通过夹抱式伸缩货叉移载料箱，取到料箱后，继续下降，直到降到最底层，再向右行驶至出库口。这样所有穿梭车行走的路线均是逆时针方向，可能在即将到达最底层轨道需要等待，但不会逆向行驶。由于穿梭车不是往复行走，所以数量可以增加，速度也比较快，效率高。

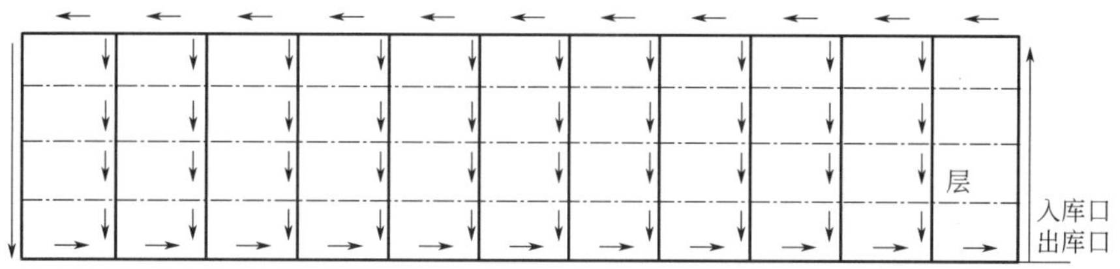

图 4-92　竖直平面行走的穿梭车行走路线

发明该穿梭车料箱库的公司形象地称该料箱为摩天轮。该料箱库穿梭车的行走运动是在竖直平面内的，加上伸缩货叉的运动就是三维的，和堆垛机完成的功能是一样的，只不过该料箱库穿梭车成本低、数量多，效率提高了，且柔性与冗余性好得多。

（2）攀爬式穿梭车料箱库

攀爬式穿梭车 Rack Racer 由德国物流研究院研发，与传统穿梭车相比，Rack Racer 最大的不同是作业时不需要提升设备来变化层高。穿梭车配备左右两侧对称的两组履带，每组前后两段履带，每段可摆动，如图 4-93 所示，货架巷道侧设置了履带可支撑的短轴，穿梭车在行走路线上的货架短轴的支撑下，保持穿梭车的平衡，使得穿梭车能够完全自主地在货架的任何位置存储或取回物品，不需要再设轨道。

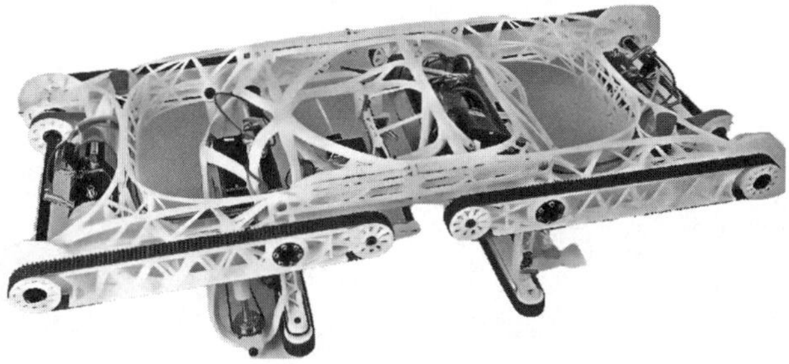

图 4-93　竖直平面行走的穿梭车履带布置

Rack Racer 两组履带支撑载物台，且载物台是悬挂式的，所以 Rack Racer 穿梭车在立体货架中无论是水平移动，还是成对角上爬下降，载物台始终保持水平角度，如图 4-94 所示。

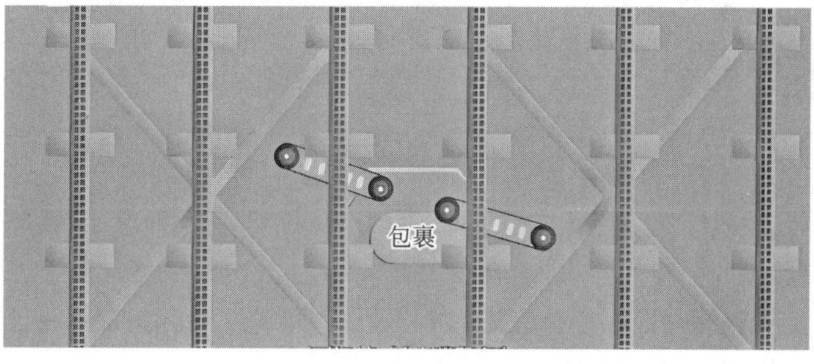

图 4-94　竖直平面行走的穿梭车

Rack Racer 穿梭车性能参数如表 4-12 所示。目前 Rack Racer 穿梭车只能存取小件货物（25kg 以下货物），大件货物还是依靠堆垛机、提升机等传统自动存取运输设备。

表 4-12 Rack Racer 穿梭车参数规格

性能	参数
净重	52kg
负载	25kg
负载尺寸	长 400mm×宽 600mm×高 220mm
攀爬速度	1m/s
载货台形式	悬挂
电源	锂电子电池

4.8.2 基于桁车式机器人的仓储系统

车间里按钮控制或者遥控的桁车是常用设备，能够纵向行走、横向行走、竖向升降，将按钮控制或者遥控的桁车运动系统改成自动或智能控制的，就能实现车间货物的搬运，基于这个思路，一种新高密度存储技术产生了，如图 4-95 所示，基于空间物流机器人的仓储系统，实质上就是基于桁车式机器人的仓储系统，能够对行走、横向行走、竖向升降运动精准控制，且运动空间大，可搬运大载荷货物，图 4-95 中货物单元是料筐，也可以是托盘，如图 4-96 所示，也可以是其他形式，如圆辊、长料架等。

图 4-95 基于桁车式机器人的料筐库

基于桁车式机器人的仓储系统很大的优势在于没有货架，对于料筐库来说，料筐不仅是搬运的单元，而且起到货架作用，货物不受压力；对托盘库来说，托盘货物堆高时需耐压，否则堆高高度受限。无论是料筐，还是托盘，只要不堆高，就可以实现任意拣选，否则就需要倒换才能实现任意拣选。

图 4-96　基于桁车式机器人的托盘库

第 5 章

自动导引车

5.1 自动导引车概述

国家标准 GB/T 18354—2021《物流术语》中定义 AGV（automated guided vehicle，自动导引运输车简称自动导引车）为具有自动导引装置，能够沿设定的路径行驶，在车体上具有编程和停车选择装置、安全保护装置以及各种物品移载功能的搬运车辆。

AGV 广泛用于柔性制造系统（FMS）和自动化仓储系统中。AGV 载重从几十千克到上百吨，在港口、码头、机床、化工、汽车、家电、军械、邮政、电工、飞机制造和自动化仓储系统等行业得到了广泛的应用，最适合在物流、自动化工厂、污染的环境等条件下作业。

自动导引车是一种以电池为动力，装有非接触导引（导引）装置的无人驾驶车辆。它的主要功能表现为能在计算机监控下，按路径规划和作业要求，精确地行走并停靠到指定地点，完成一系列作业功能，如图 5-1 所示。

图 5-1　按路径规划行走的 AGV

AGV 适用于搬运各种大、中、小型的物品及箱品、托盘等，如图 5-2 所示，其最大优

图 5-2　搬运托盘与货箱的 AGV

点是适应性强、应用广。仓储 AGV 是近几年将机器人技术应用到物流行业的代表，将传统自动导引车辆进行改进，使其符合物流行业需求，代替叉车、拖车等传统物料搬运设备，实现仓储无人化操作，高效率产出。目前，无人搬运车的工作能力已经完全可以替代普通的人工搬运或机械搬运，并且具有更加柔性化、安全、节能、稳定可靠的特点。

自动导引车以轮式移动为特征，较之步行、爬行或其他非轮式的移动机器人具有行动快捷、工作效率高、结构简单、可控性强、安全性好等优势。

与物料输送中常用的其他设备相比，AGV 的活动区域无须铺设轨道、支座架等固定装置，不受场地、道路和空间的限制。因此，在自动化物流系统中，最能充分体现其自动性和柔性，实现高效、经济、灵活的无人化生产，人们形象地把自动导引车称作现代物流系统的动脉。

美国 Barrett 电子公司于 20 世纪 50 年代初成功研发了世界上第一台 AGV，北京起重运输机械研究所于 1976 研制出第一台 AGV，我国一直在奋力追赶，尤其是近些年电商行业、智能制造行业的快速发展，为 AGV 的发展提供了全世界最大的应用市场，促进了 AGV 技术跨越式发展，在外商林立的工业机器人市场，AGV 已经成为国内工业机器人领域中市场占有率最高的类型之一。

除了在市场占有率方面的压倒性优势外，国产 AGV 在技术和产品的先进性方面更是不输国外。尤其是在性价比方面，同类 AGV 产品中，外资品牌 AGV 的价格比国产 AGV 品牌的价格高至少 50%，有些甚至高出 100%，因此国内应用厂家大多数会选择国产 AGV 品牌，且基于本土化的优势，高性价比的国产 AGV 还能提供更加个性化的服务，特别是对于不同厂家的需求，能够及时应对，符合市场需求。

目前，行业的头部企业已经将眼光看向了海外市场，许多企业已有海外项目落地，国产 AGV 的海外布局也正在加快进程。

5.1.1 自动导引车的系统构成

AGV（自动导引车）系统（图 5-3）主要包括以下几个部分。

（1）机械系统

机械系统是整个 AGV 精准、稳定与安全运行的基础，包括车体结构、驱动装置、转向装置和移载装置等。

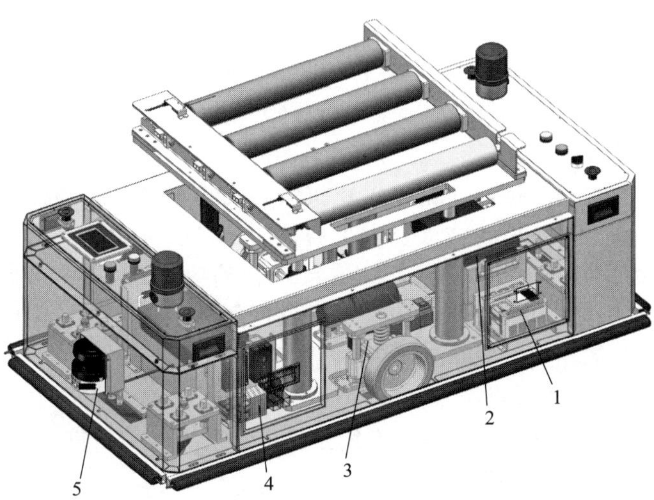

图 5-3　AGV 系统组成

1—控制系统；2—动力系统；3—机械系统；4—通信系统；5—导引与定位系统

车体结构：包括底盘、车轮、车架、壳体和控制室等，是 AGV 的基础部分，承载整个 AGV 的主体结构和各个部件，同时也是其他总成部件的安装基础。

驱动装置：由车轮、减速器、制动器、驱动电机及速度控制器等部分组成，控制 AGV 的正常运行。

转向装置：接收导引系统的方向信息，通过转向装置实现转向动作，常见的实现方式有铰轴转向式和差速转向式。

移载装置：与所搬运的货物直接接触，实现货物的转载，如货叉、滚筒输送带或其他装载卸载工具。

(2) 动力系统

动力系统又包括电源系统和充电装置。

电源系统：为 AGV 提供电能，通常由电池组成，如铅酸电池、镍氢电池、锂电池等，以满足机器人长时间的工作需求。电源系统还包括电池管理系统（BMS），用于监控和管理电池的充放电过程，确保电池安全性和电池寿命最大化。

充电装置：由充电站及自动充电机组成，实现 AGV 的自动在线充电。通常采用锂电池，并由中央控制系统集中管理，实现 24 小时连续生产。

(3) 控制系统

控制系统是 AGV 的大脑，负责整个机器人系统的运行和协调调度。通常由嵌入式控制器和相关软件组成，能够实时接收并处理传感器信息，控制执行系统的运动和动作，如电机、制动器等，实现导引、路径规划、避障等功能。

(4) 导引与定位系统

导引与定位系统确定 AGV 的位置并指导其移动，包括激光导引、视觉导引、超声波导引等多种技术。这些技术结合地图生成、环境感知和障碍物检测等功能，确保 AGV 在复杂环境中精确定位和安全导引。

导引与定位系统通过传感器感知周围环境的数据，如距离、位置、障碍物等，为 AGV 提供实时的环境感知能力。常见的传感器包括激光传感器、摄像头、超声波传感器、编码器、惯性传感器等。

(5) 通信系统

通信系统实现了 AGV 与外部环境、AGV 调度系统之间的有效沟通和数据交换。常见的通信方式包括无线局域网（Wi-Fi）、蓝牙、RFID 等，确保 AGV 能够接收任务指令、向外部发送状态信息等。

(6) 安全保护装置

安全保护装置：包括急停按钮、紧急停止机制、光电开关、限速装置等，确保 AGV 在运行过程中的安全，避免与障碍物或人员发生碰撞。

综上所述，AGV 的功能组成涵盖了机械系统、动力系统、控制系统、导引与定位系统、通信系统和安全保护装置等，这些组成部分共同协作，使 AGV 能够在现代物流、制造和仓储等行业中实现自主导引、精确控制和高效运行。

需要说明的是，AGV 调度系统不属于 AGV，但与 AGV 密切相关，是多台 AGV 之间合理规划运行的决策系统，即 AGV 调度系统是 AGV 系统的“智能大脑”，主要负责路径规划、交通管制、状态监控、任务管理等功能。

AGV 与 AGV 调度系统的关系：

① 协同工作：AGV 调度系统通过实时监控 AGV 的状态和位置，指导 AGV 按照最优

路径完成运输任务；AGV 则根据调度系统的指令进行移动和作业。

② 相互依赖：AGV 调度系统依赖于 AGV 的实时数据反馈来进行调度和决策，而 AGV 则依赖于调度系统的指令来执行运输任务。

③ 独立存在：虽然 AGV 调度系统与 AGV 紧密相关，但它们是两个独立的系统。AGV 调度系统可以独立运行，对多部 AGV 进行管理和调度；而 AGV 则可以在没有调度系统的情况下进行简单的自主导引和运输作业（但效率和安全性会大大降低）。

综上所述，AGV 调度系统不属于 AGV 本身，而是与 AGV 紧密相关的一个管理系统。它通过实时监控、调度和控制 AGV，实现物流搬运的自动化和智能化。

5.1.2　AGV 分类

AGV 可以按照不同分类方法进行分类，如导引方式、作业场景、行走轮特征等，但应用最多的是按移载方式分类。

（1）牵引式 AGV

牵引式 AGV（图 5-4）利用 AGV 尾部牵引一台或多台料车，实现料车的自动搬运。需要注意的是，牵引式 AGV 不是潜入到货架下面搬运料车，只是牵引，料车上货物由料车承载。

图 5-4　牵引式 AGV

（2）背负式 AGV

背负式 AGV（图 5-5）通过滚筒式、链条式移载装置以及工业机器人等将料箱、纸箱等移载到 AGV 上，实现对货物的搬运，也可以实现货物从 AGV 移载到对接的设备。

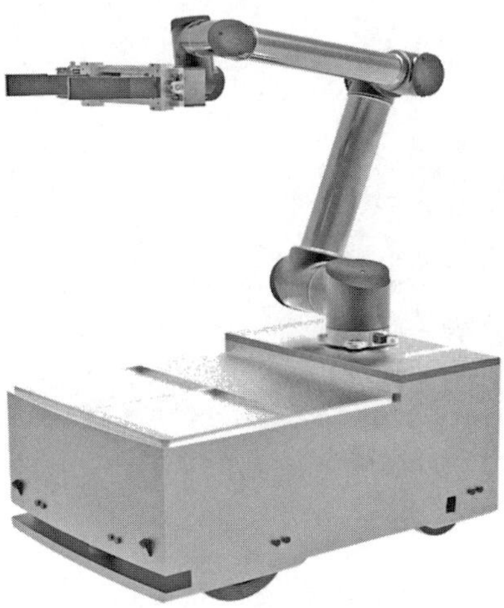

图 5-5　背负式 AGV

(3) 潜伏式 AGV

潜伏式 AGV（图 5-6）车身较低，可在料车底部有限的空间中穿梭，有潜伏背负式和潜伏牵引式两种，前者料车质量作用在 AGV 上，后者不承受料车质量，在料车底部进行自动挂扣和脱扣，AGV 只提供牵引力，有点类似牵引式 AGV，但是否潜入料车底部两种是不同的。亚马逊的 KIVA 机器人就属于潜伏背负式 AGV，通过升降模块可以直接将货架顶着进行运输。

图 5-6　潜伏式 AGV

(4) 重载 AGV

重载 AGV（图 5-7）主要应用于港口、机场、大飞机等大型设备制造等场景，有助于提高重载领域物流自动化水平，降低生产和运营成本，减轻操作人员的劳动强度（尤其是在炎热的夏天）。

图 5-7　重载 AGV

(5) 叉车 AGV

叉车 AGV（图 5-8）不仅需要完成托盘货物点对点搬运，而且要对托盘进行自动定位与识别，以实现对托盘货物准确地查取，从而实现托盘货物的搬运。

图 5-8　叉车 AGV

(6) 多层料箱式 AGV

多层料箱式 AGV 可以实现“料箱到人”的货物搬运，其搬运对象是料箱，可以直接从中低层货架中取出料箱，并搬运至指定位置，如图 5-9 所示，是料箱堆垛机的取货功能与背负式 AGV 的搬运与移载功能的结合；多层料箱式 AGV 也可以从货架中取出料箱后缓存，取了多个料箱后一起搬运至指定位置，由于一次搬运多个料箱，减少了搬运的次数和距离，提高了取货与搬运总效率。

(a)　(b)

图 5-9　多层料箱式 AGV

(7) 可爬升货架式 AGV

可爬升货架式 AGV 是一种创新性的自动化仓储设备，具备在地面上和货架上完成货物搬运的能力，并通过移载装置或机械臂将货物推至或吸附至指定位置，融合了堆垛机的存取货功能与普通 AGV 的搬运功能。如法国 Skypod 工业机器人（AGV）以 16km/h 的速度进行三维移动，采用激光扫描仪导航，并且可以在货架上完成对货物的精准存取，如图 5-10 (a) 所示；同时 AGV 可以将货物输送到目标区域，如图 5-10(b) 所示。将链条固定在巷道两侧货架的立柱上，AGV 驱动链轮与货架上的链条啮合实现沿货架轨道垂直升降，如图 5-10 (c) 所示。但该款 AGV 依靠两侧货架轨道爬升，对巷道宽度有一定要求，由于其不具备在货架上横向移动的功能，当 AGV 爬升货架完成存货作业后，又接到另一列的取货指令时，只有下降到地面才能完成换列作业。

(a) (b) (c)

图 5-10 可爬升货架式 AGV

5.2 典型 AGV 结构分析

按照移载方式分别讨论典型 AGV 的结构原理。

5.2.1 牵引式 AGV

牵引式 AGV 如图 5-11 所示，一般行走路线固定且循环，常采用磁导线导引，成本低。牵引式 AGV 一般采用四轮布置方式，两驱动轮在头部，转向采用两驱动轮差速驱动方案，两万向轮在尾部，AGV 尾部安装有牵引系统，牵引系统主要包括 E 形架 1、T 形栓 2、压缩弹簧 3，如图 5-11(b) 所示，压缩弹簧 3 在 T 形栓中部焊接的圆环片 4 处与之相对固定，可防止 T 形栓从 E 形架中脱出，图 5-11(a) 中牵引系统 T 形栓为插入状态，图 5-11(c) 中牵引系统 T 形栓为拔出状态。牵引系统 T 形栓的插拔一般是手动的，也有自动插拔的。

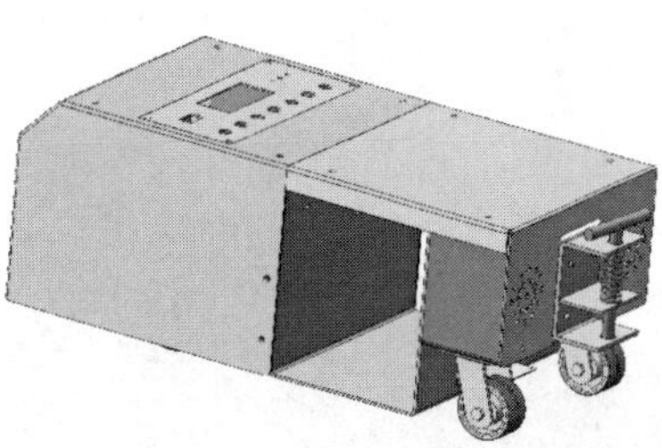

(a) T形栓插入状态

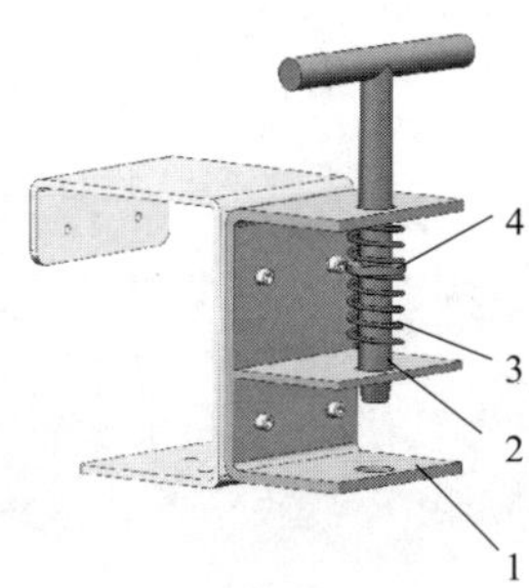

(c) T形栓拔出状态

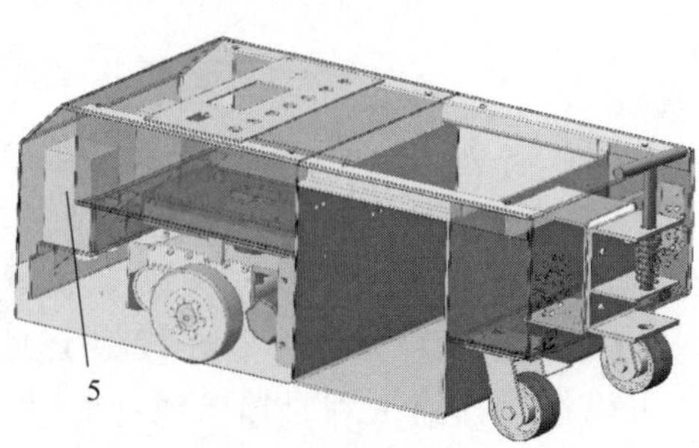

(b) 牵引部件结构

图 5-11 牵引式 AGV 结构

1—E 形架；2—T 形栓；3—压缩弹簧；4—T 形栓圆环片；5—配重块

配重块 5 主要是为了确保 AGV 行走时驱动轮的着地压力，因为驱动轮摩擦力是驱动力，如果压力不够，即使动力再大也会因打滑而达不到行走驱动效果。

5.2.2　背负式 AGV

背负式 AGV 移载方式很多，这里只讲解几种较特殊的移载方式。

(1) 升降辊筒式移载

背负式 AGV 的移载方式为升降辊筒式移载，如图 5-12 所示，具有升降功能，可以与不同高度的辊筒输送线对接移载料箱等货物，升降驱动由电动推杆实现，四个直线轴承位于辊筒移载线体的四个角上，起导向作用，辊筒移载线一般用于料箱等轻载且下表面平整的货物。

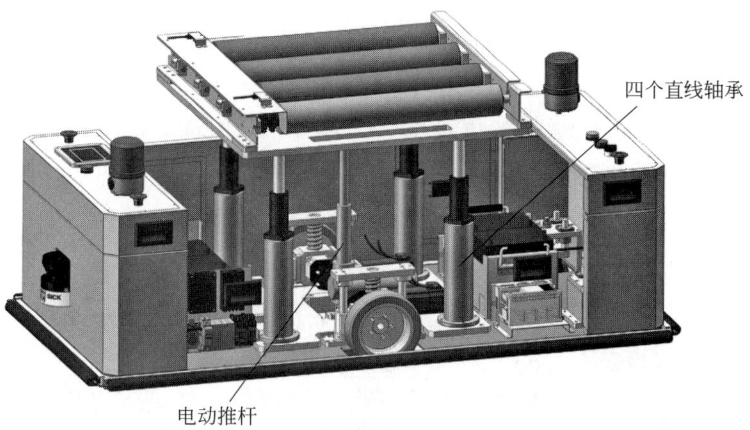

图 5-12　升降辊筒移载的背负式 AGV

该背负式 AGV 轮系布局如图 5-13 所示，两驱动轮位于 AGV 长度的中间，四个万向轮位于 AGV 的四个角上，两个轮左右两侧呈对称结构，为了使 AGV 行走平稳，需要考虑轮系过沟槽或凸起的问题，六轮行走常用的减振方案如图 5-13 所示，三种方案特点如表 5-1 所示。

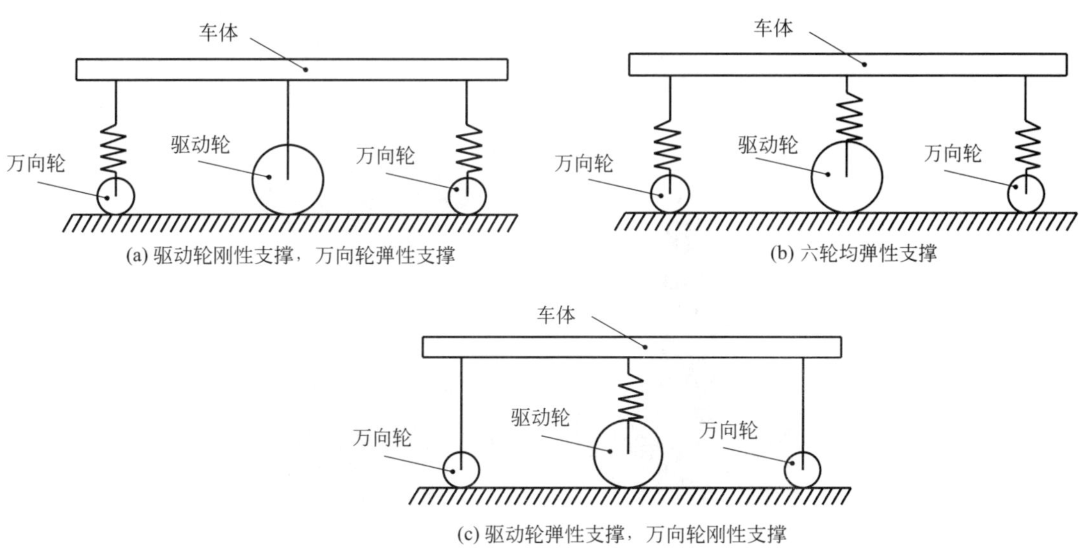

图 5-13　升降辊筒移载的背负式 AGV 轮系布局

考虑到负载较轻，稳定性要求低，为了更好的减振效果，该背负式 AGV 轮系减振方案采用了方案（b）[图 5-13(b)]。但并不是所有的升降辊筒式移载 AGV 都是移载轻载货物，有的也移载托盘货物，这时 AGV 轮系减振方案更适合采用方案（c）[图 5-13(c)]，这样承载更稳定。

表 5-1　六轮行走常用的减振方案

方案	优点	缺点
方案(a)[图 5-13(a)]	结构简单、成本低，减振效果较好	稳定性差、附着力不足
方案(b)[图 5-13(b)]	稳定性较好、附着力足，减振效果好	结构复杂、成本高
方案(c)[图 5-13(c)]	附着力足、稳定性好	成本较低，减振效果差

（2）翻板式 AGV

翻板式 AGV 背负着小型包裹，行走到目标位置后把小型包裹分拣到位于行走平面的分拣口内，如图 5-14 所示，AGV 有两个运动：平面行走运动、翻板运动，共有三个驱动，一个为翻板驱动，另外两个可差速驱动转向与直线运动。翻板式 AGV 占地面积小，一般采用四轮布局，前后各一个万向轮，中间为两个驱动轮，转弯半径小，加速行走时前后均有万向轮支撑。翻板式 AGV 主要用于小型物品的分拣系统。

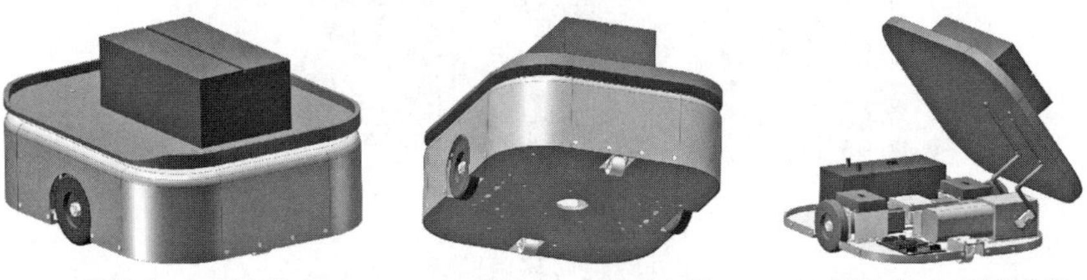

(a) 翻板式AGV行走状态　(b) 翻板式AGV轮系布局　(c) 翻板式AGV翻板状态

图 5-14　翻板式 AGV

翻板架的转动由直流伺服电机驱动，所需扭矩取决于货物与货盘的质量、翻板架的尺寸。

（3）带式移载背负式 AGV

带式移载背负式 AGV，如图 5-15 所示，带式移载装置高度较高，目的是匹配存放货物的容器（如分拣打包袋）的高度，便于把 AGV 带式移载装置上的货物移载到存放货物的容

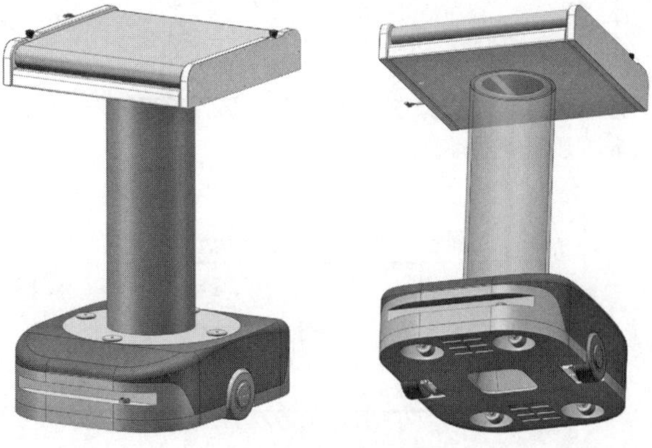

(a)　(b)

图 5-15　带式移载背负式 AGV

器，这样只有 AGV 有移载装置，存放货物的容器就不需要移载装置了，充分利用存放货物容器的高度。这种 AGV 适用于小件物品的搬运，下表面不平整也不受影响。

5.2.3　潜伏式 AGV

(1) 潜伏牵引式 AGV

潜伏牵引式 AGV，如图 5-16 所示，潜伏到料车底部，两个电动推杆伸出或缩回，实现 AGV 与料车的自动挂钩或脱钩，料车不是由 AGV 承载，AGV 只是牵引，但必须潜伏到料车底部牵引，这点与牵引式 AGV 不同。潜伏牵引式 AGV 运动路线一般比较固定，所以常用磁导线导引。

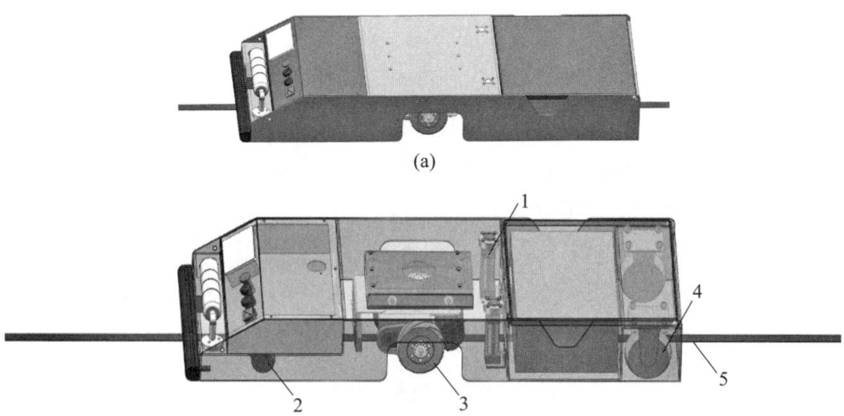

图 5-16　潜伏牵引式 AGV

1—电动推杆；2—万向轮；3—驱动轮；4—定向轮；5—磁导线

潜伏牵引式 AGV 两个驱动轮同轴线差速驱动实现转向，头部两个小万向轮，尾部有两个定向轮，潜伏牵引式 AGV 转弯半径一般比较大。

(2) 潜伏顶升货架可回转的背负式 AGV

KIVA 型 AGV 是一种以二维码导引为基础的双差速 AGV，如图 5-17 所示，AGV 潜伏到货架底部，顶升货架后运行，所以是潜伏背负式 AGV。无论空载还是载着货架运行，只走直线，不走曲线，转向只转 90°，通过两驱动轮差速转向 90°；载运货架时，AGV 转向 90°，货架并不转向，这样整个系统运行通道就会窄一些，不用考虑货架旋转而增大的尺寸，要实现货架始终是平行运动，就需要在 AGV 转向时，顶升装置能够反转向运动，从而实现货架方向不变。

随着技术的进步，出现了基于激光导引和视觉 SLAM 导引的新型 KIVA 型 AGV，这些

(a) KIVA型AGV　　(b) 新型KTVA型AGV

图 5-17　KIVA 型 AGV 示例

AGV 具有更高的灵活性和更低的维护成本。

KIVA 型 AGV 行走轮系结构：两驱动轮位于中间，差速转向，四个万向轮位于四个角，减震方案选用了图 5-13(c) 的方案，在保证减振性的同时，既能保证驱动轮的着地性能，又能兼顾稳定性，结构如图 5-18 所示。

KIVA 型 AGV 有四个驱动，两个分别用于驱动轮的动力与控制，一个为顶升驱动，一个为 AGV 转向时实现货架反向旋转的驱动。下面分析顶升机构的实现方案与反向旋转的实现方案。

KIVA 型 AGV 顶升机构实现方案不同，有的采用圆柱凸轮机构，有的采用丝杠螺母结构，而反转向机构一般采用齿轮传动。

① 圆柱凸轮机构顶升与回转方案。采用圆柱凸轮机构的顶升方案，如图 5-18 所示，图 5-18(b) 为图 5-18(a) 图的部分剖切，是为了看清内部结构。

a. 转台座 7 通过 4 个竖直方向安装的回转定位滚轮轴承 8 与旋升桶 5 构成转动副；

b. 转台座 7 通过 4 个水平方向安装的回转支撑滚轮轴承 6 支撑旋升桶 5，并能够旋转；

c. 四个滑块 9 固定安装于壳体上，直线导轨 10 与升架托架 12 固定连接；

d. 旋升桶 5 与旋升大齿轮 4 固定连接，在顶升伺服电机 1 经顶升直角减速器 2 及顶升主动齿轮 3 的驱动下，旋升大齿轮 4 旋转，相当于圆柱凸轮驱动螺旋顶升滚轮轴承 11 上下运动（螺旋顶升滚轮轴承 11 固定安装于升降托架 12 上）；

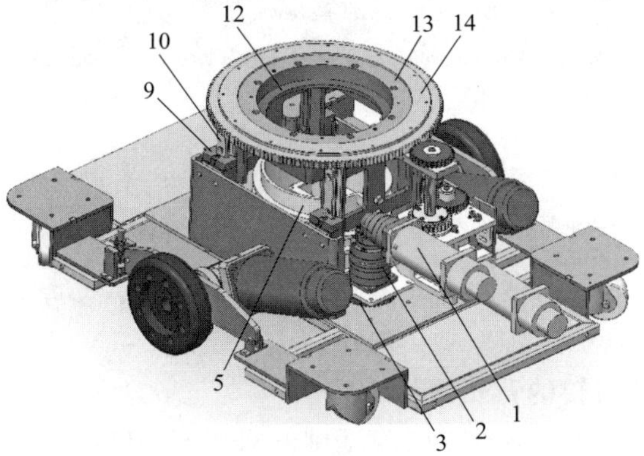

(a)

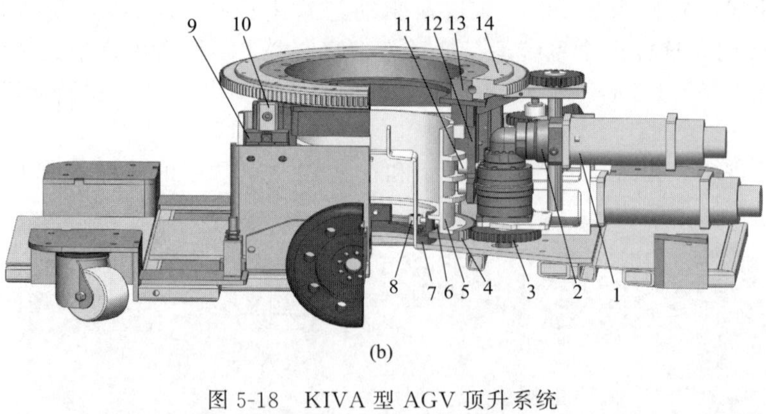

(b)

图 5-18　KIVA 型 AGV 顶升系统

1—顶升伺服电机；2—顶升直角减速器；3—顶升主动齿轮；4—旋升大齿轮；5—旋升桶；6—回转支撑滚轮轴承；7—转台座；8—回转定位滚轮轴承；9—滑块；10—直线导轨；11—螺旋顶升滚轮轴承；12—升降托架；13—回转台内圈；14—回转台外圈

e. 升降托架 12 的上下运动带动支撑货架的回转台上下运动，与回转台内圈 13 与升降托架 12 固定相连，回转台外圈 14 可旋转，且与顶升货架的顶板固定连接，那么升降托架 12 的上下运动带动顶板上下运动；

f. 反向回转电机通过齿轮传动驱动花键轴上的下端齿轮转动，再由可升降的花键轴把运动传递给上方的齿轮，从而驱动回转台外圈，实现货架的反向 90°转动；

g. 顶升运动部分以及货架的质量，均由支撑旋升桶 5 的 4 个回转支撑滚轮轴承 6 承担，并由 4 个直线导轨导向，起到一定的防倾倒作用。

上面分析了采用圆柱凸轮机构的顶升方案，下面分析如何实现顶板的 90°旋转。KIVA 型 AGV 通过两驱动轮的差速准确转向 90°，为了实现货架不随之转动，需要与顶板固定连接的回转台外圈反向旋转 90°。

KIVA 型 AGV 顶板回转系统，如图 5-19 所示，主要包括：回转伺服电机 1、回转直角减速器 2、回转主动齿轮 3、回转下从动齿轮 4、带有花键槽的传动轴 5、带有花键的上主动齿轮 6 和回转台外圈 7。回转伺服电机 1 通过回转直角减速器 2 将动力传递给回转主动齿轮 3，回转主动齿轮 3 与回转下从动齿轮 4 啮合，将转动传递给带有花键槽的传动轴 5，带有花键槽的传动轴 5 与带有花键的上主动齿轮 6 既能实现旋转的传动，又能沿轴线实现上下移动，带有花键的上主动齿轮 6 与回转台外圈 7 的轮齿部分啮合，从而带动与回转台外圈 7 固定连接的顶板旋转，只要回转伺服电机 1 控制精准，就能实现顶板精准旋转 90°。

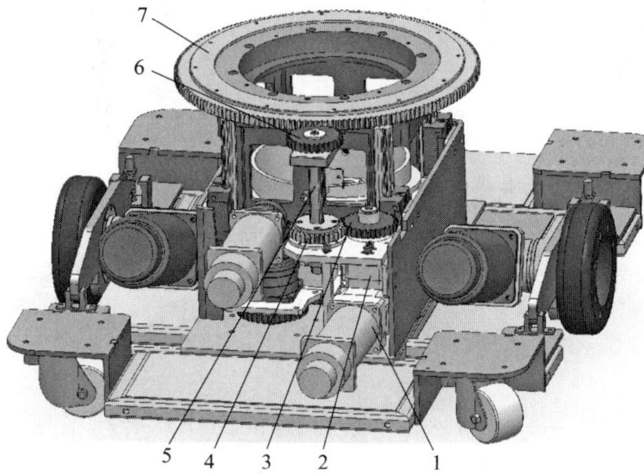

图 5-19　KIVA 型 AGV 顶板回转系统

1—回转伺服电机；2—回转直角减速器；3—回转主动齿轮；4—回转下从动齿轮；
5—带有花键槽的传动轴；6—带有花键的上主动齿轮；7—回转台外圈

这里再说明一下为什么要用花键结构，回转主动齿轮 3 的位置是确定的，带有花键槽的传动轴 5 位置也是确定的，但回转台外圈 7 会随着顶升系统的升降而出现高度变化，所以与之啮合的带有花键的上主动齿轮 6 也需要随之调整高度，故需要与带有花键槽的传动轴 5 之间相对滑动，由于整个系统旋转扭矩不大，所以花键实现的移动副可以使用。

② 三组丝杠螺母顶升与回转方案。KIVA 型 AGV 三组丝杠螺母顶升与回转方案，如图 5-20 所示，主要包括：顶升伺服电机 1、顶升直角减速器 2、连接柱 3、顶升主动齿轮 4、顶升大惰轮 5、回转台内圈安装板 6、顶板 7、回转台内圈 8、上读码器 9、回转台外圈 10、回转主动齿轮 11、回转电机 12、轴承安装板 13、顶升从动齿轮 14、丝杠齿轮轴 15、下读码器 16、丝杠螺母 17、轴承座 18、支撑座 19、底板 20、螺栓轴承 21 和安装架 22。顶升伺服电机 1

通过顶升直角减速器 2 将运动传递给顶升主动齿轮 4，再通过齿轮啮合传递给顶升大惰轮 5，顶升大惰轮 5 分别与三个顶升从动齿轮 14 啮合，三个顶升从动齿轮 14 同步同向旋转，且分别带动丝杠齿轮轴 15 同步同向旋转，三个丝杠螺母 17 分别固定安装于三个支撑座 19，三个支撑座 19 均安装于底板 20 上，由于三个丝杠螺母 17 固定不动，所以三个丝杠齿轮轴 15 分别同步同向旋转时，也同步同向升降。

三个轴承座 18 分别安装于轴承座安装板 13 上，三个丝杠齿轮轴 15 分别通过轴承与三个轴承座 18 轴向固定，所以三个丝杠齿轮轴 15 同步同向升降时，轴承座安装板 13 水平升降；回转台内圈安装板 6 通过三个连接柱 3 与轴承座安装板 13 固定连接，回转台内圈 8 固定安装于回转台内圈安装板 6 上，所以回转台内圈 8 随三个丝杠齿轮轴 15 的升降而同步运动；回转台外圈 10 与回转台内圈 8 使轴承内外圈连接，回转台外圈 10 与顶板 7 固定连接，所以顶板 7 与回转台外圈 10 一起随回转台内圈 8 的升降而同步升降。

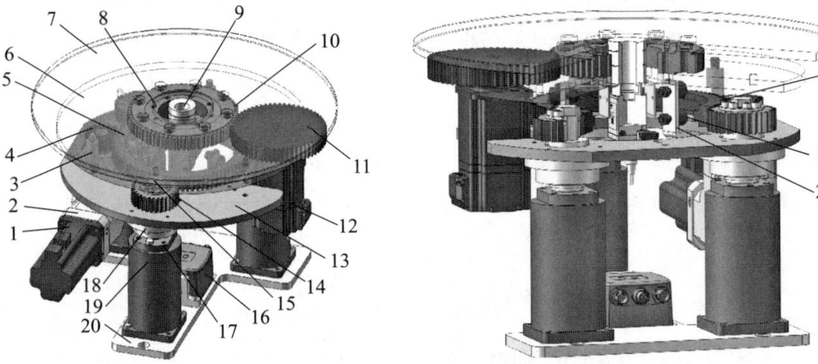

(a) (b)

图 5-20 KIVA 型 AGV 三组丝杠螺母顶升与回转方案

1—顶升伺服电机；2—顶升直角减速器；3—连接柱；4—顶升主动齿轮；5—顶升大惰轮；6—回转台内圈安装板；7—顶板；8—回转台内圈；9—上读码器；10—回转台外圈；11—回转主动齿轮；12—回转电机；13—轴承座安装板；14—顶升从动齿轮；15—丝杠齿轮轴；16—下读码器；17—丝杠螺母；18—轴承座；19—支撑座；20—底板；21—螺栓轴承；22—安装架

顶升大惰轮 5 是如何定位与运动支撑的呢？图 5-20(b) 表达了顶升大惰轮 5 的上下支撑方案，六个螺栓轴承 21 分三组分别安装于三个安装架 22 上，每组螺栓轴承 21 上下分别与顶升大惰轮 5 的支撑面相切，确保顶升大惰轮 5 上下位置确定，且不影响其回转运动。由于顶升大惰轮 5 分别与三个顶升从动齿轮 14 啮合，所以在平面内位置由三个轴线固定的顶升从动齿轮 14 来确定。上读码器 9 与下读码器 16 分别是用来识别货架底部和地面上二维码的。

下面分析回转运动的方案。回转电机 12 固定安装于回转台内圈安装板 6 上，驱动回转主动齿轮 11 回转，回转主动齿轮 11 与回转台外圈 10 的轮齿部分啮合，回转台外圈 10 又与顶板固定安装，所以只要精准控制回转电机 12 就可以精准实现顶板的 90°回转。

KIVA 型 AGV 三组丝杠螺母顶升与回转装置如图 5-21(a) 所示，图 5-20 中的顶升大惰轮 5 与三个顶升从动齿轮 14 是外啮合，如果把顶升大惰轮 5 尺寸扩大，改为内啮合，内部就能省出很多空间，便于安装其他部件，如图 5-21(b) 所示。

③ 单丝杠螺母顶升与回转方案。对于尺寸较小的 KIVA 型 AGV，顶升的面积小一些，可考虑使用单丝杠螺母顶升方案，AGV 外形如图 5-22 所示，图 5-22(b) 是将图 5-22(a) 中

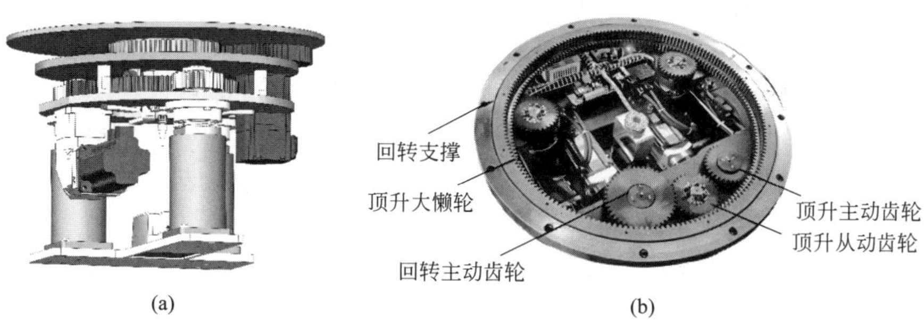

图 5-21　KIVA 型 AGV 三组丝杠螺母顶升与回转装置

外壳隐藏的效果，便于看清内部结构。

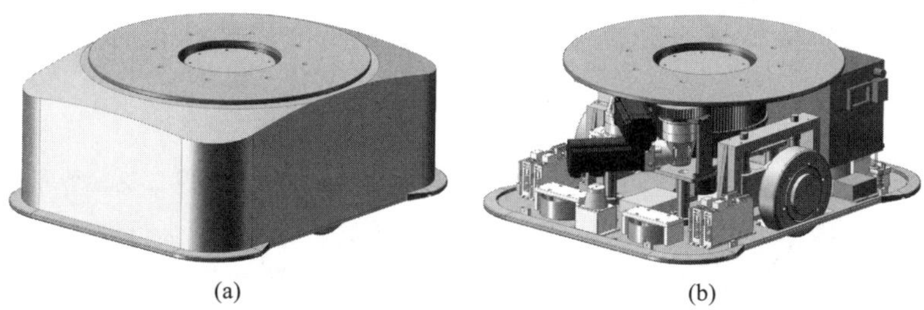

图 5-22　单丝杠螺母顶升的 KIVA 型 AGV

为了清晰地了解单丝杠螺母顶升方案，图 5-23 表达了 KIVA 型 AGV 单丝杠螺母顶升与回转方案，图 5-23(b) 是将图 5-23(a) 半剖的结果。单丝杠螺母顶升系统包括：顶升伺服电机 1、直角减速器 2、顶升主动齿 3、直角减速器安装架 4、回转台外圈 5、中空丝杠 6、丝杠螺母 7、中空圆柱齿轮 8、回转伺服电机 9、回转主动齿轮 10、顶板 11、回转台内圈 12、回转台内圈固定板 13。

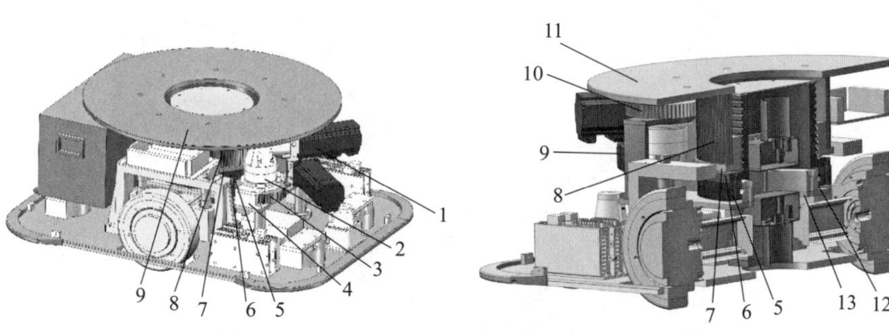

图 5-23　KIVA 型 AGV 单丝杠螺母顶升与回转方案

1—顶升伺服电机；2—直角减速器；3—顶升主动齿轮；4—直角减速器安装架；5—回转台外圈；6—中空丝杠；7—丝杠螺母；8—中空圆柱齿轮；9—回转伺服电机；10—回转主动齿轮；11—顶板；12—回转台内圈；13—回转台内圈固定板

直角减速器 2 固定在直角减速器安装架 4 上，顶升伺服电机 1 通过直角减速器 2 将动力传递给顶升主动齿轮 3，回转台外圈 5 带有轮齿结构，与顶升主动齿轮 3 构成外啮合，回转台内圈 12 固定安装在回转台内圈固定板 13 上，回转台内圈 12 与回转台外圈 5 相当于轴承的内圈与外圈，回转台外圈 5 与中空丝杠 6 是固定连接，回转台外圈 5 的转动带着中空丝杠 6 一起转动；回转伺服电机 9 输出轴与回转主动齿轮 10 通过键连接固定，回转伺服电机 9 不转时，回转主动齿轮 10 被锁住不会转动，使与回转主动齿轮 10 外啮合的中空圆柱齿轮 8 也不会转动，丝杠螺母 7 与中空圆柱齿轮 8 通过螺钉连接固定在一起，所以丝杠螺母 7 也不会转动；当中空丝杠 6 转动时，丝杠螺母 7 会相对于中空丝杠 6 做升降运动，从而带着中空圆柱齿轮 8 升降，与中空圆柱齿轮 8 固定安装的顶板 11 就会做升降运动。

下面分析单丝杠螺母回转方案。回转伺服电机 9 转动时，驱动回转主动齿轮 10 使与之外啮合的中空圆柱齿轮 8 转动，丝杠螺母 7 随中空圆柱齿轮 8 一起转动，而顶板 11 与中空圆柱齿轮 8 是固定连接的，所以只要精准控制回转伺服电机 9 的运动，就可以使顶板 11 精准地实现 90°回转。需要注意的是，在实现顶板 11 精准的 90°回转时，顶板也会有一定的高度变化，因为丝杠螺母 7 相对于中空丝杠 6 转动了 90°，所以做顶升运动时，要把回转引起的高度变化一并考虑进去，顶升距离多增加这个变化高度。这点和前面的顶升与回转方案不同。

(3) 潜伏顶升货架的背负式 AGV

潜伏到货架下面、顶升货架后货架背负着行走的 AGV，如图 5-24 所示，此 AGV 顶升货架后不能相对于 AGV 本体转向，货架的转向只能由 AGV 驱动行走系统实现。该 AGV 由车体、驱动行走系统、顶升系统、车载控制系统、安全警示系统、智能操作系统和动力电池等核心部分组成，可顶升搬运重载货架，其顶升装置如图 4-67 所示，顶升机构原理如图 4-61 所示，这里不再赘述。

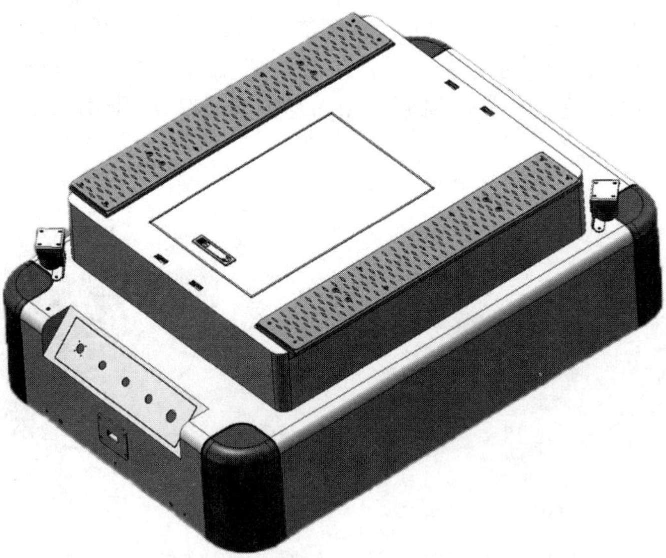

图 5-24　潜伏后顶升的背负式 AGV

(4) 顶升后潜伏的背负式 AGV

顶升后潜伏的背负式 AGV，如图 5-25 所示，常称为托盘 AGV，先将托盘货物顶起来，有了潜入的空间后，再潜入到托盘下方，然后将托盘背负着行走，有很大技术优势，主要体现在：

① 适应窄通道通行，可实现零半径转弯。由于采用中间两驱动——四角万向轮的轮系布局，转弯半径可以为零，在车间里运行具有节省通道和转向空间的优势。

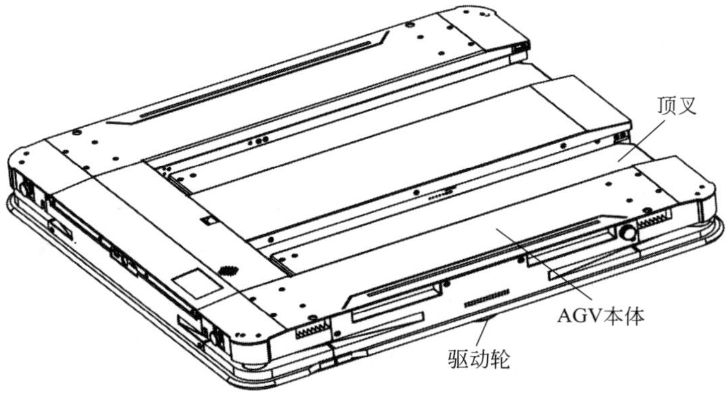

图 5-25　托盘 AGV

② 地面不用托架。有些背负式 AGV 搬运托盘时，需要托架将托盘托起一定高度，AGV 再潜入背负托盘，这对车间地面的整洁性影响较大，影响车间布局的灵活性。

③ 大负载能力。托盘 AGV 有的负载能力达到 1200kg。

④ 多重安全保障。支持二维码导引、SLAM 导引、混合导引＋激光传感器技术，具备智能载具检测和货物检测功能，具有 360°激光避障、声光报警、碰撞条防护等功能，确保作业安全。

⑤ 独特设计。有的托盘 AGV 整体高度不超过 150mm，纤薄车体设计，搬运托盘顶升高度小，具有搬运节能的优势。

托盘 AGV 已广泛应用，其应用场景包括仓库存储搬运、生产制造场景中机器人与滚筒线及机械臂的协作、机器人与自动门对接等。

但目前托盘 AGV 只适用于川字托盘和九脚托盘，不适用于田字形等托盘，因为没有自由插孔。

顶升后潜伏的背负式 AGV 不能直接潜入到托盘或货架下方，而是将其先顶起来，有了潜入的空间后，再潜入到托盘下方，然后将托盘背负着行走，如图 5-26 所示，图 5-26(a) 是 AGV 顶升托盘货物前的状态，此时 AGV 无法潜入托盘下方，托盘的自由插孔无法容纳 AGV 本体；图 5-26(b) 是 AGV 顶升托盘货物的状态，AGV 将顶叉伸出，进入托盘的自由插孔，顶叉的剪叉机构将托盘货物顶起，使托盘最低面高于 AGV 本体一定距离；图 5-26(c) 是 AGV 本体潜入托盘货物下方并背负的状态，AGV 本体潜入托盘货物下方后，将顶叉慢慢回落，使托盘货物落到 AGV 本体上，再将顶叉部分收起来，使顶叉不影响 AGV 行走。

顶升后潜伏的背负式 AGV 的技术难点主要在于顶叉部分的设计，托盘自由插孔的高度大约 135mm 以下，顶叉部分要先进入托盘自由插孔，顶叉的剪叉机构将托盘货物顶起，使托盘最低面高于 AGV 本体一定距离，一般要顶高 200mm 左右，这就要求顶叉在很扁的条件下，顶升的距离较大，表 4-6 中的直线运动方式都难以实现，所以一般采用剪叉机构实现，但剪叉机构偏偏在较扁的情况下所需驱动力很大，有时是顶升载荷的 10 倍左右，所以用何种省力方式去驱动剪叉机构是关键所在。

剪叉举升机构中，大多利用液压推杆结构对剪叉臂杆进行举升。该类剪叉举升机构虽然举升力较强，但由于液压推杆结构需要有液压缸和管道配合，结构会庞大笨重，运行过程中噪声大，而且经常出现液压油渗漏的问题，无法解决小型化、轻量化、静音环保的要求，所

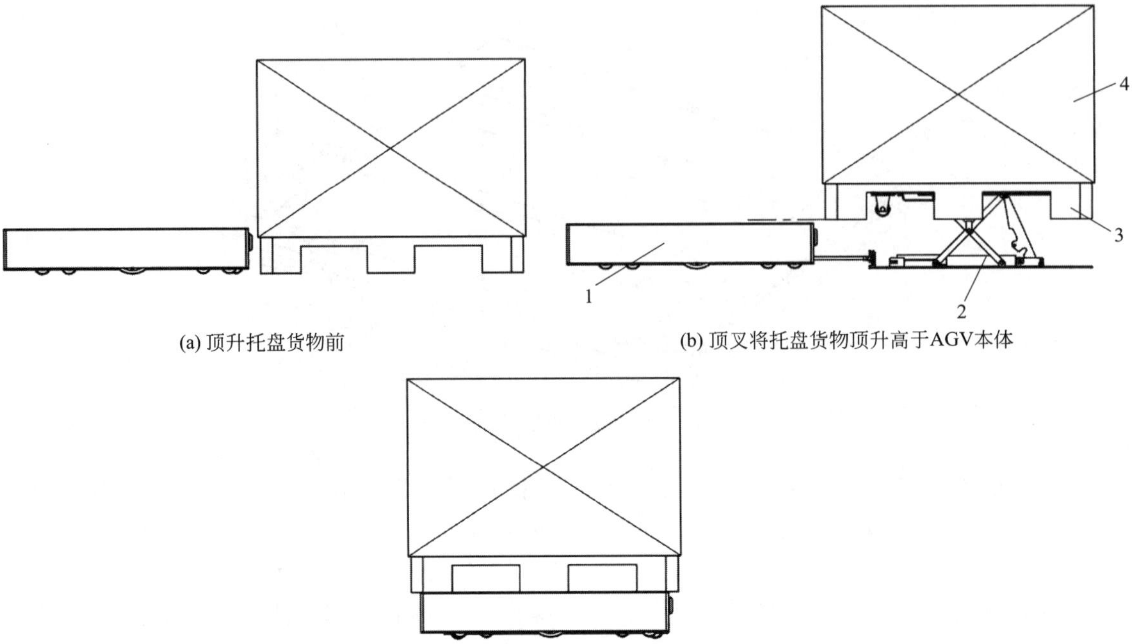

(a) 顶升托盘货物前

(b) 顶叉将托盘货物顶升高于AGV本体

(c) AGV本体潜入后背负托盘货物

图 5-26 顶升后潜伏的背负式 AGV

1—AGV 本体；2—AGV 顶叉；3—托盘；4—货物

以满足不了顶叉的要求。故托盘 AGV 的顶叉驱动方式一般还是用电缸或电机经滚珠丝杠螺母传动的方式驱动，电缸的传动杆原理一般也是滚珠丝杠螺母传动，只不过做成一体，电缸的布置一般如图 5-27(a) 所示，但这种方式不是特别省力。下面介绍一篇专利中介绍的剪叉机构的驱动方式，如图 5-27(b) 所示，在相同的起推高度、举升同等的重量货物时，丝杠螺母传动结构需要产生的最大推力 F 可减少一半，$F\approx3.8mg$，能够有效提升剪叉举升机构

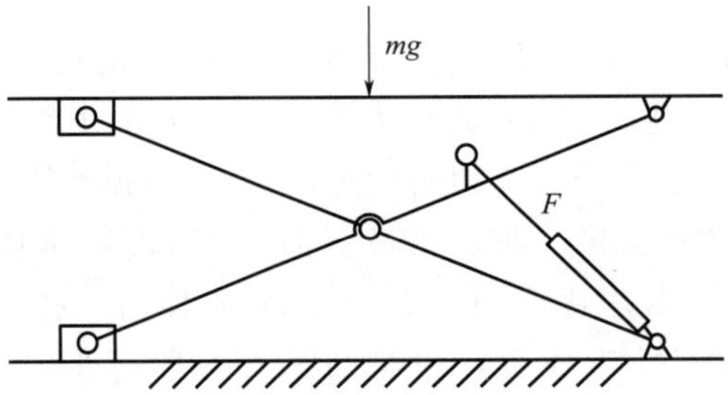

(a)

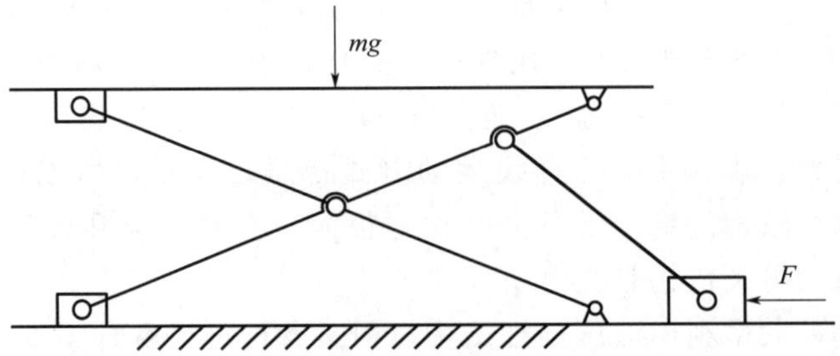

(b)

图 5-27 剪叉机构驱动原理

的举升能力，提升驱动电机的利用率。

采用图 5-27(b) 剪叉升降驱动原理的顶叉机构如图 5-28 所示。

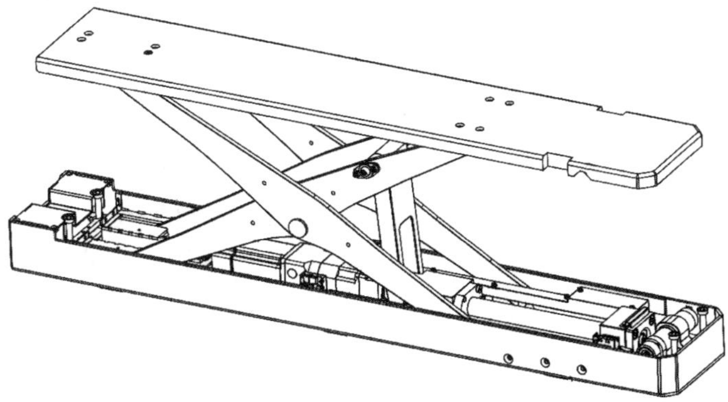

图 5-28　顶叉结构

5.2.4　重载 AGV

重载 AGV 是指承载能力显著高于普通 AGV 的自动化搬运车辆。根据行业标准，当 AGV 的额定负载达到 2t 以上时，即可被视为重载 AGV，但依据实际应用场景的不同而定义有所差异。重载 AGV 广泛应用于各行业，如制造业、仓储物流、港口、航天等。目前国内市场拥有 10t 以上重载移动机器人 AGV 厂商有二十多家，但能做到 50t 以上的公司较少。较为常见的重载 AGV 承载能力在 5t 到 20t 之间；而一些特殊应用场合下的重载 AGV，如服务于港口、铁路交通、风电及特种行业的 AGV，其最大承载能力甚至可以达到 50t 乃至更高，目前重载 AGV 承载能力可达到 360t。

重载 AGV 的特点在于承载力相对较大，其尺寸也会较大，为了减小重载 AGV 的转向空间，重载 AGV 的行走轮常用麦克纳姆轮结构，麦克纳姆轮是瑞典麦克纳姆公司的专利技术，国内很少企业涉足麦克纳姆轮式重载 AGV（图 5-29）。

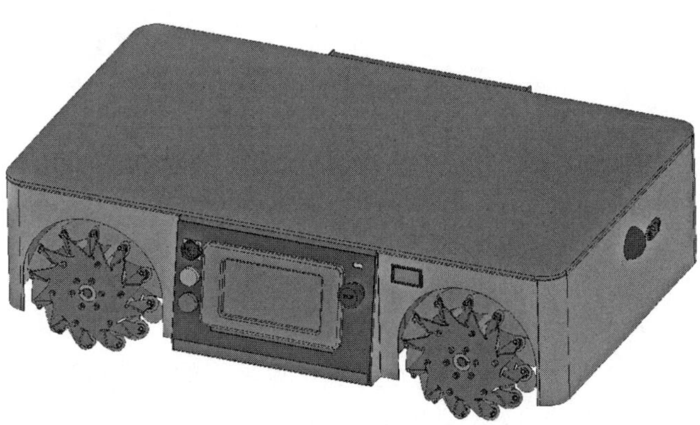

图 5-29　麦克纳姆轮式重载 AGV

(1) 单个麦克纳姆轮运动分析

麦克纳姆轮的运动不容易理解，下面分析图 5-30(a) 所示的麦克纳姆轮。麦克纳姆轮由轮毂和辊子组成，轮毂是整个轮子的主体支架，辊子则是安装在轮毂上的鼓状物（小轮），两者组成一个完整的大轮，轮毂轴线与辊子转轴夹角呈 45°，理论上该夹角可为任意值，但一般为 45°。为满足该几何关系，轮毂边缘采用了折弯工艺，可为辊子的转轴提供安装孔，因此辊子是被动轮。需要注意的是相邻两个辊子转轴都呈一定的夹角，最下面辊子与最上面的辊子转轴夹角约 90°，观察时，最上面的辊子转轴容易看清方向，但最下面的辊子转轴不容易观察。

设定此麦轮从左侧看逆时针旋转，最下面辊子与地面接触，而辊子与地面为点接触，该接触点在“碰到”地面瞬间会受到与其运动方向相反的作用力（和普通轮胎分析相似），接触点的运动方向为向下，如图 5-30(b) 所示，所以摩擦力方向为向上（引用摩擦力与相对运动速度相反）。将地面摩擦力 f 沿着辊子切向和轴线方向进行力分解，由于辊子是被动轮，因此会受到辊子切向的分力 f_2 作用而被动转动，也说明分力 f_2 是滚动摩擦力；沿辊子轴线方向的分力 f_1 会使辊子运动，由于辊子被轴线两侧轮毂机械限位，沿辊子轴线方向的受力使麦克纳姆轮沿辊子轴线摩擦力方向运动，所以分力 f_1 是静摩擦力。图 5-30(b) 中的椭圆表示辊子，中间的椭圆表示最下方辊子，虚线矩形框表示麦克纳姆轮。

(a)

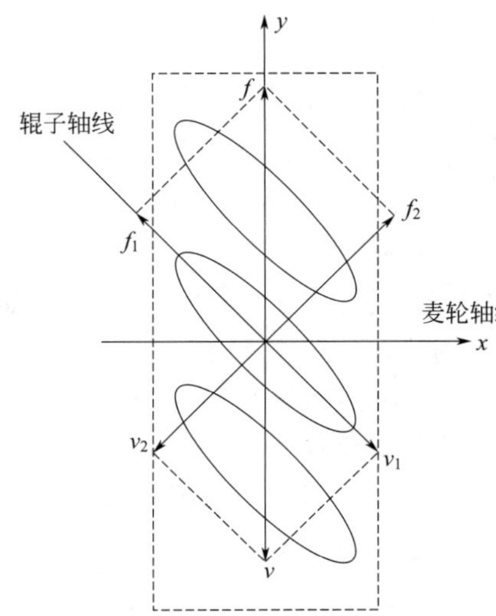

(b)

图 5-30　单个麦克纳姆轮运动分析

简要概括一下，地面作用于辊子的摩擦力分解为辊子切向的滚动摩擦力和轴向的静摩擦力，滚动摩擦力促使辊子转动，属于无效运动；静摩擦力促使辊子相对地面运动（类似于普通橡胶轮胎运动情况），而辊子被轮毂“卡住”，因而带动整个麦克纳姆轮沿着辊子轴线摩擦力方向运动，即麦克纳姆轮从左侧看逆时针旋转时，麦克纳姆轮运动方向为左上 45°，反之麦克纳姆轮运动方向为右下 45°。

为了进一步加深理解，请思考为什么垂直于轮毂轴线的分力迫使辊子被动自转是无效运动？这里对分力 f_2 使辊子被动自转是无效运动做进一步分析。

① 假如辊子轴线和轮毂轴线平行，轮毂受电机驱动而主动转动，则地面作用于辊子的摩擦力全为滚动摩擦力，滚动摩擦力全部用于驱动辊子转动，但麦克纳姆轮本身并不会有丝毫的前进或后退。这个现象就如圆柱滚子轴承，轴承内圈转动时，轴承内圈的运动传递给圆柱滚子后，因为滚动摩擦力很小，轴承外圈只要有很小的力就能不转，圆柱滚子就相当于麦克纳姆轮的辊子，轴承外圈相当于地面，所以麦克纳姆轮切向的摩擦分力只能使辊子转动，

而无法使整个麦克纳姆轮运动。

② 日常滑轮滑时，如果让两只轮滑鞋方向始终保持平行运动，肯定是原地动不了的，只能让别人来推动前进，所以要让两只轮滑鞋呈一定夹角（外八字）而相对运动，这样才能利用这种“夹角”借力逐渐“提升”速度，这个力就是平行于轮子轴线的分力，这个分力和惯性会使轮滑者“向前”运动，而垂直于轮子轴线的分力只是促使轮子滚动运动合力中一个部分，并不推动向前运动。

③ 假如辊子轴线和轮毂轴线垂直，轮毂受电机驱动而主动转动，则地面作用于辊子的摩擦力为辊子轴线方向，也就是麦克纳姆轮的切线方向，所以没有辊子切线方向的摩擦力，这时整个麦克纳姆轮就相当于普通轮胎了，只是整个轮子的轴线方向没有防滑能力，一旦轴线方向受力就会侧移。

（2）麦克纳姆轮式 AGV 运动分析

分析完了单个麦克纳姆轮的运动原理，下面分析使用四个麦克纳姆轮的重载 AGV 运动原理，图 5-31 是重载 AGV 麦克纳姆轮布局方式，共有 6 种，可以在不同场景下选用。

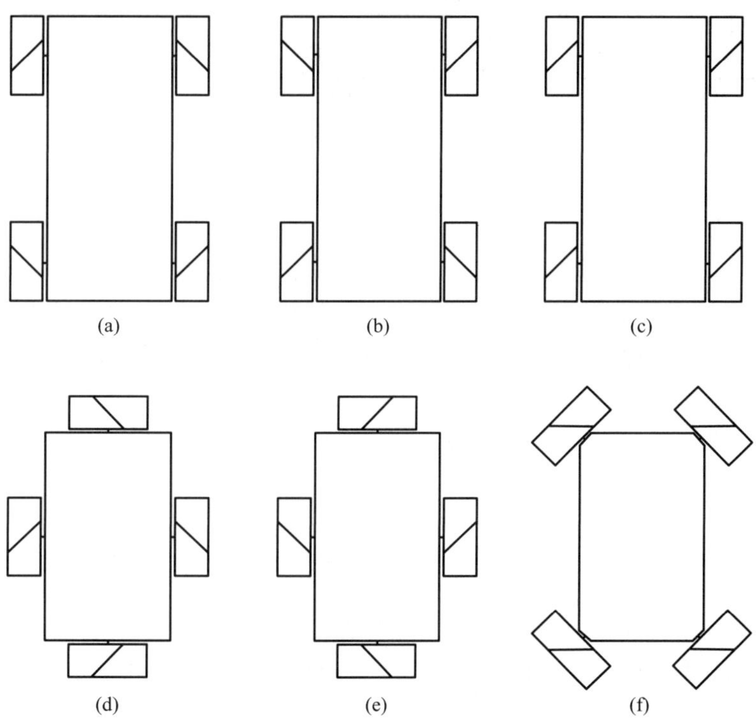

图 5-31　重载 AGV 麦克纳姆轮布局方式

这里选用图 5-31(a) 中布局方式来分析 AGV 运动原理，如图 5-32 所示，分析了 5 种运动原理，这 5 种运动原理中各轮旋转方向均是从左侧看的，且转速相同，通过分析单个麦克纳姆轮的受力，得到 4 个麦克纳姆轮受力的合力，确定 AGV 的运动方向，这 5 种运动方向有向上直线运动、向右直线运动、顺时针旋转、右上 45°直线运动和右下 45°直线运动。图 5-32(a) 中，虽然 AGV 受力的合力向上，运动方向为向上直线运动，但四个麦克纳姆轮最下方辊子的受力横向部分需要抵消，这使得辊子会受到地面的磨损。

与图 5-32 施加完全相反的转向，则可以得到另外 5 种运动；当每个麦克纳姆轮施加的运动速度不同时，AGV 可以走不同轨迹的运动曲线。

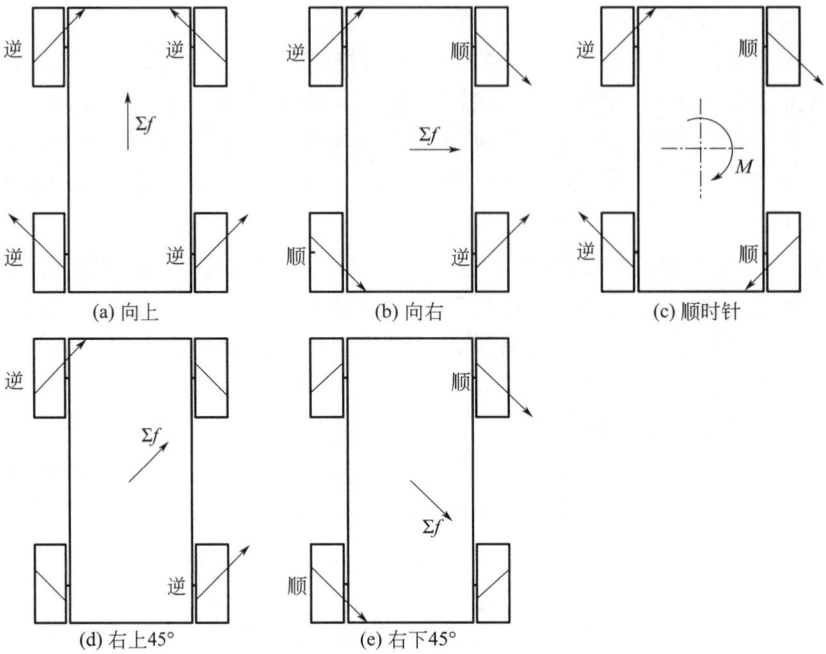

图 5-32　麦克纳姆轮 AGV 运动分析

5.2.5　叉车 AGV

以前 AGV 和叉车没复合在一起时，AGV 搬运托盘难度大，叉车人工作业成本高，特别是夏季作业环境恶劣劳动强度大，招工难，叉车 AGV 一经推出后，呈雨后春笋般发展起来，现在技术已处于成熟期，把货叉作为托盘搬运的移载方式的方便性与 AGV 自动导引功能充分发挥出来。

叉车 AGV 按照移载的特点分为堆垛式叉车 AGV、前移式叉车 AGV 和平衡重式叉车 AGV、地牛叉车 AGV 四类。

（1）堆垛式叉车 AGV

堆垛式叉车 AGV 是指对成件托盘货物进行装卸、堆高、堆垛和短距离运输作业的叉车 AGV，通过货叉将货物提升到相应的位置，然后通过 AGV 整体的移动将货物放置在货架上。堆垛式叉车 AGV 前有底腿，适用于川字托盘的货物装卸转运，价格相对于前移式叉车 AGV 低一些。堆垛式叉车 AGV 前轮较大，支腿较高，作业时支腿不能插入货物的底部。

图 5-33 为堆垛式叉车 AGV，两个前轮为万向轮，通过两驱动轮差速转向；取货时，货

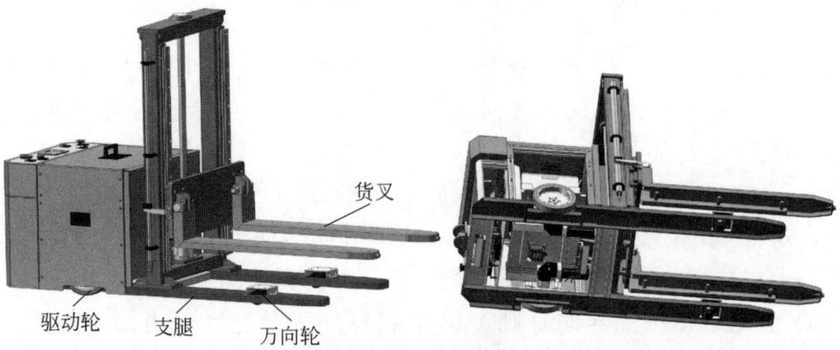

图 5-33　堆垛式叉车 AGV

叉与装有万向轮的支腿一起叉入托盘自由插孔，货叉升高时，万向轮作为支点，确保货物的重心在两个万向轮和两个驱动轮之间。

对于托盘的非自由插孔，堆垛式叉车式 AGV 支腿上的万向轮没法进入，可将安装万向轮的支腿之间的宽度大于托盘的宽度并留有余量，货叉叉入时，宽脚的支腿从托盘的两侧前行，不影响货叉叉入非自由插孔，这种 AGV 称为宽脚的堆垛式叉车 AGV（图 5-34）。

（2）前移式叉车 AGV

前移式叉车 AGV 的门架或者货叉架可以前后移动伸出到前轮之外叉取或放下货物，行走时货叉带货物收回，使货物重心在支撑面内，如图 5-35 所示；前移式叉车 AGV 有两条前伸的支腿，可以起到稳定作用。前移式叉车 AGV 具有高举升、大载重、小体积等特点，适用于全托盘，有较佳的平衡力、稳定力，同时可以节省空间，拥有更小的车身转弯半径，可以在较窄的货架通道内进行堆垛作业，提高工作效率，主要适用于窄巷道堆垛，室内中长距离堆垛，川字、田字形等大部分托盘和料架，也适用于高层货架搬运装卸作业。

图 5-34 宽脚的堆垛式叉车 AGV

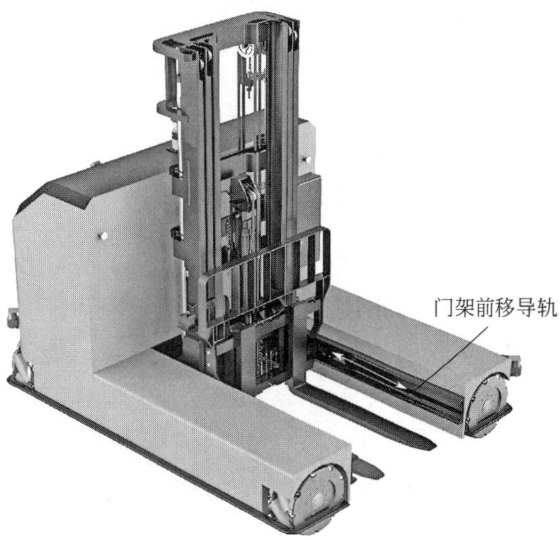

图 5-35 前移式叉车 AGV

图 5-35 中，前移式叉车 AGV 门架可以带着整个起升机构沿着支腿内侧的轨道移动，这样货叉叉取货物后稍微起升一定高度即可缩回，重心不是在最前端，而是在 AGV 四个轮子的中心位置附近，无论是行走、转向还是堆高，重心比较安全。

（3）平衡重式叉车 AGV

平衡重式叉车 AGV 依靠车体尾部的平衡重块保持平衡，适用于所有托盘，AGV 总质量重，对移动电源工作时间有影响，所以应用不如前移式叉车 AGV 广泛。

平衡重式叉车 AGV 如图 5-36 所示，一般是 3 个行走轮，前面两个为随动定向轮，后面中间部位有一个主动转向的驱动轮，转向时，驱动轮轴线垂直于前面两个定向轮轴线，可以以前面两个定向轮连线的中心点为转动重心，使整个 AGV 转向所需空间缩小，转向灵活。平衡重式叉车 AGV 适用于中低位货架或托盘货物的搬运、堆垛和装卸等，额定载重可达 6t。

（4）地牛叉车 AGV

地牛叉车 AGV 也就是无人自动搬运地牛车，如图 5-37 所示。因为以前地牛应用比较多，地牛叉车 AGV 也就应用较多，现在一般在工厂都会用得到，可以自动搬运货物，节省人工成本和劳动力，这种车一般载重在 1t 以上，行驶速度最高可达到 70m/min，精度在 ±10mm。应用场景非常多，电商、制造业、药企、食品等，只要有搬运需求的都可以用到，有些地牛叉车 AGV 也应用到室外搬运。

图 5-36 平衡重式叉车 AGV

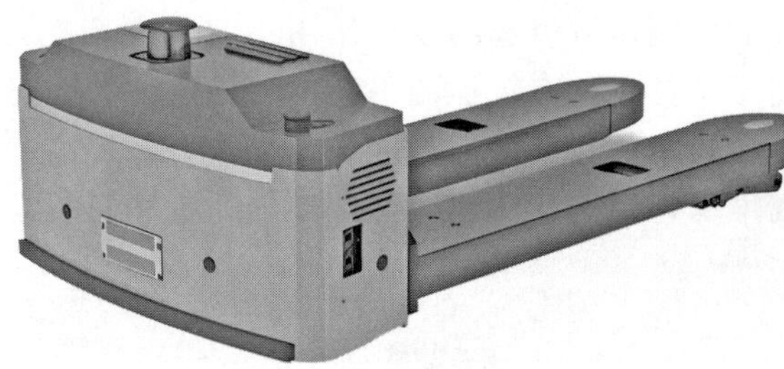
图 5-37 地牛叉车 AGV

5.2.6 多层料箱式 AGV

多层料箱式 AGV 采用夹抱、吸取等多种末端，从左右两排货架双向上均可拣取与存放目标货物，将快速存取目标料箱与搬运能力强的特点结合起来，一次可以存取、搬运多个料箱，不仅适用于窄通道，而且举得高，能够提升库容，开拓立体存储新空间。

多层料箱式 AGV，如图 5-38 所示，机械系统主要包括底盘行走系统 1、料箱架 2、提升系统 3、移载转向系统 4、移载系统 5。

① 底盘行走系统：位于整个 AGV 的最下方，主要包含底盘、减速伺服电机、驱动轮以

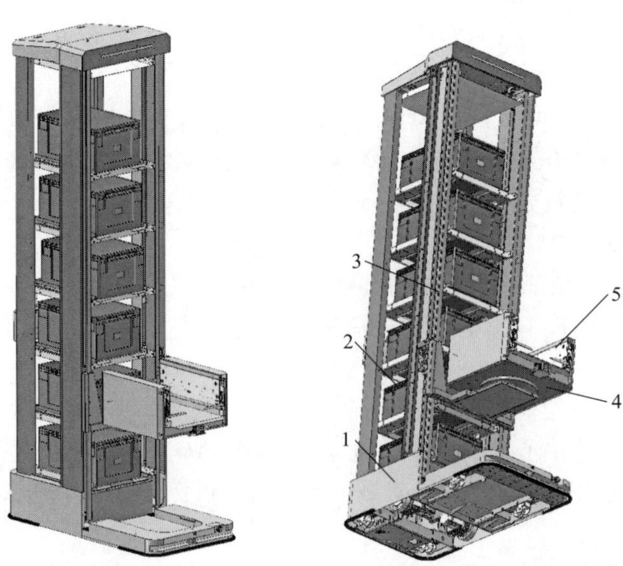

(a) (b)

图 5-38 多层料箱式 AGV

1—底盘行走系统；2—料箱架；3—提升系统；4—移载转向系统；5—移载系统

及万向轮等，两个驱动轮位于中间位置，差速转向，4 个万向轮位于底盘的 4 个角上，所形成的矩形区域对料箱式 AGV 的稳定性影响很大，由于料箱架高度较高，所以 AGV 在加速行走、转向时的惯性力对稳定性有大的破坏作用，所以 4 个万向轮的安装间距需要有一定要求。

② 料箱架：料箱架作为 AGV 的储存装置，位于底盘行走系统的上方，对 AGV 的其他系统起支撑作用，包括多层货格，每层货格可以存储一个料箱。

③ 提升系统：提升系统主要包括提升导轨、滑轮、举升托盘等结构，用来控制移载系统的高度，实现不同高度料箱的存取，减少了提升机等其他设备的投入。

④ 移载转向系统：安装在提升系统的举升托盘上，位于料箱架的前侧，由于料箱架料箱存放方向与移载系统从货架上取货方向垂直，所以可利用转向系统将移载系统中的料箱旋转 90°，移载系统将取到的料箱移载到 AGV 的料箱架上，也可以从料箱架上取出料箱；为了尽可能降低第一层料箱架的高度，以降低 AGV 整体重心，移载转向系统的驱动部分安装在移载系统的箱体内，充分利用移载系统箱体内的空间。

⑤ 移载系统：主要是夹抱式伸缩货叉，其他形式很少，功能是完成两个移载，一是移载系统与货架之间的料箱移载，二是移载系统与料箱架之间的料箱移载。

这里着重分析一下移载转向系统工作原理，如图 5-39 所示，伺服电机 1 与主动锥齿轮 4 的轴通过联轴器 2 同轴连接，且主动锥齿轮轴 4 通过安装架 3 支撑，主动锥齿轮 4 与从动锥齿轮 5 传动后，转轴方向由水平改变为竖直，从动锥齿轮 5 与主动小齿轮 6 同轴连接，主动小齿轮 6 与回转支撑轴承外圈 8 外啮合，回转支撑轴承内圈 7 与回转支撑轴承外圈 8 构成轴承内外圈的转动；除回转支撑轴承外圈 8 是固定的，其他部件均安装在移载系统的底板上，所以当主动小齿轮 6 在传动系统作用下转动时，移载系统的底板就在回转支撑轴承内圈 7 的限制下做定轴转动，此时主动小齿轮 6 相当于行星轮，移载系统的底板相当于行星架，从而实现了移载系统的转向。

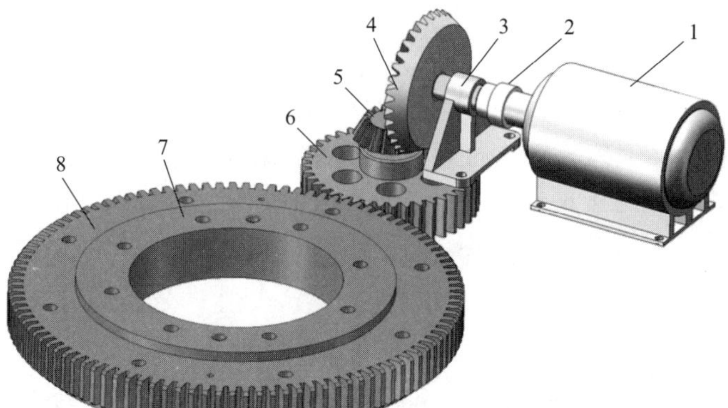

图 5-39　移载转向系统工作原理

1—伺服电机；2—联轴器；3—安装架；4—主动锥齿轮；5—从动锥齿轮；6—主动小齿轮；7—回转支撑轴承内圈；8—回转支撑轴承外圈

5.2.7　可爬升货架式 AGV

可爬升货架式 AGV 根据爬升轨道的特点分为两类：沿巷道两侧的货架上的轨道爬升 AGV 和沿巷道单侧的货架上的轨道爬升 AGV。

5.2.7.1 沿巷道两侧的货架上的轨道爬升 AGV

此类爬升货架式 AGV 左右两侧均有爬升轨道，只要能保证两侧同步，就能实现爬升，但对两轨道的间距要求较高，不仅各巷道的宽度要严格一致，且爬升时巷道宽度的误差也必须较小。

斯坦德机器人（深圳）有限公司设计了一款可升降的 AGV，如图 5-40 所示，AGV 通过与巷道两侧货架立柱上的链条啮合传动实现爬升功能，该 AGV 的攀爬装置利用齿轮齿条传动实现伸缩功能，但攀爬装置的驱动电机与传动机构均没有自锁功能，攀爬装置受到外部载荷的作用会向内收缩，影响攀爬装置与爬升轨道的啮合精度，降低了 AGV 爬升过程的平稳性。广东嘉腾有限公司设计了一款爬升货架 AGV，如图 5-41 所示，该 AGV 利用零件之间的铰接驱动攀爬装置同时向两侧伸展直至与爬升轨道实现啮合，另外，AGV 的攀爬装置中含有多个锥齿轮传动机构，锥齿轮传动机构通过改变转动轴线可以同时驱动四个链轮转动，链轮的回转运动转变为 AGV 的竖直移动，该 AGV 驱动电机数量少，控制方式简单。

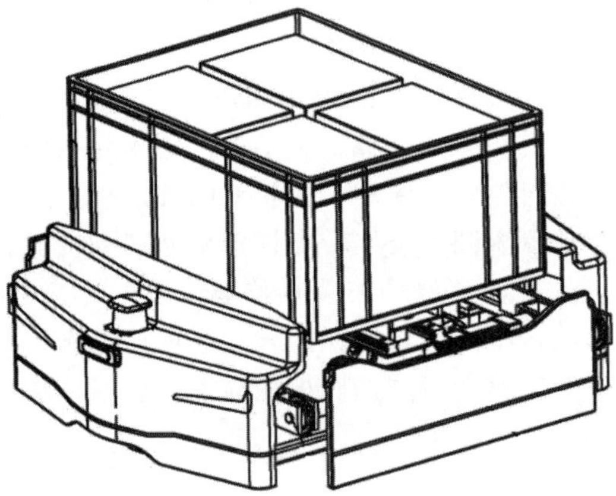

图 5-40 斯坦德爬升货架 AGV

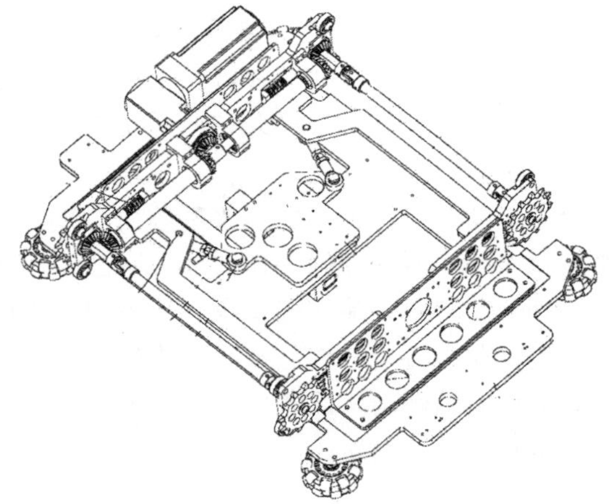

图 5-41 嘉腾爬升货架 AGV

2019 年，京东集团在 CeMAT 2019 物流峰会上展出了一款爬升货架 AGV，如图 5-42 所示，首先 AGV 通过二维码导航移动到在巷道内的指定位置；然后 AGV 依靠攀爬装置上的链轮与巷道两侧货架立柱上的链条啮合传动爬升到指定货格；最后 AGV 爬升到指定的存储货格后，依靠移载装置存取货物。但 AGV 因自重过大，能耗过高，导致续航能力不足。合肥井松智能科技股份有限公司研制了一款攀爬 AGV 机器人，机器人在路面移动时，利用二

图 5-42 京东爬升货架 AGV

维码实现准确定位，保证 AGV 结构中的链轮与链条能够实现较精准啮合，并通过与巷道两侧货架立柱上的链条啮合传动实现爬升，如图 5-43 所示，该机器人集成了货物水平搬运功能与立体货架存取功能，机器人结构紧凑，柔性程度高，但续航时间短，续航时间仅为 2h。

图 5-43　攀爬 AGV 机器人

现有的爬升货架 AGV 爬升货架存取货物时，整个 AGV 爬升货架，但爬升货架 AGV 自重过大，爬升货架过程中耗能严重，导致续航能力不足，仓储效率低。

与普通 AGV 相比，爬升货架 AGV 柔性高，具备地面货物搬运、爬升货架及存取货物的功能，根据功能要求，可以将现有爬升货架 AGV 的机械系统分为底盘装置、爬升伸缩装置与移载装置。但现有爬升货架 AGV 存取高货架货物时，整机爬升货架，整机质量重而能耗过高导致续航能力不足，影响仓储效率。

(1) AGV 分体/合体设计思路

爬升货架 AGV 能耗高的原因是爬升质量大，分析一下爬升质量的组成：除了爬升伸缩装置和移载装置外，还有质量占比较大的底盘装置（占爬升货架 AGV 总质量的 40%～50%）。如果能使爬升伸缩装置与底盘装置在地面行走时保持相对固定，爬升货架时分开（爬升伸缩装置与移载装置爬升货架，底盘装置不爬升），就能使爬升部分质量减小，这个原理就是分体/合体的设计思路。

因此，爬升货架 AGV 可以这样构思：在 AGV 到达指定位置后，底盘装置在路面保持静止状态，只让爬升伸缩装置及移载装置爬升货架完成存取货物的工作，就可以减轻爬升部分的质量，从而降低消耗。同时分体/合体的结构不能太复杂，尽可能不另加驱动，否则会增加爬升部分的质量。

基于分体/合体设计思路，爬升货架 AGV 功能框图如图 5-44 所示。

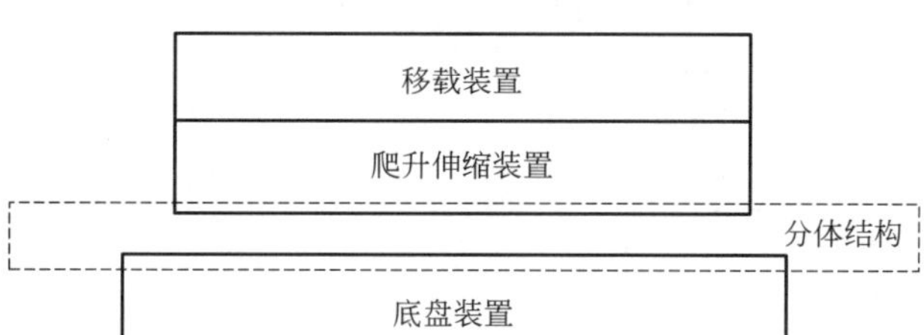

图 5-44　爬升货架 AGV 功能框图

底盘装置，是爬升货架 AGV 路面行驶的载体；爬升伸缩装置位于移载装置与底盘装置的中间位置，与底盘装置可分体可合体，爬升伸缩装置需要具备爬升与伸缩功能，当爬升货架 AGV 在路面移动时，爬升伸缩装置处于收缩状态，保障爬升货架 AGV 在巷道中的移动灵活性，当爬升货架 AGV 爬升货架时，爬升伸缩装置处于伸展状态并与货架较精准地啮合；移载装置固定安装在爬升伸缩装置的上方，负责货物的存取工作；爬升伸缩装置的部分结构与底盘装置的部分结构，构成了分体结构，仅通过爬升伸缩装置在货架上的竖直移动便可实现与底盘装置的分体与合体，无须额外设置驱动装置。

针对现有爬升货架 AGV 因能耗高导致续航时间过短的难题，基于分体/合体思路，设计了一种仓库巷道爬升货架 AGV 机械系统方案，如图 5-45 所示。爬升货架 AGV 的机械系统可以分为底盘装置、爬升伸缩装置及移载装置。在路面行走时，爬升货架 AGV 处于合体的状态；当爬升货架 AGV 爬升货架存取货物时，爬升伸缩装置与货架立柱上的链条啮合传动实现爬升，并与底盘装置实现分离，当爬升伸缩装置移动至指定货格后，再由移载装置完成存取货物工作，而底盘装置在地面保持静止，此时爬升伸缩装置、移载装置与底盘装置处于分体状态；完成存取货物的工作后，爬升伸缩装置开始下降，直至与底盘装置实现合体。爬升货架 AGV 通过减轻爬升部分质量，降低了能耗，提高了续航时间。

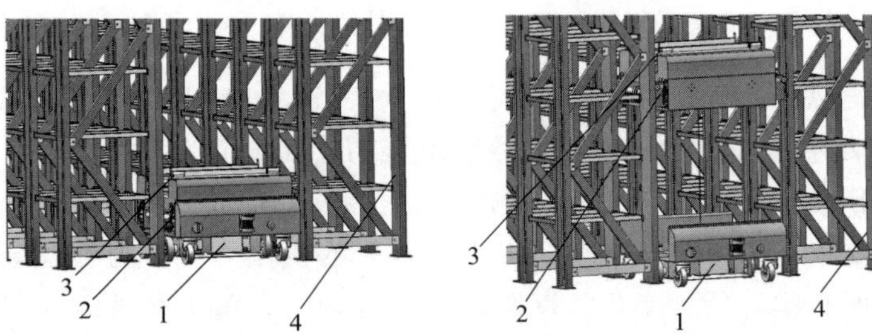

(a) 合体状态　　(b) 分体状态

图 5-45　爬升货架 AGV 机械系统方案

1—底盘装置；2—爬升伸缩装置；3—移载装置；4—货架

(2) 爬升伸缩装置左右两侧独立爬升方案

左右两侧独立爬升方案如图 5-46 所示，两个爬升机构分别设置在爬升货架 AGV 左右两侧，且左右两侧的爬升机构对称安装，结构相同。爬升机构主要由链轮和爬升同步带机构组成，爬升同步带机构的从动轮与链轮同轴心，同时，爬升机构与同侧的伸缩机构固定连接，从而能够与同侧的伸缩机构实现同步伸缩。爬升原理：左右两侧的爬升同步带机构分别驱动

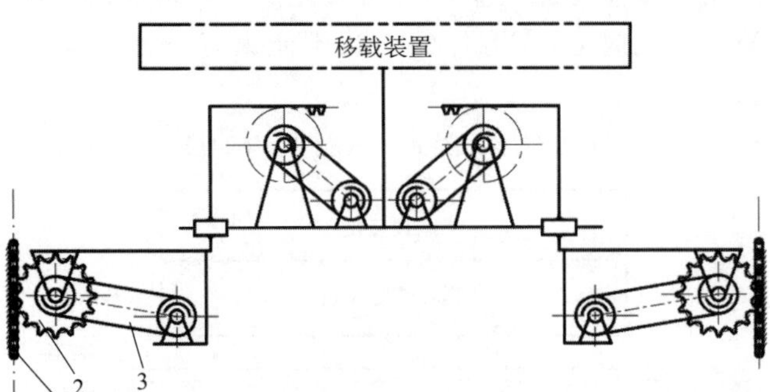

图 5-46　左右两侧独立爬升方案

1—链条；2—链轮；3—爬升同步带机构

同侧的链轮转动，实现爬升功能，当爬升伸缩装置处于下降状态时，左右两侧的爬升同步带机构分别驱动同侧的链轮反转，实现下降功能，传动原理与上述过程相同。左右两侧的爬升机构独立控制，但同步驱动链轮转动。

（3）分体方案

① 爬升部分供电方案设计。现拟定两种爬升部分供电方案，如图 5-47 所示，对于解决分体式爬升货架 AGV 续航难题具有重要意义。

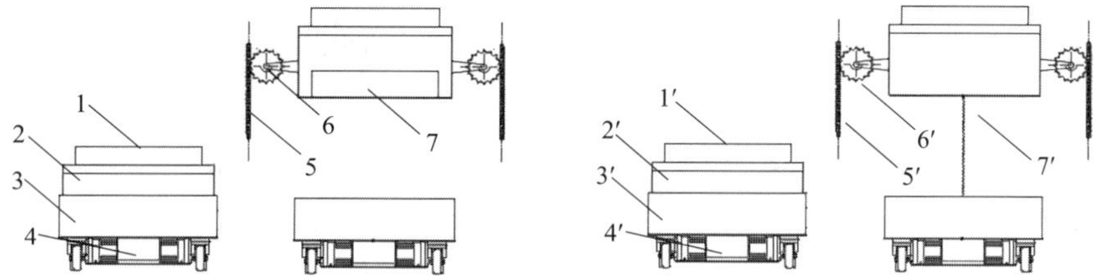

图 5-47　供电方案

1，1′—移载装置；2，2′—爬升伸缩装置；3，3′—底盘装置；4—行走移动电源；5，5′—链条；6，6′—链轮；7—爬升移动电源；4′—移动电源；7′—缠绕线

a. 设有爬升移动电源供电方案。如图 5-47(a) 所示，底盘装置安装有行走移动电源，爬升伸缩装置安装有爬升移动电源。当爬升货架 AGV 在巷道中行走时，行走移动电源开始供电，维持底盘装置的正常运行，当底盘装置通过行走移动电源提供的电量移动到指定位置后，行走移动电源停止供电，底盘装置开始保持静止状态，此时间段内，爬升伸缩装置处于收缩状态，爬升货架 AGV 处于合体状态；当爬升货架 AGV 存取货物时，爬升移动电源开始供电，保证爬升伸缩装置伸展、爬升货架及移载装置存取货物动作过程的实现，此时间段内，爬升伸缩装置转为伸展状态，爬升货架 AGV 由合体状态转为分体状态；当移载装置完成货物存取工作后，爬升移动电源继续供电，保证爬升伸缩装置顺利降落，并直至与底盘装置实现贴合，此时间段内，爬升货架 AGV 由分体状态转为合体状态；最后，爬升移动电源供电保证爬升伸缩装置收缩至初始状态。

b. 设有缠绕线供电方案。如图 5-47(b) 所示，底盘装置利用移动电源维持其在路面的正常运行，此时，爬升伸缩装置处于收缩状态，缠绕线处于压缩状态，爬升货架 AGV 处于合体状态；底盘装置移动到指定位置并保持静止状态后，移动电源开始通过缠绕线为爬升伸缩装置与移载装置供电，保证爬升伸缩装置与移载装置协调配合完成货物存取工作，此时间段内，爬升伸缩装置转为伸展状态，爬升货架 AGV 由合体状态转为分体状态，并带动缠绕线由压缩状态转为伸展状态；然后移动电源继续通过缠绕线为爬升伸缩装置供电，保证爬升伸缩装置顺利降落直至与底盘装置实现贴合，此时间段内，爬升货架 AGV 由分体状态转为合体状态，并带动缠绕线由伸展状态转为收缩状态；最后爬升伸缩装置通过移动电源提供的电量收缩至初始状态。

爬升伸缩装置结构紧凑，零件繁多，在设有爬升移动电源供电方案中，爬升伸缩装置安装了爬升移动电源，爬升移动电源会影响爬升伸缩装置中其他零件的布局及安装空间，增加了爬升伸缩装置设计制造难度。而设有缠绕线供电方案中的缠绕线在实现设计要求的同时，质量更轻巧，所需安装空间更小。因此，选择设有缠绕线供电方案作为最终方案。

② 分体结构。分体结构如图 5-48 所示，分体结构主要包括承重板、车板、侧板以及缠绕线。车板的前后两侧设置了挡板，左右两侧设置了凸台，缠绕线底部连接移动电源，顶部连接爬升伸缩装置，移动电源通过缠绕线为爬升伸缩装置提供电量，且缠绕线可以随着爬升伸缩装置在竖直方向的移动实现伸展与收缩。合体状态时，车板与侧板、承重板实现贴合，分体状态时，承重板、侧板与车板实现分离。

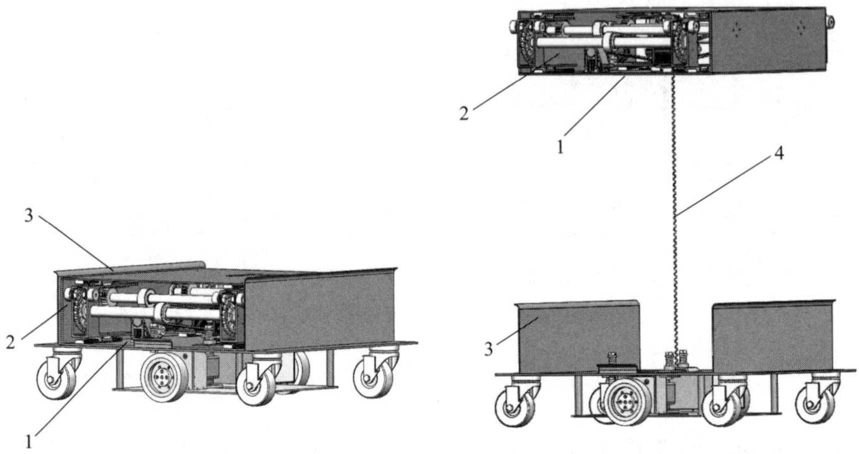

(a) 爬升伸缩装置与底盘装置合体状态　(b) 爬升伸缩装置与底盘装置分体状态

图 5-48　分体结构三维图

1—承重板；2—侧板；3—车板；4—缠绕线

爬升伸缩装置与底盘装置上均安装有零部件，为避免零部件在合体状态下受到承重板与车板的挤压，承重板根据底盘装置中零件的布局设计了矩形孔，底盘装置的零件可以穿过矩形孔，同时不影响爬升伸缩装置中零件的安装布局。

在合体状态时，车板与侧板、承重板实现了贴合，同时，车板通过设置的挡板与凸台约束了侧板、承重板的 5 个自由度，仅释放了侧板、承重板竖直向上的移动自由度。因此，爬升伸缩装置爬升货架时，可以通过链轮与链条的啮合传动实现车板与侧板、承重板的分离，而无须额外设置驱动装置。

如果在货架上移动的过程中，爬升伸缩装置存在前后方向与左右方向的偏移误差，可能会导致侧板、承重板无法与车板实现贴合，因此，将挡板及凸台的顶端设置为圆弧状，补偿爬升伸缩装置竖直移动过程中的偏移误差，有利于侧板、承重板与车板实现贴合。

另外，车板利用挡板与凸台约束侧板及承重板的 5 个自由度有利于链轮链条顺利实现啮合状态，因为爬升货架 AGV 是以底盘装置的车板为参照物进行位姿误差校正，且完成位姿误差校正是爬升伸缩装置顺利工作的前提。爬升货架 AGV 在合体状态时，侧板、承重板需要与车板保持相对固定，如果车板与承重板、侧板发生了偏移，即使底盘装置完成位姿误差校正，链轮可能仍然无法与链条正常啮合，从而影响爬升伸缩装置爬升过程中的安全性。

5.2.7.2　沿巷道单侧的货架上的轨道爬升 AGV

此类爬升货架式 AGV 对巷道的要求低得多，但 AGV 爬升过程、存取过程中均对 AGV 重心的稳定性提出了较高的要求。BionicHive 公司研制的 SQUID 机器人，如图 5-49 所示，该款机器人的前轮为兼具驱动与转向功能的舵轮。舵轮通过可伸缩的旋转臂与机器人主体结构连接。另外，臂单元具有转动自由度，可以使机器人与巷道一侧货架上的轨道啮合传动。

轨道包括垂直轨道、水平轨道以及垂直和水平轨道之间的接合点。其中，垂直和水平轨道之间的接合点包括以垂直和水平轨道之间交点为中心的开放圆形区域和构造成绕圆形区域中心转动的短轨道。机器人将前轮停在垂直和水平轨道之间两个相邻交界处的短轨道上，能够依靠前轮的转动，改变短轨道的方向，从而转变机器人的行进方向。机器人到达指定位置后，利用机械臂上的吸盘存取货格中的货物。单侧爬升货架机器人运行平稳，柔性高，但该机器人结构复杂，驱动装置数量较多，且机器人由行走状态切换为爬升状态的过程复杂，难以控制，另外机器人自重大，爬升过程中偏载，耗能严重，续航时间较短。

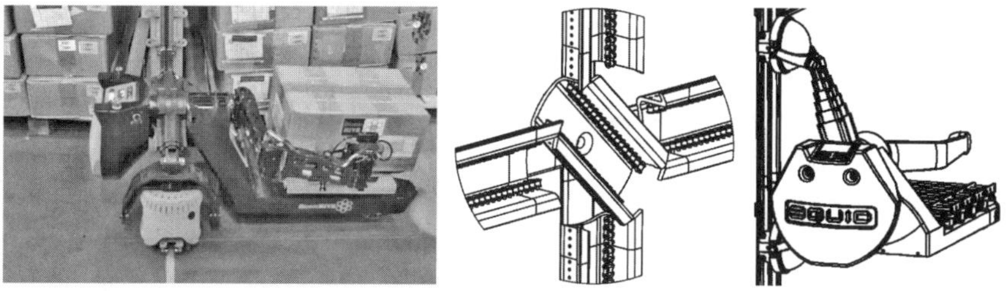

(a) (b) (c)

图 5-49 BionicHive 机器人

下面详细分析此类型 AGV 的运动与结构特点。如图 5-50 所示，AGV 沿巷道单侧货架上的轨道进行升降，且具备沿货架轨道横向移动功能，巷道宽度大于车体宽度即可，对仓库货架的布局要求低，对于大多数仓库只需要在货架立柱和横梁加装导轨后就可投入使用，改造成本低。

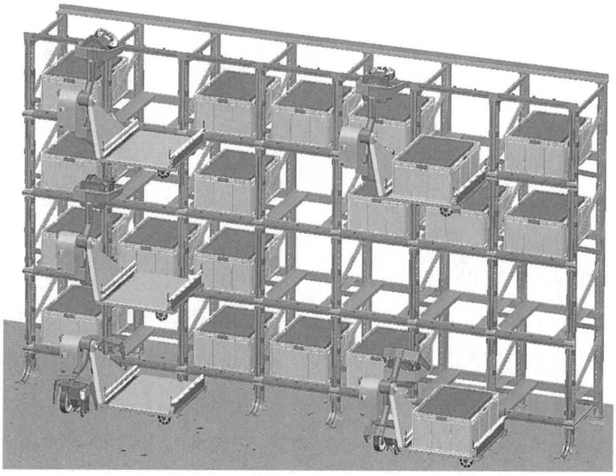

图 5-50 单侧爬升货架式 AGV

（1）运动分析

该款单侧爬升货架式 AGV 不仅可以实现货架升降和横移，而且兼顾地面货物搬运的功能。在 AGV 地面行走与 AGV 货架升降切换过程中，为了使货物平稳，须使载货台保持水平状态。单侧爬升货架式 AGV 与爬升机器人一样，在竖直爬升过程中不仅克服货物重力做功，并且要承担 AGV 自重，能耗过高，使爬升式 AGV 相对于普通 AGV 续航能力大大降低，影响仓储作业效率。为解决这一问题，采用滑触线为 AGV 爬升供电，在 AGV 爬升货架的竖直轨道上安装滑触线，在 AGV 上安装取电板，实现在竖直爬升阶段上使用滑触线供电方式为 AGV 充电，从而提高续航能力，工作流程如图 5-51 所示。

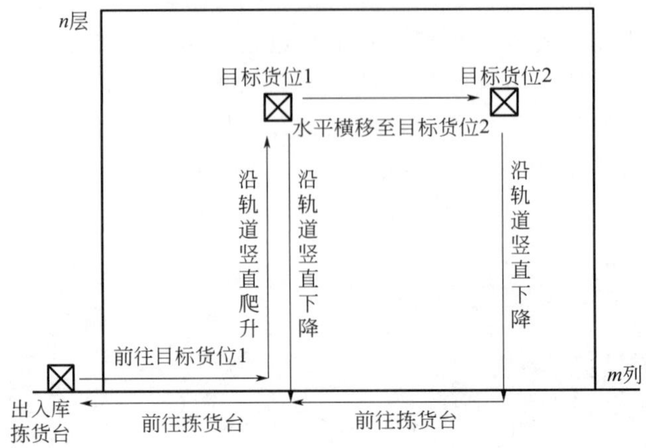

图 5-51　单侧爬升货架式 AGV 工作流程

单侧爬升货架式 AGV 除地面行走与轨道行走两种工作状态外，还有 AGV 从地面行走向货架轨道行走切换状态，三种状态如图 5-52 所示。

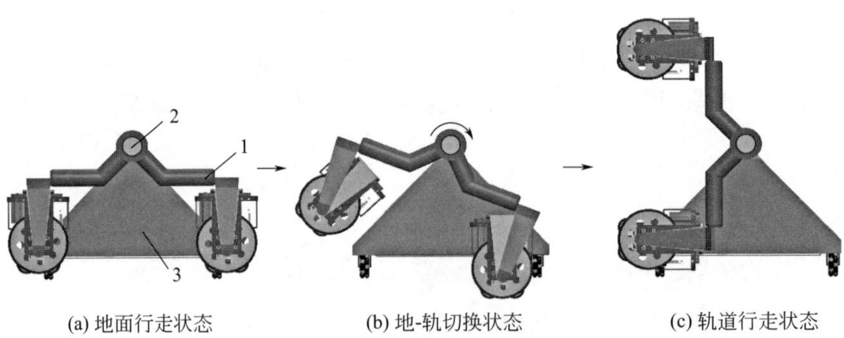

图 5-52　单侧爬升货架式 AGV 工作状态

1—驱动系统；2—连接轴；3—载货平台

根据 AGV 运行方式不同，可以分为地面行走和轨道行走两种状态。在轨道行走状态下，根据货架上的运行方向不同，可分为沿货架轨道升降和沿货架轨道横移：在横移状态下，AGV 需在静止状态下完成存货和取货作业，因此又分为 AGV 货架取货状态、AGV 货架存货状态。同时，还存在两个状态切换过程，一是地面行走状态与沿货架轨道升降状态之间的切换（以下简称地-轨切换），二是沿货架轨道升降状态与沿货架轨道横移状态之间的切换（以下简称变轨动作）。根据 AGV 载货状态不同，可分为空载和满载两种状态。AGV 运行状态类型如图 5-53 所示。

（2）AGV 系统结构

分析了单侧爬升货架式 AGV 运动状态，就可以分析其结构组成（图 5-54）。AGV 机械系统主要由车体系统、驱动系统、移载系统组成，另外包括电源系统、控制系统。车体系统包括载货底盘、伸缩转动臂、连接轴、驱动内支架、驱动外支架、电控箱以及转臂电机和齿轮等，是实现 AGV 动作的基础。电源系统为整车提供能源，控制系统则发出运动指令控制 AGV 的驱动系统。驱动系统为 AGV 运行提供动力，使 AGV 完成地面全向行驶和货架轨道行走动作。移载系统负责到达指定货位后完成货物的存取动作。

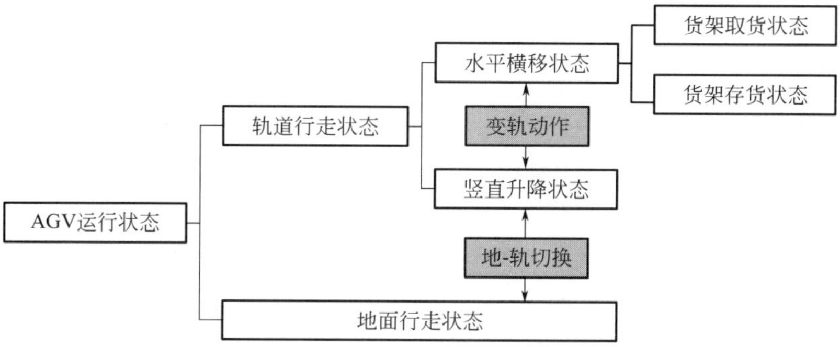

图 5-53　AGV 运行状态类型

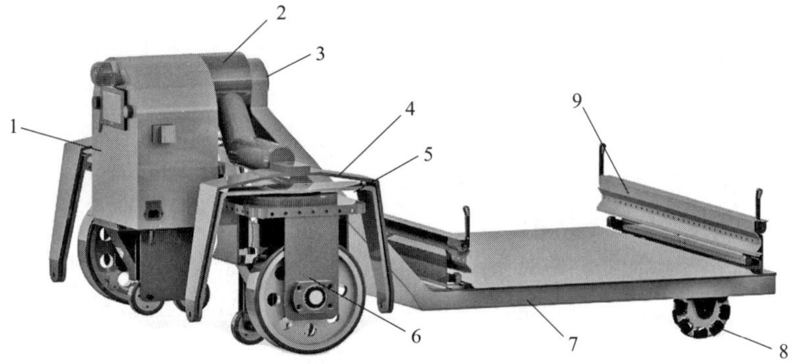

图 5-54　单侧爬升货架式 AGV 三维模型

1—电控箱；2—伸缩转动臂；3—连接轴；4—驱动外支架；5—驱动内支架；
6—驱动系统；7—载货底盘；8—万向轮；9—移载系统

地面行走与沿货架轨道升降的驱动方式不同，地面行走时依靠驱动舵轮与地面摩擦驱动，沿货架轨道升降时依靠 AGV 上的轨道行走机构与货架轨道配合驱动，两种状态的切换实际上是两种驱动方式之间的转换，经分析，该切换只能通过增设过渡轨道来实现，过渡轨道上方与竖直轨道对接，下方安装在地面上，AGV 可以从地面行走状态经过位姿调整对准安装在地面上的过渡轨道，从而实现由驱动舵轮与地面摩擦驱动到轨道行走机构与轨道配合驱动的转换。初步拟定 AGV 地-轨切换方案如图 5-55 所示。

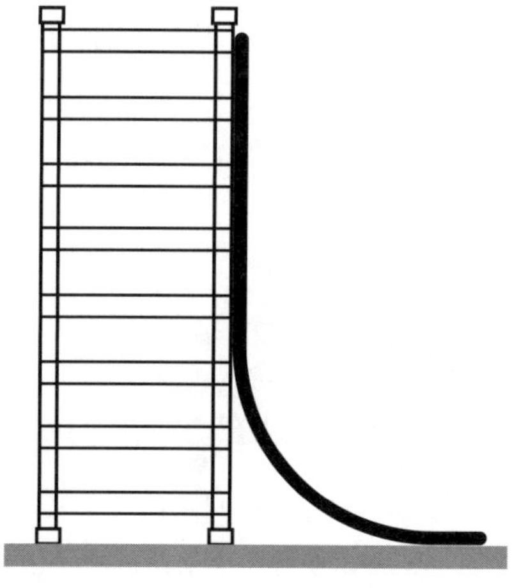

图 5-55　AGV 地-轨切换方案

过渡轨道的形状可设计为弧形，弧形过渡轨道两头均与地面和竖直爬升轨道相切。

AGV 实现地-轨切换流程如下：AGV 在地面行走至目标货位所在货架一侧，轨道行走机构与弧形过渡轨道对齐后在驱动轮的作用下开始靠近货架，直到轨道行走机构与弧形轨道配合，AGV 驱动单元将沿弧形轨道运动，实现地面水平移动到沿轨道竖直升降的切换。

载货平台保持水平方案分析。AGV 在货架上沿轨道行走时，伸缩转动臂两端驱动单元上的轨道行走机构与轨道配合，保证 AGV 可以“挂”在货架外立面上。由于伸缩转动臂与载货底盘之间通过连接轴转动连接，当伸缩转动臂固定不转时，载货底盘将绕转动轴相对于伸缩转动臂转动，将会导致载货平台晃动。

尤其是 AGV 在地-轨切换过程中，若载货平台上的货物重心处于载货底盘的中间，即不存在偏载的情况下，载货底盘将在重力的影响下自动下垂，从而保持水平状态。但是现实情况中货物可能出现偏载，这将会导致载货平台倾斜，造成货物跌落等严重后果。

为保证 AGV 载货平台的稳定性，初步设计采用制动块的方式锁住载货底盘，从而保证载货平台稳定，如图 5-56 所示。具体实现方式为：在 AGV 电控箱上安装推杆电机，电控箱与载货底盘通过连接轴和键固定连接，两者同步转动；推杆电机带动制动块做伸缩运动，在转动臂上设置卡槽。AGV 在货架上沿轨道行走时，转动臂与载货底盘呈垂直状态，在推杆电机作用下制动块伸出并插入位于转动臂卡槽中，从而实现转动臂与载货底盘的相对静止，有效避免了 AGV 在货架轨道上行走和存取货物时发生晃动。这种方式优点是控制简单，缺点在于制动块只能作用于 AGV 在货架轨道上行走的过程，不能有效避免 AGV 在地-轨切换时的晃动。

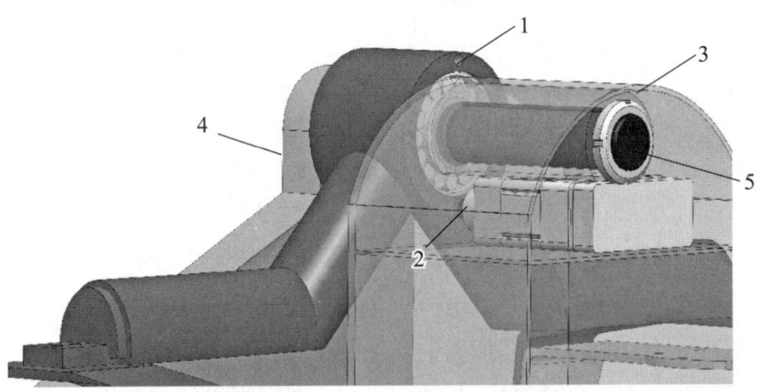

图 5-56　卡槽式防止载货平台晃动示意图

1—卡槽；2—推杆电机；3—电控箱；4—载货底盘；5—连接轴

为保证在任何情况下载货底盘都保持水平状态，将伸缩转动臂绕连接轴的转动由自由转动改为主动控制，在转动臂中间轴套下部安装大齿轮 4，如图 5-57 所示，小齿轮 5 安装在转

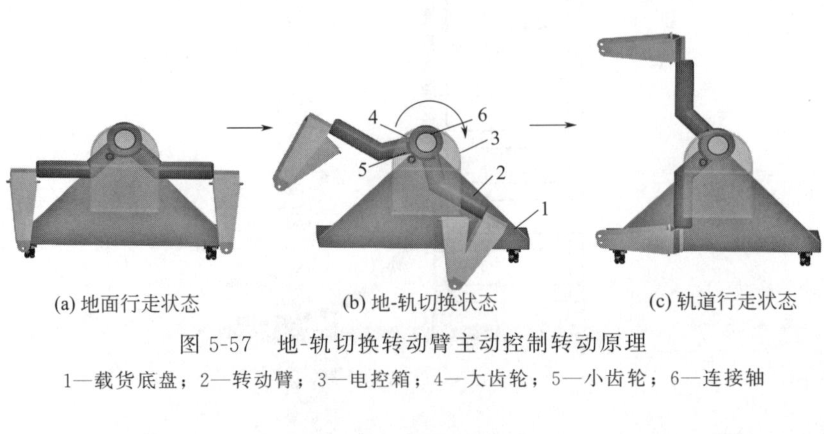

(a) 地面行走状态　(b) 地-轨切换状态　(c) 轨道行走状态

图 5-57　地-轨切换转动臂主动控制转动原理

1—载货底盘；2—转动臂；3—电控箱；4—大齿轮；5—小齿轮；6—连接轴

臂电机上，转臂电机固定安装在电控箱内，电控箱与载货底盘通过连接轴和键连接实现同步转动，载货底盘与转动臂之间通过连接轴转动连接，两者之间相对关系由大齿轮与小齿轮的转动控制，AGV 进行地-轨切换时，转动臂顺时针转动，此时安装在电控箱上的转臂电机驱动小齿轮逆时针转动，从而带动电控箱和载货底盘逆时针转动，水平传感器将信号反馈给控制器，控制器控制转臂电机的转速和转动角度，使载货底盘始终保持水平状态。

5.3　AGV 导引技术

AGV 能自动运行，需要有引导装置。在 AGV 历史发展中，AGV 导航方式主要以电磁导航、磁带导航为主。经过多年的发展，AGV 的导航方式取得了发展和进步，导航方式从最初的有轨导航到无轨导航，对特定标志物的依赖逐渐较少，对环境适应性逐渐增强，导航的精度和可靠性不断得到提高。在传统 AGV 的基础上，伴随着技术的发展，新的概念被提出——AMR（autonomous mobile robots，自主移动机器人），与传统 AGV 的自动导引相比，AMR 更强调机器人的自主性和灵活性。AGV 是“自动牵引”，AMR 是“自主移动”，可见两者有着本质区别，但从使用角度来说，AMR 与 AGV 的关系并非升级换代的关系，而是场景互补的关系。

AGV 的导引技术，作用是计算行驶方向和路径的方法，导引方式是指在行驶的路径上设置导引用的信息媒介物，通过一定的定位技术获取 AGV 在工作区域中的绝对位置，AGV 通过检测出该媒介物信息而得到导向的导引方式，结合导引方法获得运行路径。常用的主流导引方式分为电磁导引、磁导引、二维码导引、激光导引、视觉导引、SLAM 导引、惯性导引、GPS 导引等，前三种为固定路径的导引方式，其他的为自由路径的导引方式。导引技术一直是 AGV 技术研究的核心内容，各种导引技术也具有各自的优缺点，适用于不同场合。

5.3.1　电磁导引

在设定路线的地面埋设电缆，接通低压低频信号，在电缆周围产生交变磁场，自动引导车上安装两个感应线圈，分别检测电缆产生的交变磁场，并转换为感应电压。通过比较两个电压值，可以得知自动引导车是否偏离规定的路线。早期的 AGV 多是用电磁导引，这种方案原理简单、技术成熟、成本低，但是改变或扩展路径及后期的维护比较麻烦，并且 AGV 只能按固定路线行走，无法实现智能避让或通过控制系统实时更改任务。它是通过在 AGV 的行驶路径上埋设金属导线，并加载低频、低压电流，使导线周围产生磁场，AGV 上的感应线圈通过对导引磁场强弱的识别和跟踪实现 AGV 的导引。电磁导引原理如图 5-58 所示。

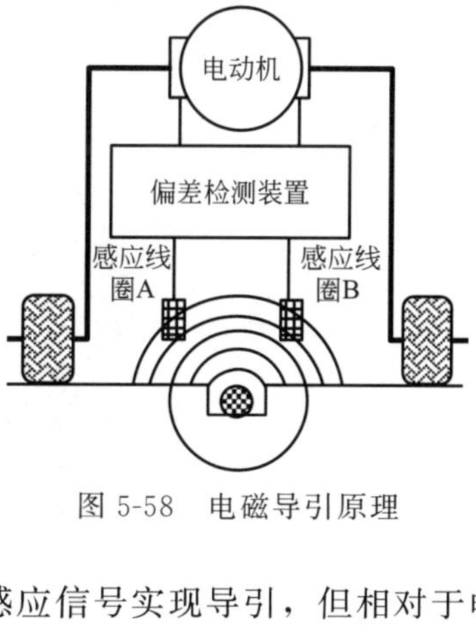

图 5-58　电磁导引原理

5.3.2　磁导引

磁导引技术与电磁导引技术相近，不同之处在于采用在路面上贴磁条或磁钉替代在地面下埋设的金属线，通过磁感应信号实现导引，但相对于电磁导引，AGV 定位要精确很多，而且路径的铺设变更相对较容易，且成本更低，但是容易损坏，需要定期维护。

如果需要完全使用磁钉导航，则需要铺设大量磁钉，磁钉导引在码头 AGV 上应用较多。青岛市前湾港码头是全世界第一个真正意义上的全自动化集装箱码头，运输集装箱的重载 AGV 运行场地预埋了 2 万个左右的磁钉，实现了集装箱搬运 AGV 的精确导引。

5.3.3 二维码导引

二维码导引，其坐标标志通过地面上的二维码实现。二维码导引与磁钉导引原理较为相似，只是坐标标志物不同。二维码导引的原理是自动导引小车借助摄像头扫描地面 QR 二维码，通过解析二维码信息获取当前的位置信息，由于二维码导引属于视觉识别，二维码导引要比磁导引定位精确。二维码导引通常与惯性导引相结合，以实现精准定位，如图 5-59 所示。

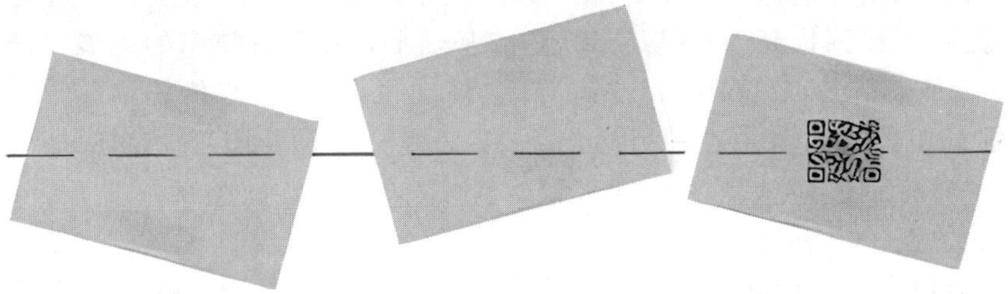

图 5-59 二维码导引

二维码导引，在铺设、改变路径上较容易，便于控制，精度高，对声光无干扰。不过这种导引的 AGV 也需要定期维护，如果有人来干涉或搬运车经过，就容易把地上的二维码碾坏，需要频繁更换二维码。因此，比较适合全自动无人化的环境。但近些年，二维码技术已经可以达到即使二维码有 50%～75%的破损度也可进行识别，不需要再经常更换。

5.3.4 激光导引

激光导引方式是目前比较流行的导引方式，这种导引方式是在 AGV 车上安装可以发射及接收激光的扫描器，在 AGV 行驶路径的周围安装位置精确的激光反射板，AGV 通过发射激光束，同时采集由反射板反射的激光束，来确定其当前的位置和方向，并通过连续的三角几何运算来实现 AGV 的导引，最终达到控制运行路线，完成一系列自动化操作，如图 5-60 所示。该导引技术的优点是定位与导向精度较高，并且可以任意规划路径，但是造价较高，

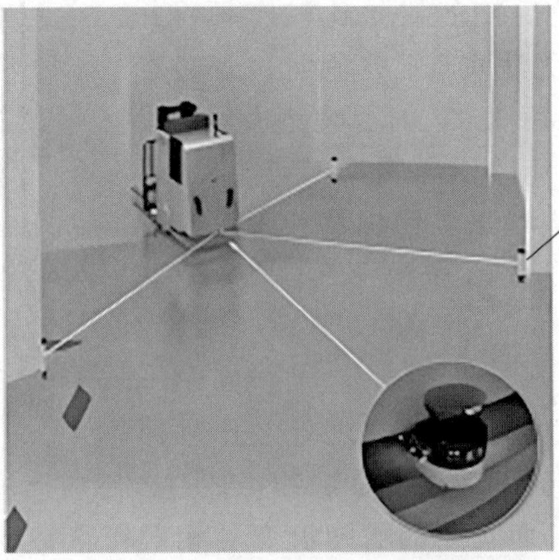

图 5-60 激光导引

装置的安装与位置的计算都比较复杂。

沿着自动导引车的行走路线的高处安装若干个激光扫描器，工作时扫描器不断扫描，计算机根据光信息（扫描的角度和扫描装置的标号），精确检测、计算出自动导引车当前的精确位置，继而导引自动导引车沿着预定的路线行走。

5.3.5　视觉导引

视觉引导方式也称为图像识别导引，是一种正在快速发展，日趋成熟的新兴导引方式。该方式先将预设路线周围的环境图像信息存储于控制系统数据库，在运行过程中，通过车载摄像机和传感器动态获得周围图像信息，再与数据库中的数据进行比较，从而确定下一步位置。

视觉导引原理：通过自动导引车车载视觉传感器获取运行区域周围的图像信息来实现导航，在硬件配置上，需要下视摄像头、补光灯和遮光罩等来支持该种导航方式的实现。此方式可利用丰富的地面纹理信息，并基于相位相关法计算两图间的位移和旋转，再通过积分来获取当前位置，如图 5-61 所示，该方式通过移动 AGV 在移动过程中摄像头拍摄地面纹理进行自动建图，再将在运行过程中获取的地面纹理信息，与自建地图中的纹理图像进行配准对比，以此估计移动 AGV 当前位姿，实现移动 AGV 的定位。

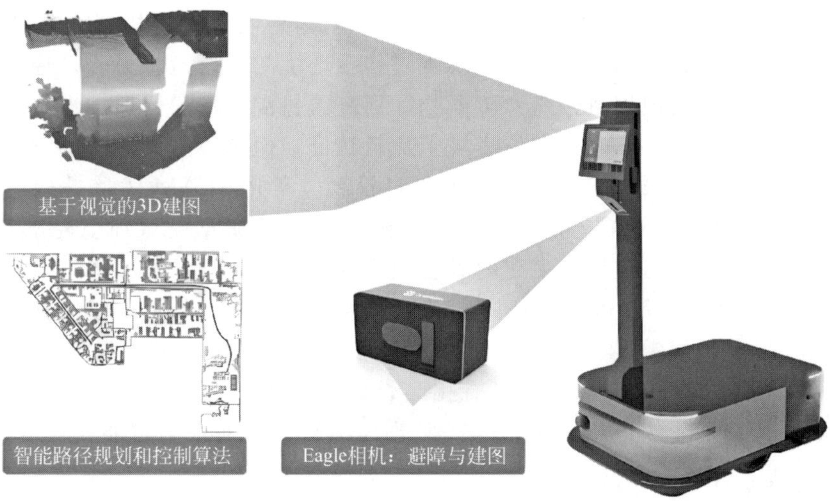

图 5-61　视觉导引

目前，计算机技术的日益进步，硬件价格的不断下降，为机器视觉技术的应用奠定了良好的基础。随着应用系统自动化程度及智能化水平的不断提高，很多实际应用系统的研发者都希望可以增加机器视觉这一功能，视觉导引车就应运而生了。就 AGV 来说，将其赋予人类的视觉功能对于发展其智能化是至关重要的。所以机器视觉的发展不仅能够推动智能系统的不断发展，还可以拓展计算机与各种智能化产品的研究及应用范围。

视觉导引优点：视觉导引灵活性比较好，改变或扩充路径也较容易，路径铺设也相对简单，导引原理同样简单而可靠，便于控制通信，投资成本比激光导引低，但比磁导引稍高。

视觉导引缺点：视觉导航对使用环境（如地面、光线等）的要求较高，在它运行的地面需要有针对操作的纹理信息，当在大面积的场地进行运行时，导航地图的绘制时间要比激光导航长；AGV 定位精确度需要进一步提高。

拥有视觉导引技术的移动机器人公司热度普遍较高，视觉导引也被认为是智能仓储柔性化物流变革的必然趋势。

5.3.6 同步定位与建图技术

同步定位与建图（simultaneous localization and mapping，SLAM）技术，即结合多种传感器（如激光、视觉等）进行同步定位与建图，实现高度自主的导引方，就是所谓的环境自然导引，知道自己在哪里，知道周围环境如何，进而知道下一步该如何自主行动，可以说凡是拥有一定行动能力的智能体都拥有某种形式的SLAM系统。以基于激光雷达的激光SLAM为例：激光导引是通过激光传感器感知周围环境，不同的是激光导引（反射板）的定位标志物为反射板或反光柱，而激光SLAM定位标志物可以为工作环境中的墙面等信息，不需要依赖反射板。

在未来的各类SLAM算法导引中，基于激光雷达的激光SLAM和基于视觉的视觉SLAM（VSLAM）是两种研究最多、最可能大规模落地应用的SLAM，基本代表着第三代AGV导引技术的发展方向。在这两种SLAM导引方式中，目前应用较多的是激光SLAM，激光SLAM脱胎于早期的基于测距的定位方法（如超声和红外单点测距）。激光雷达距离测量比较准确，误差模型简单，在强光直射以外的环境中运行稳定，反馈信息本身包含直接的几何关系，使得机器人的路径规划和导引变得直观。激光SLAM理论研究也相对成熟，落地产品更丰富。通过激光雷达对场景的观测，实时创建地图并修正机器人位置，无需二维码、色带、磁条等人工布设标志物，真正实现对作业环境的零改造。另外，通过激光雷达对障碍物的实时检测，有效规划轨迹避开障碍物，提高人机混合场景的适用性和安全性。灵活度也要比其他导引方式强，同时在定位程度上比较精准，但是，激光导引的制造成本高，对环境如外界光线、地面要求，能见度要求等相对较高。激光SLAM优点是相比于传统的激光导航，自然导航的施工成本与周期都较低。激光SLAM缺点是对环境轮廓依赖比较大，当行驶路径上的轮廓信息出现较大变化时就会出现精度降低的现象。

视觉SLAM（VSLAM）可以从环境中获取海量的、富于冗余的纹理信息，拥有超强的场景辨识能力。早期的视觉SLAM基于滤波理论，其非线性的误差模型和巨大的计算量成了它实用落地的障碍。近年来，随着具有稀疏性的非线性优化理论（Bundle Adjustment）以及相机技术、计算性能的进步，实时运行视觉SLAM越来越成为可能。

5.3.7 惯性导引

随着陀螺仪技术的发展，在AGV上也实现了高精度导引。当采用惯性导引方式时，现场场地中需要安放用于定位的模块。安装有陀螺仪的AGV在行驶中通过对陀螺仪供给的角速度信号、测距编码器供给的距离信号综合起来进行计算。同时在地面上的定位模块还为AGV提供了实时的校正信号，从而就可以实现AGV的自定位。这种导引精度、准确性较高，且灵活性也很强，应用广泛。但是其成本较高，地面也需要磁性块来做辅助定位，后续的维护保养等问题也比较难以解决，且编码器、陀螺仪随时间增长，误差会累积增大。

5.3.8 GPS导航

通过车载GPS传感器获取位置和航向信息来实现导航的方法，但在物流场景下，并不适应，主要原因是导航精度差，位置误差在10m左右。

5.3.9　复合导引

复合导引指应用两种或两种以上导引（或导航）方式实现自动导引车运行的方法。如二维码导引与惯性导引的组合，利用惯性导引短距离定位精度高的特性，将两个二维码之间的导引盲区使用惯性导引。优点：导引精度高，效果好。缺点：成本较高，设计安装难度较高。

这里以二维码导引与惯性导引的组合为例，说明复合导引在 KIVA 型 AGV 的应用。

（1）二维码识别原理

伴随着信息化技术的快速发展，二维码被广泛应用在各行各业。如何对其进行快速有效的识别成为主要问题。目前，大部分是通过摄像头对图像进行采集并识别。为了保证二维码被快速识别，需要对采集到的二维码图像进行图像预处理，二维码图像预处理包括四个步骤，如图 5-62 所示。

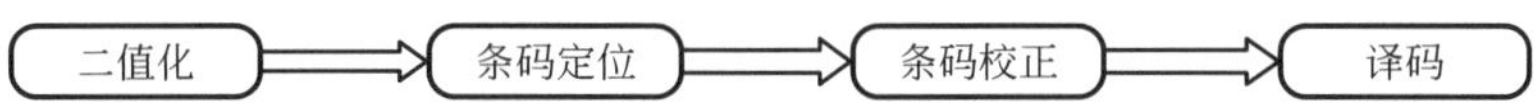

图 5-62　二维码识别原理框图

下面对二维码预处理过程进行说明：

图像二值化：首先找到一个阈值，然后将采集到的图像中待处理像素的灰度值与该阈值进行比较，最后将像素的灰度值重新指定为两类规定的灰度值。在本方案中，通过摄像头采集到的图像常常带有光照不均、失真、噪声等问题，这对于接下来条码识别能否成功将产生决定性的影响。

条码定位：摄像头采集到的图像往往包含不是我们所需要的信息，因此需要将二维码提取出来。每个二维码上有 3 个形状相同、位置不同的位置探测图形，通过检测位置探测图形，实现定位二维码的目的。

二维码上的每个位置探测图形有固定的形状，交错像素区域有固定的比例，如图 5-63 所示。在检测二维码时，标记得到每个位置探测图形的中心点。二维码在采集图像中的位置以及方向可以通过三个中心点所构成的等腰直角三角形来确定。

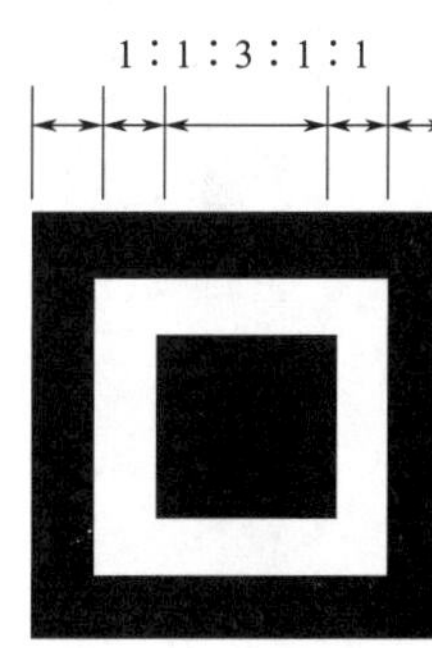

图 5-63　位置探测模型

条码校正：采集到的图像通常会带有某种程度的角度旋转和几何失真。为求解旋转角度，首先确定等腰直角三角形，等腰直角三角形的直角中心点在二维码的左上角，然后再旋转，即可求得校正二维码图像的旋转角。几何失真的处理方式通常是先采取双线性变换将图像进行校正，再通过线性插值对图像进行灰度级补偿。

译码：在完成二维码的图像预处理过程之后，将进入二维码的译码环节。译码算法不做重点介绍，请参照二维码国家标准。

（2）定位算法设计

在本例场景中，要求仓储 AGV 能在二维码的正上方执行原地旋转等动作，故需要将摄像头安装在左右驱动轮之间，并使摄像头的光心和左右驱动轮轴线中心重合。行驶过程中在摄像头周围安装 LED 阵列，需要时提供照明。

① 摄像头模型。本课题采用的是单目摄像头模型（小孔成像模型），在自然光照射下，二维码经过镜头时在成像感光元件上形成投影，空间一点到图像上的成像几何关系分为以下

三个转换过程。

a. 世界坐标系转化为摄像头坐标系的过程。因为摄像头与二维码是根据需要放置在环境中的任意位置，所以需要建立一个世界坐标系 $O_wX_wY_wZ_w$ 来表示摄像头和二维码的位置。为了表示摄像头与二维码之间的关系，还需要建立摄像头坐标系 $O_cX_cY_cZ_c$，以摄像头光心为原点 O，摄像头光轴为 Z_c 轴。假设空间中世界坐标系下描述的点 $P(x_w, y_w, z_w)$，其在摄像头坐标系下描述为 $P(x_c, y_c, z_c)$，则两种描述间的关系可表示为式(5-1) 和式(5-2)。

$$\begin{bmatrix} x_c \\ y_c \\ z_c \end{bmatrix} = \boldsymbol{R} \begin{bmatrix} x_w \\ y_w \\ z_w \end{bmatrix} + \boldsymbol{T} \tag{5-1}$$

齐次坐标表示为：

$$\begin{bmatrix} x_c \\ y_c \\ z_c \\ 1 \end{bmatrix} = \begin{bmatrix} \boldsymbol{R} & \boldsymbol{T} \\ \boldsymbol{0}^{\mathrm{T}} & 1 \end{bmatrix} \begin{bmatrix} x_w \\ y_w \\ z_w \\ 1 \end{bmatrix}$$

$$\boldsymbol{R} = \begin{bmatrix} \cos\theta & -\sin\theta & 0 \\ \sin\theta & \cos\theta & 0 \\ 0 & 0 & 1 \end{bmatrix}^{\mathrm{T}}, \quad \boldsymbol{T} = \begin{bmatrix} t_1 \\ t_2 \\ t_3 \end{bmatrix} \tag{5-2}$$

式中 $\boldsymbol{R}$——世界坐标系旋转到摄像头坐标系的旋转矩阵；

$\boldsymbol{T}$——世界坐标系平移到摄像头坐标系的平移向量；

θ——摄像头在世界坐标系下旋转的角度。

b. 摄像头坐标转换为图像物理坐标的过程。图 5-64 表示摄像头的线性成像模型，空间中任意一点 P 投影在摄像头成像平面上的点为 $P_u(x, y)$，也是摄像头成像平面与摄像头光点 O 与点 P 连线的交点。在图像物理坐标中，令 x 轴与 x_c 轴平行，y 轴与 y_c 轴平行，设摄像头光轴 Z_c 与成像平面的交点为原点 O_1。已知 OO_1 为摄像头的焦距 f，利用相似三角形的原理，容易得到摄像头坐标转换为图像物理坐标的公式：

$$\begin{bmatrix} x \\ y \end{bmatrix} = \begin{bmatrix} f\dfrac{x_c}{z_c} \\ f\dfrac{y_c}{z_c} \end{bmatrix} \tag{5-3}$$

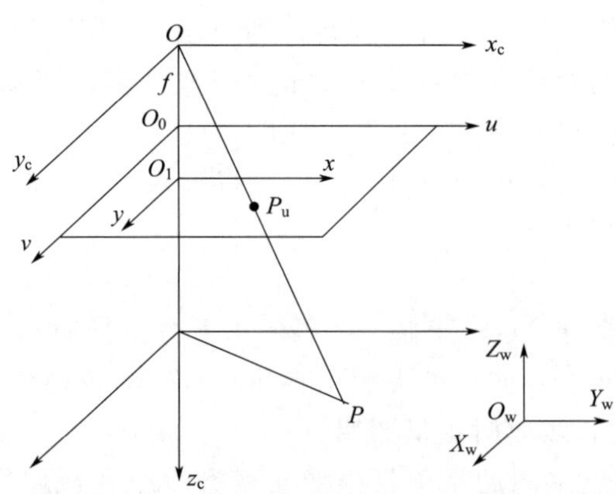

图 5-64　摄像头线性成像模型

改用齐次坐标形式表示为：

$$z_c=\begin{bmatrix}x_u\\y_u\\1\end{bmatrix}=\begin{bmatrix}f&0&0&0\\0&f&0&0\\0&0&1&0\end{bmatrix}\begin{bmatrix}x_c\\y_c\\z_c\\1\end{bmatrix}\tag{5-4}$$

c. 图像物理坐标转换为图像像素坐标的过程。摄像头拍摄的图像在计算机中存储形式是用数字矩阵的方式存储，通常情况下，取图像的左上角为图像像素坐标系的原点 O_0，建立图像像素坐标系如图 5-65 所示。

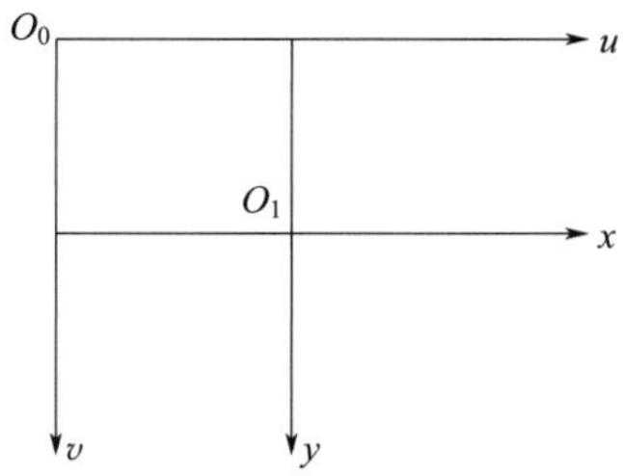

图 5-65　图像像素坐标系与图像物理坐标系

假定每个像素在 u 和 v 方向的物理长度为 dx 和 dy。图像物理坐标的原点（主点）理论上位于图像的中心，但是由于摄像头在制造过程中带来的缺陷，主点很难和图像的中心重合。设主点 O_1 在图像像素坐标系中的坐标为（u_0，v_0），容易得到图像像素坐标转换为图像物理坐标之间的公式：

$$\begin{bmatrix}u\\v\end{bmatrix}=\begin{bmatrix}\dfrac{x}{\mathrm{d}x}+u_0\\\dfrac{y}{\mathrm{d}y}+v_0\end{bmatrix}\tag{5-5}$$

改用齐次坐标形式表示为：

$$\begin{bmatrix}u\\v\\1\end{bmatrix}=\begin{bmatrix}\dfrac{1}{k}&0&u_0\\0&\dfrac{1}{t}&v_0\\0&0&1\end{bmatrix}\begin{bmatrix}x_u\\y_u\\1\end{bmatrix}\tag{5-6}$$

综合以上所得到的公式，空间中任意一点 P 在世界坐标系下表示为 $P(x_w,y_w,z_w,1)$，通过摄像头模型转换到图像坐标（u,v），转换关系表示为：

$$z_c\begin{bmatrix}u\\v\\1\end{bmatrix}=\begin{bmatrix}f_x&0&u_0&0\\0&f_y&v_0&0\\0&0&1&0\end{bmatrix}\begin{bmatrix}\boldsymbol{R}&\boldsymbol{T}\\\boldsymbol{0}^{\mathrm{T}}&1\end{bmatrix}\begin{bmatrix}x_w\\y_w\\z_w\\1\end{bmatrix}\tag{5-7}$$

式中　f_x，f_y——摄像头内参值，且 $f_x=f/\mathrm{d}x$，$f_y=f/\mathrm{d}y$。

② 定位算法分析。在仓储路面的相应坐标上按照栅格状粘贴了具有坐标信息的二维码，每个二维码都表示一个坐标点，用于仓储 AGV 定位与位置识别。仓储 AGV 的定位过程本质是在空间中实时得知自身的位置和偏向角，通过获取位姿信息进行控制、导航定位等功

能。为实现上述过程，参考张涛等人提出的定位方法，建立如图 5-66 所示的世界坐标系 $X_wO_wY_w$。

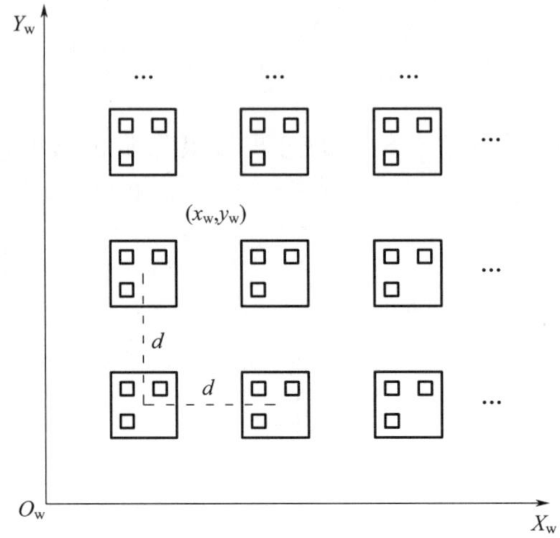

图 5-66　世界坐标系

图 5-66 中方形是粘贴在仓储地面上的二维码，这些二维码按照栅格状、相同间距、相同朝向排列在地面上，仓储 AGV 通过自身安装的摄像头对二维码确定位姿。设定每一个二维码都具有唯一的编号 ID 以及在世界坐标系中对应的坐标信息（x_w，y_w），相邻两个 QR 码间的间距 $d=1$m。仓储 AGV 的观测模型如图 5-67 所示。

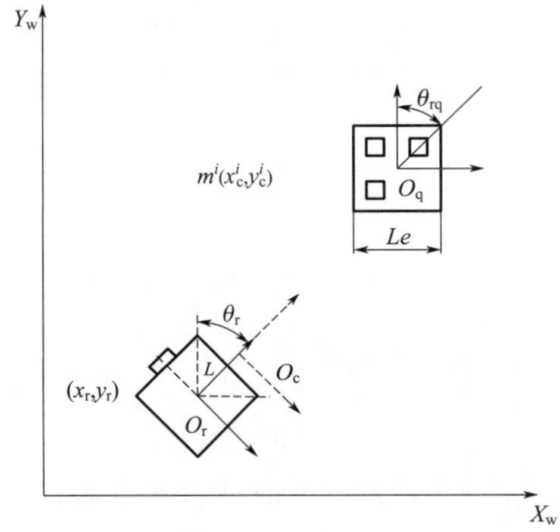

图 5-67　仓储 AGV 观测模型

图 5-67 中 O_r 表示机器人坐标系（摄像头坐标系），O_q 表示二维码坐标系。O_c 表示摄像头坐标系，与 O_r 坐标系只存在平移，平移距离为 L。图中第 i 个二维码在 O_w 系中的位置坐标为（x_{wi}，y_{wi}），仓储 AGV 在 O_w 系中的位置坐标为（x_r，y_r）。仓储 AGV 偏向角为 θ_r，也表示 O_w 向 O_r 系的旋转角度。摄像头测量获得的偏向角为 θ_{rq}，也表示 O_q 向 O_r 系的旋转角度。由于二维码是按照统一方向粘贴的，理论上 O_q 系和 O_r 系之间无旋转矩阵变换，但实际中二维码在粘贴过程中由于人为因素引入的不确定性，即 θ_{rq} 与 θ_r 并不相等。根据定义，仓储 AGV 通过获取多个离散的二维码的坐标与角度便能确定自身在世界坐标系中位姿，进而可以根据图像坐标下的点求出空间中任意一点在世界坐标系下的坐标。

另一方面，因为位置探测图形具有特殊的比例，其他位置不可能出现相同比例的图形，所以通过找到三个位置探测图形能实现精确定位。确定二维码是否需要旋转以及旋转的角度 θ_{rq} 可以通过连线三个位置探测图形的中心坐标，如图 5-68 所示。

图 5-68　通过三个位置探测图形进行图像旋转

首先确定图像旋转的角度，再进行图像旋转。对摄像头采集到的图像进行灰度化、二值化、去噪处理、边缘提取后，可以获得二维码 3 个位置探测图像中心在图像中的坐标（u_j，v_j）。设 A、B 两点在图像中的坐标分别为 $A(u_{ja},v_{ja})$、$B(u_{jb},v_{jb})$，则

$$\tan\theta_{rq}=\frac{v_{ja}-v_{jp}}{v_{ja}-v_{jp}} \tag{5-8}$$

即根据式(5-8) 能求出偏向角度 θ_{rq}。通过识别 QR 码获取世界坐标为（x_w^i,y_w^i）。再通过式(5-2) 求出旋转矩阵 $\boldsymbol{R}$ 和平移向量 $\boldsymbol{T}$。假定二维码物理边长为 L_q，在 O_w 系中摄像头位置为（x_c,y_c），以及通过式(5-9) 得到的机器人位置为（x_{rq},y_{rq}）。

$$\begin{bmatrix}x_c\\y_c\end{bmatrix}=\begin{bmatrix}\cos\theta_{rq} & \sin\theta_{rq}\\-\sin\theta_{rq} & \cos\theta_{rq}\end{bmatrix}^{-1}\begin{bmatrix}0 & -t_1\\0 & -t_2\end{bmatrix}+\begin{bmatrix}x_w^i\\y_w^i\end{bmatrix} \tag{5-9}$$

$$\begin{bmatrix}x_{rq}\\y_{rq}\end{bmatrix}=\begin{bmatrix}x_c-L_q\cos\theta_{rq}\\x_c-L_q\sin\theta_{rq}\end{bmatrix} \tag{5-10}$$

由上述可知，描述仓储 AGV 的车载摄像头的 6 个位置参数分别为在世界坐标系下的坐标 X_w、Y_w、Z_w 以及偏向角 θ、侧倾角 ψ、俯仰角 φ，但是与仓储 AGV 定位有关的主要有三个参数（X_w,Y_w,θ），组成 AGV 的位姿。

③ 航迹推导算法。由上述基于二维码的定位算法可知：仓储 AGV 通过检测二维码，可得出在世界坐标系下的位姿（X_w、Y_w,θ），但与相邻 QR 码粘贴位置有一定间隔，摄像头获取的信息是离散的，定位时间间隔较长会引起更新频率低，无法满足仓储 AGV 实时控制的设计要求。所以需要引入里程计作为位置传感器和角度传感器辅助摄像头进行定位。里程计的本质是基于航迹推算，优点是适合短距离定位，精度较高，但是长时间运行后的位置误差会积累，使得获取的信息变得不准确，所以要求当检测到 QR 码时必须及时修正位姿。

下面对基于里程计的航迹推测算法进行分析。在第 2 章节中已经建立了仓储 AGV 运动学模型，假设在世界坐标系下，仓储 AGV 当前的位姿为（X_w、Y_w,θ）。每经过一个控制周期，驱动器可计算出两个驱动轮的移动距离。

$$r=\Delta S/\Delta\theta \tag{5-11}$$

其中，$\Delta\theta$ 表示 AGV 偏向角的变化量；ΔS 表示 AGV 行驶的距离的变化量；r 表示仓

储 AGV 所行驶轨迹的半径。

$$\Delta x = r\sin\Delta\theta$$
$$\Delta y = r - r\cos\Delta\theta \tag{5-12}$$

其中，Δx、Δy 分别为仓储 AGV 在机器人坐标系下分别在 X 轴和 Y 轴方向上产生的位移。由上文可知，通过两坐标系之间的转换，可得出仓储 AGV 在世界坐标系中的位姿为 $(X_w、Y_w,\theta)$，如式(5-13) 所示：

$$\begin{bmatrix} x_w \\ y_w \end{bmatrix} = \boldsymbol{R}\begin{bmatrix} \Delta x \\ \Delta y \end{bmatrix} + \boldsymbol{T} \tag{5-13}$$

其中，$\boldsymbol{R}$ 为旋转矩阵，$\boldsymbol{T}$ 为平移向量，分别如式(5-14)、式(5-15) 所示：

$$\boldsymbol{R} = \begin{bmatrix} \cos\theta & -\sin\theta \\ \sin\theta & \cos\theta \end{bmatrix} \tag{5-14}$$

$$\boldsymbol{T} = \begin{bmatrix} R_x \\ R_y \end{bmatrix} \tag{5-15}$$

$$\theta_w = \theta + \Delta\theta \tag{5-16}$$

通过以上步骤能求解出（$X_w、Y_w,\theta_w$），即为仓储 AGV 在世界坐标系中行驶一段时间后的新位姿。

5.3.10 导引方式的选择

AGV 导引方式的选择应根据预算、实际需求及现场环境综合考虑。固定路径导航成本低、可靠性高，适合路径固定且变化少的场景；自由路径导航灵活性强，适合复杂动态环境；组合导航则提供更高级别的自主性和适应性，但成本也相应较高。从使用者角度来说，导引技术没有高低之分，只有合适不合适之分。原则是根据实际的场景因地制宜选导引，适合自己的就是最好的选择。

AGV 导引方式的发展有先有后，都有各自的缺点和优势，需要根据实际的应用场景，结合各种导引技术的特点，兼顾技术成熟度及性价比选择最适合的产品。总之一句话，需要在效率、精度、智能化程度、安全性四者之间的平衡作决策。如磁带或电磁导引是早期 AGV 导引方式，电磁导引的施工复杂、成本高，但电磁导引在恶劣环境（高温、酸碱环境）下具有更高的适应性，电磁导引在路线较为简单，需要 24 小时连续作业的生产制造（如汽车制造）场景有比较广泛的应用。

常用导引技术对比如表 5-2 所示。

表 5-2 常用导引技术对比

序号	导引方式	简介	优点	缺点
1	电磁导引	电磁导引是较为传统的导引方式之一，目前仍被采用，它是在 AGV 的行驶路径上埋设金属线，并在金属线上加载导引频率，通过对导引频率的识别来实现 AGV 的导引	引线隐蔽，不易污染和破损，导引原理简单而可靠，便于控制和通信，对声光无干扰，制造成本较低	路径难以更改扩展，对复杂路径的局限性大
2	磁导引	与电磁导引相比，用在路面上贴磁条替代在地面下埋设金属线，通过磁感应信号实现导引	灵活性比较好，改变或扩充路径较容易，磁条铺设简单易行	导引方式会受到环路通过的金属等硬物的机械损伤，对导引有一定的影响

续表

序号	导引方式	简介	优点	缺点
3	二维码导引	坐标的标志通过地面上的二维码实现。二维码导引的原理是自动导引车通过摄像头扫描地面 QR 二维码，通过解析二维码信息获取当前的位置信息。二维码导引通常与惯性导引相结合，实现精准定位	AGV 定位精确，小巧灵活，铺设、改变路径也较容易，便于控制通信，对声光无干扰。单机成本低	路径需要定期维护，需要频繁更换二维码，维护成本较高，对陀螺仪的精度及使用寿命要求严格
4	激光导引	在 AGV 行驶路径的周围安装位置精确的激光反射板，AGV 通过发射激光束，同时采集由反射板反射的激光束，来确定其当前的位置和方向，并通过连续的三角几何运算来实现 AGV 的导引	AGV 定位精确；地面无需其他定位设施；行驶路径可灵活多变，能够适合多种现场环境，是目前国外许多 AGV 生产厂家优先采用的先进导引方式	制造成本高，对环境要求相对苛刻(外界光线，地面要求，能见度要求等)
5	视觉导引	对 AGV 行驶区域的环境进行图像识别，实现智能行驶，这是一种具有巨大潜力的导引技术，此项技术已被应用到 AGV 上	图像识别技术与激光导引技术相结合将会为自动化工程提供意想不到的可能，如导引的精确性和可靠性，行驶的安全性，智能化	未来发展主要趋势之一
6	SLAM	同时定位与地图构建技术，就是所谓的环境自然导引，知道自己在哪里，知道周围环境如何，进而知道下一步该如何自主行动，基于激光雷达的激光 SLAM 和基于视觉的视觉 SLAM 是导引技术的发展方向	性能优越	技术复杂度和成本最高
7	惯性导引	在 AGV 上安装陀螺仪，在行驶区域的地面上安装定位块，AGV 可通过对陀螺仪偏差信号的计算及地面定位块信号的采集来确定自身的位置和方向，从而实现导引	技术先进，定位准确性高，灵活性强，便于组合和兼容，适用领域广，已被国外的许多 AGV 生产厂家采用	制造成本较高，导引的精度和可靠性与陀螺仪的制造精度及使用寿命密切相关
8	GPS 导引	通过卫星对非固定路面系统中的控制对象进行跟踪和制导，目前此项技术还在发展和完善	通常用于室外远距离的跟踪和制导，其精度取决于卫星在空中的固定精度和数量，以及控制对象的周围环境等因素	地面设施的制造成本是一般用户无法接受的

5.4 AGV 路径规划与调度概述

5.4.1 AGV 路径规划与调度的关系

（1）路径规划是调度的基础

路径规划是 AGV 调度系统中的重要组成部分，它为调度系统提供了 AGV 从起点到终点的最优路径。调度系统根据路径规划的结果，选择最合适的 AGV 并指导其按照规划路径行进，以完成运输任务。

（2）调度系统优化路径规划

调度系统不仅依赖于路径规划的结果，还通过优化算法对路径规划进行进一步调整。在复杂的工作环境中，调度系统需要根据 AGV 的实时状态和任务需求，动态地调整路径规划，以确保运输任务的顺利进行。

(3) 协同作用提升效率

路径规划与调度系统紧密协同工作，共同提升物流系统的效率。路径规划为调度系统提供了可靠的路径信息，而调度系统则通过合理的任务分配和路径调整，确保 AGV 能够高效地完成运输任务，减少等待时间和死锁现象。

5.4.2 AGV 路径规划

AGV（自动引导车）路径规划是 AGV 系统的重要组成部分，涉及在已知或未知环境中为 AGV 规划从起点到终点的最优路径。路径规划依赖于环境地图的构建和感知，以及多种算法的应用，如 A^*、Dijkstra、双向 A^* 等。路径规划的关键步骤如下：

① 地图构建与环境感知：通过激光传感器、摄像头等设备获取环境信息，构建包含通道、障碍物、地标等的地图。

② 起点和终点设定：明确 AGV 的起始位置和目标位置。

③ 路径搜索算法：应用各种算法在环境地图中寻找最佳路径，考虑权重、距离、难度等因素。

④ 路径优化：对生成的路径进行调整，使其更平滑、高效，减少急转弯，提高稳定性。

⑤ 避障与碰撞检测：确保路径中避开障碍物，避免碰撞。

根据 AGV 工作环境，路径规划模型可分为两种：一种是基于模型的全局路径规划，作业环境的全部信息已知，又称静态或离线路径规划。另一种是基于传感器的局部路径规划，作业环境信息全部未知或部分未知，又称动态或在线路径规划。这两种 AGV 的线路规划没有本质区别，前者只是把全局路径规划的环境考虑得更复杂一些，即环境是未知的。很多适用于全局路径规划的方法经过改进都可以用于局部路径规划；而适用于局部路径规划的方法都可以适用于全局路径规划。

未来的路径规划与调度系统将更加注重多目标优化、深度学习应用以及人机协作，实现更全面的优化决策和更灵活的调度管理。随着科学技术的快速发展，计算机、传感器及控制技术得到飞速的发展，各种新算法不断涌现，移动机器人路径规划技术已经取得了丰硕研究成果。特别是周围环境已知的全局路径规划，其理论研究已比较完善，目前比较活跃的领域是研究在环境未知情况下的局部规划。从研究成果看，有以下趋势：

① 移动机器人路径规划的性能指标要不断提高。这些性能指标包括：实时性、安全性和可达性等。在动态环境中，由于环境信息是时刻变化的，如果移动机器人实时性差，滞后于动态环境，就可能会导致避障失败。安全性和可达性也很重要。一个性能指标不好的方法，即使它能使移动机器人走出完美的轨迹，也将被淘汰。而有些方法没有高深的理论，但计算简单，实时性、安全性好，就有存在的空间。如何使性能指标更好是各种算法研究的一个重要方向。

② 智能化的算法将会不断涌现。模糊控制、神经网络、遗传算法以及它们的相互结合也是研究热点之一。智能化方法能模拟人的经验，逼近非线性，具有自组织、自学习功能并且具有一定的容错能力。这些方法应用于路径规划会使移动机器人在动态环境中更灵活，更具智能化。

③ 多移动机器人系统的路径规划。协调路径规划已成为新的研究热点。随着应用不断扩大，移动机器人工作环境复杂度和任务的加重，对其要求不再局限于单台移动机器人。

④ 多传感器信息融合用于路径规划。移动机器人在动态环境中进行路径规划所需信息都是从传感器得来。单传感器难以保证输入信息准确与可靠。多传感器所获得信息具有冗余性，互补性，实时性和低代价性，且可以快速并行分析现场环境。移动机器人的多传感器信息融合也是当今一个比较活跃的研究领域，具体方法有采用概率方法表示信息的加权平均法、贝叶斯估计法、多元贝叶斯法、卡尔曼滤波法、统计决策理论法；有采用命题方法表示信息的 D-S 证据推理、模糊逻辑、产生式规则，还有仿效生物神经网络的信息处理方法、人工神经网络法等。

⑤ 基于功能/行为的移动机器人路径规划是研究的新动向之一。基于行为的方法是一种自底向上的构建系统方法，即把路径规划分解成一系列相对独立的小系统，在运行状态下通过竞争机制取得控制机器人的主导权，并在与环境交互作用中最终达到目标。基于功能/行为的机器人控制结构融合了两者优点，既有基于功能控制结构的必要理性，又有基于行为控制结构的快速响应。

5.4.3　AGVS 调度

AGVS 调度的核心功能有：

（1）地图设计

这是 AGV 调度系统的基本功能，主要包括：

① 根据现场情况，动态设计及调整地图，实现地图的定制。

② 维护行驶速度、倒车速度、是否锁定等扩展属性，给路线增加方向属性，给路线增加方位属性，以便处理 AGV 转弯。

③ 客户维护定义 AGV 型号、长度、路线颜色、电量、报警值、速度、状态等属性。

④ 可以将 CAD 图纸导入，更能真实体现现场布局。

（2）任务执行及仿真

除正常运行外，增加了仿真功能，用于模拟实际的运行效果，查看交互指令，评估运行效率等。主要包括：

① 实时展示 AGV 的运行状态，查看行驶轨迹。

② 能够查看 AGV 的整体运行路线，了解路线规划状态。

③ 优化的调度算法，能够根据路线长度、AGV 速度等预估路线占用时间、释放时间。

④ 采用同向不锁定、异向锁定、整条锁定、边走边释放等规则，提高路线的使用效率。

⑤ 实时输出运行指令，了解与 AGV 的实际交互过程。

（3）状态输出

作为调度系统，期望能将系统运行过程中的各项参数、代码输出出来，以便查看，主要包括：

① 订单监控：监控仿真及实际订单的执行状态。

② 任务监控：查看 AGV 的任务执行情况。

③ 故障及异常监控：监控当前系统出现的异常信息及故障信息。

④ AGV 状态监控：实时反馈 AGV 的运行状态、停车点、电量信息等。

⑤ 调试信息：输出与 AGV 交互的各种通信协议、指令，便于仿真及实际运行时查看运行过程及故障排除。

以上监控信息同时应用于实际运行与仿真运行。

（4）任务统计

统计 AGV 运行效率，包括：

① 按列表，统计每天执行的具体任务。

② 按柱状图，统计 AGV 的运载状况。

③ 按柱状图，统计每天的运载状况。

(5) 云监控

监控 AGV 运行状态、故障、电量等各种信息，可以上传到云，以便远程调试、诊断。

5.5 自动导引车的选型

正确选用 AGV 车型是保证 AGV 系统成功运行的关键因素，首先要明确 AGV 的应用场景，应用场景主要考虑以下因素。

(1) 运送物品的特点

物品的特点包括物品的质量、包装形式、体积等，主要影响 AGV 移载类型的选择，如物品的搬运单元是料箱，那么可选料箱 AGV，也可选背负式 AGV；如物品的搬运单元是托盘，那么可能选用叉车 AGV。

(2) 运送物品的环境

运送物品的环境主要包括取货与转弯场地的大小、通道的宽窄、是否是低温环境、场地内人员或车辆走动情况等，对选用 AGV 的类型与导引方式的选择都有关系。对于需要高度定制化和复杂任务处理的场景，可以选择更灵活和智能的自主导航控制方式。对于简单的点到点任务，传统的导引线控制方式可能更合适。如果在狭小、复杂或人员密集的环境中操作，需要选择能够实现精确避障、安全感知的控制方式。而在自由空间较大的仓库或工厂中，可以选择相对简单的路径规划和导航控制方式。

(3) 运送首尾装置的接口

被运送的物品使用的移载装置和送到目的地的移载装置，可以是货架、货台、库房、工作站、滚道、悬挂输送、机械手、其他车辆等，还应考虑如何进行定位、对准、识别、记录、显示、标记，要适当确定接口移载的自动化程度，这些因素均影响 AGV 移载的具体方式。

(4) 适应已有 AGVS 的类型要求

随着业务和需求的变化，AGV 系统可能需要进行扩展和升级。因此，选择具有良好可扩展性和灵活性的控制方式可以降低系统的维护成本和升级难度，还应考虑 AGV 结构、功能、控制系统层次、通信联系、寻呼方式、待机位置、充电方式等，使 AGV 类型与已有 AGVS 类型紧密匹配。

(5) AGV 的价格和性能参数

在考虑 AGV 的价格和性能参数的同时，还要注意 AGV 的基本属性，如自重、外形尺寸、行走速度、定位精度、回转最小半径、通信方式等。如载荷较大且速度较高，需要选择具有较强动力和稳定性的控制方式，以确保作业过程安全和准确。

第 6 章

智能物流系统仿真技术

智能物流系统仿真基于计算机技术的仿真平台，用于模拟和分析物流系统中各个环节的运作过程。通过构建物流系统的虚拟模型，并结合算法和数据分析，智能物流系统仿真可以模拟物流供应链中的各种情景和条件，预测和评估物流运营效果，以及优化物流系统的性能。

6.1 仿真软件概述

6.1.1 常用的物流系统仿真软件

（1）Flexsim

Flexsim 是一个面向对象的仿真软件，基于 Windows 平台。可在相似度极高的三维虚拟现实环境中模拟制造业、物料处理等离散事件流程。用户可通过拖放对象来构建模型，每个对象都有坐标、速度、旋转等属性和动态行为，可以从 Excel 表等读取和输出资料，允许用户建立自己的实体对象并满足特定要求。

应用场景：能模拟堆垛机、穿梭车、输送线等自动化存储与检索系统的协同运作，分析不同货架布局对存取效率的影响，验证库存管理策略，优化订单拣选流程，解决多设备调度冲突等问题。

（2）FactoryIO

FactoryIO 是一款工业自动化仿真软件，内置多种工业设备模型，可精确模拟各种工业设备和操作流程。能与西门子等主流 PLC 系统无缝对接，实时验证 PLC 程序的正确性和可靠性，提供丰富的参数设置和调试工具，用户可对仿真环境进行优化。适合初学者学习堆垛机的工作原理和编程技术，可模拟堆垛机的实际工作环境，配合 PLC 编程实现对堆垛机的控制仿真，用于工业自动化相关的教育培训、工业设计中的方案验证以及实际生产中的故障诊断等。

（3）Plant Simulation

Plant Simulation 是由德国西门子公司开发的离散事件仿真软件，用于模拟和优化生产系统、物流系统和供应链。运用先进的面向对象架构和建模技术，可构建生产设施、生产线及运营的三维层次化模型，能轻松集成其他西门子软件应用程序，还提供实验管理器、遗传算法工具箱、神经网络等扩展分析工具。

应用场景：可用于建立立体库的三维模型，模拟巷道堆垛机等设备的运行，验证仓储方案的可行性，优化出入库策略、设备利用率和存储利用率等，在工厂的工艺规划、过程优化和资源管理方面应用广泛。

(4) MIOT. VC

工业仿真软件 MIOT. VC 是由美的集团旗下的独立事业部美云智数所开发的数字孪生软件平台，也称为美擎仿真，集 3D 工艺仿真、装配仿真、人机协作、物流仿真、机器人仿真、虚拟调试、数字孪生工厂等功能于一体，可应用于新建工厂的产线布局设计、物流规划、价值流分析；工厂生产效率提升、精益改善；新产品研发端的可制造性分析、工艺设计、装配仿真；自动化虚拟调试、机器人轨迹规划及示教等场景。它能够为自动化设备制造商，系统整合商以及航空航天、工程机械、船舶、军工、汽车、电子等行业提供全面的数字化智能制造全流程解决方案。

物流系统仿真软件不止这几款，这里只介绍应用 MIOT. VC 仿真物流系统。

6.1.2 MIOT. VC 数字孪生软件特点与功能

MIOT. VC 数字孪生仿真软件相较于其他数字孪生仿真软件，具有以下特点：

(1) 模型资源丰富

MIOT. VC 数字孪生仿真软件提供可免费使用的标准设备模型，包括立体货架、转盘、输送线、轨道、数控机床、AGV、ASRS、吊车等，并且还包含多种品牌的机器人标准模型，同时提供网络模型库供用户下载。电子组件库中有 2800 多种的组件，用户可以直接使用这些组件来搭建仿真布局。

(2) 操作简单的开放平台

MIOT. VC 提供了一种像乐高积木一样便捷搭建布局的方式，支持智能路径规划和 Flow 生产逻辑，具备强大且快速的方案实现能力。

(3) 机器人仿真和离线编程

MIOT. VC 内置 1400 多个机器人组件，内置 KUKA、ABB、安川、川崎等各主流机器人协议。

(4) 设备联机和虚拟调试

MIOT. VC 支持在无硬件 PLC 的情况下，内置软 PLC 对所搭建的模型进行 PLC 梯形图逻辑验证。

(5) 数字孪生

MIOT. VC 可以实现与 Unity3D 的无缝对接、高清渲染 3D 场景布局、工厂大屏显示，3D 工艺仿真、装配仿真、人机协作、物流仿真、机器人仿真、虚拟调试、数字孪生工厂等功能。

MIOT. VC 数字孪生软件主要有以下功能：

① 利用其丰富的模型库对仿真布局进行快速搭建。

② 模型组件之间的连接。利用 PnP 物理吸附和接口信号等方式进行不同组件之间的连接，对于物流仿真，可以高效对输送线进行布局设计，合理串联，控制系统流动方向。

③ 虚拟装配和人机工程。MIOT. VC 支持产品生产装配过程细节仿真，具备部件干涉分析高亮检查功能，一键设置组装部件间运动信号逻辑，简化装配仿真过程。

④ 产线和物流仿真分析。MIOT. VC 可以对产线、设备、物流、库存、节拍、瓶颈、人员和利用率等进行全面评估、综合分析和优化提升。这些功能使得 MIOT. VC 能够应用于物流仿真的布局设计、物流规划、价值流分析；仓库运行效率提升、精益改善；工艺设计、仓储仿真；自动化虚拟调试、机器人轨迹规划及示教等场景。

6.1.3　MIOT. VC 数字孪生软件的操作窗口介绍

MIOT. VC 软件为用户提供集成化仿真开发环境，所有的操作都可以在同一个界面下完成，节省用户时间和精力，操作窗口界面如图 6-1 所示，大体可以分为 7 大窗口。

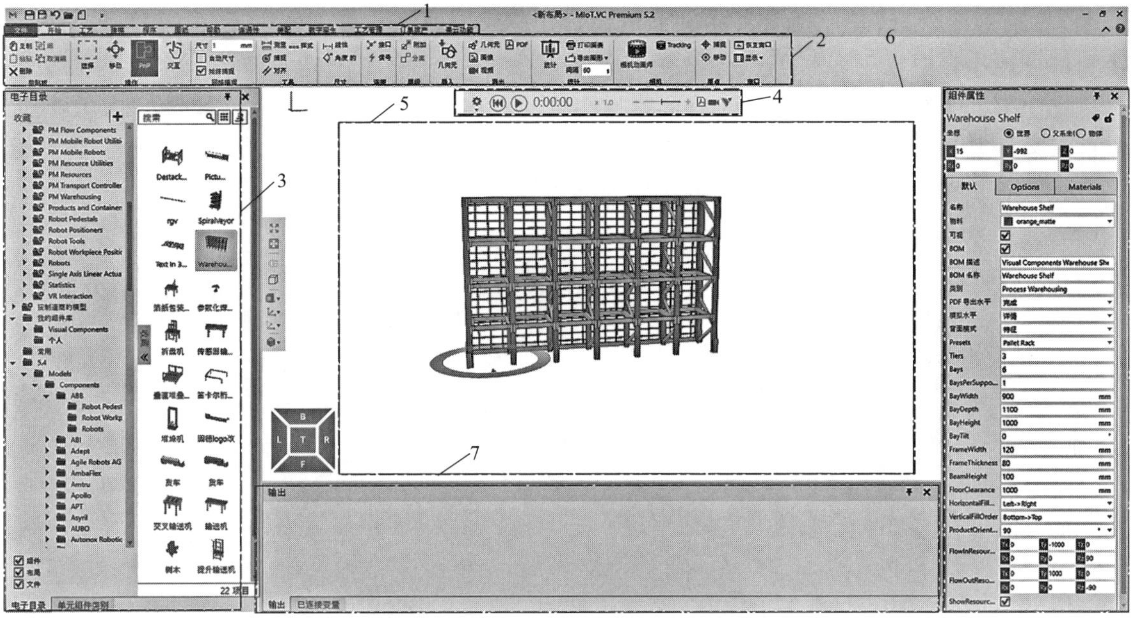

图 6-1　MIOT. VC 数字孪生软件操作窗口

窗口 1 为功能栏窗口，MIOT. VC 数字孪生软件有 13 个功能栏，依次是文件、开始、工艺、建模、程序、图纸、帮助、连通性、装配、数字孪生、工艺管理、订单排产、美云功能。每一个功能模块都包含相应的工具栏。

窗口 2 为工具栏窗口，以图 6-1 显示的开始功能的操作窗口为例，包含 12 个子窗口：操作、网格捕捉、工具、尺寸、连接、层级、导入、导出、统计、相机、原点、窗口。功能使用简单快捷，例如操作者可以利用操作窗口中的 PnP 工具快速搭建布局，使用导入、导出窗口中的工具快速处理组件模型，使用统计工具查看模型的运行参数等。

窗口 3 是组件资源电子目录窗口，其中，包括 2800 多种可编辑的工业设备组件模型，这些组件的参数均可自定义，用户可以根据自己的需要选择相应的组件，自定义其参数，建模方便快捷。

窗口 4 是仿真播放器窗口，包含 5 个按钮：设置、重置、开始、调速、输出格式，在设置界面可以选择仿真时间类型（虚拟时间或真实时间），通过调速按钮可以控制模型仿真速度，仿真后的文件有多种输出类型：视频、PDF、VR 动画。

窗口 5 是 3D 布局地图窗口，是搭建工厂布局的工作平台，可以显示所有设置可见的组件模型，在 3D 布局地图选中一个模型后，其几何轮边缘就会以蓝色显示，右侧就会出现属性窗口，可以对模型属性进行编辑。

窗口 6 是组件属性窗口，在此窗口可以修改组件的尺寸、颜色、形状等静态属性，还可以定义模型的运行逻辑、速度、运动规则等动态属性。

窗口 7 是输出窗口，又称为问题显示栏，可以反映搭建布局中组件连接不合理或者命令不合法，均会在此处显示。

6.1.4 MIOT.VC数字孪生软件的仿真设置

(1) 模型属性设置

MIOT.VC数字孪生软件中，提供2800余种组件模型，用户只需要将需用到的模型拖入3D布局地图窗口，即可在3D布局地图窗口中生成所拖入的组件模型，然后利用PnP连接和信号连接，根据平面布局设计将所有组件模型连接，就能快速构建一个复杂的大型系统。选中某一个组件模型，就会在右侧弹出组件属性窗口，在此窗口中可以对模型的参数进行自定义，并且更改后的效果可以及时反馈到3D布局地图窗口中，如图6-2所示，设置输送线长度、宽度、高度、速度、输送线类型等参数。

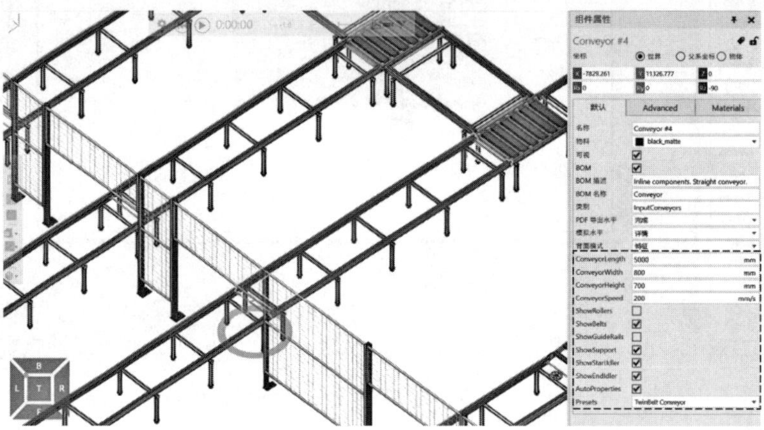

图6-2　输送线组件属性编辑

(2) 模型连接设置

MIOT.VC数字孪生软件中提供了两种主要的模型连接方式，信号连接和物理连接。信号连接主要是利用组件模型之间的信号关系进行连接，信号连接方式一般需要在3D布局地图窗口中仿真信号控制器模型，并且配置相应的连接关系。如图6-3所示为存储控制器与堆垛机的信号连接。

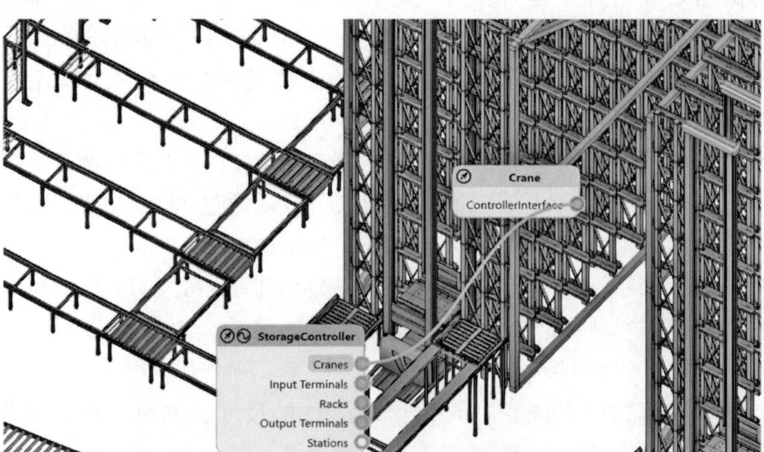

图6-3　存储控制器与堆垛机之间的信号连接

物理连接方式需要定义模型的 PnP 接口和信号流通方向。如图 6-4 所示为输送机与顶升移载机之间的 PnP 物理吸附连接。

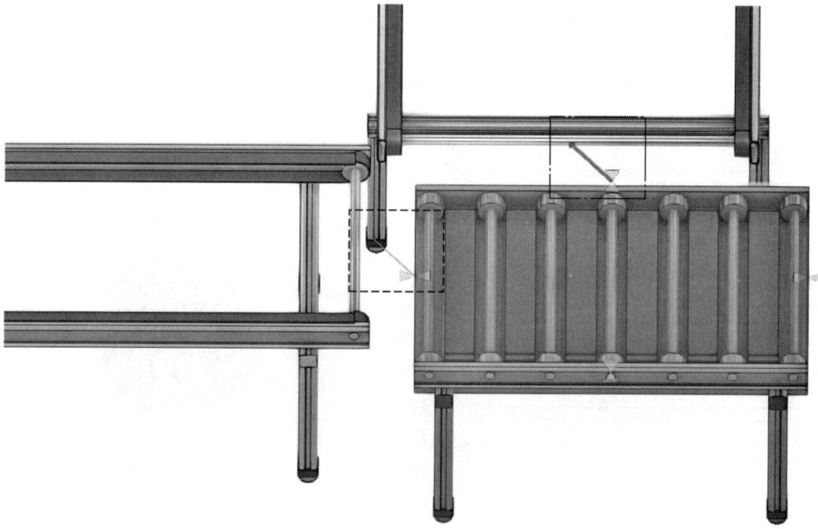

图 6-4　输送机与顶升移载机之间的物理连接

（3）仿真运行设置

在完成整个系统的搭建并检查连接无误后，就需要对仿真时间、倍速等进行设置，设置界面如图 6-5 所示。

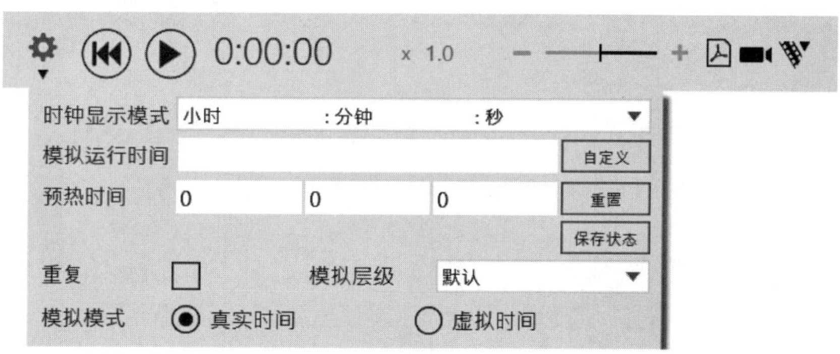

图 6-5　仿真播放器窗口设置

MIOT. VC 数字孪生软件提供两种仿真时间模式——真实时间和虚拟时间。真实时间模式将模拟时间与腕表（即真实时间）同步，调节速度因子与真实时间相乘得到模拟时间，使用该模式以与实际工作场所相似的速度运行模拟；虚拟时间模式强制模拟在各模拟步之间更新，模拟会以各步之间的最大速度运行。在该模式下，模拟过程将会更快地运行，或者确保使用特定的虚拟帧速率更新场景。

（4）数据分析工具

MIOT. VC 数字孪生软件提供了丰富的数据分析工具，图表数据统计工具能实时反映出模型在仿真过程中重要数据的变化情况。如图 6-6 所示为智能仓储系统仿真过程中的部分数据变化情况。如图 6-7 所示为 MIOT. VC 数字孪生软件所提供的多种图表样式。

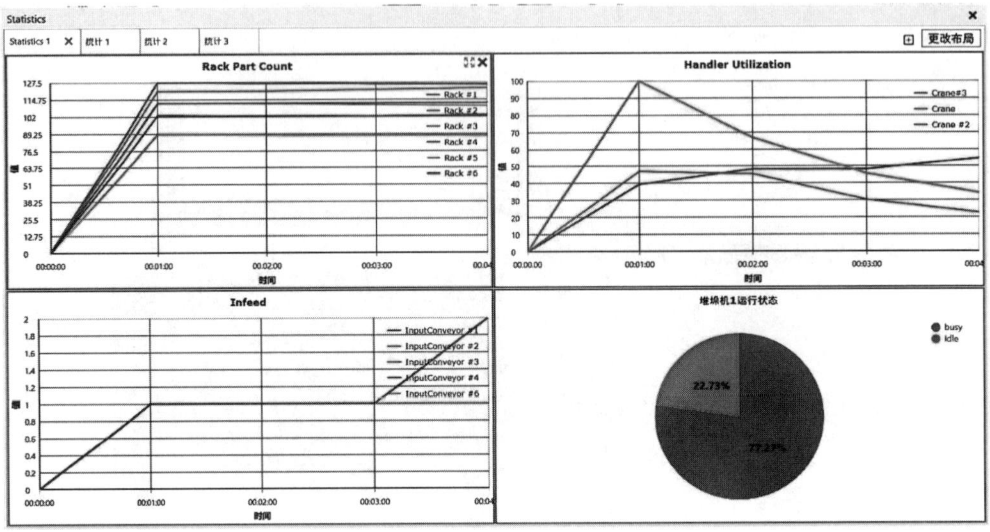

图 6-6　统计数据实时变化情况

图 6-7　图表样式选择窗口

6.2　基于 MIOT. VC 的智能物流系统仿真案例

本节以智能仓储系统设计仿真为例，重点介绍了基于数字孪生仿真软件 MIOT. VC 进行智能物流系统模型仿真搭建设计以及优化的流程和方法。

6.2.1 智能物流系统方案

智能仓储系统的组成。如图 6-8 所示的智能仓储系统，分为入库区 1、立体仓库 2、出库区 3 三部分。生产车间生产三种货物，码垛后分别用不同颜色的三种长方体表示，新生产的货物由托盘作为存储搬运单元，由 6 条输送线（两条输送线输送一种货物）和合流装置输送至立体仓库的入库区，堆垛机复合循环作业模式与单循环作业模式将货物存入立体货架，再将指定日期的货物由堆垛机搬运至出库区，再由输送线和分流装置输送至 AGV 搬运处，由 AGV 搬运托盘货物至装车区。

在工厂装车出货较少时，刚生产出的货物以存货为主；装车出货较多且库存不足时，刚生产出的货物可以直接输送到装车发货区，无须进入立体仓库；其余情形时，立体仓库一边入库一边出库，出库数量根据装车需求确定，入库数量由生产状况确定。

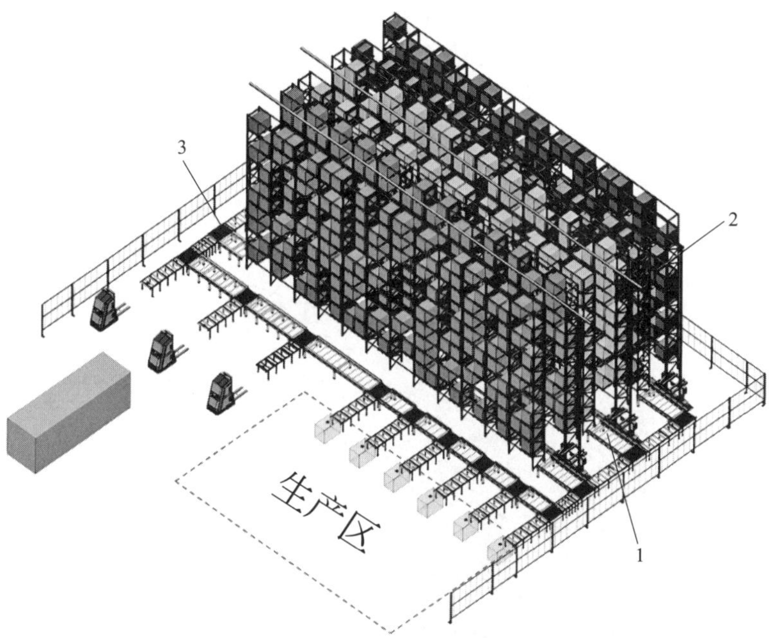

图 6-8　智能仓储系统整体方案

1—入库区；2—立体仓库；3—出库区

(1) 货物单元尺寸的确定

工厂的基础生产数据如表 6-1 所示。

表 6-1　基础生产数据表

项目	数据
工厂生产线条数/条	6
工厂生产线产品种类/种	3
生产线间距离/m	2
种类一生产速度/(件/h)	24
种类二生产速度/(件/h)	24

续表

项目	数据
种类三生产速度/(件/h)	27
仓库占地尺寸/m	50×50
规划货物最大出入库能力/(件/天)	2160
货箱体积/mm	350×250×300(长×宽×高)
货箱质量/kg	20
货物单元堆叠方式	简单重叠方式
货物单元堆叠层数/层	3

结合基础生产数据要求，所需仓储的纸箱大小为 350mm×250mm×300mm（长×宽×高），使用简单重叠方式进行码垛，堆叠层数为 3 层，故可以计算出箱数为 27 个，货物垛型单元尺寸为 1050mm×750mm×900mm（长×宽×高），每箱货物的质量为 20kg，所以每垛货物质量为 540kg，如图 6-9 所示。

图 6-9　货物单元堆叠示意图

(2) 托盘尺寸的确定

设计托盘尺寸，取决于所需存储的单元体积大小。根据货物垛型单元尺寸，采用 1200mm×800mm×125mm（长×宽×高）的川字形木质托盘，托盘质量为 20kg，如图 6-10 所示。

(3) 托盘货物单元货态尺寸

根据托盘和垛型尺寸，可知托盘货物单元的货态尺寸为 1200mm×800mm×1025mm（长×宽×高），三种货物分别用三种颜色表示，如图 6-11 所示。

(4) 货格单元尺寸的确定

货架采用横梁式，根据 3.5 节中关于货格与托盘货物之间的尺寸关系，可以设置托盘货物两侧间隙留有 100mm，两个托盘之间间隙留有 100mm，货物上方间隙留有 175mm，货

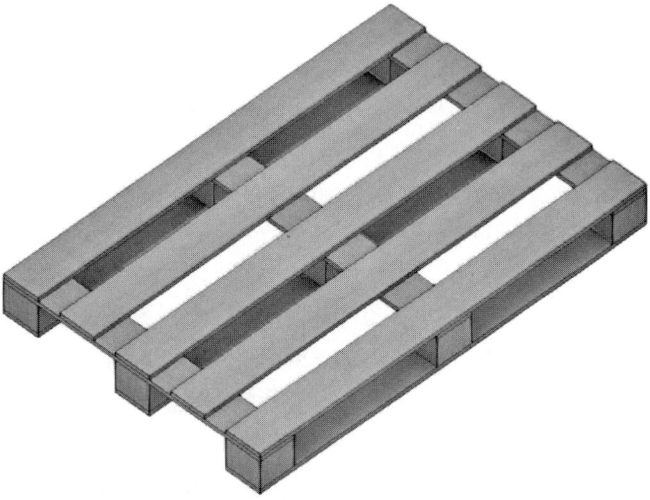

图 6-10　托盘

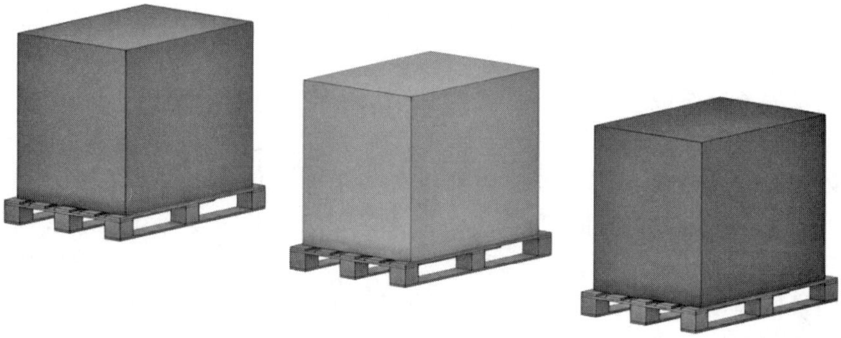

图 6-11　托盘货物单元

架立柱截面为 100mm×50mm，则货格单元宽 2000mm、深 1200mm、高 1250mm。托盘货物单元在货格存放的示意图如图 6-12 所示。

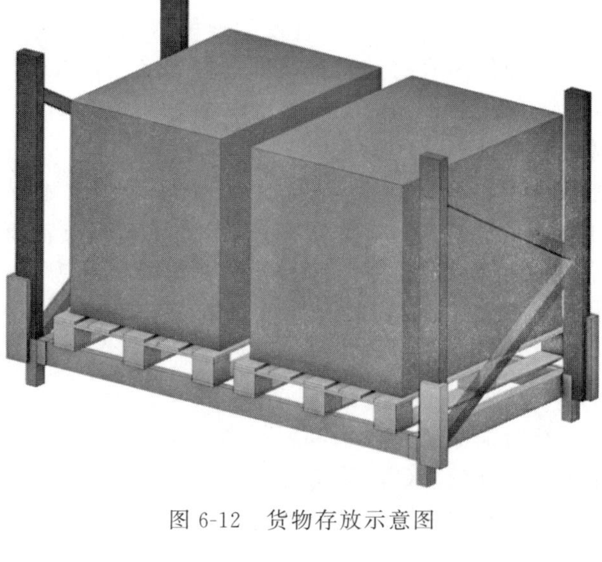

图 6-12　货物存放示意图

(5) 货架尺寸

单排货架每层有 12 个货格，每个货格有 2 个货位，每排货架 10 层，则每排货架存放 12×2×10＝240 个托盘货物，6 排货架共有 240×6＝1440 个货位。

根据单排货架长 2.1×12＝25.2(m)；货架宽为 1.0m，托盘在货架上两侧均伸出 100mm。

堆垛机叉取托盘时对应的第一层货架底面最低高度均为 850mm，每层的层高为 1250mm，所以货架高度为 850＋1250×10＝13350(mm)。

(6) 立体仓库出入方式

整个智能仓储系统的布局方式取决于货物流动的方向，合理的布局方式能有效提高系统的工作效率，常见的布局方式有同端出/入库、两端出/入库两种。同端出/入库布局的特点：货物入库和出库操作在巷道的同一端进行。便于货物就近入库和出库，可以缩短出入库时间，提高出入库效率，常见于部分货物类型需要频繁出入库操作的仓库。两端出/入库（单向进出式布局）的特点：在巷道的一端进行入库操作，在另一端进行出库操作，便于设备维护。但对于每个货物单元，堆垛机需要穿过整个巷道，作业效率相对较低，适用于部分货物类型出入库频次高的应用场景，且仓库两端均有足够的出入库空间。

本案例由于生产的货物没有出入库频次高的情形，这里选用两端出/入方式的立体仓库布局，具体的布局方案如图 6-8 所示。

(7) 堆垛机的参数选取

堆垛机是智能仓储中的核心设备之一，其运行速度直接决定了智能仓储的出入库效率。为适配该立体货架的仓储要求，初步选用堆垛机的工作长度为 23m，工作高度为 13m，堆垛机行走速度为 1.0m/s，行走加速度为 0.5m/s^2，货叉提升速度为 0.5m/s，提升加速度为 0.5m/s^2，伸缩速度为 0.4m/s，货叉载质量为 600kg；堆垛机叉取托盘时对应的输送线与第一层货架底面最低高度均为 850mm。需要仿真验证堆垛机速度是否满足出入库性能要求，如不满足则需要提高堆垛机速度。

(8) 输送线的选型和尺寸设计（包括倾斜输送线的设计）

基于托盘的特点，沿托盘长度方向输送的输送线采用辊筒输送机，辊筒间距为 300mm、宽度为 900mm、高度为 800mm；沿托盘宽度方向输送的输送线采用链式输送机，链节均带有盖板，以防压坏托盘底面，其宽度为 1300mm，链条间距为 1100mm，高度为 850mm；输送线的运行速度均初步设计为 200mm/s。过慢的速度可能会影响输送线的运行效率，过快的速度可能会降低输送线的使用寿命和输送线的运行平稳性，需要仿真验证输送速度是否合适。

(9) 分流装置的选型和设计

托盘货物单元质量为 560kg，故分流与转向方案选用顶升移载装置，如图 2-21 所示，一个方向（托盘长度方向）为辊筒输送，固定高度为 800mm，与辊筒输送线对接；另一个方向为链式输送（链节带盖板，如图 6-13 所示），顶升后高度为 850mm，降落后高度为 770mm，顶升距离为 80mm，顶升时间 2s；顶升移载装置的两个方向移载速度均为 0.2m/s。

(10) AGV 叉车的选取

在仓库的出库方向，有时需要运输设备和原材料，输送线柔性差，所以出库方向难以架设输送线，故需要选用柔性更强的 AGV 叉车进行后续的货物出库工作。而对于 AGV 叉车具体参数的选用，需要结合实际出库量，选择能够完成工作的 AGV 叉车，结合需要搬运的

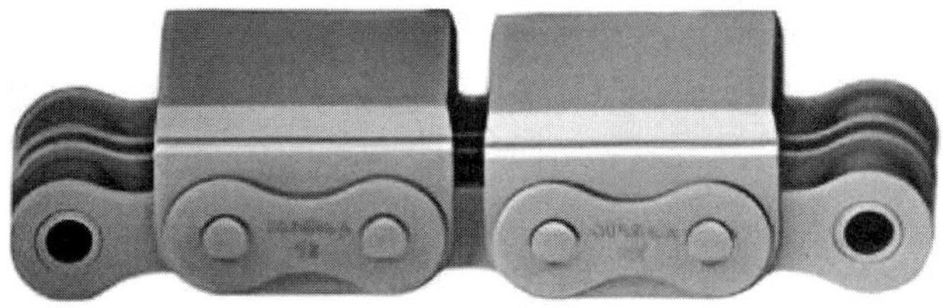

图 6-13　链式顶升移载装置

货物质量为 560kg，尺寸为 800mm×1200mm×1025mm，每条出库输送线每小时可以输出 50 件货物，故选用的 AGV 叉车的具体参数如表 6-2 所示。AGV 接驳速度需要仿真验证是否合适。

表 6-2　AGV 叉车具体参数

项目	参数
载重能力/kg	600
货叉提升速度/(mm/s)	400
AGV 叉车移动速度/(m/s)	3
AGV 叉车转弯半径/(mm/s)	1300

(11) 智能仓储的整体布局

在完成立体仓库的布局设计后，还需要对智能仓储的整体区域进行规划，在智能仓储系统中，合理规划输送线和区域布局能有效节约空间和运行效率，提高仓库吞吐能力，智能仓储的整体设计方案如图 6-14 所示。

6.2.2　仿真分析目的

(1) 仿真分析的作用

智能仓储系统仿真分析的目标主要包括以下几个方面。

① 出入库效率：仿真不同货物存储策略、出入库任务分配方式下堆垛机的运行路径、动作顺序等，评估单位时间内的最大出入库能力，以及在高峰时段和日常作业情况下的出入库效率表现，分析瓶颈环节，例如堆垛机等待时间、出入库站台的作业饱和度等。

② 设备利用率：通过仿真了解堆垛机、输送机、穿梭车等设备的工作时间、空闲时间、故障时间等，计算设备的利用率，判断设备是否存在闲置或过度使用的情况，为设备配置和调度策略的优化提供参考，避免设备资源的浪费或不足。

③ 运行稳定性：模拟堆垛机在不同工况下的运行情况，如满载、空载、高速运行、频繁启停等，评估堆垛机的运行稳定性和可靠性，分析可能出现的故障类型和频率，以及故障对整个立体库运行的影响，提前制定相应的维护计划和应急预案。

④ 存储容量：根据立体库的布局和货物的尺寸、质量等参数，仿真不同存储方式(如货架层数、列数、巷道宽度等）下的存储容量，评估立体库的空间利用率，寻找最优的存储方案，以提高仓库的存储能力，满足企业的业务需求。

⑤ 作业流程合理性：对立体库的整个作业流程，包括货物的入库、存储、出库、盘点

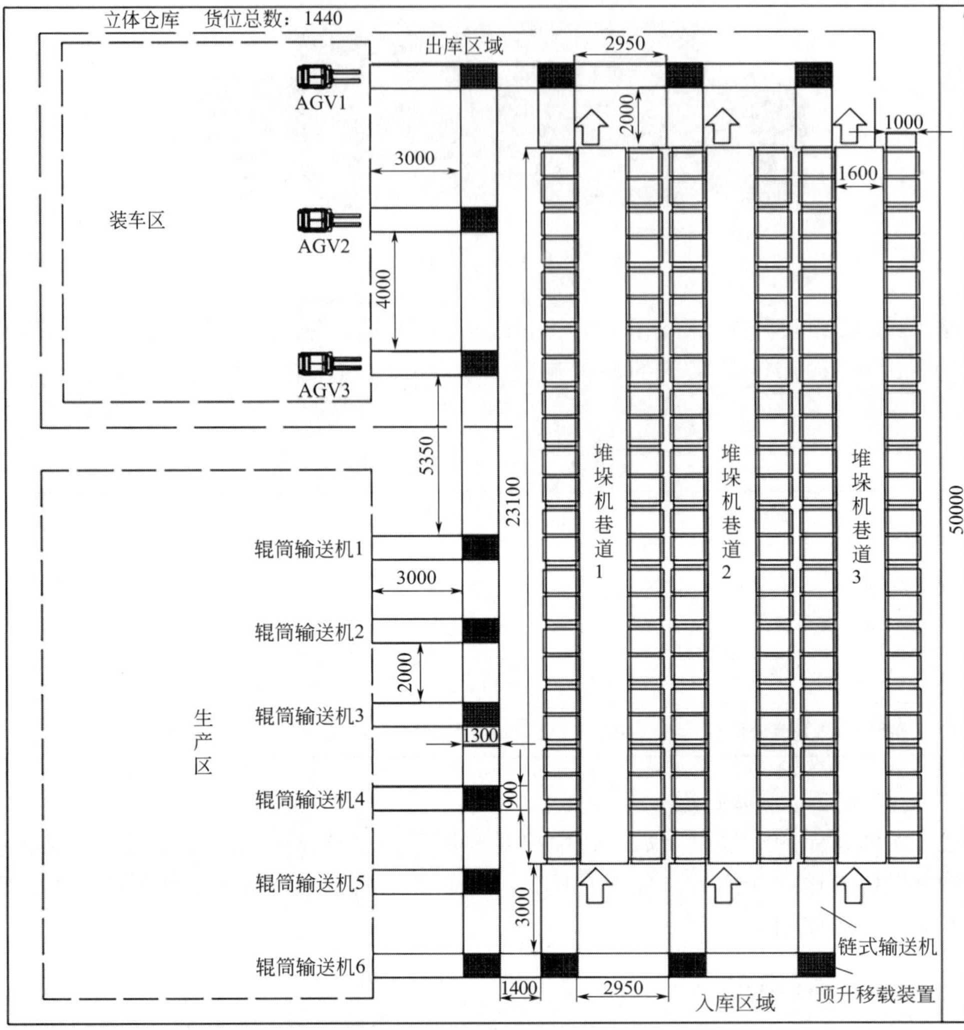

图 6-14 智能仓储整体布局平面图

等环节进行仿真，检查各环节之间的衔接是否顺畅，是否存在不合理的等待时间或重复操作，优化作业流程，提高作业的连贯性和效率。

⑥ 货物存储安全性：仿真货物在存储和搬运过程中的稳定性，评估货架结构的承载能力和货物的摆放方式对存储安全的影响，分析堆垛机在操作过程中可能对货物造成的碰撞、损坏等风险，采取相应的措施保障货物的存储安全。

⑦ 调度策略优化：测试不同的调度算法和策略，如堆垛机的任务分配策略、路径规划策略等，通过仿真比较各种策略下立体库的运行性能，找到最优的调度方案，提高系统的整体运行效率。

智能仓储系统仿真分析的目标是通过对系统的模拟和分析，全面了解和评估系统的性能、行为、布局和设计，为系统的优化、验证和决策提供有力支持。

(2) 仿真目的

对于本仓库仿真系统，要验证系统各环节的性能是否满足设计要求，输送与分流装置是否有拥堵现象，堆垛机的利用率是否合理。

6.2.3　智能仓储系统仿真模型与场景搭建

智能仓储系统仿真模型建立主要由堆垛机型立体仓库系统、输送线系统、穿梭车运行系统、AGV 运输系统四大部分组成，根据尺寸参数和性能要求，对每个系统进行模型建立。

(1) MIOT. VC 数字孪生软件仿真布局流程

首先利用系统资源完成初始布局，建立三维仿真模型，对模型中的设备布局进行分析审查，若存在设备运行干涉、工艺流程错误等问题，在 MIOT. VC 软件的 3D 布局地图窗口中修改当前布局，直到符合要求，布局仿真流程如图 6-15 所示。

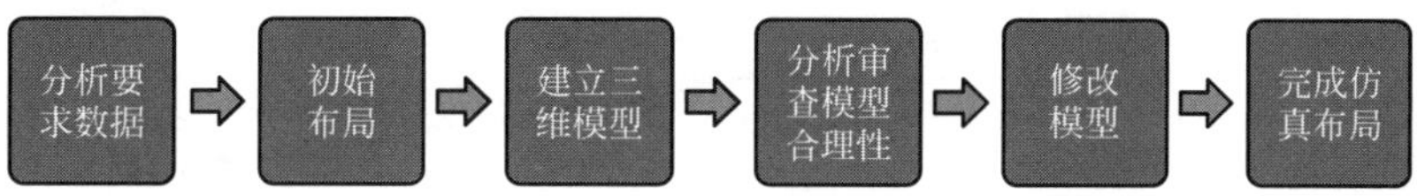

图 6-15　布局仿真流程

(2) 堆垛机型立体仓库设计搭建

① 托盘货物模型建立。根据 6.2.1 节对托盘尺寸的设计，选用了 1200mm×800mm×125mm（长×宽×高）的川字形物料托盘，且货物垛型尺寸为 1050mm×750mm×900mm（长×宽×高），在此对托盘货物进行组件建模并定义其属性值。其中，托盘货物共分为三个种类，分别命名为 P1、P2、P3。以 P1 为例，其模型参数设置如图 6-16 所示。

② 堆垛机模型建立。堆垛机模型组件参数设置如图 6-17 所示，货叉最低高度为 700mm，对应输送线高度 850mm。堆垛机模型如图 6-18 所示。

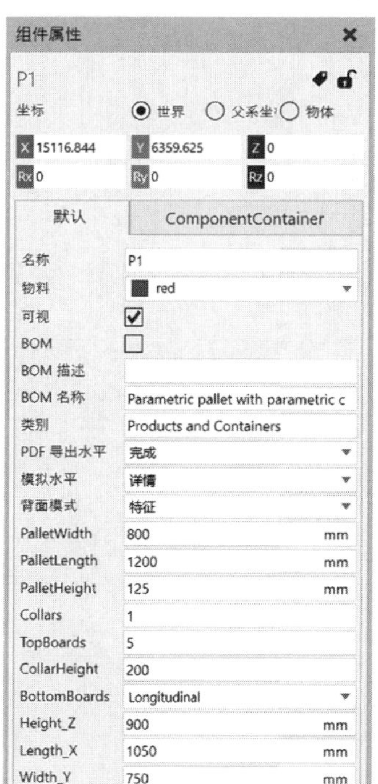

图 6-16　托盘货物模型参数设置

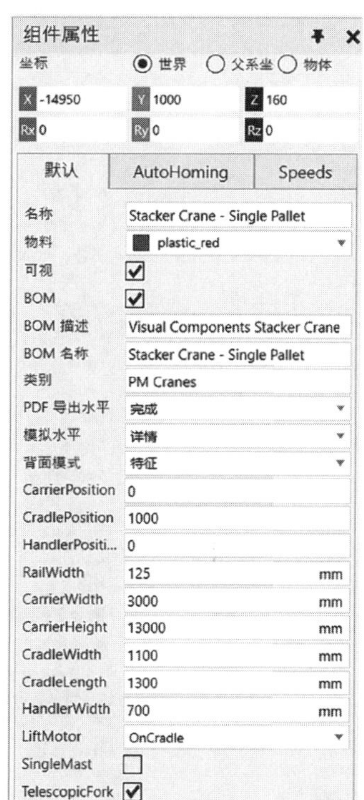

图 6-17　堆垛机模型组件参数设置

③ 建立货架模型。根据前文对货架的设计可知，货架总长度为 23.1m，总高度为

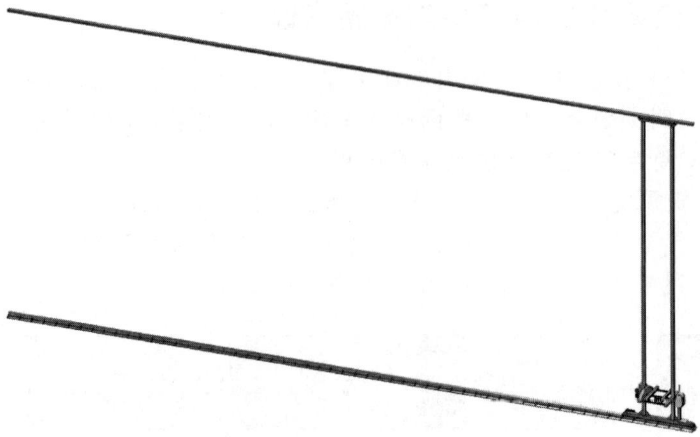

图 6-18　堆垛机模型

13.35m，总宽度为 1.0m。单个货架总层数是 10 层，每层的货格数是 12 个，货架排数是 6 排，所以货架可提供货格数目总计 12×2×10×6＝1440(个)，故该仓储系统总计可存放 1440 个托盘。货架模型属性参数设置如图 6-19 所示。整体货架模型如图 6-20 所示，共分为 3 个巷道。

图 6-19　货架模型属性参数设置

(3) 输送线系统设计搭建

① 输送线模型建立。结合前文中堆垛机的运动参数和托盘货物的尺寸参数，对输送线系统进行设计并建模，需要用到辊筒输送线和链条输送线规格，如表 6-3 所示。

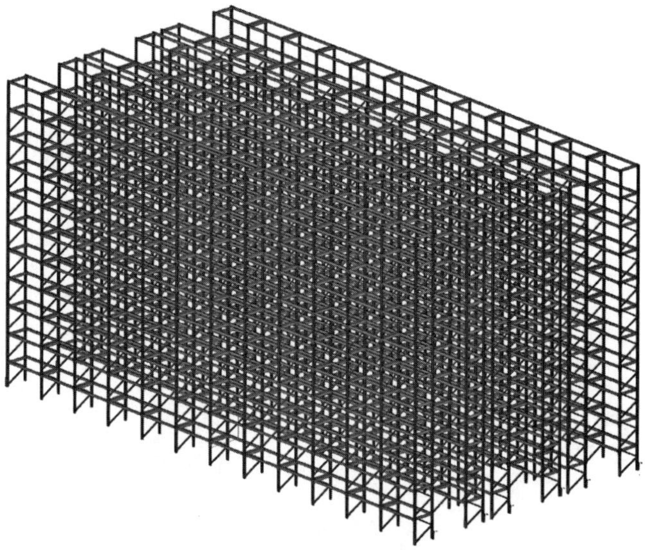

图 6-20　整体货架模型

表 6-3　输送线规格及数量

输送线类型	长度/mm	宽度/mm	高度/mm	数目/条
辊筒输送线	3000	800	800	9
	2950	800	800	4
	1400	800	800	2
链条输送线	5350	1200	850	1
	4000	1200	850	2
	3000	1200	850	3
	2000	1200	850	8

以规格 1 辊筒输送线为例，其模型与属性参数设置分别如图 6-21(a) 和 (b) 所示，输送速度为 0.2m/s。

(a)　(b)

图 6-21　规格 1 辊筒输送线模型与属性参数设置

规格 4 链条输送线模型与参数分布如图 6-22(a) 和 (b) 所示，输送速度为 0.2m/s。

(a) (b)

图 6-22 规格 4 链条输送线模型与参数

② 建立分流机构模型。分流机构选用顶升移载转向装置，其参数设置如图 6-23 所示，顶升时间为 2s，顶升距离为 80mm，由 770mm 顶升至 850mm，辊筒输送的高度是 800mm，两个方向移载速度均为 0.2m/s。

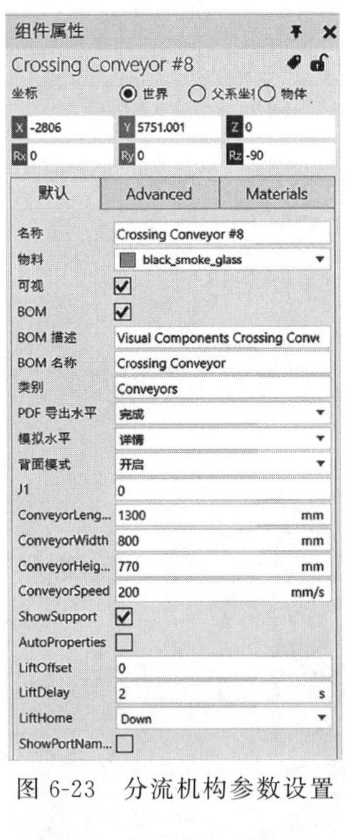

图 6-23 分流机构参数设置

分流机构的转向设置如图 6-24 所示。货物在到达顶升移载时，不同类型的货物会有不同的转向，P1、P2 会在顶升移载上左转，P3 会在顶升移载上直行。

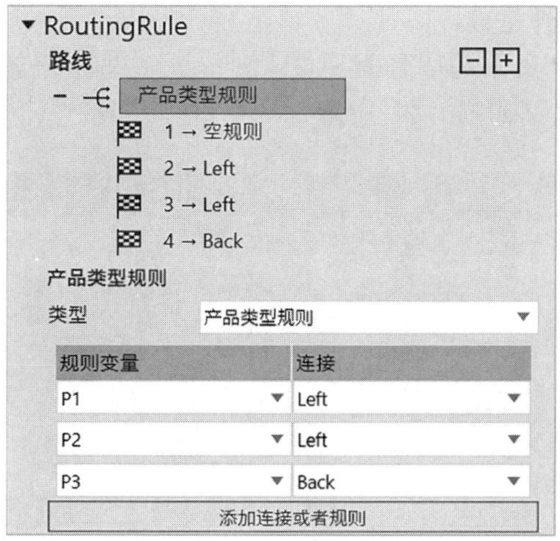

图 6-24　分流机构转向规则设置

分流机构模型建立如图 6-25 所示。

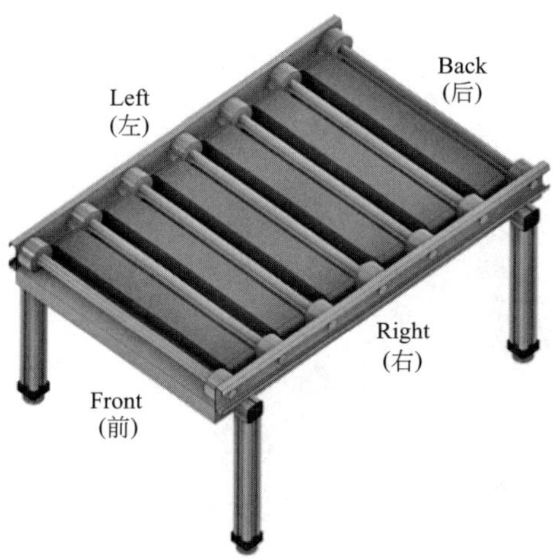

图 6-25　分流机构模型建立

③ 整体输送线模型的搭建。将输送线和分流机构进行连接，模型建立如图 6-26 所示。

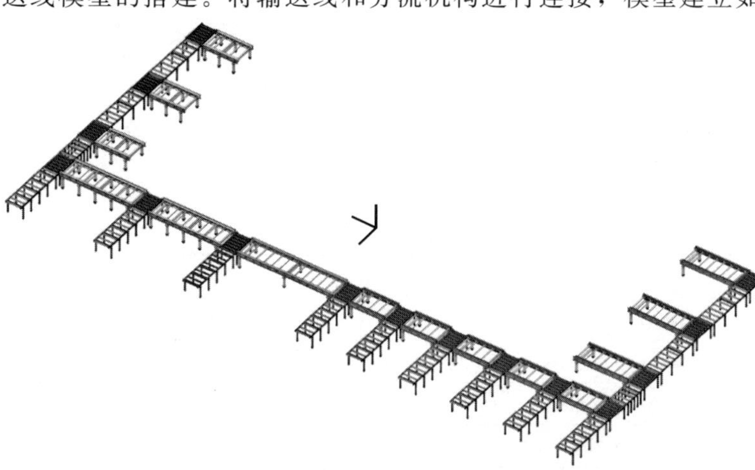

图 6-26　整体布局输送线模型建立

(4) AGV 运输系统设计搭建

根据前面选取的 AGV 叉车的属性对 AGV 叉车组件进行设定，如图 6-27 所示，移动速度为 1.5m/s。叉车模型建立如图 6-28 所示。

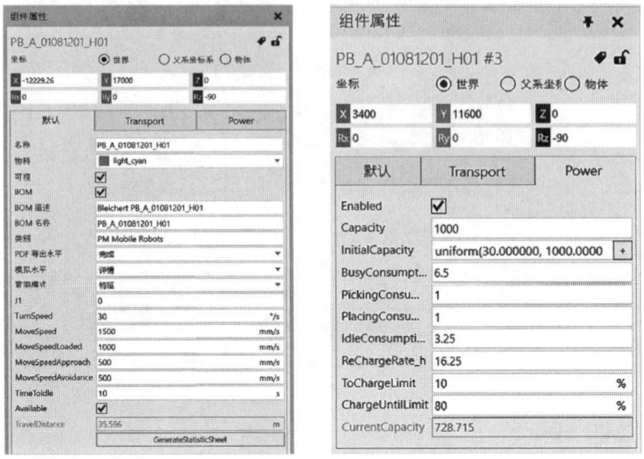

图 6-27　AGV 叉车参数设置

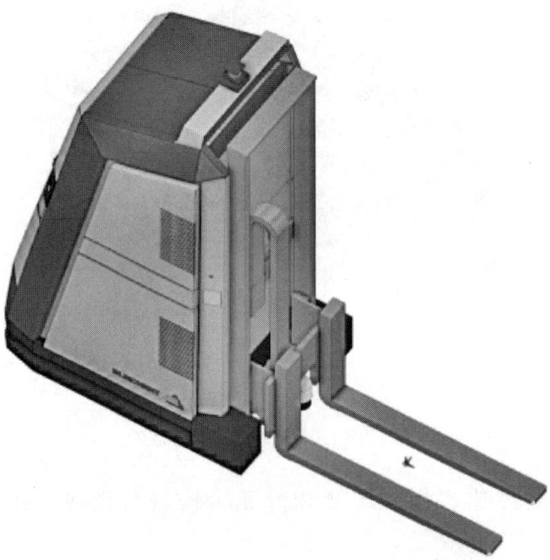

图 6-28　AGV 叉车模型建立

(5) 智能仓储系统仿真设置

仿真系统所需要的组件清单如表 6-4 所示。

表 6-4　仿真系统组件清单

序号	组件类别	设备名称	数量
1	Products and Containers	托盘	3
2	Stacker Crane-Single Pallet	堆垛机	3
3	Conveyors	输送线	29
4	Crossing Conveyors	顶升移载转向装置	15
5	Single Rail Transport Controller	堆垛机控制器	3

续表

序号	组件类别	设备名称	数量
6	Transport Controllers	AGV 叉车控制器	3
7	Mobile Robots	AGV 叉车	3
8	Warehouse Process Shelf	立体仓库货架	6
9	Feeders	货物生成器	6

(6) 创建仿真任务

① 导入托盘货物模型。在组件模型库中选择合适的托盘货物设计好参数后，导入 3D 布局地图窗口，并将模型保存在本地，如图 6-29 所示。

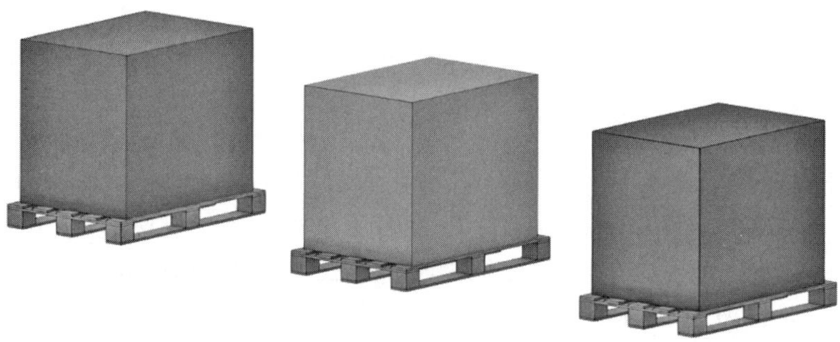

图 6-29　托盘货物

② 生成托盘货物。生成托盘货物。选择 Feeder，在 ProductCreator 一栏选择部分为 P1、P2、P3，然后点击选择保存好的托盘模型，生成托盘的任务就创建成功了，货物生成间隔为 300s，如图 6-30 所示。生成托盘货物仿真模型如图 6-31 所示。

图 6-30　生成托盘货物设置

③ 立体仓库仿真建立。建立立体仓库流动仿真，需要在流动控制器添加流动节点，ProcessNode、FromConveyor 和 ToConveyor 作为添加的流动节点，ProcessBuffer 为货架组件自带流动节点。以一个堆垛机和相应的货架为例，货物在生产出来之后，沿规划输送方向

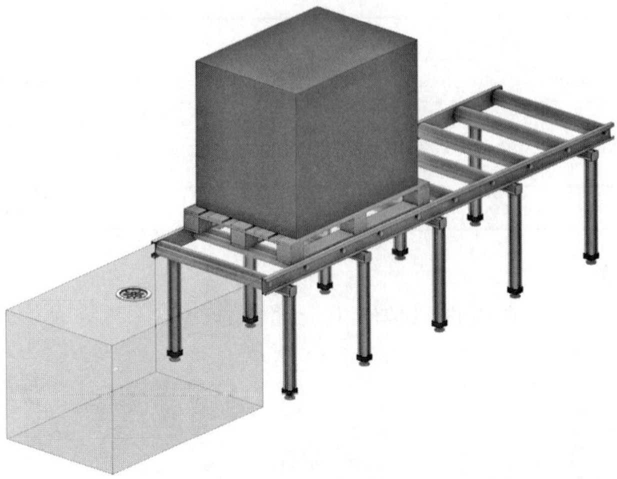

图 6-31　生成托盘货物仿真模型

进入仓库，并在输送线上流动到入货口，货物在入货口从 ProcessNode1 经由堆垛机控制器 Single Rail Transport Controller 控制堆垛机，将货物搬运至 Warehouse Process Shelf，由此把货物摆放在货架上，货物在货架上经由堆垛机控制器 Single Rail Transport Controller 控制堆垛机，将货物搬运到 ProcessNode2，由此流动到出货口，货物在出货口 Process Node2 由输送线输送到出库口 FromConveyor，货物从 FromConveyor 经由 AGV 控制器 Mobile Robot Transport Controller 控制 AGV 叉车，将货物搬运至 ToConveyor，由此流动到货车上，如图 6-32 所示。

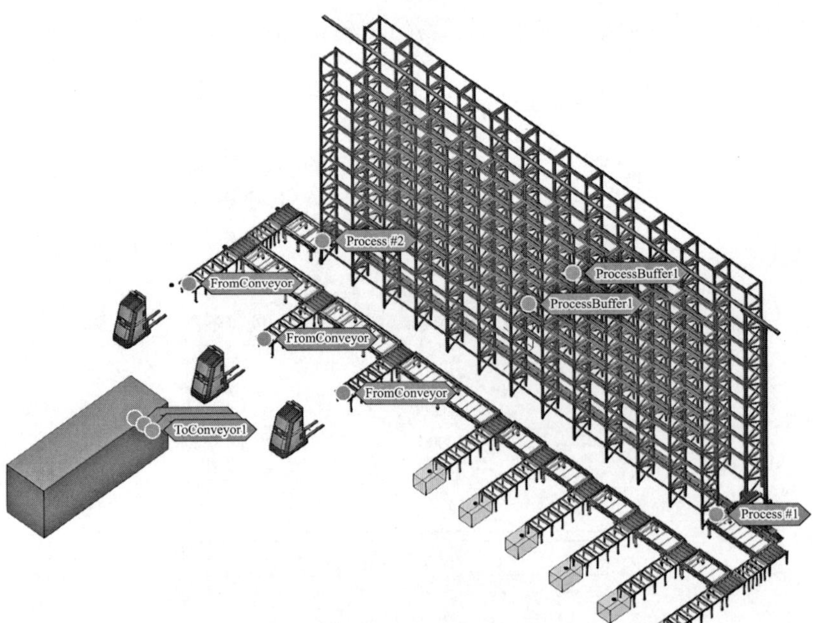

图 6-32　流动节点布置图

将各流动节点连接起来，如图 6-33 所示。

将流动节点连好之后，在工艺流动编辑器中，把各个节点按照流动顺序连接起来，

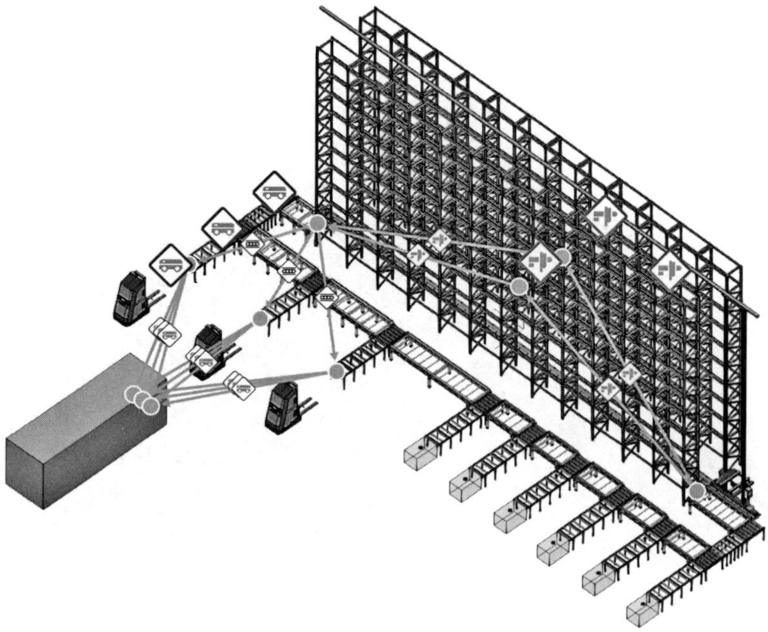

图 6-33　单个堆垛机流动节点连接图

如图 6-34 所示。

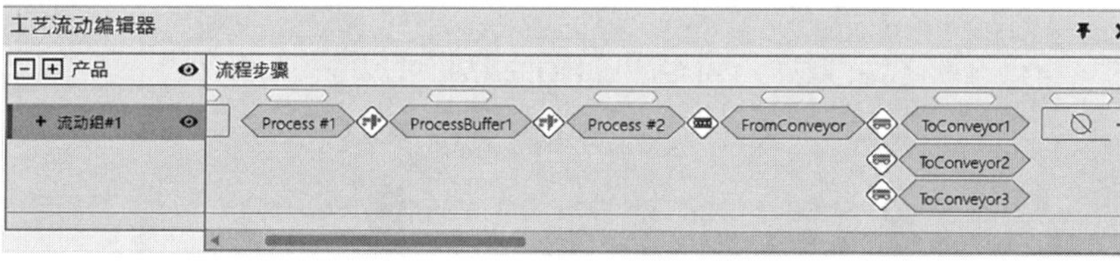

图 6-34　流动组连线图

重复上述步骤，得到整个仓库的流动仿真图，如图 6-35 所示。

6.2.4　初设参数的物流系统仿真分析

堆垛机初设水平行走速度为 1m/s，加速度为 0.5m/s^2，提升速度为 0.25m/s，加速度为 0.5m/s^2，货叉伸缩速度为 0.4m/s，加速度为 0.5m/s^2，属性设置如图 6-36 所示。

将堆垛机速度设置好之后，点击运行仿真按键开始仿真，初始状态如图 6-37 所示。

在仿真进行到 2h 后，发生堵塞，如图 6-38 所示。

堵塞随着时间越来越严重，在运行到 8h 之后，堵塞已经非常严重，如图 6-39 所示。

入库第一输送机入库必经的单个输送线，用时也是堵塞最为严重的地方，最能反映出堵塞的情况，图 6-40 为入库第一输送线货物占比曲线，可以直观地反映系统运行情况。从图 6-40 所示的入库第一输送机的货物占比率可以看出，在仿真运行 2h 之后，在此输送机上的货物开始堵塞（图 6-38），第一个堆垛机的取货输送线堆积，堵住了另外两种货物的输送路线。

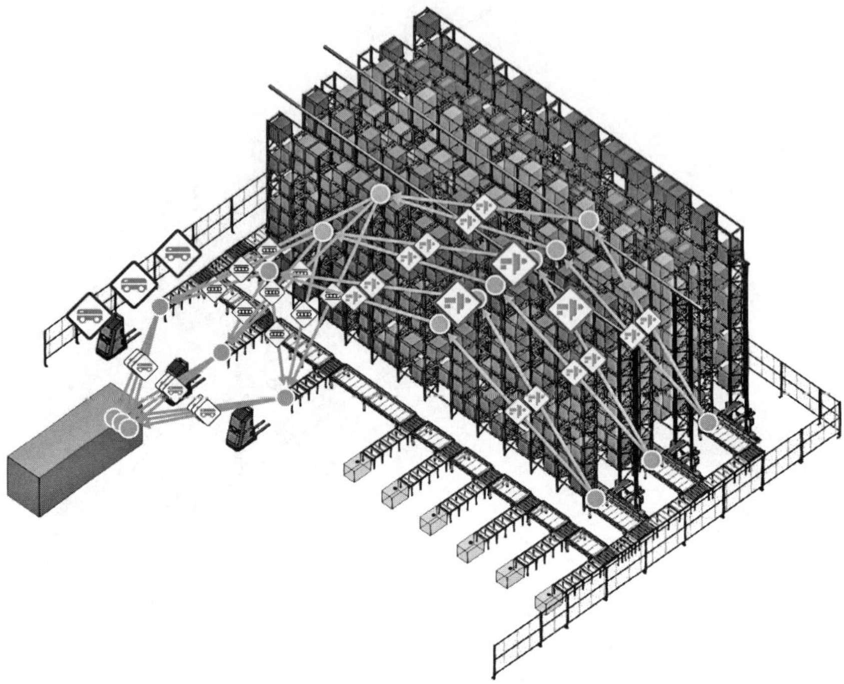

图 6-35　总流动节点连接图

图 6-36　堆垛机速度设置图

图 6-41 和图 6-42 分别是立体仓库入库托盘数量和出库托盘数量，可以看出，发生堵塞之后，堆垛机 1 受到的影响较小，但堆垛机 2 和堆垛机 3 出入库托盘数量出现了明显的减少，8h 后入库托盘总量为 407＋244＋172＝823(托)，出库托盘总量为 407＋244＋171＝822(托)，出入库总量为 823＋822＝1645(托)。

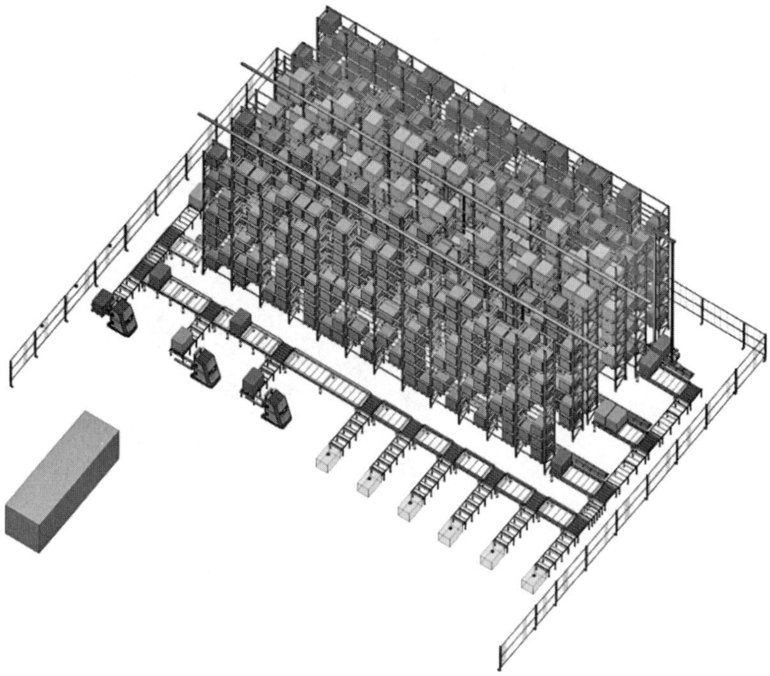

图 6-37　初始仿真运行图

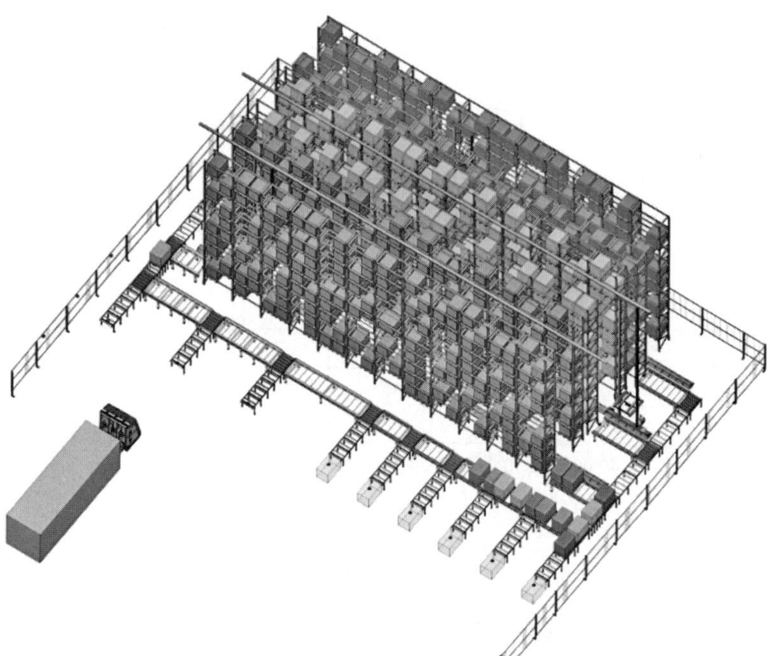

图 6-38　仿真 2h 后状态

图 6-43 是三台堆垛机利用率图，从图中可以得出，因为堵塞，托盘不能及时到达，使堆垛机 2 和堆垛机 3 部分时间处于空闲状态，使堆垛机的利用率降低，最终堆垛机 2 和堆垛机 3 的利用率仅有堆垛机 1 利用率的一半左右，而堆垛机 1 利用率受影响小，一直处于工作

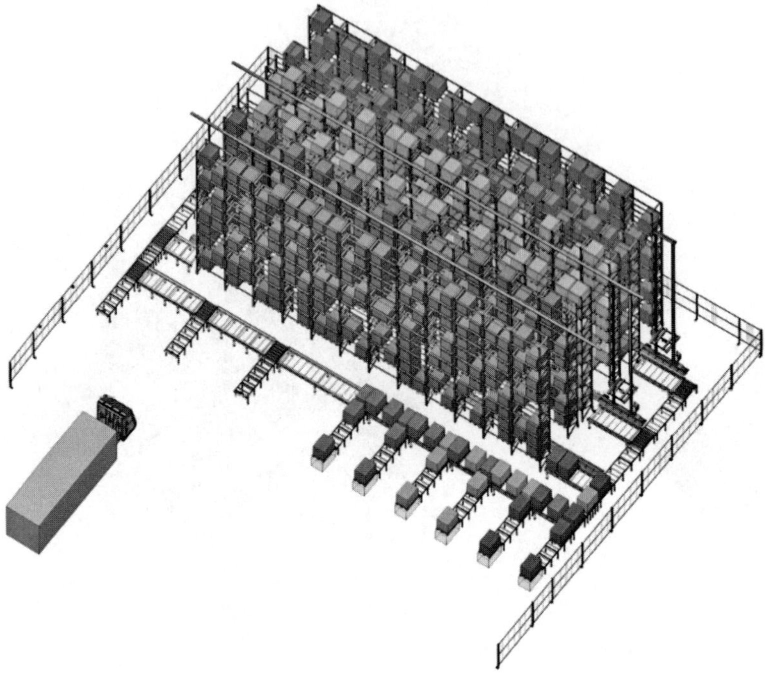

图 6-39　仿真 8h 后状态

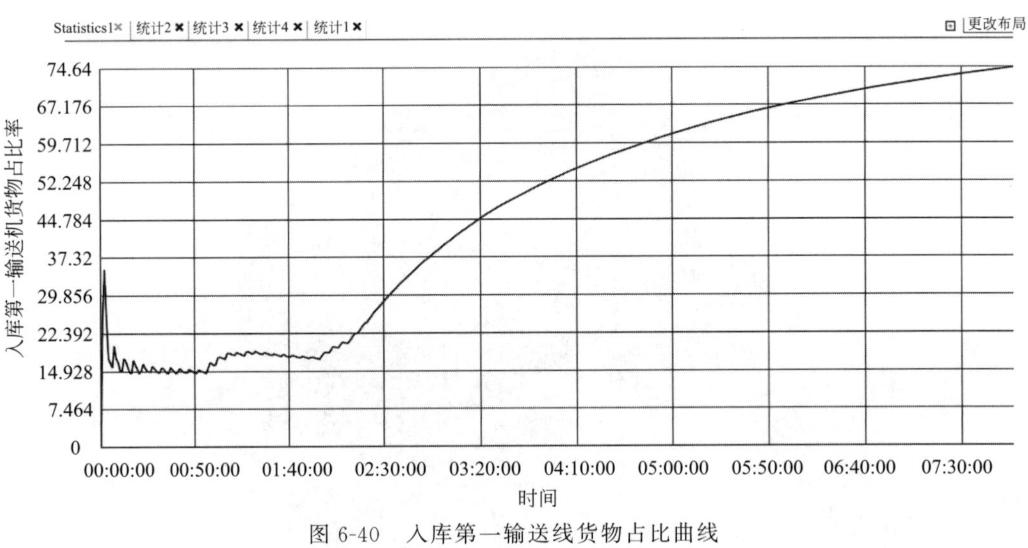

图 6-40　入库第一输送线货物占比曲线

状态，利用率接近 100%。

图 6-44 是 AGV 利用率图，由于后两个堆垛机出库托盘数量较少，使托盘不能及时到达，导致所对应的 AGV 的利用率出现了不同程度的降低。

综上所述，系统在运行 8h 后的堵塞已经非常严重，可以看出堵塞的起因是第一台堆垛机没有及时取货，导致货物堆积，最终导致堵塞越来越严重。但由于第一台堆垛机的利用率已经非常高了，因此可以认为，堆垛机的速度参数设置太慢，导致取放货的时间太长，来不及取货才造成堵塞。堆垛机性能不足，存取货速度偏慢，这对整个立体仓库的效率造成了严重的影响，因此需要对堆垛机性能参数进行优化。

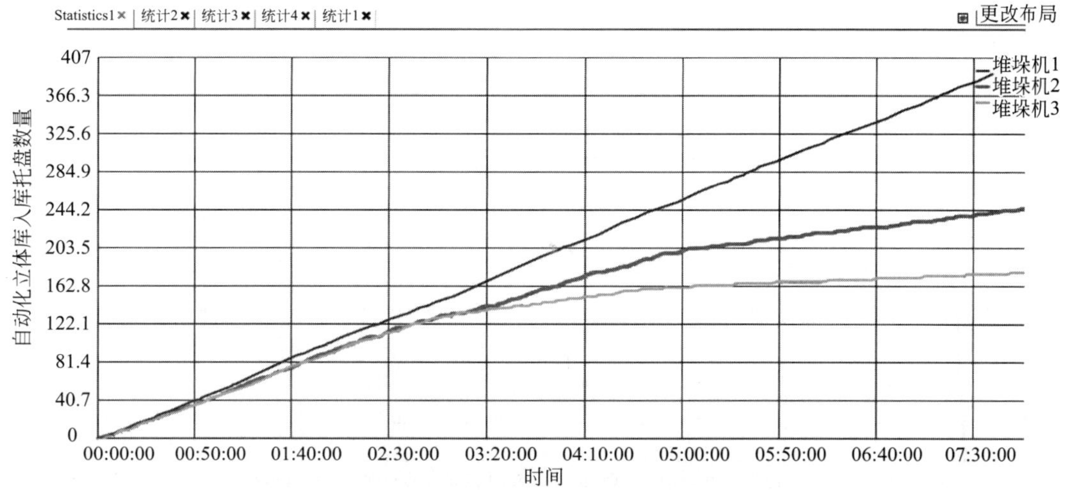

图 6-41　堆垛机入库托盘数量图

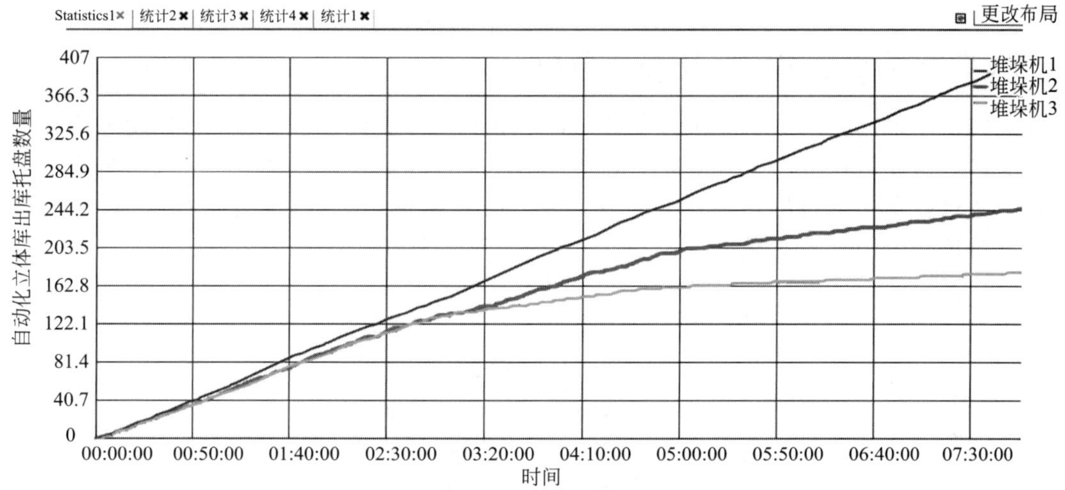

图 6-42　堆垛机出库托盘数量图

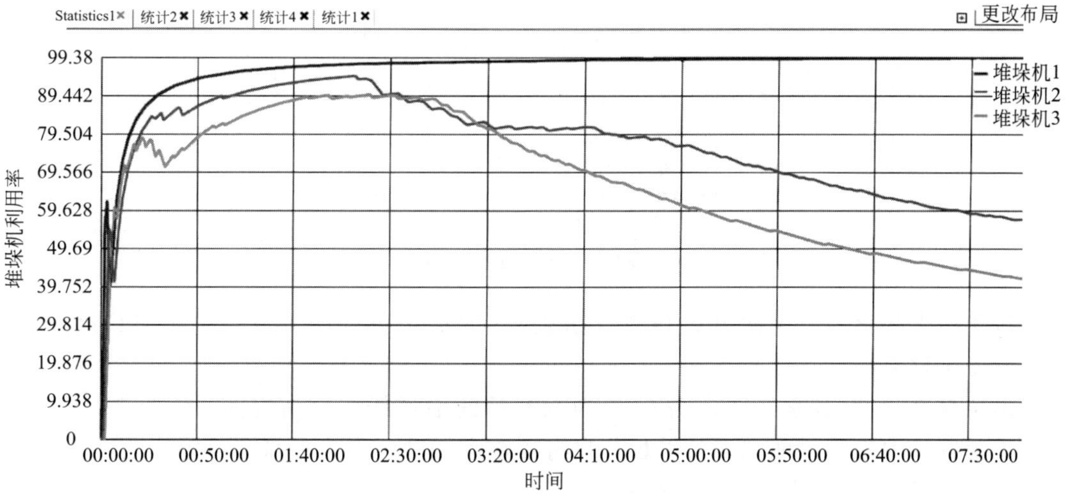

图 6-43　三台堆垛机利用率图

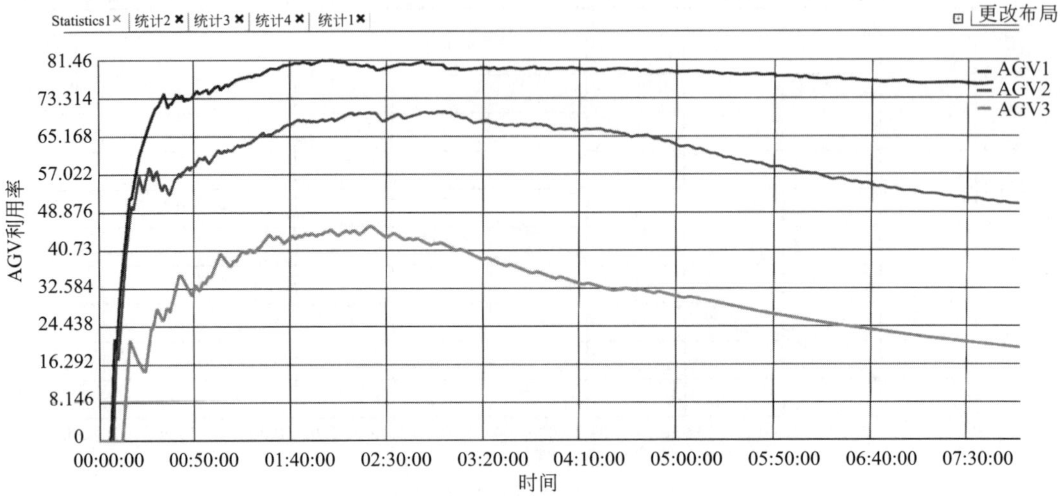

图 6-44 AGV 利用率图

6.2.5 参数调整后物流系统仿真分析

本案例由于采用了双端出入库的布局方式，堆垛机每次复合作业水平移动距离均是货架长度的 2 倍，所以堆垛机水平行走速度对复合循环时间影响较大，这里只对堆垛机水平行走的速度参数进行调整，将堆垛机的行走速度由 1m/s 调整到 2m/s（图 6-45），其他参数不变，仿真验证是否出现堵塞现象。

图 6-45 调整后的堆垛机速度参数图

在设置好参数之后，再次开始仿真，仿真 8h 之后，得到图 6-46，图中可以清晰地看出，没有发生堵塞。

输出仿真 8h 的数据折线图，图 6-47 为调整后的输送线堵塞情况图，通过图 6-47 可以看出，入库第一输送线的曲线非常平稳，仅有小幅度变动，因为托盘需要短暂地排队，所以并没有发生堵塞。

图 6-48 与图 6-49 分别为堆垛机性能调整后的入库托盘数量图、出库托盘数量图。

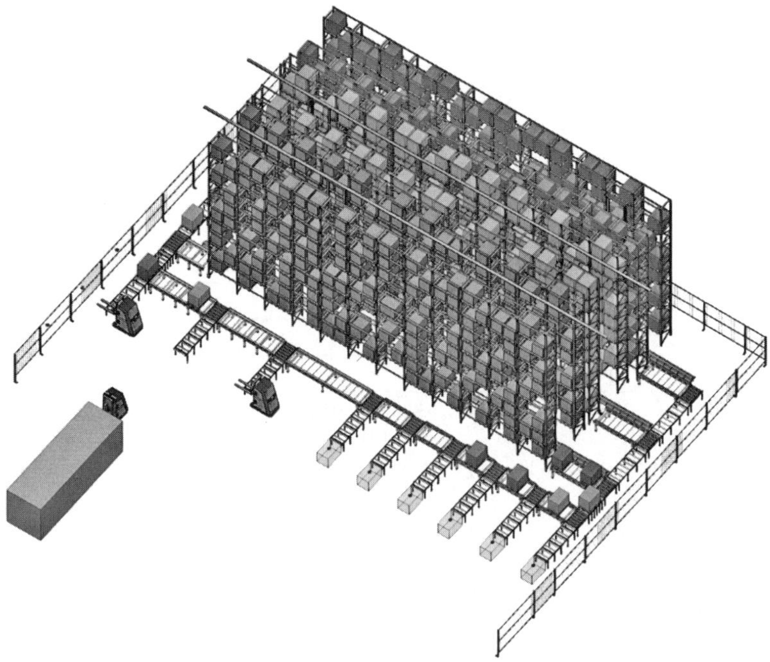

图 6-46　调整参数 8h 后的仿真图

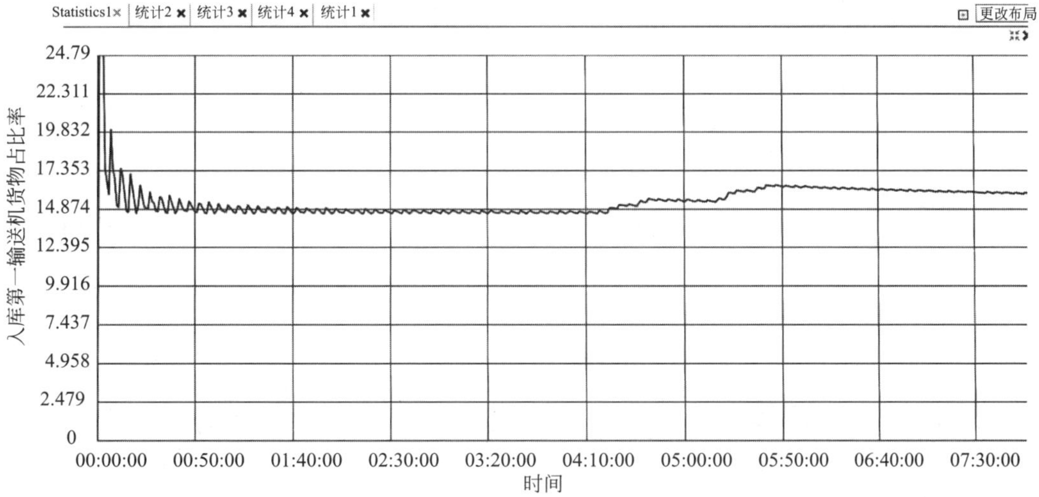

图 6-47　调整后的输送线堵塞情况图

通过图 6-48 和图 6-49 可以看出托盘到达非常顺利，托盘出入库数量的增长速度也一直保持未变，托盘的入库总量为 430＋382＋379＝1191(托)，托盘出库总量为 430＋381＋378＝1189(托)，因此托盘出入库总量为 1191＋1189＝2380(托)，比起堵塞情况，货物的出入库量有了明显的增长。

图 6-50 是三台堆垛机性能调整后的利用率图，从图中可以看出，靠近生产区的堆垛机 1 利用率高于另外 2 台堆垛机，这是因为 3 类货物分三个巷道存放，而堆垛机 1 所在的巷道 1 对应的货物生产速度更快一些，要想使堆垛机 1 的利用率适当降低一些，可以考虑将巷道 1 中的部分货物存放到另外两个巷道中。

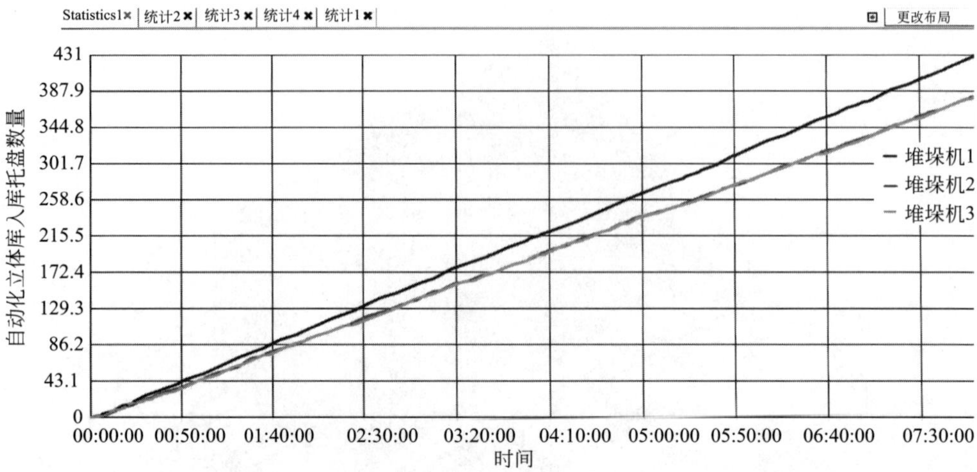

图 6-48　堆垛机性能调整后的入库托盘数量图

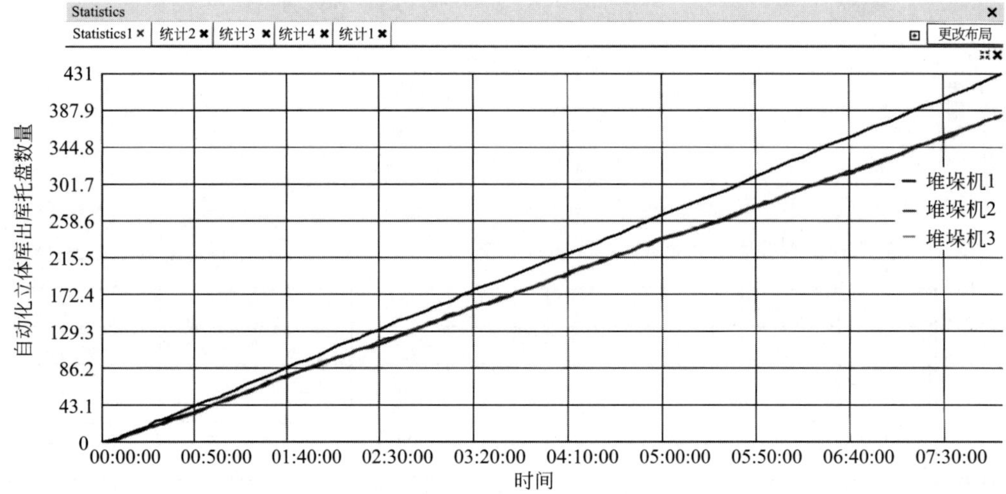

图 6-49　堆垛机性能调整后的出库托盘数量图

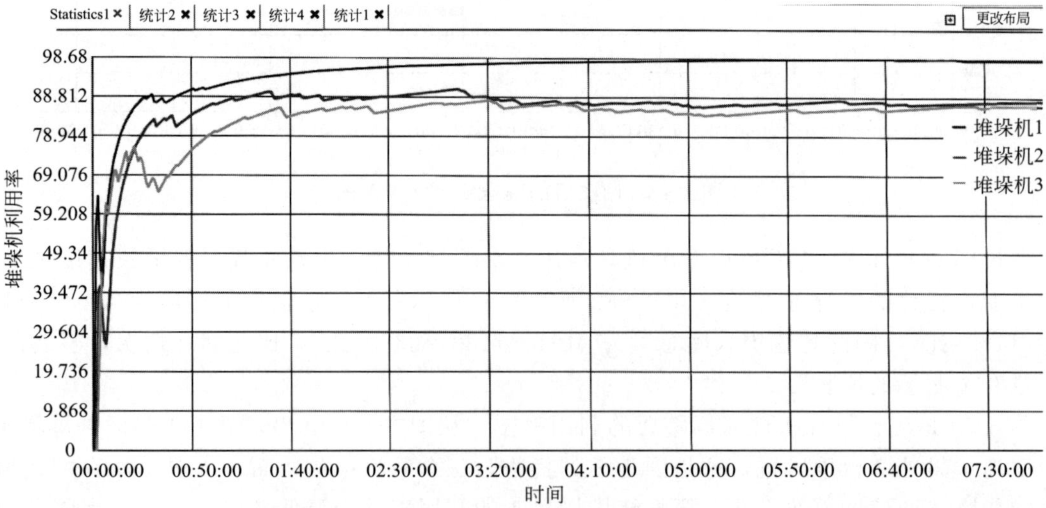

图 6-50　三台堆垛机性能调整后的利用率图

图6-51是三台堆垛机性能调整后AGV的利用率图，从图中可以看出三台AGV的利用率不同，但都比较稳定。AGV1利用率高是因为此类货物出库量大，AGV3利用率较低。

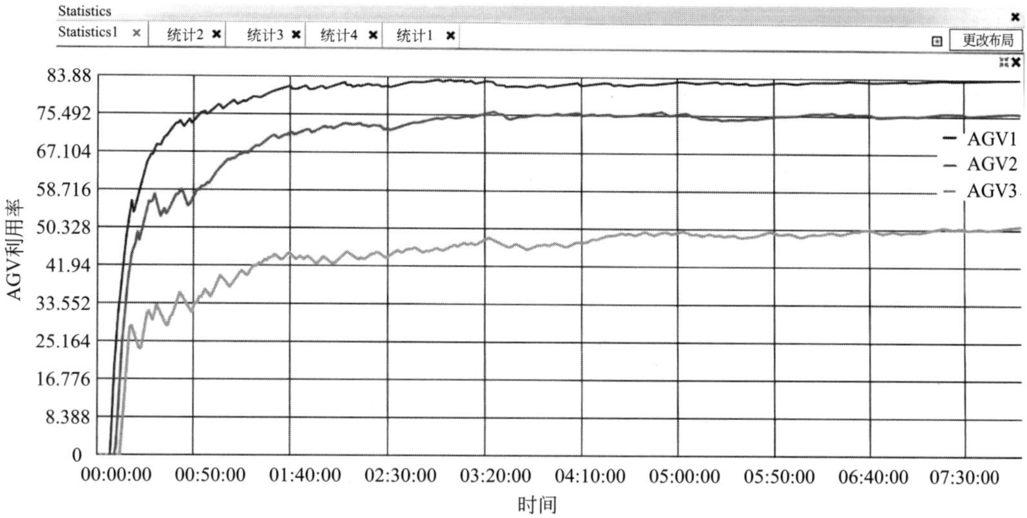

图6-51　调整后的AGV利用率图

通过图6-50和图6-51可以看出，相较于发生堵塞的情况，堆垛机和AGV的利用率有了明显的增长，并且在达到峰值后，利用率一直较为平稳，说明堵塞情况并未发生，堆垛机和AGV运行通畅。所以在修改了堆垛机的水平行走速度参数时，立体仓库在仿真运行时，没有发生堵塞，辊筒输送线、链条输送线、顶升移载装置、堆垛机、AGV的参数比较合适。

参考文献

[1] 邱伏生．智能工厂物流构建——规划、运营与转型升级［M］. 北京：机械工业出版社，2023.

[2] 金跃跃，刘昌祺，刘康．现代化智能物流装备与技术［M］. 北京：化学工业出版社，2020.

[3] 刘昌祺，金跃跃．仓储系统设施设备选择及设计［M］. 北京：化学工业出版社，2015.

[4] 金跃跃，刘昌祺，杨玮．物流仓储配送系统设计技巧450问［M］. 北京：高等教育出版社，2013.

[5] 曹建松．D公司自动化立体仓库设计研究［D］. 哈尔滨：哈尔滨工业大学，2019.

[6] 刘梦琪．P企业仓库自动化改造方案设计及评价研究［D］. 济南：山东大学，2020.

[7] 王遥．自动化立体仓库中智能穿梭车关键技术研究［D］. 天津：河北工业大学，2016.

[8] 明超．立体仓库巷道爬升货架AGV机械系统研究［D］. 青岛：山东科技大学，2021.

[9] 叶煌城．自动化立体仓库堆垛机的控制与设计研究［J］. 设备管理与维修，2022，521（12）：124-125.

[10] 肖艳霞．自动化立体仓库智能穿梭车设计及其运动学分析［D］. 合肥：合肥工业大学，2017.

[11] 杨金桥．“四向”穿梭车系统性能分析及配置优化研究［D］. 济南：山东大学，2021.

[12] Pan J C H，Shih P H，Wu M H，et al. A storage assignment heuristic method based on genetic algorithm for a pick-and-pass warehousing system［J］. Computers & Industrial Engineering，2015，81：1-13.

[13] Salah B，Janeh O，Noche B，et al. Design and simulation based validation of the control architecture of a stacker crane based on an innovative wire-driven robot［J］. Robotics and Computer-Integrated Manufacturing，2017，44：117-128.

[14] Marchet G，Melacini M，Perotti S，et al. Development of a framework for the design of autonomous vehicle storage and retrieval systems［J］. International Journal of Production Research，2013，51（14）：4365-4387.

[15] Mao J，Cheng J，Li X，et al. Modelling analysis of a four-way shuttle-based storage and retrieval system on the basis of operation strategy［J］. Applied Sciences，2023，13（5）：3306.

[16] 李晓波，饶丰，郭丽．子母穿梭车密集存储系统货位分配研究［J］. 制造业自动化，2020，42（06）：39-43.

[17] 尹军琪．穿梭车系统及其应用概述［J］. 物流技术与应用，2017，22（05）：98-100.

[18] 任芳．四向穿梭车市场前景看好［J］. 物流技术与应用，2020，25（03）：66-68.

[19] 顾涛．浅谈智能四向穿梭车系统及调度策略［J］. 物流技术，2020，39（03）：122-125+133.

[20] Matej B，Banu Y E，Aurelija B，et al. Multi-objective optimization model of shuttle-based storage and retrieval system［J］. Transport，2016，32（2）：120-137.

[21] 科纳普新一代穿梭系统EVO［J］. 物流技术与应用，2018，23（06）：161.

[22] Boysen N，De Koster R，Weidinger F. Warehousing in the e-commerce era：A survey［J］. European Journal of Operational Research，2019，277（2）：396-411.

[23] Del Popolo，Paolo. Device for the automatic storage of a load unit in a storage rail［P］. European Patent：08158789. 1.

[24] 姜伟，周琪，卞宏建．一种托盘式四向穿梭车：中国，CN202122438612. 7［P］. 2022-05-17.

[25] 四向穿梭车FLASH［DB/OL］. http：//www. galaxis-tech. com/index. php/solve/detail/25. html.

[26] 孙富奇．普罗格智芯：增储量-降成本-减错误-无忧提升仓储格局——专访普罗格智芯科技（湖北）有限公司副总经理刘一波［J］. 中国储运，2021，251（08）：68-69.

[27] 江宏．旷视打造智能四向穿梭车系统，推出新一代托盘柔性物流解决方案［J］. 物流技术与应用，2022，27（05）：76-80.

[28] 智能穿梭车系列［DB/OL］. https：//cnsotto. com/product/shuttle.

[29] Lerher T. Travel time model for double-deep shuttle-based storage and retrieval systems［J］. International Journal of Production Research，2016，54（9）：2519-2540.

[30] Jerman B，Ekren B Y，Küçükyaşar M，et al. Simulation-based performance analysis for a novel AVS/RS technology with movable lifts［J］. Applied Sciences，2021，11（5）：2283.

[31] Setiawan Y D，Nguyen T H，Pratama P S，et al. Path tracking controller design of four wheel independent steering automatic guided vehicle［J］. International Journal of Control，Automation and Systems，2016，14：1550-1560.

[32] Fernandes J，Silva F J G，Campilho R，et al. Intralogistics and industry 4. 0：Designing a novel shuttle with picking system［J］. Procedia Manufacturing，2019，38：1801-1832.

[33] Cao W，Zhang M. The optimization and scheduling research of shuttle combined vehicles in automatic stereoscopic warehouse [J]. Procedia Engineering，2017，174：579-587.

[34] 赵凌兴，仲梁维．基于 Flexsim 的智能仓储系统优化仿真 [J]. 软件导刊，2018，17 (04)：161-163.

[35] 张毓兰．面向成品粮仓的四向穿梭车结构设计与控制系统研究 [D]. 郑州：河南工业大学，2020.

[36] 刘瑞萍．四向穿梭车仓储系统调度优化研究 [D]. 吉林：吉林大学，2020.

[37] 杨光辉，陈园园，管树林，等．四向穿梭车智能化密集存储技术的研究与应用 [J]. 起重运输机械，2020，No. 568 (20)：85-88.

[38] 尹军琪．四向穿梭车机器人的技术与应用 [J]. 起重运输机械，2020，568 (20)：207-210.

[39] 陈光明，李祥森，骆敏舟，等．四向穿梭车的结构设计与分析 [J]. 现代制造技术与装备，2021，57 (04)：1-3.

[40] 王营，陈小二，盛杨，等．一种托盘式四向穿梭车：中国，CN202211264685.1 [P]. 2022-12-30.

[41] Vertical reciprocating lifts [DB/OL]. https：//www. nerak-systems. com/vertical/lifts/vertical-reciprocating-conveyors.

[42] Vertical handling system autolator [DB/OL]. https：//www. hokusho. co. jp/cn/standard _ vts. html.

[43] 许庆波，崔磊．一种新型往复式提升机．中国，201810072441.0 [P]. 2019-08-13.

[44] 陈龙，李玮，杨佳仕，等．往复式开合叉提升机．202020346367. X [P]. 2020-11-10.

[45] 彭太刚．双工位往复式提升机在文具行业的应用 [J]. 物流技术与应用，2014，19 (08)：119-121.

[46] 代志军．高速往复式提升机降噪设计 [J]. 天工，2019 (04)：130.

[47] 邹杰，刘晓婷，杜二超，等．升降机齿轮齿条接触的联合仿真分析 [J]. 机械传动，2013，37 (10)：69-71.

[48] 李小民，郭伟科，陈启愉，等．立体车库垂直升降系统结构仿真分析与优化 [J]. 机械研究与应用，2017，30 (03)：112-114+121.

[49] 王学军，普江华，陈明方．自动化生产线用同步带传动升降机的动态特性分析 [J]. 工程设计学报，2022，29 (02)：212-219.

[50] 张经天，马莹，翁迅，等．四向穿梭车系统的提升机调度优化 [J]. 北京邮电大学学报，2022，45 (01)：19-25+81.

[51] 王卓．东威公司自动化仓库改造方案研究 [D]. 兰州：兰州大学，2016.

[52] 郭恒发，李兴森．自动化立体仓库穿梭式货架的结构可拓设计 [J]. 广东工业大学学报，2022，39 (06)：123-129.

[53] 王婷．穿梭车式密集仓储系统资源配置优化研究 [D]. 西安：陕西科技大学，2019.

[54] 黄明杰，金桂根，崔普远，等．穿梭车式密集仓储系统技术与应用 [J]. 物流技术，2020，39 (06)：106-110.

[55] 李军涛，胡启贤，刘朋飞，等．跨层穿梭车双提升机系统多目标问题优化 [J]. 复杂系统与复杂性科学，2022，19 (04)：80-90.

[56] Lerher T. Aisle changing shuttle carriers in autonomous vehicle storage and retrieval systems [J]. International Journal of Production Research，2018，56 (11)：3859-3879.

[57] 王素玉，鹿国庆，曹冲振，等．基于全载荷的整体式立体仓库货架强度分析 [J]. 物流科技，2019，42 (03)：153-157.

[58] 货架行业：技术不断升级密集存储成为主流 [J]. 物流技术与应用，2018，23 (12)：84-85.

[59] 曹伟洁．四向多层穿梭车系统建模与优化研究 [D]. 济南：山东大学，2019.

[60] 宋佼蓉．四向穿梭车式密集仓储系统作业流程优化研究 [D]. 北京：北京邮电大学，2021.

[61] 戴警．智能穿梭车结构及其伺服控制系统的设计优化 [D]. 合肥：合肥工业大学，2018.

[62] 庞雄伟．基于模块化技术的智能移动机器人导航系统研究 [D]. 北京：北京工业大学，2015.

[63] 梁世友．双侧爬升货架 AGV 的控制系统研究 [D]. 青岛：山东科技大学，2021.

[64] 许贤琳．立体仓库中智能穿梭车的结构设计及可靠性分析 [D]. 北京：北京邮电大学，2015.

[65] 杨可桢，程光蕴，李仲生，等．机械设计基础 [M]. 6 版．北京：高等教育出版社，2013.

[66] Azadeh K，De Koster R，Roy D. Robotized and automated warehouse systems：Review and recent developments [J]. Transportation Science，2019，53 (4)：917-945.

[67] 段慧文．剪叉机构计算与虚位移原理 [J]. 演艺科技，2012 (05)：33-37+46.

[68] 陈超祥，胡启登．Solidworks Motion 运动仿真教程 2014 [M]. 北京：机械工业出版社，2014：1-2.

[69] 胡鑫．基于 PLC 控制的污水回注系统研究 [D]. 大庆：东北石油大学，2017.

[70] 高长宏．基于分数阶 PID 控制器的 AGV 控制系统设计 [D]. 成都：西华大学，2019.

[71] 黄伟鑫．带互联功能的嵌入式 PLC 扩展模块的设计与研究［D］. 广州：广东工业大学，2019.

[72] AGV 小车电池容量选型问题［DB/OL］. https：//www. sohu. com/a/418989840 _ 120808721.

[73] 邹丽，尹世琛．载车提升机关键件的选型对比分析［J］. 起重运输机械，2019，538（12）：33-36.

[74] 陈镜聪．一种电梯对重安全钳提拉机构的设计计算［J］. 中国新技术新产品，2022，473（19）：88-90.

[75] 谈伟荣．直驱电梯安全钳防坠装置的结构设计与仿真分析［D］. 兰州：兰州理工大学，2020.

[76] 马诗然，邹皓，杨云龙，等．电梯安全可靠性分析及安全管理对策［J］. 中国电梯，2022，33（24）：12-15＋63.

[77] Aikhuele D O，Ijele-Aikhuele G. Development of a hybrid reliability-centered model for escalator systems［J］. International Journal of System Assurance Engineering and Management，2022，13：1-11.

[78] Wang Z，Pang Y，Gan M，et al. Escalator accident mechanism analysis and injury prediction approaches in heavy capacity metro rail transit stations［J］. Safety science，2022，154：105850.

[79] 罗海军，洪永．电梯渐进式安全钳制动过程的有限元仿真［J］. 中国电梯，2022，33（17）：6-10.

[80] 曹小翠．电梯安全钳结构设计与运动仿真研究［J］. 中国高新区，2017（09）：16＋72.

[81] 李晓杰．移动货架仓库系统中货位分配和订单分批联合优化研究［D］. 北京：清华大学，2016.

[82] 李想．基于聚类分析的货位分配问题研究［D］. 辽宁：辽宁科技大学，2018.

[83] Cheng W，Zhuan W，Yu W. Techniques of automatic modeling for four-way-shuttle based storage and retrieval system based on flexsim［C］//MATEC Web of Conferences. EDP Sciences，2020，325：05003.

[84] Okumu F，Dnmez E，Kocamaz A F. A cloudware architecture for collaboration of multiple AGVs in in-door logistics：Case study in fabric manufacturing enterprises［J］. Electronics，2020，9（12）：2023-2047.

[85] 张玉梅．某制造企业生产物流系统优化设计［D］. 青岛：山东科技大学，2021.

[86] 麦克纳姆轮（麦轮）原理［EB/OL］. https：//blog. csdn. net/weixin _ 64064747/article/details/128693337.

[87] AGV 导航技术浅谈［EB/OL］. https：//zhuanlan. zhihu. com/p/353683044.

[88] 浅谈四种常见的 AGV 导航方式及各自的优缺点［EB/OL］. https：//www. bilibili. com/opus/ 806209187330654214.

[89] 杜健．基于数字化工厂的自动化立体仓库设计与仿真研究［D］. 广州：华南理工大学，2018.

[90] 曹冲振，王晶蕊，王凤芹，等．仓储 AGV 顶升结构设计与分析［J］. 智能计算机与应用，2020，10（3）：183-185，188.

[91] 曹冲振，曹美慧，王凤芹，等．基于机器视觉的货车位姿调整系统设计［J］. 智能计算机与应用，2020，10（2）：97-99，102.

[92] 秦珅，曹冲振，李赫，等．基于双向同步 A* 算法的 AGV 路径规划仿真研究［J］. 包装工程，2019，40（21）：159-166.

[93] 曹冲振，王晶蕊，王凤芹，等．整托啤酒的快速伸缩装车机研究［J］. 物流技术，2019，38（10）：120-125.

[94] 曹冲振，梁世友，王凤芹，等．基于伸缩装车机的整托啤酒快速装车系统效率仿真分析［J］. 物流技术，2019，38（9）：145-149.

[95] 曹冲振，曹美慧，徐杰，等．多节伸缩装车机相关计算理论研究［J］. 包装工程，2019，40（17）：182-186.

[96] 曹冲振，王洪祥，王凤芹，等．AGV 的设计计算和不平路况下运行稳定性的仿真分析［J］. 物流技术与应用，2019（4）：128-131.

[97] 曹冲振，李赫，王凤芹，等．某立体仓库堆垛机利用率仿真分析［J］. 物流技术，2019（3）：117-120.

[98] 王素玉，鹿国庆，曹冲振，等．基于全载荷的整体式立体仓库货架强度分析［J］. 物流科技，2019（3）：153-157.

[99] 曹冲振，秦珅，王凤芹，等．基于 EIQ-ABC 的自动化仓库区域规划与物流量分析［J］. 物流技术与应用，2018（12）：170-175.

[100] 曹冲振，徐昊昊，王凤芹，等．一种配置有可攀爬引导运输车的立体货架仓储系统：ZL 2021 1 0669464.1［P］. 2023-06-16.

[101] 曹冲振，明超，王凤芹，等．一种 AGV、自动化仓储装置及工作方法：ZL CN201911060154.9［P］. 2021-02-21.

[102] 曹冲振，明超，王凤芹，等．一种 AGV 式自动化仓储装置及其应用：ZL CN201911060908.0［P］. 2021-02-28.

[103] 王寒里，朱秀丽，等．工业仿真软件 MIOT. VC 培训教程基础篇［M］. 北京：机械工业出版社．2023.